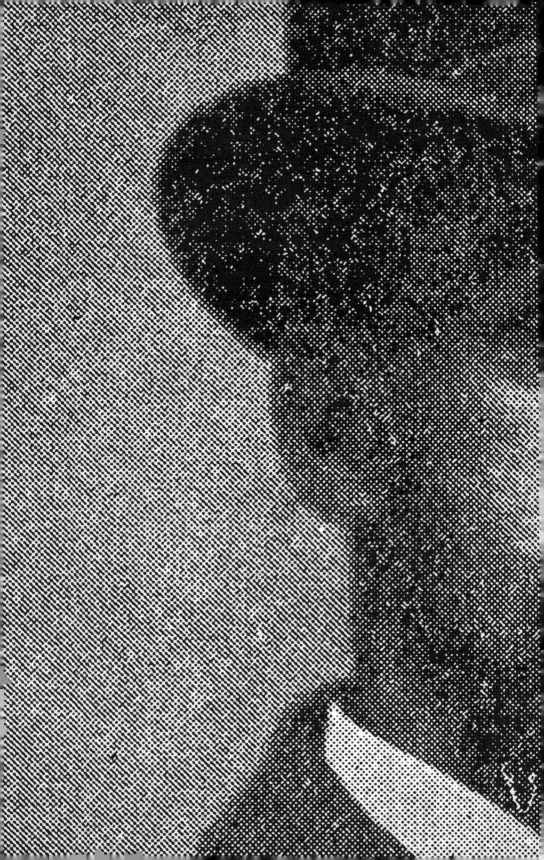

HERMAN WEBSTER MUDGETT

alias H. H. HOLMES.
CHICAGO

CRIME SCENE
DARKSIDE

DEPRAVED
Copyright © Harold Schechter, 1994
Todos os direitos reservados.

Tradução para a língua portuguesa
© Eduardo Alves, 2020

Diretor Editorial
Christiano Menezes

Diretor Comercial
Chico de Assis

Gerente Comercial
Giselle Leitão

Editores
Bruno Dorigatti
Lielson Zeni
Marcia Heloisa
Raquel Moritz

Editora Assistente
Nilsen Silva

Projeto Gráfico
Retina 78

Designers Assistentes
Arthur Moraes
Sergio Chaves

Finalização
Sandro Tagliamento

Revisão
Marlon Magno
Retina Conteúdo

Impressão e acabamento
Gráfica Geográfica

DADOS INTERNACIONAIS DE CATALOGAÇÃO NA PUBLICAÇÃO (CIP)
Angélica Ilacqua CRB-8/7057

Schechter, Harold
 H. H. Holmes – Maligno : o psicopata da cidade branca / Harold Schechter ; tradução de Eduardo Alves. -- Rio de Janeiro : DarkSide Books, 2020.
 432 p.

 ISBN: 978-65-5598-009-7
 Título original: Depraved

 1. Homicidas em série 2. Mudgett, Herman W., 1861-1896 3. Psicopatas I. Título II. Alves, Eduardo

20-2168   CDD 364.1523

Índices para catálogo sistemático:
 1. Homicidas em série

[2020]
Todos os direitos desta edição reservados à
DarkSide® Entretenimento LTDA.
Rua Alcântara Machado 36, sala 601, Centro
20081-010 — Rio de Janeiro — RJ — Brasil
www.darksidebooks.com

**A HISTÓRIA VERDADEIRA
DO PSICOPATA DA CIDADE BRANCA**

TRADUÇÃO EDUARDO ALVES

DARKSIDE

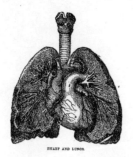
HEART AND LUNGS.

HAROLD SCHECHTER
H.H. Holmes
MALIGNO
1861 1896

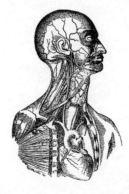
BRAIN.

SUMÁRIO

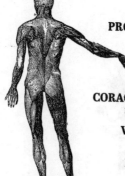
BACK MUSCLES.

PRÓLOGO MALIGNO 15
EVIL PROLOGUE

PARTE 1

CORAÇÃO EM CHAMAS 25
HEART ON FLAMES

VIDAS CRUZADAS 33
CROSSED LIVES

PLANO SECRETO 39
SECRET PLAN

DO INFERNO 45
FROM HELL

DE PAI PARA FILHO 49
FATHER TO SON

CASTELO MACABRO 53
MACABRE CASTLE

PARTE 2

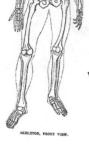
SKELETON, FRONT VIEW.

INVENÇÃO DO MAL 63
INVENTING EVIL

AMOR NATIMORTO 69
STILLBORN LOVE

VERDADE ANATÔMICA 75
ANATOMICAL TRUTH

AMIZADE DOURADA 79
GILDED FRIENDSHIP

FEIRA MUNDIAL 85
WORLD'S FAIR

93 **TUDO MENTIRA**
ALL LIES

99 **MALDADE SEDUTORA**
SEDUCTIVE EVIL

PARTE 3

107 **FUGA PELOS EUA**
ESCAPE THROUGH THE USA

113 **O BANDIDO BONITÃO**
HANDSOME ROBBER

119 **BECO PARA A MORGUE**
SHORTCUT TO THE MORGUE

127 **ACERTO COM O DIABO**
DEAL WITH THE DEVIL

133 **NINGUÉM NA SALA**
EMPTY ROOM

137 **CADÁVER PROSTRADO**
CORPSE ON THE FLOOR

143 **SURPRESA MALIGNA**
GHASTLY SURPRISE

149 **MOTIVOS OCULTOS**
HIDDEN AGENDA

155 **OUTRAS VIAGENS**
TRAVELLING AWAY

161 **CARTAS E TRENS**
LETTERS AND LINES

169 **CAMINHO SEM VOLTA**
POINT OF NO RETURN

MUSCLES OF ARM AND HAND.

ELBOW JOINT.

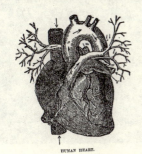

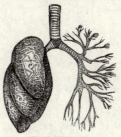

CRIANÇAS EM RISCO CHILDREN AT RISK	175	**O AROMA DA MORTE** SCENT OF DEATH	289
JORNADA MACABRA GRIM JOURNEY	181	**CORPO NO BAÚ** CORPSE IN A TRUNK	297
O FORNO DIABÓLICO SATANIC FLAMES	189	**O HOTEL DO INFERNO** HOTEL FROM HELL	305
CONFISSÃO POR CARTA WRITTEN CONFESSION	197	**ÁRDUA BUSCA** HARD CHASE	319
CAÇADA AO MALIGNO MANHUNT FOR THE DEVIL	203		

PARTE 5

331	**MEMÓRIAS DO MAL** MONSTROUS MEMORIES
341	**OLHOS NO TRIBUNAL** ALL EYES ON COURT
353	**ADVOGADO DO DIABO** DEVIL'S ADVOCATE
363	**PROVAS CABAIS** UNEQUIVOCAL EVIDENCE
371	**A VITÓRIA DO MAL** THE TRIUMPH OF EVIL
379	**DERROTA DO MAL** THE FALL
389	**SENTENÇA FATAL** DEATH SENTENCE
397	**PALAVRAS DIABÓLICAS** DIABOLICAL WORDS
407	**A MORTE DO MAL** EVIL DIES
417	**EPÍLOGO MALIGNO** EVIL EPILOGUE
425	**FONTES, PESQUISAS** E AGRADECIMENTOS

DETETIVES EM AÇÃO DETECTIVES IN ACTION	213
MENSAGEM SOMBRIA MORBID MESSAGE	221

PARTE 4

PRIMEIRA CONFISSÃO THE FIRST CONFESSION	229
GOLPE MORTAL FATAL BLOW	239
MARCAS DO MAL TOUCH OF EVIL	247
O DIÁRIO DO MALIGNO DIARY OF A MONSTER	255
OUTRA CONFISSÃO ANOTHER CONFESSION	259
O CÓDIGO DO INFERNO HELL'S CODE	265
NO RASTRO DO MAL CHASING EVIL	273
A VERDADE DESPONTA TRUTH EMERGES	277
NATUREZA MALIGNA NATURAL BORN KILLER	283

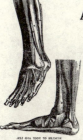
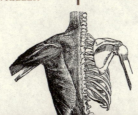

Em memória de
Mildred Voris Kerr

O "eu", que há em todos nós, oculto,/ assusta muito mais,/ E o matador escondido no quarto,/ Dos horrores, é o menor. — **EMILY DICKINSON**

CRIME SCENE: PROFILE

PRÓLOGO MALIGNO
EVIL PROLOGUE

> Quanta injustiça e quanta maldade não cometemos por hábito!
> — TERÊNCIO, *dramaturgo e poeta romano* —

Dentre os predadores humanos que existiram em todos os períodos da história, poucos viraram lendas. De Gilles de Rais (o Barba-Azul original) a Jack, o Estripador, e Ted Bundy, esses seres adquirem o status de mito. Esse status deriva em parte da natureza hedionda dos crimes, que se parecem mais com a obra de algum terror sobrenatural do que com o fruto da loucura — atos de demônios ou espíritos malignos.

Mas suas dimensões míticas também têm origem em outra fonte. Esses indivíduos fascinam porque parecem simbolizar os impulsos mais obscuros de suas épocas — depravação aristocrática, a sexualidade doentia gerada pelos tabus vitorianos, os apetites sociopáticos da nossa própria "cultura do narcisismo". Tanto quanto qualquer herói ou celebridade, tais monstros personificam seus dias. Em seu livro *Homens Representativos* (Imago, 1996), Ralph Waldo Emerson argumenta que a essência divina se incorpora em figuras extraordinárias — Platão, Shakespeare, Napoleão. Atos de seres como de Rais, Jack, Bundy e outros, sugerem que o mal primordial também.

No último quarto do século XIX, um monstro vagava pelos Estados Unidos.

Sua carreira coincidiu com uma época extraordinária na vida daquela nação — com a era de empreendedorismo febril e excessos espalhafatosos que Mark Twain apelidou de "A Era Dourada". Esforços titânicos estavam em andamento por toda a nação. Foi um período de mudanças sociais abrangentes, quando aquele país desabrochava para se transformar em um gigante industrial e comercial, e a feitiçaria tecnológica norte-americana — o telefone de Bell, a lâmpada de Edison, a "carruagem sem cavalos" de Ford — estava alterando a própria natureza da vida moderna.

Acima de tudo, foi uma era em que o todo-poderoso dólar reinava como nunca antes e uma "mania de ganhar dinheiro" (nas palavras de Mark Twain) dominava a alma dos Estados Unidos. No lugar dos ídolos militares da Guerra Civil, a sociedade agora venerava uma nova estirpe de heróis — o milionário que enriqueceu por conta própria, o capitão da indústria, o magnata das finanças. P. T. Barnum promovia "As Regras para o Sucesso", Andrew Carnegie pregava "O Evangelho da Riqueza" e Horatio Alger inspirou a juventude dos Estados Unidos com seus sonhos "da pobreza à riqueza".

...foi uma era em que o todo-poderoso dólar reinava como nunca antes e uma "mania de ganhar dinheiro" (nas palavras de Mark Twain) dominava a alma dos Estados Unidos.

Famintas pela própria fatia desse sonho, gigantescas ondas humanas alastraram-se pelas cidades, expandindo a população a quantidades sem precedentes. Os Estados Unidos, outrora um país de pequenas cidades, vilarejos e fazendas, se tornaram a terra das metrópoles — Nova York, Pittsburgh, Cleveland, Detroit. Mas, de todas as cidades em expansão, nenhuma simbolizava o espírito da época — o crescimento expansivo, a energia pura e a ambição estimulante — de maneira mais plena do que Chicago, a "joia da pradaria", a "cidade mais norte-americana dos Estados Unidos", como um visitante maravilhado a descreveu.

Reduzida às cinzas pelo grande incêndio de 1871, Chicago se ergueu de volta à vida como uma fênix, se tornou a primeira cidade do mundo com um arranha-céu em 1885 e ultrapassou a marca de 1 milhão de habitantes 5 anos depois. Esbanjando vigor, inebriada pelo orgulho, repleta de oportunidades — "abatedouro de suínos, ferramentaria, celeiro de trigo, negociadora de ferrovias e cargueiro da nação" — Chicago era como um ímã colossal, atraindo recém-chegados aos milhares.

Saindo aos montes do interior em busca de uma vida melhor, esses esperançosos transbordavam de coragem e ambição. "Como poderia alguém louvar, quanto mais sugerir, uma cidade tão grandiosa em espírito quanto esta?", exaltou

Theodore Dreiser, ele próprio parte da legião de sonhadores "famintos por vida" que se enxamearam para Chicago. "O estadunidense dessa época, nativo, em grande parte, das infindáveis comunidades do interior, era ignorante e grosseiro. Mas como era ambicioso e corajoso! Tamanha presunção! Tamanha convicção!"

E havia ainda outra qualidade que essas multidões migratórias tinham. Eram cheias de inocência. Recém-saídas das províncias, sabiam pouco da corrupção e perigos da cidade grande, de sua faceta sombria e brutal.

Pois junto dos milhares de trabalhadores esforçados, a cidade atraiu um tipo muito diferente de morador — criaturas atraídas para a metrópole não pelas promessas cintilantes, mas pelas sombras que ocultam; não por trabalho à disposição, mas pela abundância de presas; não pela fome de sucesso, mas pelo cheiro de sangue.

Para um homem de apetite monstruoso, Chicago era uma terra de fartura. Não é de espantar, então, a cidade ter se tornado o lar do criminoso mais abominável da época. Após ter se deslocado para o oeste saindo de sua terra natal, na Nova Inglaterra, ele chegou à metrópole em 1886 e, ao considerá-la ideal para seus propósitos, se estabeleceu nos subúrbios.

Aos olhos de todos, era um homem quintessencial de seus dias, imbuído do vigor prodigioso característico daquela era agitada. Médico, farmacêutico, inventor, criador de esquemas para enriquecer depressa, ele se dedicou a fazer fortuna.

Mas ganância não era o que o motivava. Nem toda a fortuna de J. P. Morgan poderia ter satisfeito suas compulsões mais sombrias.

Em um subúrbio próspero de Chicago, erigiu sua fortaleza, lugar tão imponente a sua própria maneira quanto o empório deslumbrante de Marshall Field ou os domos e pináculos cintilantes da Feira Mundial de Chicago — "a Grande Cidade Branca", que iria se erguer às margens do lago Michigan poucos anos após a chegada do monstro. De construção maciça, e com ameias e torreões abundantes, a estrutura era lugar de negócios e também residência, embora sua aparência lembrasse uma fortaleza medieval. De modo apropriado, ficou conhecida como "Castelo".

Para os residentes da vizinhança, o Castelo era fonte de orgulho, um símbolo da preeminência e prosperidade de seu subúrbio vicejante. Aqueles que foram atraídos para seu interior, contudo, e que vislumbraram os segredos mais sombrios do lugar, tiveram uma impressão bem diferente. Mas nenhum deles viveu para revelar o que havia por trás da esplêndida fachada.

A discrepância entre a aparência externa e a realidade interna refletia a natureza do próprio dono. Mas, nesse sentido, também, o senhor do Castelo era um homem representativo de seus dias. Afinal de contas, ao retratar sua época não como uma era de ouro, mas como uma era dourada, Mark Twain tivera a intenção de enfatizar seu caráter enganoso.

Claro, Mark Twain nunca poderia ter imaginado um lugar como o Castelo. Theodore Dreiser também não, apesar de seu profundo entendimento da faceta sórdida da cidade. Seria necessário um escritor com imaginação bastante diferente para conceber tal lugar. Teria sido necessário alguém como Edgar Allan Poe.

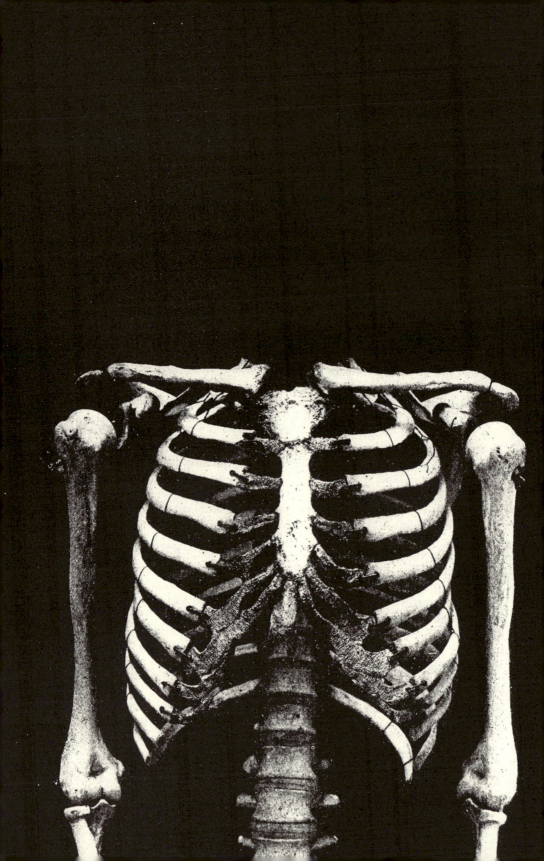

Quando os investigadores afinal invadiram o Castelo, ficaram chocados com o que encontraram — um labirinto gótico de alçapões, passagens secretas, câmaras à prova de som e salas de tortura. E ainda havia as canaletas lubrificadas — grandes o bastante para acomodar um corpo humano —, que desciam dos aposentos até o porão equipado com tanques de ácido, crematório, mesa de dissecação e estojos cheios de brilhantes instrumentos cirúrgicos.

Assim que o verdadeiro caráter do dono do Castelo veio à luz, o público se esforçou para compreendê-lo. Alguns viram nele as consequências malignas da voracidade da Era Dourada, outros o diagnosticaram como um caso de "degeneração moral", e havia aqueles que falavam em termos de possessão satânica. Não familiarizados até então com a linguagem da sociopatologia, o público estadunidense era apenas capaz de caracterizá-lo com a terminologia da época — o Inimigo, monstro, demônio. Eles não conheciam outra maneira de descrevê-lo, visto que o rótulo correto ainda não tinha sido inventado.

Em aparência, modos e intelecto, ele era o epítome de sua era. Porém, em relação a sua psicopatologia, de fato foi um homem da nossa época. E, por essa razão, ele é de alguma importância histórica.

Uma antiga edição do *Livro Guinness dos Recordes* o lista como "o assassino mais prolífico conhecido na história criminal recente". Na era de Henry Lee Lucas e John Wayne Gacy, esse recorde já foi quebrado há muito tempo. Mas ele detém outra distinção que o tempo nunca poderá apagar.

Seu nome era Herman Mudgett, embora o mundo o conhecesse como H. H. Holmes — e esse homem maligno foi o primeiro assassino em série dos Estados Unidos.

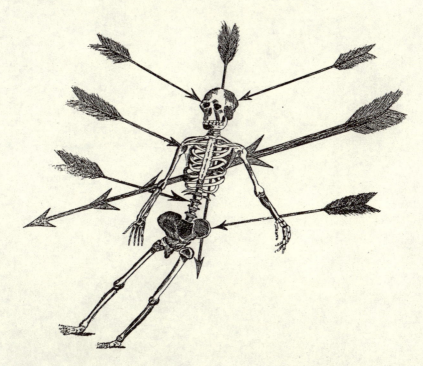

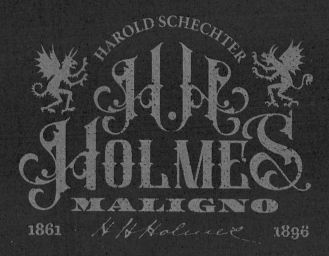

PARTE 01

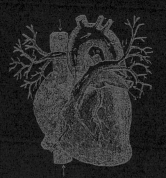
HUMAN HEART.

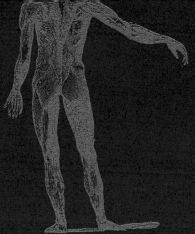
BACK MUSCLES.

BODY MUSCLES.

MUSCLES OF FOOT AND LEG.

HAND AND WRIST.

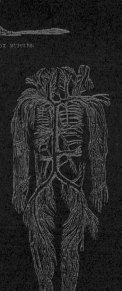
VEINS OF THE BODY.

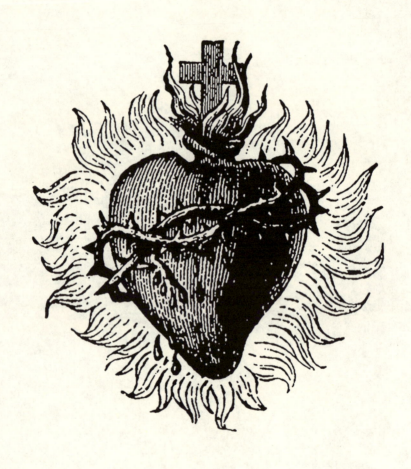

CAPITULUM

CRIME SCENE: PROFILE

CORAÇÃO EM CHAMAS

01. HEART ON FLAMES

> Sobre seis dezenas de pináculos o sol estivera reluzente, /
> Onde ninguém era banhado pelo lívido sol nascente. / Homens davam-se
> as mãos e entoavam de repente: / "Está morta a Cidade do Ocidente!"
> — JOHN GREENLEAF WHITTIER, *Chicago* —

A lenda coloca a culpa pelo desastre em uma vaquinha que era da sra. Patrick O'Leary,[1] embora os suspeitos mais prováveis fossem jovens vândalos — garotos da vizinhança fumando escondidos no palheiro do celeiro decrépito dos O'Leary no número 137 da De Koven Street, na zona oeste de Chicago. Também havia outras explicações: em tom moralista sobre a catástrofe, o reverendo Granville Moody declarou que aquilo foi, sem dúvida, a obra de um Senhor vingativo, indignado com o povo que permite que bares funcionem no sabá.

---

[1] Após o Grande Incêndio de Chicago, um repórter do *Chicago Tribune* publicou um artigo alegando que a conflagração se dera após a vaca da família O'Leary ter chutado uma lamparina enquanto era ordenhada, incendiando assim a palha no celeiro. Contudo, o mesmo repórter mais tarde veio a admitir que inventara a história. [NT]

Qualquer que tenha sido a causa, o acidente ou a punição divina, a conflagração — que começou ao entardecer do domingo, 8 de outubro de 1871 — devastou a cidade em pouco mais de 24 horas. A zona oeste foi a primeira. Olhando pela janela do quarto, um vizinho viu as chamas se erguerem do celeiro dos O'Leary e foi direto ao poste de alarme de incêndio mais próximo. Mas, por motivos desconhecidos, seu alerta não foi registrado. Uma hora inteira se passou antes que um vigia, de seu posto no topo do Tribunal de Justiça do Condado de Cook, vislumbrasse um brilho — e mais tempo ainda foi perdido quando ele avisou o batalhão errado do corpo de bombeiros, por calcular mal a localização do incêndio.

Quem respondeu à sua chamada foi uma equipe exausta, exaurida depois de enfrentar múltiplos incêndios que se espalharam na noite anterior. Quando chegaram à residência dos O'Leary, o incêndio avançava para o norte através da vizinhança, uma confusão de choupanas, barracões, estábulos e cabanas da classe operária. Às 22h, quando as chamas incendiaram o campanário de madeira da Igreja de St. Paul, na esquina da Clinton com a Mather, era oficial: o incêndio estava fora de controle.

Quando a meia-noite chegou e o incêndio se alastrou para o leste, e adentrou o bairro comercial no centro da cidade, o resultado foi catastrófico.

Qualquer esperança de que o rio Chicago pudesse impedir o progresso do incêndio se perdeu pouco antes da meia-noite, quando as chamas pularam a água, impulsionadas pelo vento seco com força de vendaval, tão violento quanto a explosão das forjas de Vulcano. O prédio da Parmalee Stage and Omnibus Company — estrutura novinha em folha, de três andares, que ocupava um quarteirão inteiro — foi engolfado em instantes por um "arrebatador oceano de chamas" (nas palavras de uma testemunha ocular).

Apesar das reivindicações de grandeza, Chicago era, na verdade, uma cidade inflamável. Quase dois terços de seus 65 edifícios eram de madeira, e até mesmo as estruturas mais imponentes, não passavam de prédios desse material com frágeis fachadas de tijolos ou imitação de mármore. Seus cortiços eram abarrotados de construções de tábuas, enquanto os lares opulentos ostentavam pisos, caixilhos de janela e telhados, além de asseadas cercas, tudo de madeira rodeando os terrenos. As principais vias públicas do centro da cidade eram pavimentadas com blocos de pinheiro, e mais de mil quilômetros de calçadas consistiam em tábuas. Navios de madeira encontravam-se ancorados no rio Chicago, atravessado por pontes de madeira.

Havia algumas pessoas em Chicago que — condenando-a como "uma cidade de intermináveis pinheiros, tábuas, impostores e farsantes" — tinham avisado sobre o perigo em potencial. A situação se tornara ainda mais perigosa devido à pior seca dos últimos tempos. Desde o dia 3 de julho, choveu menos de 8 cm de água em Chicago, mais ou menos um quarto da quantidade habitual. O tempo seco e material inflamável onipresente contribuíram para a combinação explosiva.

Quando a meia-noite chegou e o incêndio se alastrou para o leste, e adentrou o bairro comercial no centro da cidade, o resultado foi catastrófico.

Um por um, os edifícios mais imponentes da cidade tombaram — o Palmer House e o Grand Pacific Hotel, o Teatro McVicker e a Crosby's Opera House, o deslumbrante empório Field and Lieter, e o prédio de pedra supostamente à prova de fogo do *Chicago Tribune*. "Por toda parte", escreveu um repórter sobre a cena calamitosa, "poeira, fumaça, chamas, calor, estrondos de paredes caindo, estalos do incêndio, o sibilar de água, o resfolegar dos carros de bombeiro, gritos, zurros de trompetes, vento, tumulto e alvoroço." Quando o pesadelo chegou ao fim, todos os hotéis, teatros, redações, fábricas, lojas, prédios governamentais e bancos do bairro comercial não existiam mais — reduzidos a cinzas ou a estruturas escuras.

A maior perda de todas, contudo, foi a do Tribunal de Justiça, totalmente destruído. O prejuízo foi de 1 milhão de dólares. O prédio era a atração da cidade, onde o corpo de Abraham Lincoln fora velado. Seu sino de 5 toneladas dobrara em inúmeras cerimônias cívicas e soara o alarme quando o incêndio começara. Às 2h15, com a cúpula em chamas, o enorme sino se espatifou no porão e a queda trovejante pareceu soar a badalada fúnebre para a cidade.

Àquela altura, as chamas já tinham avançado pela ponte State Street e aberto caminho para a zona norte, o bairro residencial mais próspero da cidade, lar das majestosas mansões da elite de Chicago — os McCormick, Tree, Kinzy, Arnold, Rumsey e Ogden. Muito antes de o sol nascer, seus esplêndidos lares tornaram-se ruínas fumegantes. O edifício neoclássico da Sociedade Histórica de Chicago, que abrigava, entre outros tesouros, a bengala do presidente Lincoln e o rascunho original da Proclamação da Emancipação, também fora consumido.

A balbúrdia reinava. Com ondas enormes de chamas avançando contra elas, hordas desvairadas — pelo menos 75 mil pessoas, das 335 mil residentes da cidade — saíram às ruas em fuga desesperada. A situação se tornou ainda mais assustadora devido ao total colapso da ordem social, conforme grupos de bandidos e quadrilhas assolavam a cidade, saqueando casas, prédios de escritórios e lojas, e assediando cidadãos dominados pelo pânico.

A população desesperada buscou a ajuda de Allan Pinkerton e de uma força especial de homens de sua famosa agência de detetives para combater essa bagunça desenfreada. Mas nem a "Polícia Preventiva" de Pinkerton, nem as tropas do exército dos Estados Unidos, enviadas sob o comando do general Philip Sheridan, puderam fazer muita coisa para impedir a pilhagem.

Sheridan teve mais sucesso na luta contra o incêndio em si. Por ordem sua, diversos blocos de casas foram detonados com pólvora, o que impediu o incêndio de se alastrar para a zona sul.

Apenas na noite de segunda-feira, contudo, que a maré mudou, graças a súbita mudança no tempo, que pareceu, aos residentes sitiados, ato da Providência. Por volta das 23h daquela noite, o vento morreu e uma garoa fria começou. Às primeiras horas da terça-feira, a chuva caía contínua, extinguindo as chamas que restavam.

As cenas de devastação que saudaram os sobreviventes quando o dia raiou eram quase amplas demais para se compreender. O centro vital da metrópole fora transformado em uma desolação carbonizada e fumegante. Em uma área de mais ou menos 1,5 km de largura e 6,5 km de comprimento, mais de 1.700 edifícios tinham sido devastados por completo ou reduzidos a paredes chamuscadas e destroços.

A incineração do centro da cidade foi tão completa que (como um historiador relatou) quando alguns turistas subiram no teto do ônibus, para uma visão melhor das ruínas, eles "olharam através das ruas principais da zona sul — pelo que fora o coração do bairro comercial — e viram homens em pé no terreno a 5 km de distância".

O Grande Incêndio de Chicago — "A Maior Calamidade da Nossa Era", como os jornais logo o batizaram — virou notícia ao redor do mundo e inspirou grande movimentação internacional de compaixão e apoio. Vinte e nove países contribuíram e doaram quase 1 milhão de dólares. Nos Estados Unidos, dinheiro e materiais vieram de todas as partes da nação. A cidade de Nova York doou 600 mil dólares, o presidente Ulysses Grant enviou um presente pessoal de mil dólares, os garotos entregadores de jornais de Cincinnati ofereceram dois dias de seus salários. As funcionárias da Faculdade Feminina de Ohio doaram 60 conjuntos de roupas íntimas femininas, enquanto os cidadãos de Curlew, Nebraska, ofereceram lotes de terra gratuitos para qualquer cidadão de Chicago que desejasse se reassentar por lá.

Os cidadãos de New Hampshire também contribuíram. Com grande parte do equipamento de combate a incêndios de Chicago avariado ou destruído, a Amoskeag Manufacturing Company de Manchester, enviou de imediato um carro de bombeiros novo em folha para ajudar a proteger a cidade.

Claro, nem todos em New Hampshire souberam do desastre de imediato. Os residentes das grandes cidades do nordeste — Nova York, Boston, Filadélfia — receberam notícias sobre o incêndio enquanto as chamas ardiam, mas as notícias demoraram mais tempo para alcançar o interior.

As ruínas de Chicago esfriaram antes que as novidades chegassem a Gilmanton Academy, povoado minúsculo com caráter que mudou pouco desde a fundação, em 1794, da venerável instituição em cuja homenagem a vila foi batizada. Aninhada entre as colinas Suncook, na parte sul da região dos lagos de New Hampshire, a Gilmanton Academy era (nas palavras do homem que se tornaria seu nativo mais mal afamado) "tão afastada do mundo exterior que [...] jornais diários eram raros e quase desconhecidos". Até mesmo as grandes notícias, como o incêndio de Chicago, demoravam a chegar à pequena comunidade rural, em grande parte pelo intermédio de "jornais semanais e alguns periódicos".

Porém, assim que os aldeões foram informados da catástrofe, ficaram tão famintos por detalhes quanto o restante do país. Aos estudantes, em especial, a imolação da distante cidade grande se parecia com um dos lendários cataclismos dos tempos antigos — o incêndio de Roma ou o sepultamento de Pompeia.

Um aluno de 11 anos de idade de Gilmanton ficou ainda mais fascinado pelas histórias sobre a destruição de Chicago do que seus colegas de escola. Seu nome era Herman, um menino de constituição franzina, olhos azuis e cabelo castanho, com modos peculiares e desinibidos de adulto, que não revelavam nada de seu profundo transtorno emocional.

Desde o começo da infância, ele fora submetido às brutalidades regulares do pai, disciplinador severo que brandia o bastão com mão impiedosa. A mãe era mulher devota e submissa, incapaz de proteger o menino das crueldades do marido. Embora Herman tivesse aprendido a declarar sua devoção filial, detestava ambos os pais e sonhava ansioso com a morte deles. Ao ouvir a respeito do Grande Incêndio, os imaginou presos pelas chamas infernais, a carne consumida, os ossos reduzidos a cinzas. Ansiava em se ver livre dos pais, se não com a morte deles, então por eventual fuga.

Mesmo aos 11, ele sabia que sua determinação e inteligência exigiam uma esfera de operação muito maior do que New Hampshire era capaz de oferecer.

Mesmo aos 11, ele sabia que sua determinação e inteligência exigiam uma esfera de operação muito maior do que New Hampshire era capaz de oferecer. Todos comentavam sobre sua sagacidade. "Um menino com bastante juízo", diziam os vizinhos. "Um rapaz de futuro."

Em parte por causa da estatura delicada, mas também por causa de seu sucesso na escola, Herman era com frequência perseguido pelos garotos mais velhos da cidade, sobretudo quando mais novo.

Um episódio em particular permaneceu com ele pelo resto da vida. Aconteceu quando Herman tinha cinco anos e começou a frequentar a escola.

O caminho até a escola passava pela porta da frente do médico do vilarejo, que quase nunca estava fechada. Do interior escuro vinham os pungentes odores medicinais, associados na mente do pequeno Herman com as panaceias repugnantes que era forçado a beber sempre que ficava doente. Em parte por isso e em parte por conta de histórias sombrias que ouvira de seus colegas de escola (de acordo com boatos, os armários do médico guardavam uma coleção de cabeças humanas e membros amputados conservados em formol), o consultório assumia uma dimensão aterrorizante na imaginação do jovem Herman.

Um dia, tendo descoberto o pavor de Herman pelo lugar, dois de seus colegas de escola mais velhos o emboscaram enquanto o médico estava fora e o arrastaram, com luta e choro, pela terrível soleira da porta.

Através das lágrimas, Herman distinguiu um espectro medonho — um esqueleto de olhar malicioso pairando nas sombras como demônio saído do túmulo. Os gritos do menino se transformaram em berros enlouquecidos de pavor, o que apenas incitou mais seus atormentadores. Eles o puxaram cada vez mais para perto do esqueleto que assomava diante dele, que parecia estender as mãos ossudas, como se quisesse agarrar o garoto em abraço fatal.

O médico retornou para o consultório nesse instante, apressado, e, avaliando a situação em um único olhar, gritou com os dois valentões, que soltaram Herman e correram porta afora, deixando o garoto histérico, engasgado e em soluços, aos pés do espécime em exposição.

Por mais irônica que pareça, foi a essa experiência traumática que Herman mais tarde atribuiu seu interesse em anatomia. Aos 11 anos, ele já fazia experimentos médicos secretos — primeiro em salamandras e rãs, depois coelhos, gatos e cachorros de rua. Preferia fazer suas operações em criaturas vivas e adquiriu habilidade em incapacitar as cobaias sem matá-las. Às vezes, guardava uma parte especial — o crânio de um coelho ou a pata de um gato. Seu tesouro era armazenado em uma caixa de metal, escondida no porão de casa.

Herman nunca mostrou seus tesouros a ninguém, pois não havia uma pessoa com quem gostaria de compartilhá-los. Por breve período durante a infância, chegou a ter um amigo próximo — um garoto mais velho chamado Tom, que morreu em circunstâncias trágicas: caiu de um patamar do andar superior enquanto ele e Herman exploravam uma casa abandonada.

Herman nunca sentiu falta de Tom. Ele preferia sua solidão, que lhe proporcionava tempo para planejar, tramar e sonhar com o dia em que por fim iria embora de New Hampshire para sempre.

Devido à sua enorme motivação e ambição, foi apenas questão de tempo até realizar seu objetivo. Logo, deixaria o passado para trás e faria sua jornada em rota tortuosa até a metrópole restaurada de Chicago, e lá se tornaria parte permanente da tradição da cidade.

Em uma florescente vizinhança na zona sul, ele construiria uma residência lendária. Os agentes de Allan Pinkerton, que tentaram com tanta obstinação manter a ordem cívica no auge da Grande Conflagração, viriam a considerá-lo um de seus inimigos mais formidáveis. E, graças a ele, Chicago mais uma vez se encontraria nas primeiras páginas dos jornais de toda a nação — agora não como o local da "Maior Calamidade da Nossa Era", mas como lar do "mais maligno criminoso do século".

3 Court House. 4 Post Office. 5 First National Bank 6 Second Presbyterian Church 7
13 4th Avenue 11 Knight's Block, Harrison Street
14 Dearborn Street

CHICAGO, AS SEEN AFTER THE GREAT CONFLAGRATION.

CRIME SCENE: PROFILE

VIDAS CRUZADAS

02. CROSSED LIVES

> Localizada 3,5 m acima do nível do lago, com sistemas perfeitos de água, esgoto e gás, e excelentes departamentos de polícia e brigadas de incêndio, Englewood combina todas as conveniências da cidade com a atmosfera fresca e saudável do campo [...] Temos mais empreendedores e menos "malandros" do que qualquer outro subúrbio do país.
> — *Catálogo de Englewood*, 1882 —

A farmácia do dr. E. S. Holton ficava localizada na esquina da Wallace Street com a Sessenta e Três no florescente bairro comercial de Englewood, Illinois, um subúrbio próspero logo ao sul dos limites da cidade de Chicago. Em um dia quente de matar em julho de 1886, o próprio dono, atormentado pelo câncer de próstata, gemia deitado no calor de seu quarto no segundo andar, enquanto sua esposa de 60 anos e futura viúva, dava duro no andar de baixo.

Os negócios melhoravam. Em circunstâncias normais, o fluxo constante de fregueses seria uma ocorrência bem-vinda. Com as coisas do jeito que estavam — o marido com doença grave e ninguém para ajudar na loja —, a sra. Holton estava sobrecarregada a ponto de desmoronar.

O recente aumento nos negócios dava-se em parte graças ao clima: o calor exaustivo do auge do verão causara uma corrida pela procura de elixires revigorantes, como o Tônico de Gengibre de Parker e a Salsaparrilha de Ayer. Mas a principal razão para a prosperidade do comércio de Holton era o acentuado crescimento da própria Englewood.

Três anos antes do Grande Incêndio, a população inteira de Englewood consistia em pouco mais de vinte famílias. Em 1882, quase 2 mil cidadãos de Chicago tinham se restabelecido no remoto subúrbio verdejante. Ao final da década, o *Catálogo de Englewood* listava mais de 45 mil habitantes, a maioria refugiados urbanos atrás das mesmas vantagens que atrairiam moradores das cidades para os subúrbios ao longo do século vindouro — ar fresco, sossego do campo e fácil acesso ao centro da metrópole.

Como a Câmara de Comércio gabou-se, Englewood era "a melhor localidade para residências suburbanas nas cercanias de Chicago [...] Sete principais linhas férreas fornecem trens em cada sentido todos os dias. Todos esses trens devem parar em Englewood. Essas facilidades nos dão vantagens que nenhum outro subúrbio de Chicago tem, a maioria deles são meras paradas facultativas, dependentes de um ou dois trens a vapor por dia, enquanto os trens regulares atravessam a cidade sem demonstrar nenhuma preocupação com seus interesses".

Com as coisas do jeito que estavam — o marido com doença grave e ninguém para ajudar na loja —, a sra. Holton estava sobrecarregada a ponto de desmoronar.

Foi a proximidade da Sessenta e Três e da Wallace Street com a estação ferroviária Western Indiana (localizada a menos de um quarteirão de distância do estabelecimento de Holton) que fez daquele cruzamento um centro de comércio em expansão. Por fim, depois de o subúrbio ser oficialmente anexado pela cidade, em 1889, a vizinhança de Holton se tornaria conhecida como "a interseção mais próspera e bem-desenvolvida da grande cidade de Chicago" (de acordo com um historiador local).

Naquela causticante tarde em 1886, porém, ainda havia uma boa quantidade de terreno não urbanizado ao longo da rua Sessenta e Três. Na verdade, ao olhar pela grande vidraça da vitrine da farmácia — por cima dos pacotes bem-organizados do Composto de Aipo de Paine, das garrafas âmbar do Xarope Calmante da sra. Winslow e de cartazes anunciando as Pílulas de Raízes Indígenas do dr. Moore e os Tabletes Digestivos de Henderson —, a esposa do farmacêutico teria visto, do outro lado da rua, em direção diagonal a sua loja, um terreno grande e gramado, salpicado de viçosos carvalhos.

Tivesse a sra. Holton olhado pela vitrine em certo momento no fim de tarde, ela teria visto outra coisa também — um cavalheiro vestido com elegância olhando com atenção as panaceias em exibição, e então, depois de dar um puxãozinho fastidioso no colete do terno, entrar com determinação através da porta escancarada.

A sra. Holton, que reconheceria qualquer um dos seus fregueses, a ponto de saber o nome de alguns, não sabia quem era o jovem bastante atraente que entrou na loja. Com peso pouco abaixo de 68 kg e altura de 1,70 m, ele tinha postura ereta e máscula, e se movia com graça silenciosa. Seus olhos eram azuis e, o cabelo — que aparecia nas têmporas por baixo da aba do elegante chapéu fedora — castanho-avermelhado sedoso. Usava um bigode de morsa, no estilo da época, mas aparado com cuidado e um tanto enrolado nos cantos. Por baixo do bigode, seu lábio inferior parecia quase feminino pela espessura.

O terno marrom estava imaculado, o plastrão amarrado com esmero e os punhos da camisa de linho que se projetavam das mangas do casaco eram fechados com botões de ouro. A corrente de relógio de ouro maciço, adornada com berloque de padrões ricos, pendia da frente de seu colete. No geral, o novo freguês teria dado a qualquer observador — em especial, talvez, um do sexo oposto — a impressão de ser um homem muito bem-apessoado.

Nesse caso, certamente, o jovem não era um freguês. Tirando o chapéu com educação e oferecendo à sra. Holton uma pequena mesura, se apresentou como dr. H. H. Holmes, diplomado pela Universidade de Michigan, com treinamento e experiência de farmacêutico. Mudara-se para a área havia pouco, explicou, e procurava emprego em um estabelecimento como o da sra. Holton. Ele fora até lá para saber se talvez não precisassem de um assistente.

Para a sobrecarregada e esgotada sra. Holton, o jovem, surgido em momento tão difícil de sua vida, deve ter parecido enviado pelos anjos.

Ela o contratou na hora.

As prateleiras nas paredes e os expositores da cavernosa farmácia de Holton estavam atulhados de inúmeras panaceias comerciais — pílulas para o fígado e calmantes para o estômago, remédios para nevralgia e chás reguladores, pomadas para congestão nasal e xaropes para tuberculose — que inundaram o mercado estadunidense nas décadas que se seguiram à guerra civil. Mas um farmacêutico era mais do que um mascate de panaceias. Seu trabalho exigia a combinação de talcos e poções medicinais, e, nessa tarefa delicada, o dr. Holmes se destacava com louvor. Seus dedos longos e delicados se moviam com destreza maravilhosa, e a sra. Holton — que não era uma farmacêutica licenciada — ficou encantada em deixar todo o serviço de preencher as prescrições naquelas mãos hábeis.

Além de verificar que o homem trabalhara em uma farmácia na Columbia Avenue, na Filadélfia, a sra. Holton nunca viu a necessidade de se informar com mais cuidado sobre o histórico empregatício de Holmes. Sua habilidade evidente era prova suficiente de sua experiência. E o próprio Holmes não viu nenhuma necessidade em discutir os detalhes de seu trabalho anterior, em especial o desfecho infeliz. Ainda o magoava pensar sobre o acidente que culminara em sua partida apressada da Filadélfia — o envenenamento súbito e inexplicável de uma freguesa que morreu após ingerir o remédio que Holmes preparara para ela na mesma manhã. Holmes não se considerava responsável por aquela tragédia e, de modo bastante compreensível, não estava ansioso para que essas notícias se espalhassem.

Além de remédios, Holmes também era adepto de administrar outro artigo — o charme agradável e de fala suave que distribuía de graça para as freguesas, muitas das quais começaram a frequentar o estabelecimento com surpreendente frequência. Os negócios dos Holton, já vigorosos, prosperaram como nunca antes.

Infelizmente, a prosperidade de nada adiantou para o dono idoso, que não viveu para ver o fim do verão. À época da morte do velho, os deveres de Holmes tinham se estendido para além da farmacologia e passaram a incluir os cuidados com o livro-razão da loja, conforme a enlutada sra. Holton se afastava cada vez mais das operações diárias do negócio.

Em algum momento no final de agosto, pouco tempo depois da morte do farmacêutico, Holmes abordou a viúva com proposta de compra da loja. Depois de pensar um pouco no assunto, a idosa aceitou, desde que pudesse permanecer em seu apartamento no andar superior.

Ela não tinha nenhum outro lugar para ir, explicou a Holmes. Não tinha parentes vivos, e, de qualquer maneira, preferia passar os anos que lhe restavam nos cômodos que ocupara com tanta felicidade junto do falecido marido. Holmes concordou com os termos e o acordo foi consumado.

A transferência da escritura foi assinada, o pagamento da entrada emitido e a conhecida placa acima da entrada, substituída pelo nome, em letras douradas, do novo proprietário da farmácia: H. H. HOLMES.

Holmes logo se tornaria uma figura conhecida em Englewood. Quando começou a trabalhar na farmácia, fazia o trajeto de seu alojamento, a alguma distância do subúrbio, via transporte público. Nem mesmo a sra. Holton fora capaz de determinar com precisão onde Holmes residia, pois recebia respostas vagas e evasivas nas poucas ocasiões em que perguntara.

Pouco depois de comprar a loja, no entanto, Holmes arrumou alojamentos a poucos quarteirões de distância. Antes do anoitecer dos dias úteis e nas tardes de domingo, costumava passear pela vizinhança; bengala na mão, era a imagem perfeita da serenidade encantadora, tocando o chapéu em cumprimento galante para as damas e parando para bater papo com os homens. Seus colegas comerciantes ao longo da rua Sessenta e Três consideravam o jovem farmacêutico trabalhador e refinado um importante acréscimo à comunidade.

A sra. Holton, porém, chegaria a uma conclusão bem diferente a respeito do antigo funcionário. As relações entre Holmes e a idosa tinham se tornado cada vez mais amargas em relação aos pagamentos da compra — ou, para ser mais preciso, a falta deles. Holmes prometia entregar o dinheiro e então, com a mesma consistência, deixava de cumprir sua parte. A situação se tornou tão desesperadora para a sra. Holton que ela chegou a ameaçar Holmes com uma ação judicial, e, quando essa tática fracassou, abriu processo contra ele.

O que aconteceu em seguida permanece misterioso, embora um fato seja indiscutível: pouco tempo depois de a sra. Holton abrir o processo contra Holmes, ela sumiu de vista.

Quando seus antigos fregueses, notaram sua ausência da vizinhança e perguntaram a respeito de seu paradeiro, Holmes os informou de que se mudara de Chicago. Com a morte do marido, explicou ele, o apartamento vazio tornou-se uma dor para a viúva solitária e, portanto, decidira ir morar com parentes na Califórnia.

Àquela altura, é claro, Holmes já tinha decidido abandonar seus quartos na pensão ali perto e transportado seus pertences para os aposentos muito mais convenientes, logo acima de sua loja.

Alguns poucos anos depois, o nome de H. H. Holmes estaria estampado nas primeiras páginas dos jornais por todos os Estados Unidos (e além). Repórteres engenhosos vasculhariam o país em busca de qualquer pessoa que pudesse fornecer informações sobre o homem. E dezenas de indivíduos, mesmo aqueles que tiveram envolvimentos dos mais casuais com ele, iriam se apresentar e compartilhar suas recordações.

Mas a sra. Holton, que aprendera tanto sobre o homem que se intitulava H. H. Holmes, permaneceu em silêncio para sempre. Como aconteceu com tantas outras mulheres que o conheceram e se tornaram vítimas de sua sedução, ninguém voltou a ter notícias ou a ver a viúva.

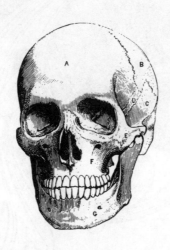

CAPITULUM

CRIME SCENE: PROFILE

PLANO SECRETO

03. SECRET PLAN

> A religiosidade tem ligação direta com os ricos [...] A prosperidade material ajuda a fazer o caráter nacional mais doce, mais jovial, mais altruísta, mais semelhante ao de Cristo [...] A longo prazo, a fortuna chega apenas para o homem moral.
> — BISPO WILLIAM LAWRENCE, *The Relation of Wealth to Morals* (A Relação entre a Riqueza e a Moralidade) (1901) —

Para os bons burgueses de Englewood, em especial as mães de filhas em idade para casar, parecia um desperdício terrível que um cavalheiro com as qualificações eminentes do dr. Holmes permanecesse solteiro. Bem-apessoado, culto, infundido do espírito empreendedor da época, ele parecia bastante adequado ao matrimônio. Um homem como aquele se recusar a contrair matrimônio poderia parecer um tanto irresponsável, se não anormal.

Foi com notório misto de emoções, então, que seus vizinhos reagiram às notícias, que se espalharam depressa pela comunidade no início de 1887, de que o dr. Henry Howard Holmes tinha se casado.

A noiva, a ex-srta. Myrta Z. Belknap, era uma jovem corpulenta, de seios fartos, com cabelo longo e cacheado, olhos castanhos plácidos, e rosto macio e liso como o de um bebê. Holmes a conhecera durante uma viagem de negócios em Minneapolis, no final de dezembro de 1886, e, depois de rápido namoro, casou-se com ela lá mesmo, no dia 28 de janeiro de 1887.

Durante diversos meses depois do retorno deles a Chicago, a sra. Holmes trabalhou satisfeita ao lado do marido como balconista na farmácia. Quieta e despretensiosa, não tinha nada do encanto extrovertido e desinibido de Holmes. Os fregueses ficaram surpresos pelo contraste de personalidades — e pela franca adoração nos olhos da jovem sempre que olhava para o marido bonito e bem-sucedido.

Depois de curto período, no entanto, Myrta Holmes passou a ser vista na loja apenas em raras ocasiões. Pela insistência do marido, se mantinha ocupada no andar superior com tarefas domésticas ou passava o tempo olhando as vitrines ao longo da rua Sessenta e Três.

Não foi por ela ter se mostrado uma balconista incompetente. Holmes apenas a queria fora do caminho. Logo se tornara um estorvo, restringindo seu estilo galanteador. Incorrigível conquistador, se recusou a mudar de comportamento apenas por carregar o fardo de ter esposa. Pelo contrário, sua atitude em relação às freguesas foi cada vez mais sedutora nos meses seguintes ao seu casamento.

Quanto a Myrta, embora se esforçasse para fazer pouco do comportamento do marido — para desconsiderá-lo como nada além de sua conhecida galanteria natural —, não conseguiu evitar magoar-se. Logo se viu obrigada a fazer protestos moderados, aos quais Holmes respondeu de modo grosseiro. A tensão aumentou. As reclamações tímidas de Myrta se transformaram em recriminações iradas. Ao término de um ano, os visitantes da loja testemunhariam cenas cada vez mais desagradáveis, que costumavam terminar com Holmes sibilando imprecações mordazes enquanto Myrta ia chorando e pisando forte ao andar superior.

Em pouco tempo, a situação se tornou intolerável. Divórcio estava fora de questão. Apesar dos defeitos do marido, que tornaram impossível continuar vivendo com ele em cima da farmácia, Myrta ainda amava Holmes. Além do mais, não conseguiria suportar o estigma do divórcio. E havia outro motivo, ainda mais convincente, para não ter considerado o término de seu casamento.

Na primavera de 1888, Myrta Holmes estava grávida.

Novos acordos de moradia tiveram de ser feitos. Embora Myrta, em suas cartas semanais para casa, escondesse de maneira obstinada de seus pais a dolorosa verdade, por fim foi forçada a revelar o quão grave sua situação se tornara. Sua mãe e seu pai reagiram sem hesitação. No verão de 1888, os Belknap mais velhos se mudaram para um asseado sobrado vermelho de madeira em Wilmette, Illinois, ao norte de Chicago, e levaram Myrta para morar com eles. Holmes concordou em proporcionar auxílio financeiro e fazer visitas regulares à esposa.

Mais uma vez, H. H. Holmes se viu morando sozinho na rua Sessenta e Três — posição que lhe convinha com perfeição, dado o plano que tomava forma em sua mente.

Embora Holmes tivesse, sem sombra de dúvidas, considerado Myrta uma grande inconveniência, havia motivos para acreditar que se importava com ela, à sua própria maneira.

O primeiro foi a ação judicial que ele iniciou no dia 14 de fevereiro de 1887, poucas semanas depois do casamento. Nessa data, Holmes apareceu no Tribunal de Justiça do Condado de Cook para dar entrada nos documentos de divórcio contra Clara A. Lovering Mudgett, de Alton, New Hampshire — seu amor de infância e primeira esposa, com quem ainda era casado à época de sua união com Myrta Z. Belknap.

Myrta, é claro, não sabia da existência de Clara Mudgett, nem que seu próprio casamento com Holmes, sendo bígamo, não tinha nenhuma validade legal.

No fim das contas, Holmes nunca deu continuidade ao divórcio contra Clara Mudgett, e o processo foi afinal indeferido pelo tribunal "pela falta de comparecimento do pleiteante". Ainda assim, em momento fugaz, Holmes pelo menos contemplara fazer o certo por Myrta Belknap — quem sabe, a primeira vez em sua vida em que ele chegou a experimentar tal impulso, e com certeza a única vez em que isso pôde ser documentado.

Nos anos vindouros, haveria outras indicações de que Holmes sentia algo parecido com calor humano por Myrta. Mas talvez a prova mais convincente seja esta: ao contrário da maioria das mulheres que se envolveram intimamente com Holmes durante seus anos em Chicago, Myrta Belknap viveu para desfrutar da velhice e morreu de causas naturais.

Mais uma vez, H. H. Holmes se viu morando sozinho na rua Sessenta e Três — posição que lhe convinha com perfeição, dado o plano que tomava forma em sua mente.

Com a esposa fora do caminho, Holmes não perdeu tempo em colocar seu plano de mestre em ação. Para aqueles fregueses que indagavam sobre o paradeiro de Myrta, explicava que o estresse de sua condição física e a exposição prolongada à cacofonia dos trens da ferrovia próxima — cujos sinos estridentes, apitos penetrantes e motores estrondeantes ressoavam sem parar ao longo do dia — a tinham deixado à beira do colapso nervoso. Preocupado com as exigências de seu negócio, achou melhor entregá-la aos cuidados dos sogros. Seus fregueses expressaram solidariedade e continuaram a considerar o jovem farmacêutico empreendedor um modelo.

E de fato, em todos os aspectos externos, Holmes era o modelo perfeito do jovem homem de negócios emergente. "Diga a si mesmo: 'Meu lugar é no topo!'", pregava Andrew Carnegie em sua popular palestra "O caminho para o sucesso nos negócios". Holmes, ávido devorador de conselhos de "como fazer" de sua época, tinha com certeza levado a mensagem a sério. A farmácia de esquina dos Holton não era capaz de conter suas ambições colossais. Fortunas deveriam ser feitas por jovens de garra, motivação e visão. Holmes não ficaria satisfeito até se tornar o dono de um edifício magnífico que proclamasse seu sucesso para o mundo.

Havia outras razões para que ele desejasse construir seu próprio edifício. Seu apetite por riqueza não era apenas manifesto, mas — dada a ética da época — admirado por todos. No entanto, por baixo da fome por dinheiro espreitavam outros apetites, ainda mais sombrios, cuja gratificação exigia alto grau de privacidade. O pequeno apartamento que habitava em cima da farmácia era em tudo insuficiente para satisfazer suas necessidades.

Não era nenhuma coincidência que o local ideal para seus propósitos ficasse tão perto do estabelecimento dos Holton. Holmes passara bastante tempo explorando diversos locais antes de se instalar na esquina da Sessenta e Três com a Wallace Street. Seu olhar perspicaz para imóveis tinha reconhecido a interseção como um local muito auspicioso para os negócios. E, em seu âmago, visualizou possibilidades de outros tipos.

Mesmo com o dinheiro que ganhava na loja, Holmes não tinha os fundos adequados para seus propósitos. Mas essa desvantagem não o tinha impedido antes.

No verão de 1888, ele conseguira assegurar um contrato de aluguel para a propriedade desocupada na frente da loja. No outono do mesmo ano, pouco depois de Myrta ter se mudado para a casa dos pais, passou a fazer com que seu plano secreto se tornasse realidade.

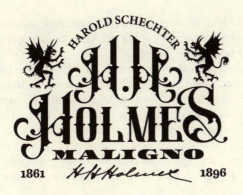

CAPITULUM

CRIME SCENE: PROFILE

DO INFERNO

04. FROM HELL

> O caso mais surpreendente dos Estados Unidos se deu na mesma década e foi, de certo modo, mais surpreendente do que o de Jack, o Estripador [...] Como ele, Holmes é um tipo de marco nefasto na história social. Porém, seu sadismo era muito mais frio e calculista.
> — COLIN WILSON, *A Criminal History of Mankind* (Uma História Criminal da Humanidade) —

Naquela mesma época, a meio mundo de distância, um maníaco estava à solta — um demente cujos crimes abalaram tanto a sociedade que suas repercussões ainda podem ser sentidas hoje.

 Ele atacou primeiro nas horas iniciais de 31 de agosto de 1888. Às 3h45, enquanto descia a Buck's Row — a rua deserta e mal iluminada no esquálido bairro londrino East End —, um porteiro de mercado chamado George Cross se deparou com o que acreditou ser um pacote embrulhado com lona. Olhando com mais atenção, viu que o amontoado esparramado era o corpo chacinado de uma mulher, mais tarde identificada como uma prostituta de 42 anos chamada Mary Anne Nicholls. Seu assassino tinha tapado sua boca com mão forte, depois cortado sua garganta com tanta selvageria que a lâmina atravessou direto até a coluna vertebral. Foi apenas quando o cadáver foi depositado no necrotério, contudo, que os legistas descobriram os outros ferimentos — barriga cortada da esquerda para a direita, vagina mutilada por ferimentos de faca.

O segundo assassinato, uma semana depois, provocou pânico por toda a cidade, enviando ondas de choque por todas as classes da sociedade londrina. Às 6h da manhã do dia 8 de setembro, os restos mutilados de Annie Chapman, uma prostituta emaciada de 47 anos que sofria de desnutrição e tuberculose, foram encontrados nos fundos da pensão no número 29 da Hanbury Street, a 800 m do local do primeiro assassinato. A cabeça da mulher por pouco não fora separada do corpo — o assassino tinha cortado os músculos do pescoço e quase fora bem-sucedido em serrar a coluna antes de desistir dos esforços.

Chapman também tinha sido estripada. Em relatório da necropsia publicado no periódico médico *The Lancet* (O Bisturi), o médico-legista, dr. Bagster Phillips, descreveu de modo explícito a condição do cadáver: "O abdômen fora aberto por completo e os intestinos separados dos ligamentos do mesentério, erguidos e depositados sobre o ombro do cadáver; ao passo que da pélvis tinham sido removidos por completo o útero e seus anexos, com as partes superiores da vagina e dois terços posteriores da bexiga. Está claro que foi a obra de especialista, ou de alguém com, pelo menos, tal conhecimento de exames anatômicos ou patológicos para poder ser capaz de chegar aos órgãos pélvicos com apenas um golpe de faca".

A verdadeira identidade do assassino nunca foi descoberta. Mas, no dia 28 de setembro, a Polícia Metropolitana recebeu uma carta debochada de alguém que alegava ser o culpado e que assinou o recado com um pseudônimo sinistro. O nome pegou. Daquele momento em diante, o açougueiro demente de Whitechapel ficaria conhecido ao redor do mundo por sua horrenda alcunha: Jack, o Estripador.

No dia 30 de setembro, dois dias depois de a polícia receber a carta do "Estripador", o assassino cortou a garganta da prostituta sueca chamada Elizabeth Stride no pátio atrás do International Working Man's Educational Club, na Berner Street. Antes que pudesse cometer ainda mais atrocidades àquela mulher desafortunada, foi interrompido pelos sons de uma carruagem que se aproximava, conduzida pelo administrador do clube.

Afastando-se depressa pela Commercial Street, o Estripador encontrou Catherine Eddowes, prostituta de 43 anos libertada poucos instantes antes da Delegacia de Polícia de Bishopsgate, onde passara várias horas recuperando a sobriedade após ter sido encontrada bêbada deitada no calçamento. O Estripador a atraiu para a Mitre Square, onde a executou da mesma maneira de sempre, cortando a traqueia com um único golpe brutal. Em seguida, possuído por frenesi demoníaco, atacou o corpo com selvageria: desfigurou o rosto, partiu o corpo do reto ao esterno, retirou as entranhas e levou consigo o rim esquerdo.

Parte desse rim (com 2,5 cm da artéria renal ainda ligado a ele) foi acondicionado em um pacote que chegou no dia 16 de outubro na casa de George Lusk, chefe do Comitê de Vigilância de Whitechapel, grupo de comerciantes locais que se organizaram para ajudar na busca pelo assassino. Acompanhando esse pavoroso artefato havia uma carta tão estarrecedora quanto, endereçada ao sr. Lusk: "Senhor eu envio metade do *rin* que tirei de uma mulher *gardei* pra você o *otro* pedaço eu fritei e comi estava muito *gostozo* talvez eu mande pra você a *faka* sangrenta que eu usei pra tirar ele você só tem que *isperar* um *poco* mais. Assinado Me pegue se puder senhor Lusk".

O endereço do remetente no canto superior direito da carta dizia apenas: "Do Inferno".

O derradeiro crime cometido pelo Estripador também foi o mais hediondo. Na noite de 9 de novembro, pegou uma prostituta irlandesa de 25 anos chamada Mary Kelly, grávida de três meses, que o levou de volta ao seu apartamento em Miller's Court. Em algum momento no meio da noite, o Estripador a matou na cama, e então passou várias horas vagarosas retalhando o corpo. Na manhã seguinte, o ajudante do senhorio, enviado para coletar o aluguel de Kelly, encontrou o corpo, cuja condição horrível foi relatada no *Illustrated Police News*:

> A garganta fora cortada de fora a fora com uma faca, quase separando a cabeça do corpo. O abdômen fora parcialmente aberto, e ambos os seios cortados e retirados do corpo. O braço esquerdo, como a cabeça, estava preso ao corpo apenas pela pele. O nariz foi decepado, a testa esfolada, e as coxas, até os pés, despidas de carne. O abdômen fora cortado com uma faca de um lado ao outro, na descendente, e o fígado e as entranhas arrancados. As entranhas e outras partes da ossatura estavam faltando, mas o fígado etc., foram encontrados entre os pés da pobre vítima. A carne das coxas e das pernas, junto dos seios e o nariz, tinham sido dispostos sobre a mesa pelo assassino, e uma das mãos da falecida enfiada dentro do estômago.

Após esse ultraje, os assassinatos de Whitechapel chegaram a um fim abrupto. Nos poucos anos seguintes, muitas outras prostitutas foram mortas, suas gargantas cortadas e estômagos abertos. Mas a polícia acreditou que esses crimes foram obras de assassinos copycats. O Estripador desapareceu para sempre, saindo da história e entrando no reino do mito.

Os assassinatos de Jack, o Estripador, ganharam as manchetes por todo o mundo. Para os cidadãos de Chicago, lendo os detalhes sensacionalistas nos jornais *The Tribune, The Times-Herald* ou *The Inter Ocean*, as degenerescências do monstro de Whitechapel, por mais perturbadoras que fossem, deviam parecer um distanciamento reconfortante das realidades de suas próprias vidas.

Eles não tinham como saber que naquele exato momento, nos arredores de sua cidade, um psicopata que se denominava H. H. Holmes se ocupava em preparar as fundações para uma carreira de homicídios que iria rivalizar, e de algumas maneiras superar, as atrocidades de seu equivalente inglês.

1861   1896 | *CAPITULUM*

CRIME SCENE: PROFILE

DE PAI PARA FILHO

05. FATHER TO SON

> Filho meu, se os pecadores procuram te atrair com agrados, não aceites. / ...desvia o teu pé das suas veredas; / porque os seus pés correm para o mal, e se apressam a derramar sangue.
> — PROVÉRBIOS 1:10, 15-16 —

Durante o mês de fevereiro de 1879, Benjamin W. Pitezel, de Kewanee, Illinois, compilou uma lembrancinha para seu genioso filho, Benjamin, Jr. Conhecido na família pelo nome do meio, Freelon, o jovem Pitezel fazia rara visita aos pais antes de voltar à esposa e aos filhos em Galva.

A lembrancinha era uma miscelânea de histórias de família, registrada de forma meticulosa em um caderno de 8 x 12 cm com capas marmorizadas. Intercalados com relatos de marcos variados — nascimentos e mortes, casamentos e enterros, doenças e conversões religiosas —, havia extensas passagens de conselhos paternais e preces sinceras.

"Freelon", começa Benjamin, Sr., mais para o final do diário, "eu escrevi algumas coisas neste livro para você pensar. Visto que voltará para sua casa em breve, estes podem ser os últimos conselhos que poderei lhe dar desta maneira, já que a vida é tão incerta e não tenho como saber quando vou partir."

Então, em imagens e expressões tiradas das Escrituras, ele despejou um apelo final:

Venha comigo e eu vou fazer o bem, é a ordem do Salvador. Você virá? Ouça. Pegarei todas as tuas vestes velhas e o vestirei em um manto branco e limpo. Colocarei sapatos em teus pés e um anel em tua mão. Removerei essa natureza iníqua de você, e vou lavar de você todas as manchas, e vou ser um pai para você e você deverá ser um filho e um herdeiro [...] Amo você, embora tenha se desviado. Mas agora volte e me deixe imbuir juízo em tua mente [...] Se vier até mim, pegarei esse teu coração de pedra e lhe darei um novo. Tudo isso eu farei porque te amo.

A urgência no tom do Pitezel mais velho demonstra sua preocupação desesperada pelo bem-estar espiritual de seu homônimo. De seus cinco filhos, Benjamin, Jr., se transformara no filho pródigo. Dois anos antes, ele seduzira Carrie Canning, de 18 anos, de Galva, Illinois — filha de um ministro metodista — e a engravidara. Graças a um casamento organizado às pressas, o bebê — uma menina chamada Dessie — nasceu nos laços do matrimônio. Mas o escândalo trouxe desgraça para ambas as famílias.

Carrie parira havia pouco a segunda filha, Etta Alice, e o jovem Pitezel estava prestes a retomar suas responsabilidades como chefe da própria família. Seu pai, compreendia tanto o peso dessas responsabilidades quanto os defeitos na natureza do filho, e podia apenas rezar pela regeneração do jovem. Benjamin, Jr., não ficou insensível diante do presente do pai, e o pequeno caderno permaneceu um bem estimado.

Porém, por mais agradecido que possa ter se sentido pelo presente, Benjamin Freelon Pitezel era homem feito, e sua fraqueza de caráter estava arraigada fundo demais para ser superada até pela mais fervorosa das preces.

Para um desconhecido, essas fraquezas não eram aparentes de imediato. Aos 23 anos, Ben Pitezel era um homem bem-apessoado. De 1,80 m e musculoso, tinha as costas largas e mãos quadradas e calosas de operário. Mas suas feições eram tão delicadas como a de qualquer herói nobre em um romance popular — queixo quadrado, nariz reto, suaves olhos azuis e boca delicada. Seu cabelo era espesso e preto como pena de corvo, o lábio superior adornado com bigode bem-aparado. Seu maior defeito eram algumas verrugas na nuca, logo acima da gola da camisa. Era bastante fácil entender por que uma garota sem atrativos — até mesmo uma criada com tanta devoção religiosa quanto Carrie Canning — teria sucumbido a suas lisonjas.

Mas sua vida de ócio logo deixaria marcas em sua aparência. Um ar perene de não-presta-para-nada já pairava sobre ele. Sua disposição voluntariosa acabou piorando demais por sua predileção pela bebida. Em poucos anos, a bebedeira e o estilo de vida desregrado — incluindo brigas de bar que o deixariam de nariz quebrado e diversos dentes faltando — tornariam suas feições bastante grosseiras. Apesar de nunca ter perdido por completo a boa aparência, ninguém o confundiria com um cavalheiro outra vez. Magricelo e carrancudo, passou a se parecer com o que era — um caso crônico de azar com humor irritadiço e inteligência matreira.

Sua maior característica redentora era a devoção para a esposa e a crescente prole, cujo número por fim chegou a seis (embora um deles, um menino chamado Nevit Noble, tenha morrido de difteria pouco antes de seu segundo aniversário). Mas a lealdade de Pitezel com a família era contrabalanceada por adversidades e pesares que o alcoolismo fazia recair sobre eles.

Durante dez extenuantes anos, ele arrastou a família pelo Centro-Oeste, pulando de emprego em emprego, de cidade em cidade, sempre entrando e saindo de encrencas. Ganhava dinheiro honesto quando podia, mas seu vício tornava difícil manter-se em qualquer emprego por muito tempo. Ao longo da década de 1880, foi empregado por curto período como faz-tudo de circo, ajudante em serraria, operário de ferrovia e zelador. Também cumpriu pena em diversas prisões por crimes que iam de pequenos roubos até falsificação e roubo de cavalos.

A data exata de quando os Pitezel se estabeleceram em Chicago é incerta, embora se saiba que chegaram lá, no mais tardar, no outono de 1889, pois em novembro daquele ano, Benjamin respondeu ao anúncio de um jornal local. Procuravam carpinteiros para uma construção em Englewood. O anúncio instruía os candidatos a entrar em contato com o dr. H. H. Holmes.

Para um desconhecido, essas fraquezas não eram aparentes de imediato. Aos 23 anos, Ben Pitezel era um homem bem-apessoado.

Não existe nenhum registro do primeiro e fatídico encontro de Pitezel com Holmes. Mas é provável que este último, com seu talento para distinguir um joguete em potencial, deve ter entendido Pitezel com um único olhar.

Em anos posteriores, a fria manipulação de Holmes — sua habilidade em encontrar e explorar os pontos fracos de suas vítimas —geraria uma enorme quantidade de alegações extravagantes. Inúmeros artigos e panfletos o descreveriam como um ser de poderes quase sobrenaturais, dono da habilidade de hipnotizar suas vítimas com um único olhar penetrante. Com certeza, tais afirmações não eram nada mais do que disparates sensacionalistas. Não obstante, é verdade que o astuto e carismático Holmes era um perito notável em brincar com as vulnerabilidades de indivíduos mais fracos.

Pitezel foi prova disso. Em novembro de 1889, foi contratado como operário de construção por Holmes. Mas, antes que se passasse muito tempo, se viu realizando uma série de outras atividades muito mais questionáveis.

No antigo sentido da palavra — "aquele que é motivado pela vontade de outrem e está preparado para cumprir suas ordens" —, Benjamin Pitezel se transformou na criatura de H. H. Holmes.

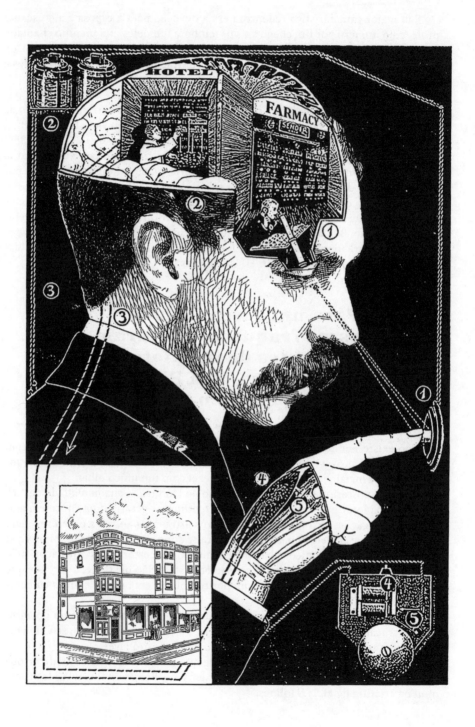

CAPITULUM

CRIME SCENE: PROFILE

CASTELO MACABRO

06. MACABRE CASTLE

> Não nas encostas da montanha, nem às margens de rio veloz, encontra-se um castelo antigo e deserto; ao lado do conjunto de quatro trilhos de trem rumo ao sul saindo da grande cidade de Chicago [...] encontra-se um castelo moderno.
> — ROBERT L. CORBITT, *The Holmes Castle* (O Castelo Holmes) (1895) —

Feitos extraordinários de arquitetura não eram novidade para os cidadãos de Chicago nas últimas décadas do século XIX. Afinal de contas, levou apenas alguns anos para que a cidade inteira fosse reconstruída a partir dos escombros da Grande Conflagração. A reconstrução começara antes de as ruínas terem esfriado. Seis semanas depois, os bairros incendiados ostentavam mais de duzentos novos edifícios de tijolo e pedra. Ao final da década de 1880, esse número tinha aumentado para quase mil, e brilhantes jovens arquitetos, tais como Louis Henri Sullivan e John Wellborn Root, transformaram Chicago em vitrine urbana — a primeira cidade do mundo a ter arranha-céus.

Mesmo assim, a construção realizada na esquina da Sessenta e Três e da Wallace Street entre o outono de 1888 e a primavera de 1890 era impressionante o bastante para despertar o interesse dos locais.

Não era a altura da construção que a tornava tão notável. Comparada com os prédios de escritório de dez e doze andares que brotaram no bairro comercial da cidade, a nova estrutura era algo atarracada — apenas três andares de altura quando pronta. Mas, em metros quadrados, o lugar era imponente, utilizando cada centímetro do terreno de esquina de 15 x 50 m.

Além do mais, a enorme atividade em sua construção era impressionante. Residentes da vizinhança, interrompendo suas tarefas diárias para observar o magnífico edifício novo tomando forma, se maravilhavam com o número de trabalhadores que enxameavam por todo o canteiro de obras.

O estranho, contudo, era que o trabalho parecia progredir a passos muito lentos. Mesmo levando em consideração suas gigantescas dimensões, o edifício não deveria demorar mais do que seis meses para ser erguido por uma equipe de operários experientes. Contudo, por razões misteriosas, dezoito meses inteiros se passaram entre o início das obras e seu término.

Teria sido necessário um espectador excepcionalmente observador — alguém que prestasse especial atenção na identidade dos operários — para resolver o mistério. Tal pessoa teria notado que nenhum dos homens continuava no emprego por muito tempo. A maioria deles era demitida depois de uma ou duas semanas; outros duravam apenas alguns dias antes de serem substituídos.

Mesmo assim, a construção realizada na esquina da Sessenta e Três e da Wallace Street entre o outono de 1888 e a primavera de 1890 era impressionante...

Na época em que o último prego fora martelado no lugar e a última demão de tinta aplicada, mais de quinhentos artesãos e operários comuns tinham ido e vindo.

Mesmo com o interesse de toda a vizinhança no projeto, ninguém pareceu perceber essa rotatividade extraordinária. Com certeza, ninguém poderia adivinhar que isso foi um estratagema deliberado por parte do dono, arquiteto, empreiteiro e contramestre da construção: o dr. H. H. Holmes.

Embora esse ciclo interminável de contratações e demissões tenha aumentado o tempo da construção em pelo menos um ano, serviu a dois propósitos importantes para o desonesto dr. Holmes. Primeiro, isso lhe poupou uma significativa quantia de dinheiro em salários. Afinal, um pedreiro ou encanador poderia dedicar duas semanas inteiras de trabalho antes de pedir o pagamento. Assim que o fazia, Holmes o acusava de não trabalhar direito e o mandava embora na hora, sem ter que pagar um só centavo.

Já o segundo propósito era ainda mais sinistro. Ao garantir que cada homem trabalhasse em apenas uma pequena parte da estrutura antes de ser substituído,

Holmes foi capaz de esconder o plano geral do edifício de todo mundo. Um carpinteiro poderia ser despedido depois de montar as molduras de algumas portas, um pedreiro depois de erguer uma única parede do porão. Como resultado, apenas um homem — o próprio Holmes — tinha a imagem clara de todo o desenho do edifício.

A cautela do jovem médico em relação a isso era compreensível, visto que alguém a par das plantas teria com certeza questionado as qualificações arquitetônicas de Holmes — se não, de fato, sua sanidade.

Visto que o canteiro de obras ficava bem diante da sua farmácia, Holmes era capaz de passar horas, a cada dia, supervisionando o projeto — ditava ordens, fazia exigências e, claro, demitia operários com regularidade. Curiosos da vizinhança testemunharam mais de uma cena tensa entre o jovem médico imperioso e trabalhadores amargurados peremptoriamente mandados embora devido a suposta incompetência. Alguns dos demitidos logo abriram processos contra Holmes, que, com astúcia de vigarista, conseguia arrastá-los em demorados litígios.

Aqueles que recorreram a ameaças físicas mais diretas, recuaram depressa. Embora Holmes fosse um homem bem mais perigoso do que qualquer um poderia imaginar à época, sua aparência não tinha nada de intimidadora. O que fazia seus inimigos pensarem duas vezes era a presença do calejado assistente que pairava o tempo todo ao redor de Holmes: Benjamin Pitezel.

Os operários da construção privados de seus pagamentos não foram os únicos que vieram a se arrepender de suas transações com o dr. Holmes — também os fornecedores, que cederam para o novo edifício itens diversos e, com frequência, estranhos ou bizarros.

Houve, por exemplo, um enorme cofre — tão grande quanto a caixa-forte de banco — que Holmes comprou a crédito antes que seu edifício chegasse à metade da construção. Quando o cofre foi entregue, Holmes o instalou em área desocupada do terceiro andar do edifício, e então construiu um cômodo para encerrá-lo, certificando-se de que o batente da porta fosse tão estreito que impossibilitasse o cofre de passar por ali. Quando Holmes, como sempre, não conseguiu realizar nenhum dos pagamentos, a fabricante do cofre enviou uma equipe para reaver o produto. Holmes concordou em deixar que o retirassem, mas avisou que se danificassem seu edifício de alguma maneira iria atrás da empresa com um processo arrasador.

O cofre ficou onde estava.

Ele também empregou estratagema parecido para adquirir os outros acessórios que alegava precisar como parte de suas pesquisas farmacológicas. Sua lista incluía uma enorme fornalha, com porta de ferro fundido e grelha que deslizava para dentro e para fora sobre rolamentos; grande tanque de zinco; variedade de tonéis projetados para armazenar material corrosivo, tais como ácidos e cal virgem; e placas de folha de ferro cobertas de amianto, para revestir as paredes de diversos cômodos.

Durante semanas após o término da construção, em maio de 1890, multidões entusiasmadas se reuniam para admirar a esplêndida adição à sua vizinhança. Estendendo-se até quase metade do comprimento da Wallace Street, o prédio — com seu telhado de torreões, cornijas em mosaico, janelas salientes com parapeitos imitando ameias — era de fato uma visão impressionante, o reflexo perfeito do orgulho e da ambição do seu jovem dono.

As multidões, é claro, não tinham como saber o que a marcante fachada escondia — não mais do que eram capazes de ver por trás do exterior admirável do dr. Holmes, dentro das operações labirínticas e bizarras de sua mente.

Com toda certeza, partes do edifício eram abertas ao público. O primeiro andar consistia em uma série de lojas ao nível da rua, algumas administradas por Holmes, outras alugadas para comerciantes locais, encantados em fazer negócios em uma localização tão privilegiada. Nos anos vindouros, milhares de fregueses entrariam na propriedade. Mas, limitados ao térreo, não tinham como suspeitar dos terríveis segredos escondidos nos demais rincões do edifício — nas profundezas do porão e na penumbra das câmaras dos andares superiores.

Além do escritório particular de Holmes, com sua janela saliente em curva com vista para a Wallace Street, o terceiro andar continha três dezenas de cômodos. A maioria não tinha nada de extraordinário. Mobiliados com conforto, com camas, cômodas, cadeiras de balanço, tapetes e espelhos de parede, eram indistinguíveis dos alojamentos disponíveis em incontáveis hotéis ao redor da cidade. Os hóspedes que ficaram nesses quartos, contudo, devem ter considerado bastante frustrante localizar seus aposentos, dispostos ao longo de uma rede tortuosa de corredores estreitos em ângulos estranhos. Mal iluminados por lamparinas a gás fixadas às paredes a intervalos bastante espaçados, esses corredores faziam curvas estranhas e inesperadas, terminando em becos sem saída, escadarias que pareciam levar para lugar nenhum e portas sempre trancadas cujas chaves apenas Holmes detinha.

Cinquenta e uma portas eram dispostas ao longo de seis corredores sombrios, que ziguezagueavam em ângulos bizarros.

Um desses cômodos trancados, adjacente ao escritório, continha o enorme cofre de banco. Seu interior fora modificado pela inclusão de tubulação de gás. O fluxo de gás através desse tubo era controlado por válvula de intercepção escondida dentro do closet nos aposentos de Holmes.

O segundo andar do edifício era ainda mais parecido com um labirinto do que o terceiro. Na verdade, sua planta era parecida com a forma labiríntica da casa dos horrores de um parque de diversões, embora suas surpresas ocultas fossem bem mais assustadoras. Cinquenta e uma portas eram dispostas ao longo de seis corredores sombrios, que ziguezagueavam em ângulos bizarros. Atrás das portas havia trinta e cinco cômodos, alguns mobiliados — como os alojamentos do andar de cima — como quartos comuns.

Mas não havia nada de corriqueiro nos outros cômodos.

Alguns eram herméticos, revestidos de cima abaixo com placas de aço cobertas de amianto que Holmes tinha providenciado, outros receberam isolamento acústico, outros ainda eram tão estreitos e com pé-direito tão baixo que por pouco passavam do tamanho de closets.

A maioria dos cômodos foi equipada com tubulações de gás ligadas ao painel de controle no quarto de Holmes. As portas desses cômodos podiam ser trancadas apenas pelo lado de fora e eram equipadas com olhos mágicos especiais, que permitiam ao senhorio ficar de olho nos hóspedes.

E então havia as outras características tão sinistras quanto as do segundo andar — as passagens secretas, os armários ocultos acessíveis através de painéis deslizantes, os alçapões que se abriam para a escuridão e grandes poços lubrificados que desciam direto ao porão.

Cavernoso e úmido, o porão de paredes de tijolos tinha o aspecto de uma aterrorizante masmorra gótica — semelhança reforçada pela nefasta parafernália que continha. Era ali que Holmes mantinha o tanque de ácido, tonéis de cal virgem, mesa de dissecação, armário de cirurgião e outras ferramentas abomináveis de seu ofício. Nos anos vindouros, o porão também abrigaria uma grotesca geringonça apelidada de "averiguador de elasticidade". De acordo com seu inventor — o próprio dr. H. H. Holmes —, o aparato era uma maravilha tecnológica, cujo propósito era produzir "uma raça de gigantes" ao esticar cobaias até o dobro de seus tamanhos originais.

Para aqueles que o viram bem de perto, no entanto, o dispositivo não parecia ser um milagre da tecnologia moderna.

Parecia, sim, um cavalete de tortura medieval.

É impossível dizer quem foi o primeiro a batizar o edifício com seu apelido. Talvez algum residente da vizinhança, em homenagem à aparência imponente da criação de Holmes. Talvez o próprio Holmes, cujo talento para se autopromover se igualava a suas grandiosas ambições. Qualquer que seja o caso, logo depois do término da construção, os cidadãos de Englewood se referiram ao novo edifício como "Castelo".

Nos anos subsequentes, é claro, esse nome seria modificado, e a estrutura gigantesca na esquina da Wallace Street com a Sessenta e Três se tornaria conhecida ao redor do mundo por outras expressões:

Castelo do Barba-Azul. Castelo dos Assassinatos. Castelo dos Pesadelos. Castelo dos Horrores.

PARTE 02

HUMAN HEART.

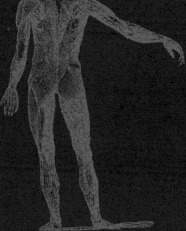
BACK MUSCLES.

SIDE MUSCLES.

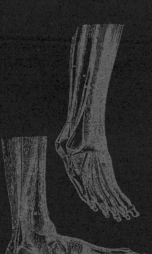
MUSCLES OF FOOT AND LEG.

HAND AND WRIST.

VEINS OF THE BODY.

OPENING

HOLMES' "CASTLE" CHICAGO.

CAPITULUM

CRIME SCENE: PROFILE

INVENÇÃO DO MAL

07. INVENTING EVIL

> Já te falei: você precisa confiar, confiar incondicionalmente, me refiro a confiar na medicina autêntica, e no eu autêntico.
> — HERMAN MELVILLE, *O Homem de Confiança* —

Em junho de 1890, um mês depois do término da construção do Castelo, Holmes colocou a farmácia à venda e não demorou a encontrar comprador em potencial — um jovem empreendedor de Michigan chamado A. L. Jones, que se mudara para Chicago com a nova esposa, com modesta herança e determinação para se estabelecer como um homem de negócios na movimentada cidade. A pedido de Holmes, o sr. Jones visitou a loja na tarde combinada de antemão e ficou impressionado pelo constante fluxo de fregueses — sem se dar conta de que Holmes tinha assegurado um dia de vendas mais movimentado ao complementar a clientela regular com pessoas contratadas para fazer figuração e compras falsas.

Ao final do dia, os dois homens sentaram-se para conversar sobre negócios. Por que, perguntou o sr. Jones, o dr. Holmes tinha decidido vender um comércio tão próspero?

Holmes tinha antecipado tal pergunta e estava com a resposta pronta. Foi o próprio sucesso da loja que agora fazia com que fosse impossível continuar administrando-a, explicou ele. Os lucros que colhera ao longo dos últimos anos tinham lhe permitido expandir para outras atividades, que agora exigiam sua completa atenção. Com o afastamento de Holmes do negócio, Jones ficaria com a vizinhança toda para si.

O negócio foi fechado. O preço de compra era a soma de todo o patrimônio do sr. Jones, mas o jovem tinha poucas dúvidas de que o investimento daria retorno rápido. Em julho de 1890, a farmácia, fundada pelo dr. E. S. Holton, trocou de mãos mais uma vez.

Algumas semanas depois, uma carroça de entregas encostou diante do Castelo de Holmes, do outro lado da pequena farmácia. Enquanto seu novo dono e sua jovem esposa observavam cada vez mais confusos, funcionários desempacotaram o carregamento de elegantes móveis para comércio — expositores com vidro, suntuosos armários de madeira escura, balcões com topo de mármore — e a carregá-los através da entrada semi-hexagonal da loja vaga na esquina do Castelo.

Em pouco tempo, uma magnífica placa de madeira, entalhada no formato de almofariz e pilão, pendia acima da entrada. Letras douradas e brilhantes no centro do ícone pintado de marfim proclamava FARMÁCIA H. H. HOLMES.

O interior da loja fazia justiça ao esplendor da placa. Ao sair da rua movimentada, o freguês primeiro passaria por uma coluna imensa que sustentava o teto arqueado da entrada. No alto, o deslumbrante padrão de uma roda de Catarina parecia irradiar do capitel coríntio do pilar. Avançando para dentro do estabelecimento, os olhos do visitante se encantariam com o trabalho em estuque com afrescos que agraciava o teto e as paredes; pelos diamantes em preto e branco que revestiam o piso; pela elegância dos balcões em mármore; pelo brilho em tons de cobre das torneiras da máquina de refrigerante; e pelos cintilantes elixires que preenchiam os armários de vidro e forravam as prateleiras de nogueira.

A impressionante nova farmácia de Holmes — que logo se transformou na vitrine da vizinhança — fazia sua antiga loja parecer tão esquálida quanto um estábulo. Não levou muito tempo para o desafortunado Jones ser obrigado a fechar a loja e voltar para sua vila natal, arruinado.

Mas, ainda que os negócios estivessem indo bem para Holmes, o Castelo exigia um serviço hercúleo de manutenção, e, mesmo com o dinheiro dos inquilinos, sua renda se provou inadequada para seus desejos. Vivendo na época em que o empreendedor milionário era o ideal cultural — "A Era dos Excessos", como às vezes é chamada —, Holmes cobiçava a fortuna que acreditava ser sua por direito.

No outono de 1890, ele já tinha 30 anos. Não era mais um jovem para os padrões da época. Ganancioso por natureza, se tornou cada vez mais obcecado por dinheiro, embarcando em uma sequência frenética de empreitadas comerciais. No piso térreo do Castelo, abriu e gerenciou vários negócios: joalheria, restaurante, barbearia. Produziu sabonetes de glicerina e investiu em um aparelho de duplicatas chamado ABC Copier, precursor do mimeógrafo.

O fato de Holmes ter fracassado em fazer seu milhão por essas diversas empreitadas se deu, sem dúvidas, devido às deformidades de seu caráter. Apesar de ter todos os atributos que deveriam garantir seu sucesso — vigor em abundância, criatividade, engenhosidade e motivação —, foi liquidado pela própria psicopatologia.

Insatisfeito com os lucros de seus empreendimentos legítimos, embarcou em diversas falcatruas descaradas que revelaram a arrogância fria subjacente — característica dos psicopatas — oculta sob o exterior agradável.

Em certa ocasião, por exemplo, Holmes anunciou ter inventado uma máquina revolucionária para baratear a iluminação a gás com a água encanada. Atraindo o interesse de um grupo de investidores canadenses, Holmes convidou os homens para visitar o Castelo, onde os guiou até um canto remoto do porão, separado das imediações que lembravam uma masmorra por alta divisória de madeira.

Dentro dessa área cercada se encontrava o maravilhoso Gerador de Gás Químico-Hidráulico de Holmes. Para um observador cético, a engenhoca de aparência bizarra — pequeno tanque de ferro de que brotava um emaranhado de canos, válvulas de intercepção e medidores de pressão — lembrava "uma máquina de lavar sobre estacas".

Holmes desatarraxou a tampa de metal, derramou um copo de água dentro do cano, acrescentou algumas colheradas de produtos químicos misteriosos, girou algumas válvulas, ajustou um manípulo aqui e ali. Um instante depois, jorrou gás por um orifício. Com um floreio, Holmes acendeu um fósforo, o segurou junto ao gás que emanava e a pequena área ficou toda iluminada.

Os investidores, empolgados, concordaram de imediato em comprar a patente de Holmes por quase 10 mil dólares. Foi quando a Chicago Gas Company soube a respeito do dispositivo e enviou um inspetor ao Castelo, que desmascarou a falcatrua. Um pequeno cano, escondido com astúcia na parte de trás da engenhoca, desaparecia por baixo do chão do Castelo e descia direto até a rede pública de gás da cidade. Holmes apenas se aproveitava do suprimento municipal.

Por motivos desconhecidos, a companhia de gás decidiu não processá-lo, porém, os funcionários confiscaram a máquina, deixando Holmes com um buraco de tamanho considerável no piso do porão. Contudo, de seu jeito aberrante, Holmes era visionário. Enquanto observava a escavação, de repente, teve uma inspiração.

Poucos dias depois, a Farmácia H. H. Holmes apresentava um novo produto — Água Mineral Linden Grove, elixir que se dizia ter sido bombeado de um poço artesiano que o dr. Holmes tinha perfurado no porão do Castelo. Holmes vendia a poção por 5 centavos o copo, 25 centavos a garrafa.

O líquido revigorante se mostrou bastante popular com os fregueses de Holmes, que nunca imaginaram beber água encanada comum adulterada com uma pitada de extrato de baunilha e um tiquinho de bíter.

Mesmo assim, poderiam se considerar com sorte por terem sido enganados dessa maneira. Óleo de cobra com sabor de baunilha era uma das beberagens mais inofensivas de Holmes. Fregueses anteriores — como a jovem desafortunada da Filadélfia cuja morte trágica forçara sua fuga daquela cidade em 1884 — tinham ingerido coisas muito piores.

E ainda viriam mais vítimas — homens e principalmente mulheres, que teriam ficado felizes em perder o dinheiro e nada mais para o homem que conheciam como dr. Henry Howard Holmes.

Mais ou menos um mês depois de a companhia de gás ter levado embora a invenção enganosa, Holmes se deparou com um artigo de jornal que descrevia um processo inovador para vergar vidro laminado, patenteado por um homem chamado Warner.

Pouco depois, Holmes apareceu no escritório de uma empresa que fabricava caldeiras a óleo no centro da cidade. Ele explicou ao gerente que estava prestes a embarcar no negócio de vergar vidro, mas, antes que o pudesse iniciar, a fornalha no porão de seu prédio de escritórios precisava ser modificada, visto que não gerava o calor necessário.

Dias depois, um mecânico foi enviado ao Castelo e conduzido ao andar inferior, onde, em um canto afastado do porão, a fornalha assomava nas sombras. No decorrer de um longo dia de trabalho, o mecânico instalou um queimador novo dentro da fornalha e o conectou a um enorme tanque de óleo no beco. Em potência máxima, a fornalha agora era capaz de alcançar a temperatura de 3 mil graus .

Com certeza, não era quente o suficiente para vergar vidro laminado. O que o mecânico achou estranho, contudo, foram as dimensões da fornalha, cuja câmara interna, construída com tijolos refratários, media 90 cm de altura, 90 cm de largura e 2,40 m de comprimento. Por ser um homem pequeno, fora capaz de trabalhar dentro da fornalha sem nenhum problema — de fato, ela parecia ter o tamanho perfeito para um ser humano. Mas era impossível acomodar uma folha de vidro laminado muito grande.

No trabalho no dia seguinte, conversou sobre isso com seu supervisor. É que a fornalha não parecia ser muito prática para propósitos comerciais, refletiu. A não ser que — e aqui os dois riram do pensamento absurdo — o dr. Holmes estivesse planejando gerenciar um crematório.

CRIME SCENE: PROFILE

AMOR NATIMORTO
08. STILLBORN LOVE

> "Ai, pobre criança!", respondeu a velha, "em que você está se metendo? Tu estás no esconderijo de um assassino. Pensas que és uma noiva que logo vai se casar, mas será a morte que vais desposar."
> — GRIMM, *A Noiva do Ladrão* —

Corpulenta e com quase 1,80 metros de altura, Julia Smythe correspondia ao que se considerava o ideal feminino de sua época — exemplificada pela escultural "Gibson Girl"[1]. Aos olhos de seus contemporâneos, a filha de 18 anos do merceeiro, de cabelo castanho espesso e olhos verdes sinceros, era uma pessoa adorável e atraente.

E de inteligência notável também. Mesmo quando criança, era conhecida por sua perspicácia. "Bonita como uma pintura", o povo de Davenport costumava comentar a seu respeito. "E esperta como uma raposa." Aos 13 anos, já cuidava da contabilidade da loja do pai.

---

[1] Garota Gibson, em tradução livre, foi a primeira modelo estadunidense de beleza feminina. Criada pelo artista Charles Dana Gibson (1867-1944), seus desenhos apresentavam uma jovem alta e de espartilho. Tinha nariz e boca pequenos, e olhos grandes. [NT]

Beleza, inteligência, ambição — Julia fora abençoada com todos os três. Todos que a conheciam previam um grande futuro para a garota e imaginavam que tipo de marido escolheria.

Com certeza, ela poderia ter escolhido aqueles dentre a nata da sociedade. A partir do momento em que alcançou idade para se casar, Julia foi sitiada por pretendentes. Gostava da atenção e correspondia com cordialidade despreocupada que lhe rendeu a reputação, entre certos conhecidos traiçoeiros, de paqueradora desavergonhada. Mas a maioria das pessoas tinha opinião muito mais generosa a respeito de sua personalidade.

Não havia nada de coquete em Julia Smythe, declaravam eles. Era apenas uma garota saudável, esperta e bem-humorada que se sentia à vontade na companhia masculina. O sujeito que afinal conseguisse persuadi-la a se tornar sua esposa, lógico, teria que ser alguém especial — homem cuja inteligência, determinação e coragem, no mínimo, se igualassem às dela.

E, portanto, quando a notícia de que Julia Smythe tinha ficado noiva de Icilius T. Conner se espalhou pela cidade, no começo de 1880, as reações foram da perplexidade ao puro choque.

Natural de Muscatine, Iowa, Conner, 20 anos de idade — apelidado Ned na infância, forma pela qual era mais conhecido —, tinha se deslocado para Davenport muitos anos antes. Joalheiro e relojoeiro por profissão, montou sua própria lojinha na rua principal, com a qual ganhava apenas o suficiente para sobreviver.

Poucos fregueses se aventuravam dentro da loja. O problema não era a habilidade de Ned como relojoeiro; ele era um artesão bastante competente. Mas o estabelecimento em si parecia sombrio ao extremo — desde a vitrine encardida, com um par de relógios de bolso banhados em ouro que balançavam abandonados, ao interior apertado e empoeirado. Uma atmosfera triste e sorumbática parecia pairar sobre o lugar — e pairava também sobre o proprietário. Embora jamais alguém o acusasse de preguiça, Ned não causava nas pessoas a impressão de ser muito promissor. Apesar do trabalho árduo e da perseverança, sua aparência tímida e seus modos acanhados pareciam demonstrar que era uma pessoa predestinada ao fracasso.

O que foi que a jovem radiante viu nele foi um mistério para família e amigos. Todos admitiam que Ned tinha um ar de doçura — assim como um prato de rabanada. O povo presumia que Julia quisesse alguém com um pouco mais de fibra.

Os pais de Julia — apesar da decepção, até mesmo consternação, com a escolha — acharam melhor não dar voz a suas reservas. Objeções parentais, eles sabiam, apenas fariam com que a filha teimosa batesse o pé. Portanto, seguraram a língua e rezaram em silêncio para que Julia criasse juízo antes que o dia do casamento chegasse.

Suas preces não foram atendidas. No verão de 1880, Julia Louise Smythe se tornou a sra. Ned Conner.

O casamento foi problemático desde o começo. Talvez Julia tivesse sonhado que — com ela ao lado para inspirá-lo, ajudá-lo e aconselhá-lo — seu marido desabrochasse, se revelasse um comerciante de sucesso. Se foi esse o caso, não demorou a descobrir como estava errada, pois Ned permaneceu um inepto irremediável nos assuntos comerciais. O dinheiro quase não entrava.

Sua decepção aumentou até se transformar em desdém. Quando falava com ele, sua voz assumia um tom mordaz, que Ned se esforçava para ignorar. Ficou, contudo, cada vez mais ressentido com a maneira calorosa e amigável com a qual ela continuava a tratar os outros homens. Sozinho, o casal se retraía em silêncio carregado e raivoso, quebrado apenas por algumas palavras amarguradas. Quando essa tensão fervilhante alcançava o ponto de fervura, irrompiam discussões violentas, às vezes em público.

Embora os pais de Julia tivessem previsto sua infelicidade, não podiam tolerar um divórcio. Sua filha teria de conviver com o erro e tirar o melhor da situação. Fizeram o possível para acalmar as coisas entre os jovens. Por algum tempo, o casamento pareceu melhorar. Então, no outono de 1882, Julia descobriu que estava grávida. Todos torciam para que o bebê fosse unir mais o casal.

Infelizmente, era um natimorto. A tragédia acrescentou mais tensão ao relacionamento. Logo depois, Ned e Julia fizeram as malas e partiram de Davenport, à procura de um novo começo tanto para os negócios como para o casamento. Ao longo dos sete anos seguintes, eles viveram em meia dúzia de cidadezinhas em Iowa e Illinois — Columbus Junction, Muscatine, Bradford e outras. Em cada lugar, o mesmo padrão de expectativa esperançosa, decepção gradual e fracasso derradeiro se repetiu.

Em 1887, Julia deu à luz de novo, dessa vez a uma menina saudável que batizaram de Pearl. Dois anos depois — após outra tentativa fracassada de ter joalheria em uma cidade pequena —, Julia e Ned tomaram uma importante decisão. Embora os dois desconfiassem de cidades grandes, resolveram tentar a sorte no lugar que parecia oferecer o último e melhor fio de esperança para o sucesso — Chicago.

Ned não teve dificuldades de encontrar trabalho em uma joalheria no centro da cidade, mas seu salário era irrisório — quase insuficiente para sustentar a família. E então, em algum momento no final de 1890, uma súbita oportunidade se apresentou.

Como Ned soube dessa oportunidade é algo incerto. De acordo com certos relatos, ele viu um classificado no jornal. Segundo outros, um conhecido do ramo o informou sobre a vaga. Qualquer que tenha sido o caso, um fato é indiscutível — pouco depois de sua chegada em Chicago, Ned Conner soube que um cavalheiro chamado H. H. Holmes procurava um gerente qualificado para sua joalheria, em um edifício localizado na esquina da Wallace Street com a Sessenta e Três, em Englewood.

Trajando suas roupas mais requintadas, Ned viajou até o subúrbio no dia seguinte para conhecer o dr. Holmes. A entrevista se mostrou satisfatória para ambos. Ned recebeu a oferta da vaga de gerente com salário semanal de 12 dólares, mais acomodação e alimentação para sua família, que aceitou sem hesitar.

E então foi assim que, em novembro de 1890, Ned, Julia e a bebê Pearl passaram a morar no terceiro andar do Castelo do dr. Holmes.

O que aconteceu no decorrer dos poucos meses seguintes foi, se não inevitável, pelo menos, esperado. Julia Conner era uma mulher de sangue quente, casada com um homem que desprezava. Comparado ao marido incompetente, Holmes era uma figura arrojada — homem de negócios audacioso e dinâmico, elegante e desinibido. E a presença constante da esplêndida jovem deve ter sido uma tentação irresistível para Holmes.

Ninguém pode dizer com exatidão quando Julia se tornou amante de Holmes, embora seja certo que os dois já estivessem juntos em março de 1891.

Não ter previsto o caso é prova da inaptidão de Ned — ainda mais com o escândalo precedente, que envolvia sua irmã mais nova, Gertrude.

Ansiosa por ver a cidade grande pela primeira vez, a ingênua Gertie, de 18 anos, fora visitar o irmão mais velho logo após ele começar a trabalhar no Castelo. Morena e adorável, de imediato chamou atenção do dr. Holmes. Pouquíssimo tempo depois, ele declarou sua paixão, prometendo se divorciar da esposa, Myrta, e levar Gertie para morar com ele. Chocada com a impropriedade do médico, se apressou a voltar para Muscatine, não sem antes contar para Ned a proposta de Holmes.

Deixando para trás o fracasso com Gertie, Holmes concentrou sua atenção em Julia, que se mostrava muito mais receptiva. Em pouco tempo, Holmes demitira a caixa de sua farmácia — jovem e eficiente, mas sem atrativos, chamada Dietz — e instalou Julia em seu lugar. Holmes e Julia se esforçavam muito pouco para ocultar sua intimidade, que se tornou um segredo explícito entre os fregueses regulares da farmácia.

Apenas Ned parecia alheio ao caso. Apesar de ciumento, era provável que, teimoso, fizesse vista grossa para a infidelidade da esposa. Talvez — ao ter status e satisfação pela primeira vez na carreira — temesse comprometer sua posição como gerente do próspero estabelecimento de Holmes. No fim, contudo, nem mesmo ele pôde ignorar a situação — em especial depois de diversos conhecidos cheios de boas intenções o chamarem de lado certo dia para alertá-lo sobre o comportamento escandaloso de sua esposa.

Forçado a um confronto desagradável com Julia, Ned exigiu que rompesse o relacionamento com Holmes de imediato, e ameaçou deixá-la caso não lhe obedecesse. Ela se recusou terminantemente, e Ned não teve escolha.

Em março de 1891, se mudou do apartamento no terceiro andar, e dormiu no chão da barbearia de Holmes na primeira noite. Logo depois, arrumou apartamento no centro e emprego na H. Purdy Company.

Durante alguns meses, esperando que Julia enfim recuperasse o bom senso, manteve contato com a esposa e a filha. Quando, por fim, se tornou evidente que ela não tinha nenhuma intenção de terminar o caso, Ned pediu o divórcio.

Algumas semanas depois, deixou Chicago para recomeçar a vida. Logo se casaria de novo e abriria uma série de joalherias em cidadezinhas do interior, cujos fracassos sucessivos e previsíveis nunca pareceram impedi-lo de tentar mais uma vez.

Muito antes de Ned Conner voltar a se casar, contudo, Holmes tinha se cansado de Julia.

Determinada e ambiciosa, Julia não tinha nenhuma intenção de ser relegada ao papel de mulher sustentada por Holmes. Considerava-se sua sócia, não sua concubina, e insistia em assumir parte mais ativa nos negócios. Queria que Holmes a nomeasse contadora e a mandasse para a escola de administração a fim de dominar as complexidades da contabilidade. Holmes concordou com ambas as propostas.

Àquela altura, porém, já tinha resolvido se livrar de Julia. Seu espírito resoluto e independente — tão revigorante e diferente, a princípio, da submissão e docilidade das outras mulheres que conhecera — se tornou cansativo. Também estava descontente com o crescente envolvimento dela nos negócios. Mas o mais irritante de tudo aconteceu em algum momento de novembro de 1891, quando Julia anunciou gravidez e esperava que Holmes se casasse com ela.

Evidências sugerem que, quando Holmes recusou, Julia o lembrou de que sabia sobre seu envolvimento em negócios questionáveis. Holmes entendeu o recado. Concordou em se divorciar de Myrta e se casar com Julia — mas com uma condição.

Ele já tinha uma filha com Myrta — uma menina de 2 anos chamada Lucy, a quem visitava de forma periódica. E, claro, ao se casar com Julia, adotaria a pequena Pearl como sua filha. Ele não estava preparado para assumir mais fardos.

Faria de Julia sua esposa, declarou Holmes. Mas apenas se ela concordasse em abortar. Ele mesmo realizaria o procedimento.

Julia, a princípio, horrorizou-se com a ideia, embora Holmes, por fim, conseguisse convencê-la, lhe assegurando que a operação era perfeitamente segura. Ele a realizara muitas vezes durante seus dias na escola de medicina em Ann Arbor, em nome de colegas estudantes que engravidaram garotas locais.

Holmes achava melhor agir de imediato, ainda que Julia encontrasse motivos para adiar. Afinal, acertaram a data — 24 de dezembro, véspera de Natal, de 1891.

Holmes passou inúmeras horas no final daquela tarde cuidando dos preparativos no porão, onde faria a operação. Ao pôr do sol, Julia estava em tamanha agitação que não conseguiu se forçar a colocar Pearl para dormir.

Holmes se ofereceu para fazê-lo.

Deixando Julia aconchegada em uma poltrona no quarto dele — um xale tricotado cobria-lhe os ombros —, Holmes avançou pelo corredor mal iluminado até o quartinho que Pearl e Julia dividiam.

Antes de chegar ao quarto, contudo, parou no escritório e pegou uma garrafa com líquido incolor e um pano de algodão de uma gaveta trancada na mesa.

Quinze minutos depois, voltou ao quarto. Pearl adormecera depressa, assegurou a Julia. Tinha certeza de que demoraria bastante tempo para acordar.

Então, passando o braço em volta da mulher trêmula, a conduziu por uma escadaria oculta cuja existência ela nunca suspeitara e a guiou até a escuridão do porão, onde seu laboratório subterrâneo aguardava.

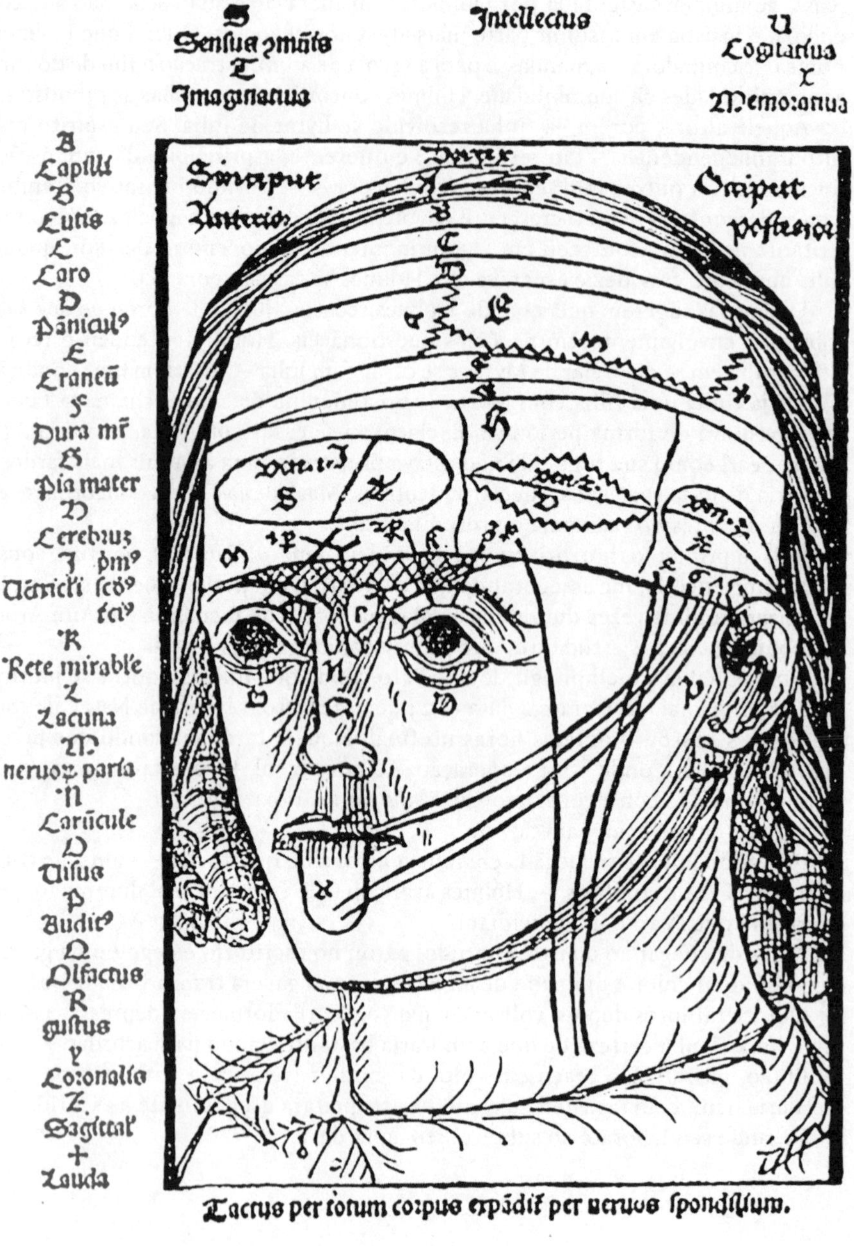

S Senſus comũis
T Imaginatiua

Intellectus

U Cogitatiua
X Memoratiua

A Capilli
B Cutis
C Caro
D Paniculꝰ
E Craneũ
F Dura mr̄
G Pia mater
H Cerebruʒ
I pm̄ꝰ Uētriclī ſcōꝰ tcꝰ
K Rete mirab̅le
L Lacuna
M neruoꝝ parta
N Caruncule
O Uiſus
P Auditꝰ
Q Olfactus
R guſtus
Y Coronalis
Z. Sagittal'
+ Lauda

Sinciput Anterior

Inter

Occiput poſterior

vēt.j.   vēt.z.   vēt.ꝣ.

Tactus per totum corpus expãdiꞇ per neruos ſpondiliũ.

CRIME SCENE: PROFILE

VERDADE ANATÔMICA

09. ANATOMICAL TRUTH

> Mas, eu lamento por toda tua riqueza e diversa habilidade,
> Lamento pelo maldito que, mesmo nos mortos, abriu feridas
> Lamento pelo que te cabe dos dedos manchados de maldade
> Com que fez verter as gotas vermelhas das vítimas abatidas.
>
> — ANÔNIMO, *Balada sobre William Burke* —

Em janeiro de 1892, H. H. Holmes descobriu que um de seus funcionários — o operador de máquinas Charles M. Chappell — tinha uma habilidade com alto grau de especialização: montar esqueletos humanos.

Chappell adquirira essa habilidade incomum muitos anos antes, enquanto trabalhava para um construtor chamado A. L. Goode, que alugara escritório no número 513 da State Street — o mesmo prédio ocupado pela Bennet Medical College. Goode mais tarde depôs que "não era nada incomum ver corpos serem levados àquele prédio para dissecação, e depois para terem seus ossos articulados". Ao que parece, Chappell — um faz-tudo de curiosidade insaciável por habilidades manuais — fascinou-se pela articulação de esqueletos e conseguira obter um pouco de experiência em primeira mão no laboratório de anatomia da faculdade.

Havia anos que Chappell não trabalhava com espécimes anatômicos. Ele começara a realizar pequenos serviços no Castelo no outono de 1890, depois de responder ao anúncio que Holmes colocara nos jornais. Seis meses depois, Holmes abordou o assunto dos esqueletos. Chappell admitiu que tinha alguma prática em articular ossos humanos, e Holmes o levou até um cômodo escuro no segundo andar do Castelo.

Estendido sobre a mesa, havia um cadáver parcialmente dissecado. Chappell pôde perceber que era um corpo de mulher, embora, aos seus olhos, se parecesse mais "com uma lebre esfolada ao ter tido a pele do rosto cortada e depois arrancada do restante do corpo", como descreveu mais tarde. "Em alguns lugares", continuou Chappell, "uma quantidade considerável de carne tinha sido arrancada."

Holmes ofereceu 36 dólares a Chappell para que terminasse de remover a carne do corpo e preparasse o esqueleto. Chappell — que presumiu que o dr. Holmes realizara exame *post mortem* em um paciente falecido — concordou de pronto. Naquela noite, um baú de viagem contendo o cadáver foi entregue na casa de Chappell pelo rude e descarnado assistente de Holmes.

Em janeiro de 1892, H. H. Holmes descobriu que um de seus funcionários [...] tinha uma habilidade com alto grau de especialização: montar esqueletos humanos.

Uma semana depois, Chappell devolveu o esqueleto limpo e articulado para o dr. Holmes e recebeu seu dinheiro, feliz pelo trabalho extra.

Holmes também ficou feliz. No intervalo de uma semana, tinha transportado o esqueleto até o Hahnemann Medical College e o vendido por quase 200 dólares.

O esqueleto permaneceu na faculdade de medicina por apenas alguns meses antes de ser adquirido pelo cirurgião Pauling, que o exibiu com orgulho em seu consultório particular em casa. O espécime montado era um objeto excepcional. Em todos os seus anos de exercício, o dr. Pauling nunca vira um esqueleto feminino que chegasse quase a 1,85 m.

Deve ter sido uma bela de uma mulher quando viva, o dr. Pauling comentava de vez em quando com visitantes. Olhando os restos descoloridos, às vezes se imaginava o quê — pneumonia? tuberculose? parto malsucedido?— a matara.

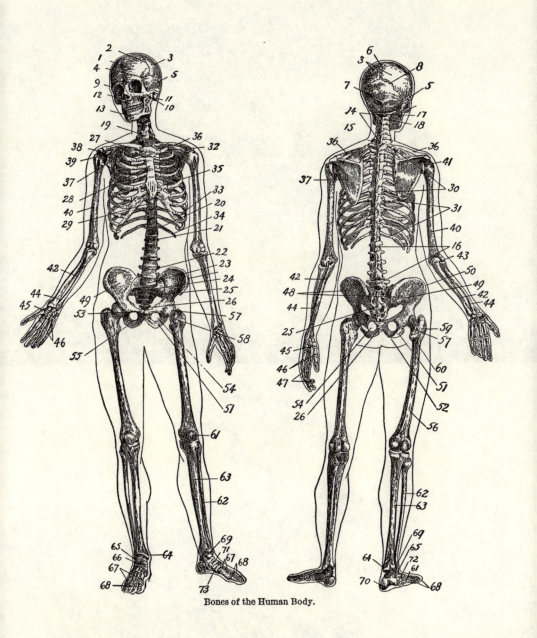
Bones of the Human Body.

CAPITULUM

CRIME SCENE: PROFILE

AMIZADE DOURADA

10. GILDED FRIENDSHIP

> A noiva, depois de completar sua educação, foi empregada como estenógrafa no Cartório de Registros Gerais do Condado. Dali ela foi para Dwight, e então para Chicago, onde encontrou seu destino.
> — do artigo de jornal anunciando o casamento de Emeline Cigrand, 7 de dezembro de 1892 —

Como outros médicos celebridades, antes e depois, que enriqueceram ao anunciar tratamentos de saúde revolucionários, Leslie Enraught Keeley devia sua fama mais ao talento de autopromoção do que às virtudes comprovadas de seu programa. Na verdade, não há prova alguma de que sua famosa Cura Keeley para o alcoolismo (também conhecida como a Cura de Ouro) foi baseada em qualquer pesquisa ou experimento que fosse. Não obstante, quase meio milhão de estadunidenses se sujeitaram ao remédio. Muitos deles até conseguiram se convencer de que o método funcionava de verdade.

Nascido na Irlanda em 1834, Keeley cresceu em Nova York, se formou pela Rush Medical School em Chicago e se estabeleceu em Illinois depois de servir no corpo médico do Exército da União durante a Guerra Civil. Em 1880, declarou não apenas ter identificado a causa raiz do alcoolismo, mas também inventado uma cura infalível.

De acordo com Keeley, a bebedeira era doença causada por envenenamento alcóolico das células nervosas. O remédio consistia em um regime dietético rigoroso acompanhado de injeções regulares de "bicloreto de ouro". Embora Keeley nunca tenha revelado o conteúdo de sua duvidosa poção, especialistas na história do alcoolismo deduziram que era um preparado de sais de ouro e compostos vegetais.

Pouco depois de fazer seu anúncio, fundou o primeiro Instituto Keeley, um sanatório na campina de Dwight, Illinois, pouco mais de 120 km a sudoeste de Chicago. A grande oportunidade de Keeley surgiu em 1891, quando o *Chicago Tribune* publicou uma série de elogios à sua Cura de Ouro. Em um curto intervalo, milhares de alcóolatras — desesperados para expulsar o "demônio da garrafa" de suas vidas —convergiram para Dwight. Keeley não demorou a capitalizar aquela publicidade, enviando "graduados" do seu instituto (como eram chamados com grandiloquência) em excursões de palestras pelos estados, criando a Liga Keeley nacional cujos membros desintoxicados se reuniam em convenções anuais, e até mesmo organizou um grupo auxiliar de mulheres, conhecido como Clube do Bicloreto de Ouro das Senhoras, com as esposas de antigos pacientes. Na época da virada do século, todos os estados da União tinham pelo menos um Instituto Keeley.

O sanatório original em Dwight, contudo, permaneceu o centro de seu império, atraindo alcóolatras aos milhares. Dentre os muitos pacientes que se registraram no instituto na primavera de 1892, com esperança de se livrar do vício destruidor, estava Benjamin Freelon Pitezel.

Visto que a estadia no instituto não era barata, pelos padrões da época — 100 dólares pelo programa completo de quatro semanas —, parece provável que o tratamento de Pitezel tenha sido subsidiado, se não pago por completo, por seu empregador, H. H. Holmes. Que Holmes estivesse preparado para bancar tratamento tão dispendioso é prova não apenas do relacionamento pessoal íntimo que os dois homens tinham desenvolvido àquela altura, mas também do valor inestimável de Pitezel como cúmplice e instrumento de Holmes.

Quando Pitezel voltou a Englewood, no início de abril de 1892, parecia ser um homem diferente, o testemunho ambulante da verdade a respeito das alegações de Keeley — sóbrio, bem cuidado e mais saudável do que aparentara em anos. Porém, como muitos outros alcóolatras supostamente curados pelo ouro — cuja alta taxa de recaída por fim destruiu a credibilidade de Keeley —, achou impossível continuar nos trilhos. Em um intervalo de poucos meses após seu retorno de Dwight, ele parecia tão maltrapilho quanto antes de partir, e seu hálito fedia a bebida com a mesma intensidade.

Mesmo assim, Holmes pode muito bem ter considerado que seu investimento na fracassada reforma de Pitezel não foi total desperdício. Ben, afinal, trouxera de volta algo mais, além de sua breve sobriedade.

Trouxera de volta a descrição de Emeline Cigrand.

Ela era (de acordo com o relato de Pitezel) uma loira alta e atraente, cuja beleza rivalizava com a de Julia Conner. Melhor ainda, Emeline Cigrand era ainda mais adorável. Afinal de contas, quando Holmes conhecera sua antiga amante, ela já tinha 27 anos e dois filhos. Mas Emeline Cigrand era imaculada — jovem ingênua, 24 anos de idade, cuja inocência era quase palpável como o perfume de uma flor.

Natural de Lafayette, Indiana, Emeline trabalhara durante um ano como estenógrafa no Cartório de Registros Gerais do Condado de Tippecanoe antes de ir trabalhar em Dwight, em julho de 1891. Estivera lá por menos de um ano quando Pitezel se registrou. Cativado por sua beleza, iniciou amizade com a jovem e se esforçou ao máximo para impressioná-la com sua importância. Ele se apresentava como sócio do dr. H. H. Holmes, um dos homens de negócios mais preeminentes de Chicago. Emeline, que nunca visitara a grande metrópole — na verdade, nunca estivera em uma cidade maior do que Lafayette —, ficou muito impressionada.

De volta a Englewood, Pitezel enalteceu Emeline para Holmes, que não perdeu tempo em atrair a jovem a seu Castelo.

Poucas semanas depois do retorno de Pitezel, Holmes escreveu para Emeline, lhe oferecendo um emprego como sua secretária particular com salário de 18 dólares semanais — aumento de 50% sobre o salário que o dr. Keeley pagava. Em maio de 1892, a jovem se despediu dos amigos em Dwight e viajou a Englewood, onde alugou um quarto de pensão a apenas um quarteirão de distância do Castelo.

Quando Pitezel voltou a Englewood, no início de abril de 1892, parecia ser um homem diferente, o testemunho ambulante da verdade a respeito das alegações de Keeley...

Holmes passou a seduzi-la com sua costumeira dedicação e determinação. Ele a presenteava com flores, a levava para passear pela cidade, oferecia-lhe belos ornamentos — fitas de cabelo, pente de tartaruga, broche de camafeu —, comprados na loja de departamentos Marshall Field's. Logo, a acompanhava ao teatro e a levava para jantar em caros restaurantes da moda no centro. Passavam as tardes de domingo caminhando por Englewood ou andando de bicicleta no parque. Emeline se dedicou ao novo esporte com tanto entusiasmo que Holmes a presenteou com sua própria bicicleta Pope.

Em meados do verão, ela já se tornara sua amante. Até mesmo um espectador casual era capaz de ver que (como um dos inquilinos do Castelo testemunhou depois) "as relações entre Holmes e a srta. Cigrand não se restringiam àquelas de emprego e empregador".

Além desse testemunho, pouco é sabido sobre os detalhes do caso, embora marcantes provas circunstanciais sugiram que, no começo do outono de 1892, Emeline esperava que se casassem. Na verdade, parece que Holmes a encorajou a comunicar as boas-novas aos parentes e amigos. No entanto, insistiu — aparentemente devido às complicações legais envolvendo seu divórcio com Myrta — que se referisse a ele por pseudônimo: Robert E. Phelps.

Ao longo do outono, Emeline com frequência se correspondeu com seus amigos em Dwight, se derretendo pelo futuro marido — sua bondade e generosidade, sua riqueza e seu status, seus modos requintados e cavalheirescos. Para a lua de mel, ele pretendia levá-la à Europa. Para a irmã mais nova, Philomena Ida, Emeline confidenciou que seu pretendente era o filho de lorde inglês, a quem planejavam visitar durante a viagem. Era possível que se estabelecessem de modo permanente exterior.

No início de outubro de 1892, os primos de Emeline, o dr. e a sra. B. J. Cigrand, visitaram Chicago e, pouco depois de sua chegada, encontraram-se com ela. Seu noivo não estava presente, mas Emeline falou com entusiasmo sobre suas virtudes. Apesar de ser bem mais velho, insistia ela, era um "ótimo cavalheiro", "muito rico", que a tinha tratado com incansável bondade. Para lhes dar uma ideia das conquistas do futuro esposo, guiou-os até o Castelo, mostrou-lhes as lojas no primeiro andar e levou-os ao escritório principal no terceiro andar.

No fim das costas, o dr. Cigrand não ficou tão impressionado quanto Emeline esperava. Na verdade, logo reparou na evidente má qualidade da construção por todo o interior. A escadaria em caracol, em particular, lhe deu a impressão de ser um serviço bastante ruim, e fez comentários a respeito da madeira de baixa qualidade usada ali. Emeline, mesmo ofendida pela reação do primo, não disse nada.

Em meados do verão, ela já se tornara sua amante. Até mesmo um espectador casual era capaz de ver...

O casamento de Emeline Cigrand e H. H. Holmes — planejado para ser uma cerimônia civil privada — foi marcado para a primeira semana de dezembro. Em algum momento no começo de novembro, Holmes ofereceu a Emeline uma porção de envelopes brancos e pediu que os endereçasse aos parentes e amigos mais íntimos. Ele pretendia encomendar a impressão de anúncios formais do casamento, explicou, que enviaria logo depois do casamento. Emeline sentou-se de imediato e redigiu os endereços com caligrafia fina e fluida.

Ela não tinha nenhuma maneira de saber, é claro, o verdadeiro propósito do pedido de Holmes, que se tornou evidente apenas muito mais tarde. Contudo, em retrospecto, seu significado fica claro.

À época em que Holmes lhe pediu para preencher os envelopes, já tinha decidido matá-la.

Por que Holmes queria a morte de Emeline Cigrand? Como Julia Conner, ela poderia muito bem ter conhecimento de muitos dos seus segredos, ao trabalhar como secretária particular por mais de seis meses. Também há motivos para crer que Emeline ameaçou deixá-lo caso Holmes não lhe propusesse casamento. E ele não era um homem que lidava bem com ameaças.

Ou talvez a decisão de Holmes de se livrar de sua jovem amante não significasse nada além disto: um capricho da parte dele.

Em algum momento na primeira semana de dezembro — provavelmente no dia seis — Holmes, que trabalhava no escritório, pediu que Emeline fosse até lá e que pegasse um documento no cofre do cômodo ao lado. Enquanto Emeline procurava a tal papelada, Holmes andou até o cofre, fechou a pesada porta e girou a tranca. Então puxou uma cadeira, pressionou o ouvido contra a porta de aço e ouviu com atenção conforme o choque de sua noiva se transformava em pânico e, por fim, em pavor puro e primitivo.

Os minutos passavam e sua excitação foi ficando cada vez mais intensa, até que ele abriu as calças, expôs o membro rígido e se masturbou sobre o lenço até — tendo chegado ao clímax repetidas vezes — afundar, saciado, na cadeira.

No dia 17 de dezembro de 1892, os amigos da família de Emeline receberam envelopes escritos à mão pelo correio. Dentro, encontraram um cartão impresso, com uma simples inscrição:

Sr. Robert Phelps
Srta. Emeline Cigrand
Casaram-se
Quarta-feira, 7 de dezembro
1892
Chicago.

O jornal da terra natal de Emeline já sabia de sua boa sorte. Dez dias antes, publicara o seguinte artigo sob a manchete "Senhorita Cigrand Casa-se com Robert E. Phelps": "A noiva, depois de completar sua educação, foi empregada como estenógrafa no Cartório de Registros Gerais do condado. Dali, foi para Dwight, e então para Chicago, onde encontrou seu destino. É uma dama de grande inteligência e modos charmosos, e de bela aparência. Dama requintada, tem caráter forte e puro. Seus muitos amigos consideram que ela exerceu bom julgamento ao escolher um marido e vão parabenizá-la com entusiasmo".

É impressionante — além de sombrio e irônico — que o autor dessa nota tenha escolhido a expressão "encontrou seu destino" para se referir ao noivo de Emeline Cigrand, o fictício sr. Phelps. Emeline tinha de fato encontrado seu destino em Chicago, embora não no sentido que o autor quis passar.

É impossível dizer se a jovem já estava morta quando o anúncio no jornal foi publicado, embora o suprimento de oxigênio no cofre hermeticamente fechado com certeza deva ter chegado ao fim àquela altura — ainda mais pela alta taxa de respiração induzida pela histeria descontrolada. Holmes sugeriu, mais tarde, que, a partir do momento em que Emeline compreendeu o completo horror de sua situação, seus gritos e apelos frenéticos continuaram por horas a fio. De qualquer modo, Emeline Cigrand nunca mais foi vista com vida.

Poucas semanas depois de seu desaparecimento, a LaSalle Medical School se tornou dona de novo espécime anatômico: um belo esqueleto feminino adquirido do dr. H. H. Holmes.

ADMINISTRATION BUILDING MAY 1. 1893

 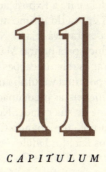

CRIME SCENE: PROFILE

FEIRA MUNDIAL

11. WORLD'S FAIR

> Havia algo estranho que me incomodava; dentre as ocupações ou diversões da feira, nada era mais comum do que uma pessoa — fosse no banquete, no teatro ou na igreja, fosse comercializando riquezas e honrarias, ou seja lá o que ela pudesse estar fazendo, e por mais inoportuna que fosse a interrupção— desaparecer de repente como uma bolha de sabão e nunca mais ser vista por seus companheiros.
> — NATHANIEL HAWTHORNE, *The Celestial Railroad* (A Ferrovia Celestial) —

Um século depois, o quinquenário da histórica viagem de Colombo seria marcado por divergências e controvérsias. O mestre marinheiro seria retratado não como pioneiro heroico — "O Almirante do Mar Oceano" —, mas como um invasor brutal cujas expedições mal guiadas trouxeram escravidão, despojamento e doença aos habitantes nativos das Américas.

Em 1892, porém, o quadringentésimo aniversário da chegada de Colombo ao Novo Mundo foi causa para comemoração sem precedentes. E os Estados Unidos, explodindo de orgulho, força e ambição, pretendiam comemorá-lo com a festança mais espetacular que o mundo já testemunhara.

A ideia para a Exposição Universal começara a tomar forma no final da década de 1880. À época do último ano daquela década, quatro cidades, cada uma ansiosa por sediar a extravagância — Nova York, Washington, St. Louis e Chicago — competiam com afinco pela honra. Mas a audaciosa metrópole do Centro-Oeste, determinada a asseverar as reivindicações de superioridade cultural, por fim venceu a contenda. Auxiliada por uma vaquinha de 5 milhões de dólares, uma coalizão de homens de negócios e financistas preocupados com o bem-estar público lançaram um lobby agressivo em nome de sua cidade. No dia 25 de abril de 1890, o presidente Benjamin Harrison assinou nota designando Chicago como o local para a Exposição. "A festa da maioridade dos Estados Unidos" seria realizada às margens do lago Michigan.

Para os elitistas da Costa-Oeste, Chicago era uma arrivista provinciana, o símbolo dos esforços rústicos e comerciais da nação, colossais, mas grosseiros — "açougueiro de suínos para o mundo" (como Carl Sandburg a descreveu mais tarde). Os cínicos previram o pior. Uma feira mundial que refletia o espírito insolente da cidade sede estava fadada a ser um constrangimento — a enorme exibição presunçosa da vulgaridade estadunidense.

Os céticos caíram em silêncio quando os organizadores recrutaram os arquitetos, pintores, escultores, paisagistas e engenheiros mais eminentes do país para projetar a Exposição. Formados, em sua maioria, pela École des Beaux-Arts de Paris, os participantes compartilhavam o ideal comum de harmonia, ordem e grandeza. "Olhe aqui, meu camarada", exclamou o renomado escultor Augustus Saint-Gaudens depois de uma sessão de planejamento. "Você percebe que este é o maior encontro de artistas desde o século xv?"

A crença inebriante de Gaudens de que participava de grande empreendimento de estética se mostrou justificada. No intervalo de dois anos, ele e seus colaboradores — dentre eles, o grande projetista ambiental Frederick Law Olmsted, os muralistas John La Farge e Elihu Vedder, o escultor Daniel Chester French e os arquitetos Daniel H. Burnham e Richard Morris Hunt — criaram uma exibição deslumbrante que surpreendeu o mundo e teve impacto duradouro na aparência das cidades dos EUA.

Em um trecho lamacento da margem do lago, 11 km ao sul do centro de Chicago, uma visão gloriosa tomou forma — a cidade dos sonhos, de graça e proporção clássicas, construída (ou assim parecia) do mais puro mármore branco. A data oficial de início das obras é fevereiro de 1891, com a limpeza, o preenchimento e a nivelação do terreno. A construção dos primeiros salões de exposições reluzentes já estava a caminho em julho daquele ano. No total, sete mil operários trabalharam de forma heroica para cumprir o prazo: outubro de 1892.

Para os moradores de Chicago, esse feito arquitetônico miraculoso — a construção, em menos de dois anos, de uma cidade utópica inteira em terreno pantanoso de 600 acres — foi mais uma demonstração de vigor e determinação extraordinários de sua cidade, uma confirmação de seu mais puro caráter estadunidense. "Durante as tempestades de verão, apesar das geadas do inverno", declamou Daniel H. Burnham, chefe da construção da feira, "o pequeno bando de garotos dos EUA disputou a corrida pela vitória contra o Pai Tempo, e a venceu."

Burnham tinha todos os motivos para sentir orgulho, embora sua afirmação tenha sido um pouco exagerada, visto que a feira ainda não estava pronta no

Dedication Day[1], em 21 de outubro de 1892. Mesmo assim, as cerimônias foram um sucesso esmagador. As festividades começaram com desfile militar espetacular de 16 km que atravessou a cidade até o local da feira. Cerca de 800 mil pessoas saíram às ruas para aplaudir, conforme as bandas marciais tocavam, bandeiras eram agitadas, garanhões da cavalaria se empinavam e dignitários passavam em suas carruagens de Estado.

A cerimônia em si aconteceu dentro da estrutura mais impressionante da Exposição, o Pavilhão das Produções e Artes Liberais, cujo interior (como os produtores da feira não se cansavam de destacar) poderia abrigar com folga o Capitólio dos Estados Unidos, a Catedral de Winchester, a Catedral de São Paulo, o Madison Square Garden e a Grande Pirâmide de Gizé — com espaço de sobra.

Após a execução estimulante de *The Columbian March* — composta pelo professor de Harvard John Knowles Paine, e executada pela Orquestra Sinfônica de Chicago, com seus duzentos integrantes — os espectadores foram presenteados com inúmeras horas de discursos extravagantes, intercalados por outras seleções musicais, incluindo *To the Sons of Arts* de Mendelssohn e *Aleluia* de *O Messias*, de Handel. Outros destaques incluíam a apresentação de prêmios por Harlow N. Higinbotham, chefe da World's Columbian Exposition Corporation (Corporação da Exposição Universal), e o "leve almoço" para a multidão reunida de 140 mil pessoas (apenas metade delas conseguiu comer alguma coisa na correria por comida). Nem mesmo a ausência do presidente Benjamin Harrison — forçado a cancelar sua aparição por conta de grave doença que acometeu sua esposa — prejudicou a pompa incomparável do evento.

Outros seis meses se passaram antes que a Exposição Universal — ou a Feira Mundial de Chicago, como também ficou conhecida — fosse afinal aberta ao público. Duas mil pessoas enfrentaram um aguaceiro para estar presente na ocasião. Perto do meio-dia, a chuva parou e o panorama que se estendia diante da multidão crescente parecia, mesmo na melancolia daquele dia nublado, imensa em seu esplendor.

Como milhões de outros que se dirigiram à Exposição durante os poucos meses de sua existência passageira, os visitantes do primeiro dia — mesmo aqueles que trabalhavam com linguagem — dividiram um senso de inadequação, incapacidade de encontrar palavras ou comparações que fizessem jus à grandeza da feira. Alguns a compararam com a Roma clássica, outros a Veneza, ainda outros a "Nova Jerusalém". A Exposição era um reino de fadas, um mundo de maravilhas de Aladim, "cena de inexprimível esplendor que lembrava as descrições deslumbrantes das noites árabes quando Haroun Al Raschid era o califa". Mas uma expressão em particular — sugestiva das glórias celestiais do próprio reino dos céus — se tornou o título mais popular pelo qual a feira ficou conhecida: a Cidade Branca.

No coração da Cidade Branca ficava a Corte de Honra. De pé em seus limites impressionantes, os frequentadores da feira contemplavam um panorama de

---

[1]   Data do aniversário do Discurso de Gettysburg, proferido na cerimônia de consagração do Cemitério Nacional de Gettysburg, no dia 19 de novembro de 1863, quatro meses depois da vitória na Batalha de Gettysburg, decisiva para o resultado da Guerra de Secessão. [NT]

tirar o fôlego de palácios cintilantes, alvas colunatas, arcos elevados e domos reluzentes — tudo isso flanqueava um espelho d'água de 760 m de comprimento. Estátuas colossais despontavam da água em ambas as pontas do espelho. Ao leste erguia-se "A República", de Daniel Chester French — figura altaneira vestida de toga, que segurava no alto uma águia e uma coroa de louros. A ponta oposta era dominada pela "Fonte de Colúmbia", de Frederick MacMonnies — escultura monumental da figura de Colúmbia, que velejava triunfante pelas águas em grande barcaça tripulada por representações alegóricas de Ciência, Indústria, Agricultura, Comércio e Artes.

Mas esses esplendores da Corte não eram de modo algum as únicas maravilhas que a feira tinha a oferecer. Cada acre da Cidade Branca era preenchido por exemplos tão formidáveis quanto de opulência arquitetônica e escultural — desde o Pavilhão dos Transportes, de Louis Henri Sullivan, com sua magnífica Porta Dourada, ao Pavilhão da Pescaria, de Henry Ives Cobb, com sua arquitetura "românica-hispânica", aos Palácios das Belas-Artes, de Charles B. Atwood, que o escritor Julian Hawthorne (filho de Nathaniel) declarou de modo inequívoco ser "a peça arquitetônica mais bonita do mundo".

Perto do meio-dia, a chuva parou e o panorama que se estendia diante da multidão crescente parecia, mesmo na melancolia daquele dia nublado, imensa em seu esplendor.

Para aqueles que ansiavam por um programa menos enriquecedor, a exposição oferecia os prazeres espalhafatosos do parque público Midway Plaisance, atração secundária de 1,6 km comprimento, com mostras exóticas como o vilarejo das ilhas da Polinésia, bazar japonês, acampamento de canibais da tribo Daomé, Congresso Mundial das Beldades ("40 Damas de 40 Nações") e a Rua do Cairo, onde a belezura árabe chamada Little Egypt[2] apresentava sua notória *danse du ventre* — mais conhecida nos EUA como hootchy-kootchy.

Até mesmo aqueles moralistas que ficaram bastante escandalizados com as "contorções lascivas" de Little Egypt, contudo, não teriam deixado de visitar a outra atração principal do Midway, o gigante círculo de aço rotativo que levava os passageiros a altura de 76 m para terem uma vista de toda a Cidade Branca. Uma incrível conquista da engenharia, a colossal roda-gigante se transformaria na atração comum dos parques de diversões, e continuou a ser conhecida em inglês como Ferris Wheel (roda de Ferris), homenagem a, George W. Ferris.

---

2   Nome artístico de Fahreda Mazar Spyropoulos (*c.* 1871 – 5 de abril de 1937), popular dançarina do ventre. [NT]

Uma peregrinação à Cidade Branca se tornou um sonho primordial para inúmeros estadunidenses. Em alguns dias, quase 750 mil visitantes compareciam, por 50 centavos cada. As pessoas hipotecavam suas fazendas e recorriam às economias de suas vidas para viajar a Chicago. "Ora, Susan", um senhor teria comentado para a esposa, "valeu a pena, mesmo que tenha acabado com o dinheiro do enterro." Depois de ver as atrações, o novelista Hamlin Garland despachou carta urgente para seus pais idosos em sua terra natal, em Dakota: "Vendam o fogão à lenha. Vocês *têm* que ver a Feira." No total, mais de 27 milhões de pessoas compareceram à Exposição Universal nos seis meses de sua existência, de 1º de maio até 30 de outubro de 1893.

Para os turistas que acorreram à feira de diversos cantos da nação — e, de fato, de países ao redor do mundo —, Chicago ofereceu todos os tipos de acomodações. Visitantes com mais recursos podiam se dar ao luxo de se hospedar em hotéis requintados, como o Great Northern, o Leland ou o Richelieu. Outros, com orçamentos mais restritos, ficavam felizes em se acomodar em uma pensão bem-cuidada.

A demanda por alojamentos decentes era tal que qualquer um com um quarto limpo sobrando podia conseguir alguns dólares extras alugando uma cama para forasteiros desesperados. Até um senhorio com alguns apartamentos desocupados ao seu dispor poderia ter belos lucros com bastante rapidez.

H. H. Holmes tinha dois andares inteiros de quartos vagos, perfeitos para os viajantes.

E ele pretendia matar a pau.

Durante vários anos — desde o momento em que o Congresso escolheu Chicago como sede da Exposição —, Holmes fizera seus planos. O terceiro andar do Castelo tinha passado por reformas extensivas em preparação para o grande evento. Tão logo o dia da inauguração chegou, começou a publicar anúncios nos jornais para seu "Hotel da Feira Mundial".

Ninguém sabe dizer quantos frequentadores da feira Holmes atraiu para o Castelo entre maio e outubro de 1893, embora pareça que tenha lotado o lugar até a capacidade máxima na maioria das noites. Também é incerto quantos desses viajantes — que dormiam pesado em seus quartos depois de um longo dia na feira, talvez sonhando com seus encantos infinitos — nunca voltaram a acordar.

Sabemos, porém, algo a respeito do modo provável como morreram.

Por meio das válvulas de controle escondidas em seu quarto particular, Holmes podia encher qualquer aposento do segundo e do terceiro andares com gás asfixiante. Mergulhados no sono, os ocupantes não teriam ouvido o sibilar dos jatos nas paredes à medida que o vapor mortal se espalhava pela penumbra de seus quartos.

O clorofórmio era outra parte importante do repertório homicida de Holmes. Destrancar a porta com a chave mestra, avançar em silêncio pelo quarto e acabar com uma vida com um pano saturado era uma habilidade que aperfeiçoara ao longo de anos de prática.

Eliminar as evidências também era uma questão simples: bastava jogar os corpos flácidos pela canaleta lubrificada ligada ao laboratório no porão. Embora alguns dos cadáveres tenham terminado como espécimes médicos, a maioria era obliterada no crematório particular ou no tanque de ácido, com quaisquer objetos pessoais que não fossem úteis para Holmes. Os itens mais valiosos — dinheiro, joias, relógios e assim por diante — se tornavam parte dos bens de Holmes.

Alguns cadáveres — todos femininos e nenhum mais velho que 25 anos — serviam para satisfazer aqueles apetites que, para seres como Holmes, a carne de mulheres vivas nunca poderia aliviar.

Ele confessaria mais tarde o assassinato de apenas um frequentador da feira. Outros alegaram que o número era muito mais significativo. De acordo com certos relatos, quase 50 turistas que alugaram quartos no Castelo nunca retornaram de sua viagem à Feira Mundial de Chicago.

A Exposição Universal chegou ao fim ao pôr do sol de 31 de outubro de 1893, encerrando-se com a sombria melodia da *Marcha Fúnebre*, de Beethoven. Cerimônias de gala — equivalentes àquelas que marcaram o Dedication Day — foram planejadas para a ocasião, mas canceladas no último minuto. Dois dias antes, o prefeito de Chicago, que servira por cinco mandatos, Carter Harrison, de 69 anos, fizera um discurso prevendo futuro glorioso para a cidade. "Chicago escolheu uma estrela", proclamou ele. "Eu pretendo viver ainda mais meio século e, ao final desse período, Londres vai tremer com medo de que Chicago a ultrapasse, e Nova York deverá dizer: 'Vamos à metrópole dos Estados Unidos!'"

Naquela noite, o cansado prefeito repousava em casa, de roupão e chinelos, quando a campainha tocou. Harrison atendeu, e foi morto por tiro disparado por candidato a algum cargo público, amargurado por não ter conseguido indicação política. O assassinato lançou uma mortalha sobre o encerramento oficial da feira.

Poucos meses depois, no dia 8 de janeiro de 1894, um incêndio destruiu três dos principais edifícios da Exposição: o Casino, o Peristilo e a Sala de Concertos. Seis meses depois, chamas ainda mais devastadoras reduziram suas estruturas mais gloriosas — incluindo o magnífico Pavilhão das Produções e das Artes Liberais — a cinzas.

No auge da feira, poucos visitantes teriam acreditado como a Cidade Branca era na verdade frágil. Deslumbrados por sua beleza, achariam difícil acreditar que suas maravilhas de mármore branco — os palácios e pavilhões, monumentos e museus — eram na verdade feitas de estuque, um composto de gesso e material fibroso disposto sobre estrutura temporária de madeira e metal. Dentre as muitas lições que a Exposição Universal ensinou, uma — completamente involuntária por parte dos criadores — tinha a ver com a duplicidade das aparências.

Mas, é claro, essa era uma verdade amarga que boa quantidade de visitantes da feira — cerca de 50 — já tinha descoberto no coração sombrio do castelo dos assassinatos do dr. Holmes.

152. CAPTIVE BALLOON AND FERRIS WHEEL.

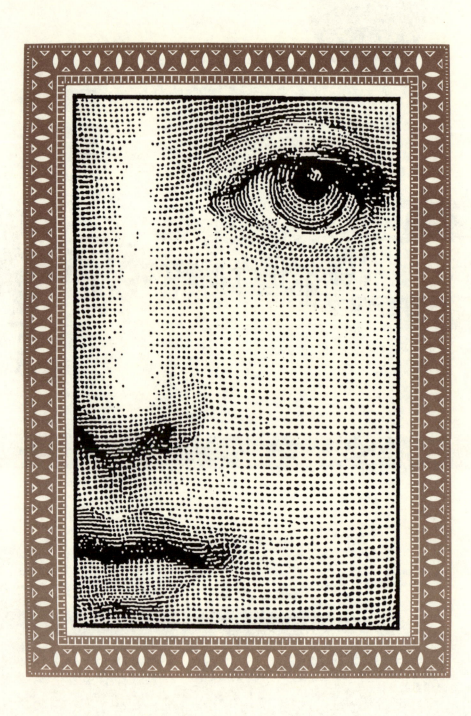

CAPITULUM

CRIME SCENE: PROFILE

TUDO MENTIRA

12. ALL LIES

O engano está no coração dos que maquinam o mal.
— PROVÉRBIOS 12:20 —

O engano estava tão arraigado no caráter de H. H. Holmes que ele era incapaz de dizer a verdade sobre a mais simples questão. Mentiras não eram os meros instrumentos de sua carreira, como são para todos os vigaristas e trapaceiros, eram o reflexo de sua mais profunda natureza psicótica. Não se podia confiar ou levar a sério nada do que dizia. Mesmo quando era apropriado para seu propósito se manter próximo aos fatos, suas palavras eram infestadas de falsidade.

Como resultado, é difícil ao extremo, se não impossível, estabelecer alguns dos fatos mais básicos a respeito da vida de Holmes — como as circunstâncias precisas em que conheceu Minnie Williams.

De acordo com seu próprio testemunho, foram apresentados ou na cidade de Nova York em 1888, onde esteve envolvido com alguma transação não especificada sob o pseudônimo Edward Hatch, ou em Boston, um ano depois, viajando sob o pseudônimo Harry Gordon. Em outras ocasiões, afirmava que tinham se conhecido algum tempo antes, durante uma viagem de negócios que o levara através do Mississippi em algum período por volta de 1886.

Ainda em outro momento, insistia que nunca a tinha visto até o dia em que uma agência de empregos local a enviou ao seu escritório em resposta ao seu pedido por uma estenógrafa.

Um fato, no entanto, é inquestionável. Em março de 1893, Minnie Williams apareceu em Chicago, onde se tornou secretária particular de Holmes, e, no intervalo de semanas, sua amante.

A prontidão com que ela entrou em relacionamento com Holmes não foi, como alguns difamadores alegaram mais tarde, marca de sua lassidão moral ou de seu mundanismo, muito pelo contrário. Todos que a conheciam atestaram sua extrema ingenuidade. "Ela não parecia saber muito do mundo", foi a maneira que um conhecido a descreveu. Essa inocência combinava com sua aparência física. Pernas curtas e rechonchuda, cachos castanho-claros emoldurando o rosto liso e cheinho, ela lembrava bastante um bebê crescido.

A aura de simples doçura de Minnie era, talvez, sua característica mais marcante. Ao conhecê-la, os comparsas de Holmes — não apenas Ben Pitezel, mas também Pat Quinlan, o zelador e faz-tudo do Castelo — ficaram surpresos por sua simplicidade em comparação às amantes anteriores. Pela aparência, concordavam, não chegava aos pés das outras — em especial a esplêndida Julia Conner e a deslumbrante Emeline Cigrand.

Minnie Williams tinha, porém, um atributo que aos olhos de Holmes mais que compensava suas limitações físicas.

Ela era a herdeira de considerável fortuna.

A tragédia recaíra sobre a vida de Minnie quando ainda era criança. Apenas seis anos depois de seu nascimento, em 1866, seu pai morreu em um descarrilamento e sua mãe, inconsolável, se foi pouco tempo depois. A órfã fora acolhida no lar de um tio bondoso em Dallas, Texas, que criou Minnie como se fosse sua própria filha. Outro tio que vivia em Jackson, Mississippi — o reverendo C. W. Black, editor do jornal metodista *Christian Advocate* —, adotara a irmã mais nova de Minnie, Nannie.

Quando Minnie fez 20 anos, seu tio a enviou para estudar no Boston Conservatory of Music and Elocution (Conservatório de Música e Elocução de Boston). Ela se formou três anos depois, mas a ocasião foi arruinada pelo infortúnio. A poucos dias de receber o diploma, seu tio sucumbiu após doença prolongada.

Mesmo morto, contudo, continuou a agir como seu benfeitor, deixando para ela uma propriedade em Fort Worth, avaliada em mais de 40 mil dólares.

Em maio de 1893, quando Minnie e Holmes já compartilhavam um apartamento mobiliado no número 1220 da Wrightwood Avenue, nem mesmo essa soma impressionante seria suficiente para livrar Holmes de suas dívidas. Para seus vizinhos em Englewood, ele continuava a ser uma pessoa de posses — dedicado homem de negócios cujo trabalho árduo e empreendedorismo lhe renderam todos os frutos do sucesso. Eles não tinham como saber quais corrupções esses frutos ocultavam. Ou que os próprios frutos tinham sido adquiridos pelos meios mais desonestos e ardilosos. O Castelo Holmes e toda a sua mobília, toda a decoração de suas lojas, toda a roupa de seu corpo — tudo, ao contrário do que seus vizinhos acreditavam, era fruto de seu jogo duplo desvairado, não de diligência incansável.

Por ironia, Holmes tinha o tipo de ambição corajosa, habilidosa e ilimitada que poderia muito bem ter-lhe rendido o sucesso financeiro que ansiava de modo tão frenético. Mas as perversões de sua natureza faziam com que fosse impossível empregar suas faculdades para fins legítimos. Dedicava esforços colossais (quando não estavam sendo desperdiçados em incontáveis fraudes, esquemas e atividades muito mais sinistras) a passar a perna em seus credores.

Em 1893, porém, quando tempos difíceis atingiram o país no rastro de enorme pânico financeiro, um pequeno exército desses credores cerrara suas fileiras e avançava contra ele. Seriam necessárias medidas desesperadas para se esquivar da horda.

Persuadir Minnie a transferir sua propriedade para ele não foi problema para o loquaz dr. Holmes. Na verdade, a candura da jovem era tão extrema que até mesmo ele pareceu tocado por ela, pois homenageou sua "natureza inocente e infantil" depois. É claro, ter a escritura do imóvel em Fort Worth ainda deixava Holmes com o problema de convertê-lo em dinheiro. Mais de 1.200 km de terra o separavam de sua nova aquisição.

E outro obstáculo também se erguia entre Holmes e o dinheiro que precisava com tanta urgência — a irmã mais nova de Minnie, Nannie.

Embora criadas em diferentes partes do país, as irmãs renovaram a relação nos anos que precederam a mudança de Minnie para Chicago. Em 1889, pouco depois de se formar pelo Boston Conservatory, Minnie fora convidada a passar o verão na casa de seu tio ainda vivo, o reverendo C. W. Black. Lá, ela e Nannie tinham voltado a se familiarizar uma com a outra, encontrando não apenas uma irmã afetuosa, mas uma amiga solidária.

Quando Minnie teve de voltar a Dallas para assinar alguns documentos relacionados à propriedade de seu falecido tio, Nannie viajou com ela. Nannie ficou tão impressionada com o Texas que decidiu ficar por lá, enquanto Minnie voltava para Boston e mais tarde se mudava para Chicago. Isso acontecera em 1890. Desde aquela época, visitavam-se com frequência e mantinham contínua correspondência.

Como resultado, Nannie sabia tudo a respeito de Holmes. Em uma das primeiríssimas cartas que Minnie enviou de Chicago, enaltecera o cavalheiro "bonito, rico e inteligente" que a contratara como secretária particular. Em questão de semanas, comunicara as novidades extraordinárias que ela e seu empregador, o dr. Henry Howard Holmes — ou "Harry", como sempre se referia a ele —, tinham ficado noivos.

Durante a viagem que fizeram juntas a Dallas, Nannie ficara a par de todos os detalhes da herança de Minnie. Ela também descobrira que pessoa simples a irmã era. Como filha adotiva de ministro metodista, Nannie recebera uma criação ainda mais protecionista do que a de Minnie, mas fora abençoada com maior perspicácia em relação ao mundo. Estava ciente de que sua ingênua irmã mais velha — e de repente, rica — se tornaria alvo fácil demais para pretendentes inescrupulosos.

À noite — sentados um diante do outro à mesa do restaurante ou compartilhando calmos momentos sozinhos no apartamento —, Holmes fazia perguntas minuciosas a Minnie sobre seus parentes. Minnie ficava tocada pela curiosidade de seu amor sobre sua vida e lhe contava tudo a respeito da família — em especial sobre sua querida irmã mais nova.

Holmes não demorou a perceber que Nannie representava grave ameaça a suas intenções. Caso um acidente infeliz acontecesse com Minnie Williams, sem dúvida Nannie suspeitaria.

E, portanto, em maio de 1893, Holmes sugeriu a Minnie que escrevesse para sua irmã mais nova e a convidasse para visitar a feira.

Durante a segunda semana de junho, Nannie fez a longa viagem de Midlothian, Texas, a Chicago, onde foi recebida na estação de trem pela radiante irmã com cara de lua e o garboso dr. Holmes, que a cumprimentou com afeição fraternal e a desarmou de imediato.

Nannie ficou tão empolgada com seu primeiro vislumbre da grande metrópole que insistiu em fazer um pouco de turismo naquele exato momento. Ela e seus anfitriões passaram várias horas admirando as atrações do centro de Chicago antes de Holmes e Minnie a acompanharem de volta a Englewood e a ajudarem a se acomodar. Para manter as aparências, Holmes transportara de antemão seus pertences de volta ao Castelo, para que Minnie pudesse dividir o apartamento da Wrightwood Avenue com a irmã durante sua estadia.

E outro obstáculo também se erguia entre Holmes e o dinheiro que precisava com tanta urgência — a irmã mais nova de Minnie, Nannie.

Se Nannie foi a Chicago nutrindo dúvidas em relação a Holmes, elas logo se dissiparam, dirimidas pela força de seu charme radiante. Poucos dias depois de sua chegada, já se referia a ele como "Irmão Harry".

No dia 3 de julho de 1893, o Irmão Harry levou suas "garotas" à feira.

Embora Minnie já tivesse ido à exposição com Holmes algumas semanas antes, se sentia entusiasmada enquanto caminhava pela Cidade Branca outra vez. Nannie, como quase todos os visitantes de primeira viagem, parecia sobrecarregada pelo tamanho e pelo espetáculo impressionantes.

O trio passou um dia agradável na exposição, aproveitando o máximo de experiências que o tempo permitiu. Caminharam ao longo das esplanadas espaçosas da Corte de Honra, serpentearam pelas galerias que não pareciam ter fim do Palácio das Artes; passearam de gôndola ao longo dos canais cintilantes; admiraram-se com a maior pepita de ouro do mundo e com a estátua em tamanho real da esposa de Ló, entalhada a partir de enorme bloco de sal; andaram na roda-gigante; visitaram o aquário; viram a Torre de Luz de Thomas Edison; experimentaram a culinária bávara no jantar; e à noite assistiram a uma espetacular exibição de fogos de artifício do teto do Pavilhão das Produções e das Artes Liberais.

Na manhã seguinte, a pedido de Holmes, Nannie enviou uma carta para seu tio em Jackson, descrevendo a ida à feira e lhe informando sobre a aventura ainda mais grandiosa na qual estava prestes a embarcar. "Minha irmã, o Irmão Harry e eu iremos a Milwaukee", escreveu ela, "e a Old Orchard Beach, no Maine, pelo rio St. Lawrence. Ficaremos duas semanas no Maine, depois vamos para Nova York. Irmão Harry acha que sou talentosa e quer que eu considere a possibilidade de estudar arte. Depois navegaremos até a Alemanha, passando por Londres e Paris. Se eu gostar, vou ficar e estudar arte. Irmão Harry diz que o senhor não precisa mais se preocupar comigo, seja dinheiro, seja qualquer outra coisa. Ele e minha irmã cuidarão de mim."

Mais tarde, naquele mesmo dia, Holmes sugeriu que Minnie ficasse no apartamento, cuidando de algumas tarefas domésticas prementes. Enquanto isso, ele levaria Nannie — que ainda não tinha posto os pés no interior do Castelo — até a esquina da Sessenta e Três com a Wallace Street e lhe ofereceria um passeio guiado pelo prédio.

Depois dos esplendores do reino encantado da exposição, o Castelo Holmes deve ter parecido sem graça, até mesmo um pouco encardido, para Nannie. Apenas três anos depois de sua construção, o edifício já tinha vaga aura de decadência.

Ainda assim, era uma propriedade considerável. Era óbvio que seu futuro cunhado tinha se dado bem na vida.

Naquela tarde, o Castelo Holmes teria parecido abandonado e sem vida — as lojas do térreo estavam fechadas para o feriado, os quartos dos andares superiores vagos enquanto os inquilinos perambulavam pela feira, se regozijando nas festividades do 4 de Julho. Quando Holmes terminou de guiar Nannie através dos labirínticos corredores mal iluminados, ela deve ter se sentido um tanto desorientada.

Enquanto se preparavam para ir embora, Holmes parou de repente, como se lembrasse de algo. Precisava pegar uma coisa no cofre, explicou — documento de negócios muito importante que mantinha guardado dentro de uma caixa de segurança. Não demoraria nada.

Pegando Nannie pela mão, a levou na direção do cofre.

Pouco tempo depois, Holmes reapareceu no apartamento. Sem Nannie. Ele contou a Minnie que tinha decidido levar suas duas garotas para jantar em um restaurante na Stewart Avenue. Nannie estava esperando no Castelo. Eles a pegariam no caminho.

Minnie trocou de roupa depressa, com animação tagarela sobre a iminente viagem à Europa.

Quando ficou pronta, Holmes lhe ofereceu o braço. Então a levou para se juntar à irmã.

CAPITULUM

CRIME SCENE: PROFILE

MALDADE SEDUTORA

13. SEDUCTIVE EVIL

No caráter extraordinário de suas façanhas como assassino, estamos propensos a perder de vista a habilidade e a audácia singulares de Holmes como bígamo.
— H. B. IRVING, *A Book of Remarkable Criminals* (Um Livro sobre Criminosos Notáveis) (1918) —

H. H. Holmes estava apaixonado.

Ele conhecera Georgiana Yoke em março de 1893, mas durante os meses de seu envolvimento com as irmãs Williams, fora incapaz de fazer mais do que apenas uma visita ocasional. Tão logo Minnie e Nannie desapareceram de sua vida, contudo, começou a cortejá-la para valer.

Loira e pequena, 23 anos de idade, Georgiana não era bonita no sentido convencional. Nariz e queixo proeminentes, olhos azuis tão grandes que alguns de seus conhecidos mais maliciosos os descreviam como "desfiguradores", mas uma inteligência vivaz brilhava naqueles olhos, e a alegria de seu sorriso parecia irradiar de algum núcleo profundo de bem-estar. Ela era daquelas mulheres cuja vitalidade a tudo tornava atraente.

Para uma dama criada com rigor em uma cidadezinha do Centro-Oeste, Georgiana tinha espírito corajoso e aventureiro. Ela se mudara da casa da família em Franklin, Indiana, dois anos antes, determinada a viver o glamour da grande metrópole antes de casar. Trabalhava de vendedora na loja de departamento Schlesinger & Meyer quando Holmes a viu pela primeira vez.

Sabe-se pouco sobre o namoro deles, embora seja evidente que avançou a passos rápidos. Holmes era fervoroso na caçada; ela foi seduzida por seu ardor, seus modos lisonjeiros e seu charme. Um fisionomista, ao notar as dimensões dos olhos de Georgiana, teria atribuído um alto grau de acuidade a ela — e em grande parte sua avaliação teria sido correta. Mas mesmo uma mulher tão perspicaz fracassou em enxergar além da fachada atraente de Holmes.

No começo do outono, já estavam noivos. Como todos os amantes, os dois passavam momentos de ternura juntos, aprendendo tudo sobre a vida um do outro. No caso de Holmes, claro, quase tudo que ele contou a Georgiana era mentira. Ambos os pais, afirmou ele, estavam mortos — a mãe de alguma doença não especificada, o pai por um ferimento no pé em que contraíra tétano. Seus irmãos também tinham falecido quando criança, deixando Holmes como "o último de sua raça".

Seu parente mais próximo era o irmão de sua mãe, um solteirão sem filhos chamado Henry Mansfield Howard, que tinha um carinho especial por seu único sobrinho vivo. Ele prometera deixar todos os seus bens para Holmes, com uma única condição — que Holmes assumisse o nome do tio, que (como contou Holmes) "não tinha um filho seu para perpetuar o nome da família".

Georgiana parece ter aceitado essa história sem questionamentos. Ela não tinha como adivinhar o verdadeiro motivo para aquela mentira elaborada — que seu noivo achava melhor cometer poligamia com nova identidade. Como H. H. Holmes, ele já era casado com Myrta Belknap, de Wilmette, enquanto que com seu nome verdadeiro, Herman Mudgett, ainda estava por lei ligado a Clara Lovering, de Tilton, New Hampshire.

O casamento foi marcado para o inverno. Enquanto isso, Holmes contou a Georgiana, ele precisava cuidar de alguns negócios fora da cidade.

Com seus inimigos fechando o cerco, o Castelo se tornara não uma fortaleza, mas uma armadilha. À época de seu noivado, Holmes já planejava sua fuga. O prédio e tudo que ele continha teriam que ser abandonados.

Mas Holmes não era o tipo de homem que deixaria tantos bens valiosos serem desperdiçados. Sua audácia era monstruosa. Mesmo com as vítimas de seus engodos financeiros unidas contra ele, Holmes estava ocupado planejando mais uma fraude.

Em algum momento por volta da meia-noite de um sábado frio de outubro — poucas semanas depois de Georgiana Yoke aceitar o pedido de casamento de Holmes —, o último andar do Castelo irrompeu em chamas. Holmes não estava presente no momento, mas deixou Pat Quinlan sozinho no prédio com instruções explícitas, um balde de querosene e uma caixa de fósforos. Quando a brigada de incêndio chegou e apagou o fogo, todo o terceiro andar estava destruído, embora os danos no segundo andar fossem pequenos e as lojas do térreo não tivessem sido tão afetadas.

Holmes — que contratara quase 25 mil dólares em seguros contra incêndios com quatro seguradoras diferentes — tentou de imediato resgatar as apólices. Um investigador chamado F. G. Cowie, no entanto, tivera notícias sobre a reputação cada vez mais duvidosa de Holmes. Inspecionando o local, encontrou indícios bastante suspeitos, incluindo sinais de que o incêndio começara ao mesmo tempo em diversos pontos diferentes — forte sinal de que fora provocado. Por razões desconhecidas, Holmes escapou de acusações criminais, embora suas reivindicações tenham sido, claro, rejeitadas.

Mas ele conhecia mais de uma maneira de ludibriar seguradoras. Desapontado, mas decidido, de imediato colocou em ação outro embuste. O plano que tinha em mente — bem mais complicado do que sua fraude de incêndio criminoso — requeria um cúmplice disposto e confiável.

Em seu lacaio fiel, Benjamin Pitezel, encontrou o fantoche perfeito.

Muito antes de decidir colocar seu novo plano em ação, Holmes revelara os detalhes a Pitezel. Uma vultosa apólice de seguro de vida seria feita em nome de Pitezel. Depois que deixassem passar alguns meses, os dois homens forjariam um acidente violento. Pitezel se esconderia enquanto um corpo desfigurado seria colocado em seu lugar e identificado como seus restos mortais. A seguradora pagaria a apólice e os dois homens dividiriam o prêmio.

O conceito do plano era simples, mas muito mais complicado de ser executado. Dentre outras coisas, seu sucesso dependia da aquisição de um cadáver. Mas Holmes — cuja experiência em tais assuntos era grande — insistiu que isso não seria problema.

Na verdade, ele já sabia como e onde obter o cadáver perfeito para seus propósitos. Mas achou prudente não compartilhar esse detalhe com seu comparsa.

Sendo assim, o esquema foi posto em prática. Em 9 de novembro de 1893, a seguradora Fidelity Mutual Life Association da Filadélfia, Pensilvânia, assegurou a vida de Benjamin F. Pitezel no valor de 10 mil dólares.

Os esforços de Holmes para queimar o Castelo, afinal, puseram fogo em seus credores. Em meados de novembro, vários deles se juntaram e contrataram um advogado, que apresentou um ultimato a ele. Caso não angariasse de imediato quase 50 mil dólares para acertar suas contas, seria emitido um mandado de prisão.

As contas que estivera acumulando ao longo de 5 anos tinham, enfim, chegado ao vencimento. Mas, é claro, ele não tinha nenhuma intenção de pagá-las.

Em 22 de novembro, o médico E. H. Robinson encontrou Holmes na Van Buren Street e o envolveu em breve conversa. No mesmo dia, Pitezel apareceu em uma joalheria local e conversou com o dono.

Essas foram as últimas vezes que Holmes e seu comparsa foram vistos em Englewood.

De tempos em tempos, ao longo do ano seguinte, Holmes dava as caras na área de Chicago para breve visita a sua esposa, Myrta, e sua filhinha, Lucy.

Pitezel não voltaria nunca mais.

PARTE 03

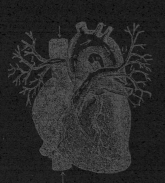
HUMAN HEART.

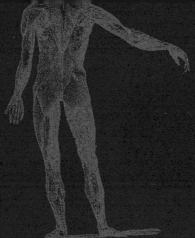
BACK MUSCLES.

SIDE MUSCLES.

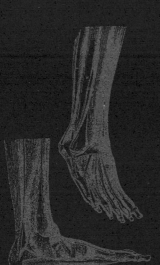
MUSCLES OF FOOT AND LEG.

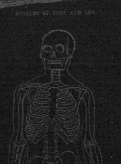

VEINS OF THE BODY.

HAND AND WRIST.

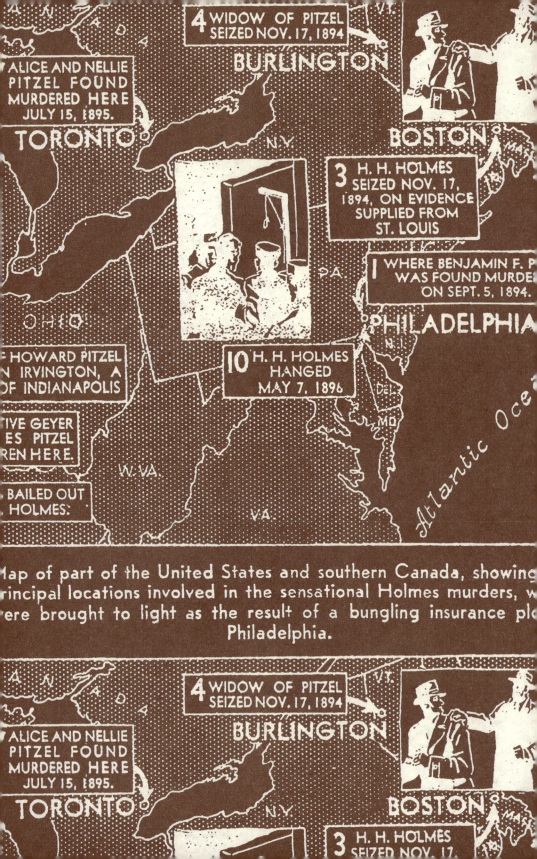

Playground and Workshop for a Monster

Map shows the towns and cities that figure in the story of H. H. Holmes, particularly the places in which the final harrowing events occurred. His last three murders were committed in Philadelphia, Irvington, Ind., and Toronto. He would probably have claimed three more victims in Burlington, Vt., but for his arrest in Boston.

1861   1896   *CAPITULUM*

CRIME SCENE: PROFILE

FUGA PELOS EUA

14. ESCAPE THROUGH THE USA

> Não demorei muito para perceber
> que aqueles mentirosos não eram reis
> nem duques coisa nenhuma, só uns
> trapaceiros e impostores desprezíveis.
> — MARK TWAIN, *As Aventuras de Huckleberry Finn* —

Dado seu histórico educacional, não é surpresa que o dr. Holmes fosse homem bastante letrado, apreciador da boa escrita e com habilidade singela com a caneta. Como milhões de estadunidenses, se deleitava com os livros de Mark Twain e nutria afeição especial pelo personagem do coronel Beriah Sellers, o grandioso maquinador de *The Gilded Age* (A Era Dourada). Embora conseguisse rir das extravagâncias de Sellers, Holmes, não obstante, parecia se identificar com a criação de Twain, se referia a ele em várias ocasiões com bastante apreço. No desenfreado empreendedor Sellers — símbolo do espírito enriquecer-depressa da época — Holmes sem dúvidas discernia uma alma semelhante.

Nos meses que se seguiram à sua fuga de Chicago, porém, a afinidade verdadeira de Holmes não parecia ser com o coronel Sellers, mas com outros personagens de Twain. Mudou-se de estado em estado, arquitetando fraudes cada vez mais desesperadas, ele e Pitezel se pareciam com versões urbanizadas de Duque e Rei — aqueles tratantes inúteis de *Huckleberry Finn*, que vagueiam pelo interior, extorquindo caipiras, "esfolando" órfãos e se mantendo apenas um passo à frente da lei.

Em algum momento de janeiro de 1894, os dois apareceram no Texas. Àquela altura, Holmes já se casara outra vez. No dia 9 de janeiro, usando o nome Henry Mansfield Howard, ele se uniu a Georgiana Yoke, em Denver, Colorado, em cerimônia celebrada pelo reverendo Wilcox.

Quase um ano se passaria antes que Georgiana fosse forçada a confrontar a amarga verdade a respeito de Holmes. Até então, insistia em vê-lo como próspero homem de negócios cujos interesses exigiam que viajasse por todo os Estados Unidos. Quando Holmes propôs que combinassem negócios com prazer e passassem a lua de mel no Texas, Georgiana — cujo orgulho do sucesso de seu marido era enorme, assim como de seu próprio papel como ajudante — concordou sem hesitação.

No desenfreado empreendedor Sellers — símbolo do espírito enriquecer-depressa da época — Holmes sem dúvidas discernia uma alma semelhante.

Pouco tempo depois, Holmes e sua noiva chegaram em Fort Worth, acompanhados de Benjamin Pitezel.

Até onde Georgiana sabia, Holmes fora ao Texas tomar posse de um valioso rancho que seu tio de Denver lhe deixara. Na verdade, ele e Pitezel estavam lá para extrair o máximo de dinheiro possível da propriedade que Holmes roubara de sua ex-amante Minnie Williams.

Devido às suas intenções indevidas, Holmes considerou prudente adotar outra identidade. Hospedando-se no hotel mais chique de Fort Worth, registrou a si mesmo e a Georgiana como sr. e sra. H. M. Pratt. Pitezel ficou no quarto adjacente sob o nome Benton T. Lyman. Georgiana perguntou o motivo do estratagema, mas seu marido já tinha explicação.

Por meio de parceiros de negócios em Fort Worth, descobrira que um grupo de sem-teto tomara posse do rancho desocupado de seu tio. Holmes agora estava diante da tarefa desagradável de despejá-los. Embora os direitos dos sem-teto fossem levados mais a sério no sul do que em qualquer outro lugar, Holmes não tinha dúvidas de que seus esforços em reaver a propriedade, sua por direito, seriam por fim bem-sucedidos. Ainda assim, certas precauções eram necessárias.

Ele estava lidando com homens desesperados — e ali, no Texas, um balaço ainda era o meio tradicional de resolver disputas. Sendo assim, Holmes achou melhor agir sob o manto protetor de um pseudônimo.

Georgiana pareceu ter engolido essa história sem nem pestanejar — do mesmo modo como faria com centenas de outras mentiras que seu marido lhe contaria ao longo dos 10 meses seguintes. Ela não era o que pode se dizer crédula, e sua disposição para aceitar as invenções mais descaradas diz muito não apenas sobre a plausibilidade astuta de Holmes, mas também sobre a natureza ilusória do amor.

Passando-se por Pratt e Lyman — dois sujeitos ricos do norte que decidiram se reassentar em Fort Worth —, Holmes e Pitezel começaram a extorquir diversos banqueiros e homens de negócios locais. A propriedade de Minnie Williams era um terreno grande e desocupado na esquina da Segunda com Russell Street, não muito longe do fórum do condado de Tarrant. Empregando o esquema tão bem-sucedido em Chicago, Holmes começou a construção de imponente prédio de escritórios de três andares no local, adquirindo materiais e móveis a crédito, emitindo notas fraudulentas para a mão de obra e usando a escritura como garantia para empréstimos substanciais.

Ao final de dois meses, a dupla conseguira defraudar uma série de credores — incluindo um preeminente advogado chamado Sidney L. Samuels e o Farmers and Mechanics' National Bank — em mais de 20 mil dólares.

Qualquer outro fraudador, ao obter esse lucro, teria pegado o dinheiro e fugido. Mas foi em Fort Worth que certa imprudência começou a emergir em Holmes. Como outros psicopatas, sempre demonstrara anseio pelo risco e desprezo insolente pelo perigo. Agora, sua audácia característica se transformava na mais pura imprudência autodestrutiva. E passou a cometer erros graves.

Em algum momento em março, por meios que permanecem obscuros, ele e seu comparsa conseguiram roubar um carregamento de cavalos puros-sangues do vagão de carga, os quais despacharam para Chicago. Dessa vez, seu roubo foi descoberto. Holmes e Pitezel se viram enfrentando uma acusação que os texanos levavam bastante a sério — roubo de cavalo.

Com a lei a apenas um passo atrás, a dupla — com Georgiana a reboque — fugiu de Fort Worth na calada da noite. Como Holmes explicou para sua nova esposa, essa abrupta partida noturna é questão de conjectura.

Sua devoção a ele nunca vacilou — nem mesmo em St. Louis, onde sua fé na retidão fundamental dele foi de fato colocada à prova.

Nos seis meses que se seguiram à fuga de Fort Worth, Holmes e Pitezel permaneceram em constante movimento, aos poucos migrando para o leste e passando por grandes cidades: Denver, St. Louis, Memphis, Filadélfia, Nova York. A essa altura, decidiriam colocar o golpe do seguro de vida em curso e procuravam o lugar mais conveniente para realizá-lo. Ao longo do caminho, aproveitavam quaisquer oportunidades que encontrassem para fazer uma fraude ocasional.

Em St. Louis, o comportamento cada vez mais descuidado de Holmes cobrou seu preço. Lá, se viu em uma situação inusitada, a qual ele conseguira evitar durante todos os anos de sua diversificada carreira criminosa.

Acabou indo para a prisão.

Aconteceu em julho. Estabelecido por breve período em St. Louis, Holmes — ainda se passando por H. M. Howard — tirou vantagem do tempo para experimentar uma de suas falcatruas prediletas.

Primeiro, encontrou uma pequena farmácia bem-organizada, cujo dono ansiava vendê-la. Holmes comprou o estabelecimento com uma entrada modesta e a promessa de pagar a diferença em um mês. Tão logo o lugar passou para suas mãos, a estocou com suprimentos adquiridos a crédito da Merrill Drug Company.

Holmes então tratou de colocar seu plano em ação: vendeu todo o inventário e criou uma nota de venda falsa da loja em si para um comprador fictício chamado Brown. Quando os credores tentaram receber o dinheiro, Holmes explicou sem dar muita importância que a loja já não pertencia a ele e recomendou que entrassem em contato com o novo dono, Brown.

Ao que parece, Holmes acreditava que fugiria com tranquilidade da cidade enquanto os credores rugiam e ameaçavam. Se foi esse o caso, cometeu um erro grave. Em 19 de julho de 1894, a Merrill Drug Company deu queixa à polícia de St. Louis e Holmes foi preso por fraude.

Dez dias depois, Georgiana pagou sua fiança. Holmes deve ter oferecido uma explicação convincente para sua prisão, visto que ela parece tê-la considerado um incontestável lapso da justiça.

Quanto a Holmes, viu essa experiência toda como feliz reviravolta do destino. Algo acontecera com ele na prisão que lhe parecera maravilhosamente fortuito.

Conhecera e se tornara amigo de um preso, um ladrão de trens chamado Marion Hedgepeth.

Que Holmes tenha considerado essa circunstância uma sorte tão grande só pode ser interpretado como outro sinal de seu juízo cada vez mais anuviado. Com certeza, ninguém que cruzara o caminho de Marion Hedgepeth tinha se considerado com sorte antes.

Pois Marion Hedgepeth era um autêntico bandoleiro. Uma figura de autoridade não menos importante do que William A. Pinkerton — filho do lendário fundador da agência de detetives — descreveu Hedgepeth como "um dos verdadeiros vilões do Velho Oeste. Foi um dos piores indivíduos de quem ouvi falar. Ele era um cara mau da cabeça aos pés".

BENJAMIN F. PITEZEL.

MARION HEDGEPETH

CAPITULUM

CRIME SCENE: PROFILE

O BANDIDO BONITÃO

15. HANDSOME ROBBER

Um ladrão reconhece outro ladrão do mesmo modo que um lobo reconhece um lobo.
— PROVÉRBIO —

Enquanto outros bandidos do oeste ainda vivem em histórias e músicas (ou em seus equivalentes modernos, filmes e minisséries), o nome de Marion Hedgepeth se perdeu na obscuridade. E talvez o problema seja mesmo o nome. Com certeza lhe falta o toque galante e romântico dos nomes dos fora da lei que viraram lenda: Jesse James, Billy the Kid, Butch Cassidy, Cole Younger, os Dalton. Em sua própria época, porém, Hedgepeth desfrutava de notoriedade equivalente às dos vilões mais lendários do oeste.

Exceto por seu local de nascimento, uma fazendinha em Prairie Home, Missouri, nada se sabe de sua infância. Saiu de casa na adolescência e vagou para o oeste. Quando chegou aos 20, já era procurado pela lei em Wyoming, Colorado e Montana por crimes que iam de roubo de gado a assalto a banco. Também ganhara reputação de gatilho mais rápido do sudoeste — assassino tão mortal que, em certa ocasião, sacou sua Colt e abateu o inimigo que o tinha na mira de um rifle.

Alto e ereto, cabelo preto e ondulado, olhos escuros e feições regulares, Hedgepeth era uma figura impressionante. Vaidoso quanto à sua aparência, se vestia para o trabalho com a meticulosidade de um dândi do leste. Sua vestimenta preferida era um terno azul conservador, plastrão listrado, chapéu-coco marrom e sapatos bem-polidos. Mas sua aparência agradável — os jornais da época o apelidaram de "O Bandido Bonitão" — contradizia a ferocidade de seu caráter. Nas fileiras dos fora da lei do oeste, Hedgepeth era implacável ao extremo.

Em algum momento de 1882, Hedgepeth se juntou a uma dupla de ladrões, Cody e Officer. Mais tarde, naquele ano, o trio atacou uma loja em Tuscumbia, Missouri, e saiu de lá com 1.400 dólares em dinheiro. Um grupo de representantes da lei seguiu seus rastros até Bonner Springs, 32 km a oeste de Kansas City, mas Hedgepeth e seus comparsas conseguiram escapar.

Muitos meses depois, Hedgepeth e Cody foram encurralados enquanto tentavam explodir a porta de um cofre em uma cidadezinha do Kansas. Seguiu-se um feroz tiroteio. Cody foi morto, mas de novo Hedgepeth fugiu.

Ele enfim foi capturado em novembro de 1883. Julgado no condado de Cooper, Missouri e condenado por assalto em estradas, sua pena foi de sete anos na penitenciária estadual. Enquanto aguardava pela transferência, escapou da prisão local e causou ferimentos graves no xerife. Contudo, logo foi recapturado, despachado para a prisão e escapou por pouco de uma multidão de cidadãos irados decidida a linchá-lo.

Pouco depois de sua chegada à Penitenciária Jefferson, Hedgepeth conheceu e se tornou amigo do assaltante de trens Adelbert D. Sly, conhecido como "Bertie". Soltos ao mesmo tempo em 1891, os dois homens de imediato recrutaram outra dupla de encrenqueiros — James "Illinois Jimmy" Francis e Lucius "Dink" Wilson — e se lançaram em uma série de roubos audaciosos, quase sempre brutais. Em um intervalo de um ano, o "Quarteto Hedgepeth", como ficou conhecido, amealhara reputação nacional. O jornal *The New York Times* os descreveu como "a gangue mais desesperada de ladrões de trens que há anos não se via neste país".

Seu primeiro grande crime foi o assalto aos escritórios de uma companhia de bondinhos em Kansas City. Algumas semanas depois, a gangue realizou o mesmo trabalho em Omaha, Nebraska. Também atacaram agências postais em St. Louis e em cidadezinhas vizinhas.

No dia 4 de novembro de 1891, roubaram seu primeiro trem. Embarcando no Missouri Pacific, Omaha, reuniram a equipe de bordo e a mantiveram na mira dos revólveres enquanto Hedgepeth explodia a porta do vagão-expresso, desacordava o mensageiro com um golpe da coronha da arma, e em seguida esvaziava o cofre de seu conteúdo de mil dólares em espécie.

Uma semana depois, a gangue atacou outra vez: assaltou então a Chicago, Milwaukee & St. Paul Express, em Western Union Junction, no Wisconsin, a 5 km de distância de Milwaukee. Mais uma vez, Hedgepeth dinamitou o vagão expresso, e feriu gravemente o mensageiro. Depois de esvaziar o cofre, os bandidos avançaram pelos vagões de passageiros, sacos de aniagem nas mãos, aliviando-os todos de seus relógios de ouro e joias. No geral, a bolada do dia chegou a mais de 5 mil dólares.

Duas semanas depois, 30 de novembro de 1891, o Quarteto Hedgepeth cometeu seu maior — e último— assalto em Glendale, Missouri, minúsculo subúrbio de St. Louis. Para os cidadãos locais, o crime produziu a sensação poderosa de déjà-vu, visto que, alguns anos antes, Jesse James e sua gangue realizaram um célebre assalto a trem naquele mesmo local.

Por volta das 21h15, conforme o Expresso Frisco saía chacoalhando da estação de Glendale, Hedgepeth pulou a bordo. Com o revólver em mãos, entrou na cabine e mandou que o maquinista "parasse bem ali em frente". Conforme o trem freava até parar, Sly, Francis e Wilson chegaram a galope, alvejando os vagões de passageiro com tiros de pistola.

Após ordenar que o maquinista descesse da cabine, Hedgepeth o forçou a andar até o vagão-expresso, encostou o revólver na cabeça dele e sugeriu que se apressasse e dissesse para o mensageiro abrir a porta. O maquinista obedeceu, mas o mensageiro respondeu com um rifle. O tiro atravessou a janela, e então Hedgepeth acionou uma carga enorme de dinamite que explodiu toda a lateral do vagão. O mensageiro, bastante ferido, atravessou a fumaça, cambaleante, e Hedgepeth o abateu com frieza. Depois arrombou o cofre com outra carga explosiva, menor dessa vez, e colocou a pilha de envelopes contendo 25 mil dólares em uma sacola.

Sly, enquanto isso, aproveitou para retirar o relógio e a corrente de ouro do bolso do colete do mensageiro morto. Então — depois de disparar a última saraivada de tiros contra os vagões de passageiros — os quatro bandidos pularam em suas montarias e desaparecem na floresta.

...Hedgepeth era uma figura impressionante. Vaidoso quanto à sua aparência, se vestia para o trabalho com a meticulosidade de um dândi do leste.

A insolência crescente da gangue e a magnitude do assalto em Glendale fizeram com que os homens da lei caíssem sobre eles. Em uma semana, um trem especial vindo de Chicago chegou a St. Louis, com William A. Pinkerton e uma equipe dos principais membros da agência. Junto da polícia local, vascularam a cidade à procura dos ladrões. Oficiais à paisana em quartetos esquadrinhavam as ruas dia e noite com ordens para "matar Hedgepeth à primeira vista". Àquela altura, contudo, a gangue se dispersara.

James "Illinois Jimmy" Francis pegara sua parte do saque e voltara para a esposa de 18 anos e seu filho pequeno em Kansas City, Missouri. Os Pinkerton localizaram sua casa, mas, antes que conseguissem prendê-lo, ele e o cunhado foram alvejados e mortos por representantes da lei após a tentativa de assalto a trem nos arredores de Lamar, Kansas.

Enquanto isso, Hedgepeth, Sly e Wilson seguiram para a Califórnia. Em dezembro de 1891, Robert Pinkerton, auxiliado pelo delegado Glass e um detetive chamado Whitaker, localizou Adelbert Sly em Los Angeles, onde foi detido no dia 26. À época de sua prisão, levava o relógio de bolso de ouro do mensageiro do vagão-expresso, assassinado durante o assalto em Glendale.

Hedgepeth, contudo, continuou a eludir seus perseguidores. Sua captura enfim aconteceu por uma daquelas estranhas casualidades que de vez em quando ajudam a desvendar um caso.

Na manhã de Natal, um homem e sua esposa apareceram na sede da polícia de St. Louis para informar que sua filhinha encontrara 10 centavos em um barracão na vizinhança. O delegado Desmond pareceu ter um total desinteresse por essa informação, mas se sentou ereto na cadeira quando o homem continuou sua história.

Curioso para ver se conseguiria encontrar mais dinheiro, o homem seguira a filha até o barracão, acendeu um fósforo e viu um buraco cavado com pá em um canto do pequeno galpão.

Nesse ponto do depoimento, o homem enfiou a mão no bolso do casaco e retirou um par de objetos encontrados dentro do buraco. O delegado Desmond não conseguiu reprimir a empolgação enquanto fitava os dois itens — um revólver Colt e um envelope de dinheiro rasgado como aquele retirado do cofre da companhia expressa durante o assalto a trem de Glendale.

Por que um homem tão astuto quanto Holmes escolheu se confidenciar com um réprobo como Hedgepeth é uma pergunta interessante.

Oficiais correram até o barracão, onde de imediato descobriram um suprimento de cápsulas e muitos outros envelopes vazios da companhia. Em pouco tempo, determinaram que a casa do barracão pertencia ou fora alugada por um homem chamado H. B. Swenson, que partira de repente para São Francisco poucos dias depois do assalto em Glendale.

No dia 10 de fevereiro de 1892, "Swenson" — um dos inúmeros pseudônimos de Hedgepeth — foi cercado na agência geral dos correios, em São Francisco, por um grupo de vigilância. Mesmo armado com um par de revólveres Colt, Hedgepeth foi subjugado antes que conseguisse sacar. Levaram-no de volta a St. Louis, sob forte escolta.

Seu julgamento foi uma sensação nacional. Centenas de espectadores — em sua maioria mulheres — convergiam ao tribunal a cada manhã para um vislumbre do "Bandido Bonitão". Cestas de flores de suas admiradoras eram entregues na cela na cadeia todas as tardes.

Os membros do júri, contudo, se mostraram imunes ao seu charme. Na primavera de 1892, Hedgepeth foi declarado culpado e sentenciado a 25 anos de trabalhos forçados na Penitenciária Estadual do Missouri. "Bom", disse ele, dando de ombros depois de lido o veredicto, "acho que este é o fim de Marion Hedgepeth, que pensou que seria um homem rico."

Esse comentário filosófico, porém, foi apenas um truque. Hedgepeth não tinha nenhuma intenção de se submeter à sua sentença. Mantido na prisão em St. Louis enquanto seus advogados recorriam contra a sentença, tentou fuga desesperada, mas logo foi recapturado e jogado na solitária. Quando saiu, parecia resignado com a situação. Na verdade, apenas ganhava tempo e esperava que o destino lhe apresentasse nova chance de liberdade.

Essa chance chegou — ou assim Hedgepeth acreditava — em julho de 1894, quando um trapaceiro chamado H. M. Howard foi parar na prisão de St. Louis sob acusação de fraudar a Merrill Drug Company.

Por que um homem tão astuto quanto Holmes escolheu se confidenciar com um réprobo como Hedgepeth é uma pergunta interessante. Talvez Holmes tenha ficado um tanto fascinado por seu colega de cela — deslumbrado pela fama de Hedgepeth e desejoso em causar uma impressão favorável no notório fora da lei. Ou talvez a resposta repouse em algo mais prosaico: a necessidade de Holmes em obter uma informação especial, que acreditava — com razão — que Hedgepeth pudesse fornecer.

O golpe do seguro de Holmes ainda precisava de um ingrediente crucial. Para realizá-lo com sucesso, precisava dos serviços de um advogado que não fosse contrário a transações escusas. Até então, não encontrara o homem adequado. E, portanto, em algum momento de sua estadia na prisão de St. Louis, Holmes tocou no assunto com Hedgepeth, detalhou seu plano e ofereceu 500 dólares em troca do nome de um advogado "maleável".

Depois de ouvir com atenção, Hedgepeth admitiu que conhecia o homem perfeito para o serviço — advogado de St. Louis, Jeptha D. Howe, com "contatos no submundo".

Holmes prometeu enviar o dinheiro para Hedgepeth assim que resgatasse o seguro. Pouco depois, foi solto da prisão mediante fiança.

Para ambos os homens, o breve encarceramento de Holmes tinha se mostrado uma dádiva inesperada — ou foi isso que pareceu à época.

Holmes encontrara seu charlatão e Hedgepeth acabara não só com a perspectiva da recompensa de 500 dólares, mas com algo que parecia ainda mais valioso — algo pelo qual as autoridades poderiam algum dia pagar muito bem para saber.

CAPITULUM

CRIME SCENE: PROFILE

BECO PARA A MORGUE

16. SHORTCUT TO THE MORGUE

> Em nada confie naquele homem que não tem consciência de tudo.
> — LAURENCE STERNE, Sermons (Sermões) —

À época da prisão de Holmes, Pitezel e sua família também estavam morando em St. Louis. Ele tinha chamado Carrie e as crianças em meados de maio, pouco depois de chegar à cidade. Com um pouco de dinheiro fornecido por Holmes, alugara um apartamento de três cômodos mobiliado em um prédio com estrutura de madeira na Carondelet Street.

No dia em que o trem de Carrie estava programado para chegar a Chicago, Pitezel se limitou a uma única dose de uísque no bar local. Afastado de seus entes queridos há quase seis meses, começara a beber em excesso outra vez. Mas agora que Carrie e as crianças não tardariam a chegar, estava determinado a diminuir o consumo.

Quando sua esposa desceu do trem na estação Union, ele a abraçou com tanto fervor que uma grande quantidade de transeuntes parou na plataforma para encará-los. Pitezel beijou cada um dos filhos — Dessie, Alice, Nellie, Howard e o bebê Wharton. Então, juntou a bagagem deles, levou a família até uma carruagem e os ajudou a subir.

Era fim de tarde quando a carruagem chacoalhou até parar diante do prédio castigado pelas intempéries. A rua estreita estava cheia de crianças, donas de casa fofocavam nos degraus de suas casas, lojistas se recostavam nas entradas de seus estabelecimentos vazios. Embora uma nítida atmosfera de desleixo impregnasse o lugar, a rua tinha toque hospitaleiro. Mas o rosto de Carrie desmoronou ao entrar no apartamento: papel de parede encardido e descascado, mobília frágil e escassa, e — mesmo com as janelas escancaradas — o ar impregnado com cheiro de comida rançosa.

Carrie ficou confusa. Benny (seu apelido carinhoso para o marido) era um correspondente fiel e ela sabia com base em suas cartas frequentes que ele e seu empregador fecharam um grande negócio no Texas, que lhes renderia lucro substancial. O que ela não sabia, porém, era que o marido recebera uma ninharia. Grande parte de seu quinhão permanecera nas mãos de Holmes, que persuadira Pitezel para ficar com o dinheiro. Holmes tinha um empreendimento imobiliário em mente que dobraria o investimento deles em questão de meses.

Pitezel, que continuava a ter fé irrestrita na astúcia financeira de Holmes, concordou. Com o dinheiro que ganharia no negócio, mais sua parte do pendente golpe da seguradora, ele e a família estariam feitos para o resto da vida.

Em algum momento durante os dois meses seguintes — é impossível dizer quando com precisão —, Pitezel chamou Carrie de lado e revelou os detalhes da fraude do seguro. Ela já tinha conhecimento da apólice de 10 mil dólares que a indicava como única beneficiária. Benny lhe mostrara o documento em novembro último, pouco depois de ser emitido. Então explicou como ele e Holmes pretendiam lucrar.

Tinham decidido encenar a morte de Pitezel na Filadélfia, onde ficava a sede da Fidelity Mutual Life Association, por achar que Holmes poderia acertar a questão com mais rapidez desse modo. Pitezel viajaria para lá em breve usando o nome Perry. Ele não podia dizer com exatidão por quanto tempo ficaria fora, mas na próxima vez em que Carrie o visse, seria um homem rico.

Para a decepção de Pitezel, sua esposa não viu a questão de forma muito favorável. Não conhecia Holmes muito bem, embora seu marido trabalhasse para ele há quase cinco anos, vira o homem poucas vezes. Desde a mudança para St. Louis, Holmes visitara a casa em duas ou três ocasiões, com agrados para as crianças e um pouco de dinheiro para ajudar a família a se virar. Apesar dessas pequenas mostras de generosidade, ela não nutria nenhuma afeição especial pelo homem — e não gostava nem um pouco do golpe do seguro. "Não acho uma boa ideia, Benny", reclamou ela. "E não quero ter nada a ver com isso."

Foi necessária muita persuasão, mas no fim — embora ela continuasse a desconfiar do plano — Carrie concordou em seguir em frente. Sentado em uma cadeira na cozinha, Pitezel a puxou para o colo e gesticulou para o cômodo em mau estado. Assim que o negócio estivesse concluído, declarou, nunca mais teriam que tolerar tais condições, pois seus problemas financeiros estariam resolvidos. Levantando a mão direita para lhe mostrar que era um voto solene, prometeu que não voltaria a se envolver com Holmes uma vez que o negócio do seguro estivesse resolvido. O golpe na Filadélfia seria a última coisa desonesta que faria na vida.

Apesar da determinação de Pitezel em ficar sóbrio, não conseguiu ficar longe do bar da vizinhança. Algumas noites após sua conversa com Carrie, saiu do apartamento depois do jantar e voltou muitas horas depois em nítido estado de embriaguez.

Espiando o interior da cozinha, viu sua filha de 17 anos, Dessie, costurando à mesa sob a luz de abajur. Pitezel avançou até a mesa e se sentou vacilante na cadeira do outro lado. Depois de fitar a filha por algum tempo, fez um aceno de cabeça decisivo, como se tivesse resolvido um debate interno. Depois pigarreou e começou a falar.

Sabia que não devia dizer nada a ela, começou. Mas temia que ficasse preocupada se lesse alguma coisa no jornal.

"Alguma coisa sobre o quê?", perguntou Dessie.

"Sobre eu estar morto."

Dessie lhe lançou um olhar de assombro.

"Não posso dizer mais nada", balbuciou o pai. "Apenas lembre-se: se você ler no jornal que estou morto, não acredite. É uma fraude. É só o que posso dizer."

Dessie não entendeu bulhufas daquele discurso. Disse a si mesma que seu pai, sem dúvidas embriagado, não sabia o que falava — era a bebida colocando palavras em sua boca, só isso.

Na manhã seguinte, o incidente já desaparecera de sua mente.

Depois de um café da manhã frugal na manhã de domingo, 29 de julho de 1894, Benjamin Pitezel deu um beijo de despedida na esposa e nos filhos, apanhou a valise esfarrapada e seguiu até o bonde. Quarenta minutos depois, chegou à estação Union, onde pegou o trem do meio-dia para a Filadélfia.

. . .

Apenas um dia depois, 28 de julho, Holmes fora solto da prisão de St. Louis. Os dez dias anteriores foram de terrível tensão para Georgiana. Casada havia apenas seis meses, de repente se vira em situação desesperadora, sozinha em cidade desconhecida, o marido de repente levado para a cadeia. Ela demorara mais de uma semana para providenciar a fiança. Embora se sentisse muito indignada em nome de Holmes, vítima de concorrentes inescrupulosos — assim ele a fez acreditar —, suas emoções principais eram confusão e ansiedade.

Tão logo voltaram ao apartamento, Holmes propôs que fossem embora de St. Louis naquele exato momento. Georgiana — a tensão da provação aparente em seu rosto pálido e extenuado — precisava de um descanso urgente. Quanto a Holmes, ele tinha alguns negócios na Filadélfia adiados por muito tempo, relacionados à sua patente do dispositivo ABC Copier. Essa, pelo menos, foi a mentira que contou para sua jovem esposa.

Na tarde seguinte, concordaram com um plano. A esposa de Holmes viajaria para Lake Bluff, Illinois, para passar alguns dias na companhia de uma amiga da faculdade — durante muitos anos insistiu para que Georgiana a visitasse. Enquanto isso, Holmes iria para a Filadélfia e procuraria um lugar para ficarem. Eles se encontrariam lá em uma semana.

Valise em mãos, Pitezel caminhou pelas ruas da Filadélfia, em busca de algum lugar para comer. Sua fome era monstruosa por não ter comido nada desde sua chegada à cidade, naquela manhã, segunda-feira, 30 de julho. Na esquina da Nona com a Cherry, encontrou um pequeno restaurante de bairro com o nome do proprietário — Josiah Richman — pintado em letras douradas na janela da frente.

Depois de se regalar com uma refeição substancial — galeto assado, batatas rosti e aspargos, seguidos de torta de maçã e café — Pitezel se recostou, contente, e enfiou a mão no bolso da camisa para pegar um charuto. Então, quando conseguiu a atenção do dono do estabelecimento, chamou-o com um aceno de mão.

Josiah Richman poderia ser perdoado por ter formado uma primeira opinião desfavorável sobre o estranho, baseada apenas em sua aparência. Ao longo dos últimos anos, Pitezel se tornara um casca-grossa — nariz quebrado e muitos dentes da frente faltando —, e sua expressão parecia fixa em carranca permanente. Seu aspecto geral de vilania, além disso, era intensificado por roupas amarrotadas pela viagem e pelo cavanhaque desalinhado que cultivara nos últimos meses.

Ainda assim, quando Pitezel se dirigiu ao proprietário, falou com bastante educação.

Assim que o negócio estivesse concluído, declarou, nunca mais teriam que tolerar tais condições, pois seus problemas financeiros estariam resolvidos.

Era novo na cidade, explicou, e procurava um lugar para ficar um tempo até encontrar casa para alugar para a esposa e os filhos, que se juntariam a ele em algumas semanas. Por coincidência, a irmã de Richman administrava uma pensão. Após decidir que o estranho loquaz era um sujeito bem respeitável, afinal de contas, Richman lhe passou o endereço.

Pitezel seguiu direto para a pensão de Susan Harley, no número 1002 da Race Street, e alugou um quarto. E então se acomodou para esperar Holmes.

A data precisa da chegada de Holmes a Filadélfia continua incerta, embora no domingo, 5 de agosto — o dia marcado para Georgiana chegar de Illinois —, ele já estivesse acomodado em uma hospedaria administrada pela Adella Alcorn, médica licenciada, embora não exercesse a profissão há muito tempo.

Quando o trem de Georgiana encostou na estação, Holmes a esperava na plataforma, um pequeno buquê nas mãos. Ele a cumprimentou com muita ternura. Então — trocou o ramalhete pela mala da esposa — ele a escoltou até um coupé que os aguardava na saída da estação. Pouco depois das 18h, estacionaram diante da hospedaria no número 1905 da North Eleventh Street.

Embora a estadia de Georgiana com a amiga tenha feito maravilhas ao seu ânimo, ela precisava de repouso depois da cansativa viagem noturna. A sra. dra. Alcorn sugeriu a Holmes (que conhecia como sr. H. M. Howard, o nome assinado no registro) que ele e a esposa se juntassem a ela para uma xícara de chá.

Sentada na sala de estar diante do casal, Adella Alcorn mordiscava um bolo para chá e questionava o sr. Howard sobre seus negócios. Ele explicou que representava uma firma que anunciava um dispositivo engenhoso para copiar documentos de negócios e que fora até a Filadélfia verificar a possibilidade de alugar muitas dessas máquinas para a Pennsylvania Railroad Company.

Enquanto falava, de tempos em tempos apertava a mão de sua jovem esposa, que trocara seu conjuntinho de viagem por saia azul e blusa combinando. Bebericando seu chá, a senhoria sorria para o casal — o afável homem de negócios e sua esposa recatada e de fala mansa. Ela própria desfrutara de trinta anos de casamento feliz, e fazia bem ao seu coração ver esses jovens lindos, tão apaixonados.

Ao longo dos dias seguintes, Holmes deixava Georgiana na hospedaria enquanto saía para tratar dos negócios, supostamente a demonstração da ABC Copier para os executivos da Pennsylvania Railroad Company. Na verdade, ele e Pitezel se encontravam para elaborar os detalhes finais do esquema.

Já tinham decidido que Pitezel, com o pseudônimo B. F. Perry, alugaria uma casa em algum lugar da cidade e fingiria ser vendedor de patentes. Esse disfarce fazia sentido, visto que Pitezel, de fato, tinha algum conhecimento do negócio. Muitos anos antes, montara de modo inteligente um contêiner para carvão, projetado para evitar que as pedras fossem roubadas e que o pó poluísse o ar. Com a ajuda de Holmes, patenteara sua invenção em 1891 e tentara comercializá-la em Chicago. Nada resultou da empreitada, mas Pitezel adquirira experiência suficiente em primeira mão para se passar por vendedor de patentes de maneira convincente.

Inúmeras questões importantes tinham de ser acertadas antes que pudessem colocar o esquema em prática: primeiro, encontrar um local apropriado para Pitezel montar seu negócio, e então Holmes precisava arrumar um cadáver para se passar pelos restos mortais de Pitezel.

Ainda assim, as coisas pareciam ir bem. Mas na quinta-feira, 9 de agosto, enquanto almoçavam em uma pequena lanchonete no centro, ficaram chocados ao descobrirem que todo o plano, cultivado com tanto amor durante grande parte de um ano, estava comprometido pela mais ultrajante das desatenções.

Por qualquer que fosse o motivo — a quantidade de detalhes que era forçado a ter em mente, a confusão mental causada pela bebedeira, ou talvez simples descuido —, Pitezel deixara de enviar o prêmio mais recente do seguro de vida.

Por um instante, Holmes apenas permaneceu sentado fitando Pitezel boquiaberto, que gaguejou um pedido de desculpas e se esforçou para evitar olhar o parceiro nos olhos. Então, esmurrando a mesa com tanta força que os talheres voaram, Holmes levantou-se de um pulo e saiu apressado do restaurante, Pitezel seguiu-o alguns passos atrás.

Pouco depois, um funcionário da filial da Fidelity em Chicago recebeu uma ordem de pagamento telegrafada no valor de 157,50 dólares como pagamento semianual da apólice de seguro de vida número 044145, registrada em nome de B. F. Pitezel. Enquanto registrava a transação, o funcionário se deu conta de que o dinheiro chegara bem a tempo. O pagamento estava bastante atrasado — na verdade, 9 de agosto era o último dia do prazo de carência. Algumas horas mais tarde e a apólice teria caducado.

O sr. B. F. Pitezel, refletiu o funcionário, era um homem de sorte.

Tão logo ele e Pitezel deitaram os olhos sobre a casa, Holmes viu que ela era bem aquilo o que procurava.

Mesmo sob o brilho daquela tarde de agosto, quando o calor fazia os paralelepípedos bruxulearem, a Callowhill Street tinha aspecto encardido. Uma fileira de casas geminadas em condições precárias, dois andares e meio com fachadas de tijolos desbotados, ocupavam um lado do quarteirão. No lado oposto se encontrava a estação abandonada da Philadelphia and Reading Railroad, desmoronando e devastada. Era importante que Pitezel chamasse o mínimo possível de atenção para si, e estava claro que aquela era a vizinhança onde poderia abrir seu negócio sem se preocupar em atrair muita clientela.

O edifício no número 1316 estivera vago havia algum tempo — testemunho de sua localização desfavorável. O andar térreo fora convertido em uma lojinha, com vitrine que dava para a rua e a estrutura de metal de um toldo exposta que se estendia acima da calçada, sustentada por um par de postes de ferro assentados perto do meio-fio. O segundo andar do prédio tinha dois quartinhos, mais do que suficientes para as necessidades de Pitezel.

Visto que a casa permanecera vazia por tanto tempo, o aluguel fora reduzido para 10 dólares semanais. E ainda havia outra característica do lugar que o tornava bastante interessante para Holmes e desencorajava outros inquilinos em potencial — mas que servia aos propósitos de Holmes como uma luva.

Logo atrás do número 1316 da Callowhill Street, tão próximo que apenas um beco estreito separava os dois prédios, ficava o necrotério da cidade.

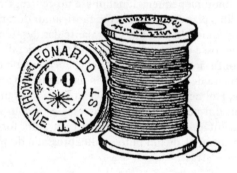

1316 da Callowhill Street

CAPITULUM

CRIME SCENE: PROFILE

ACERTO COM O DIABO

17. DEAL WITH THE DEVIL

> De visões perturbadoras e sons se livrar;
> Em tal hora crepuscular de alento,
> Deve-se repassar a vida, ou vislumbrar,
> Nas sombras, o verdadeiro rosto da morte atento?
> — ERNEST DOWSON, *Extreme Unction* (Extrema-unção) (1896) —

O primeiro a notar a placa foi um dos vizinhos de Eugene Smith — um simples pedaço de musselina pintado com letras maiúsculas toscas em vermelho e preto — disposta na vitrine do térreo do número 1316 da Callowhill Street: B. F. PERRY, COMPRA E VENDA DE PATENTES. Logo na manhã seguinte — quarta-feira, 22 de agosto —, Smith saiu de sua casa, na Rhodes Street, e seguiu para a Callowhill para ver com os próprios olhos o escritório do sr. Perry.

Carpinteiro desempregado e consertador compulsivo, Smith há não muito tempo inventara um engenhoso afiador de ferramentas capaz de colocar fio em um serrote cego com poucos golpes da lâmina. Smith montara um modelo, mas não fazia ideia de como sair por aí vendendo sua invenção. O sr. Perry poderia ser o homem a ajudá-lo.

O sino acima da porta tilintou quando Smith adentrou o escritório e olhou em volta. Um homem mais sofisticado poderia ter se perguntado sobre o estado precário do lugar, mobiliado com alguns itens baratos de segunda mão: par de cadeiras bambas, mesa gasta, velho armário de arquivos de madeira. As paredes estavam vazias, a não ser por uma tosca prateleira de madeira usada para armazenar grande variedade de produtos químicos — benzina, clorofórmio, amônia — em garrafas marrons com rolhas. O proprietário, que surgiu em seguida da penumbra do depósito nos fundos, se parecia mais com um trabalhador braçal do que com um homem de negócios. No entanto, Smith — indivíduo simples e iletrado, que não era dado a suspeitas — ou não ficou incomodado, ou se manteve alheio a esses detalhes.

Estendendo a mão direita, se apresentou ao sr. Perry e explicou por que estava ali. O vendedor de patentes ouviu com atenção, cofiando o cavanhaque ralo.

"Parece interessante", respondeu quando Smith parou de falar. "Por que não traz a coisa aqui mais tarde e me deixa dar uma olhada?"

Apertando a mão de Perry outra vez, Smith saiu do escritório e voltou animado para casa, convencido de que sua má sorte tinha afinal mudado.

Logo depois do almoço, voltou com o protótipo. O sr. Perry o carregou até a mesa e se sentou para examiná-lo. Pairando ali perto, Smith — mais por educação do que por curiosidade — fez algumas perguntas amigáveis para Perry. Há quanto tempo estava no ramo das patentes? Quando tinha aberto a loja na Callowhill Street?

Perry, contudo, estava pouco disposto a conversar — na verdade, suas respostas eram tão grossas que Smith logo desistiu do esforço. Ele, porém, descobriu que Perry se mudara de St. Louis para a Filadélfia recentemente e estava ali havia menos de uma semana.

Poucos minutos depois, Perry se pôs de pé e — elogiando Smith pela inventividade do dispositivo — disse que sim, acreditava que poderia fazer alguma coisa com ele. Smith ficou encantando. Mas quando Perry explicou que teria de ficar com o modelo, a expressão no rosto de Smith mudou de repente. Não conseguia ver onde o sr. Perry pretendia guardar sua invenção, disse ele. Com certeza não caberia dentro da mesa. E ele estava relutante em deixá-la largada por aí.

Acenando com a cabeça na direção dos fundos do escritório, Perry disse que a colocaria no depósito. Seria bastante seguro lá dentro, embora tivesse que deixá-la no chão. Ele pretendia instalar um balcão em breve, mas suas ferramentas ainda estavam em St. Louis e...

"Eu posso construir um balcão", ofereceu-se o sr. Smith.

Perry refletiu sobre isso um instante, então assentiu, concordando.

Depois de acertar um dia para realizar o serviço, Smith pegou o chapéu e se preparou para sair.

Nesse exato momento, a campainha tocou, e quando os dois homens se viraram para olhar alguém entrou na loja.

Quando Holmes se deu conta de que Pitezel tinha um cliente, era tarde demais. O homem já virara a cabeça e o visto entrar. Holmes ficou irritado — não queria nenhuma testemunha ligando-o a Pitezel. Por um instante, pensou em girar nos calcanhares e sair apressado, mas decidiu não fazer isso.

Mantendo expressão vazia e o rosto um pouco desviado do desconhecido, andou direto até a escadaria nos fundos e fez um aceno de cabeça brusco para Pitezel, que pediu licença ao homem, e em seguida seguiu Holmes até o andar superior.

No escuro patamar do segundo andar, Holmes agarrou o braço de Pitezel.

"Quem é ele?", exigiu saber, a voz em sussurro áspero.

Pitezel explicou depressa.

"Livre-se dele", ordenou Holmes, ríspido.

Smith voltara a se sentar em uma das duas cadeiras de encosto reto e olhava ocioso em volta do escritório quando o vendedor de patentes reapareceu, poucos instantes depois de ter seguido o cavalheiro bem-vestido escada acima.

"Bom, suponho que já não tenhamos mais nada para tratar", disse Smith, levantando-se. "Não tenho necessidade de prendê-lo por mais tempo."

"Deixe-me lhe dar um recibo", respondeu Perry. Abriu uma gaveta da mesa, retirou um caderninho, do qual arrancou uma única folha. Ele escreveu e assinou o papel, então o entregou a Smith, que o leu depressa e o enfiou no bolso. Depois de um aperto de mão e de prometer voltar em alguns dias para instalar o balcão, Smith foi embora.

Assim que ele se foi, Pitezel subiu correndo a escada estreita.

Encontrou Holmes esperando no quarto da frente, empoleirado na beira da cama. Além dos móveis de escritório, Pitezel comprara a cama e uma cômoda barata de três gavetas de um comerciante chamado Hughes, que fazia negócios em um armazém na Buttonwood Street. A janela do quarto, que dava para a Callowhill Street, estava escancarada, mas mesmo assim era sufocante. Holmes, que tirara o chapéu-coco e o colocara ao seu lado no colchão, secava a testa com um lenço grande.

Holmes tinha novidades importantes: recebera notícias de um médico da cidade de Nova York, homem com quem ele fizera negócios antes, que estava preparado para lhe fornecer um cadáver masculino que parecia perfeito para suas necessidades. Holmes viajaria para a cidade de Nova York em breve para assegurar o cadáver e transportá-lo para a Filadélfia. Se as coisas corressem bem, eles teriam o dinheiro do seguro em questão de semanas.

Os dois homens passaram mais alguns minutos conversando, depois Holmes se levantou da cama. Enquanto se preparava para ir embora, Pitezel pediu um pouco de dinheiro para que pudesse passar a semana seguinte. Holmes tirou algumas notas da carteira e as entregou a ele, advertindo o parceiro para não beber cada centavo.

No dia marcado — quinta-feira, 30 de agosto —, Smith voltou ao escritório de patentes com sua caixa de ferramentas. Em seguida, ele e o homem que conhecia como Perry seguiram até o depósito de madeira ali perto para comprar uma tábua para o balcão.

No caminho de volta, o sr. Perry sugeriu que parassem para uma bebida no bar de Fritz Richards, a poucas portas de distância do número 1316 da Callowhill. Smith pediu uma cerveja, enquanto Perry bebeu uísque. Mais uma vez Smith tentou iniciar uma conversa com o vendedor de patentes, mas teve tão pouco sucesso quanto antes.

Ao voltarem para o escritório, Smith passou a instalar um balcão simples no depósito dos fundos. Depois, Perry lhe ofereceu 50 centavos pelo serviço, os quais o carpinteiro desempregado aceitou com gratidão. Perry assegurou a Smith que as coisas estavam progredindo bem com o afiador de serra — ele já tinha entrado em contato com diversos investidores em potencial.

"Por que você não aparece por aqui semana que vem?", sugeriu Perry. "Talvez tenha alguma novidade para você."

Smith lhe assegurou que voltaria, depois juntou suas ferramentas e partiu, satisfeito com o dia de trabalho.

Muitos dias depois, no sábado, 1º de setembro, Pitezel caminhou até o bar de Fritz Richards e se aproximou do balcão. Embora morasse na vizinhança apenas a duas semanas, já era um cliente regular. Na verdade, aquela era sua terceira visita ao bar só naquele dia, e não eram nem 16h.

Depois de algumas doses, apalpou o bolso à procura de dinheiro e percebeu que lhe restavam apenas alguns poucos dólares. Ficou surpreso com a rapidez com que seu dinheiro desaparecia — quase tudo goela abaixo.

Levado a acreditar que Holmes partiria para a cidade de Nova York na manhã seguinte, Pitezel decidiu fazer uma visita ao parceiro. Ele não sabia ao certo quanto tempo Holmes ficaria fora e não queria correr o risco de ficar sem dinheiro.

Holmes estava sentado em uma poltrona, lendo a edição do dia do jornal *Inquirer*, quando alguém bateu à porta, pouco depois das 18h. Era a senhoria, a sra. dra. Alcorn, que lhe informou que havia um cavalheiro no andar inferior querendo vê-lo. Holmes lhe agradeceu e disse que desceria em um instante.

"E como está a sra. Howard esta tarde?", indagou a senhoria.

"Melhorou bastante", respondeu Holmes.

Georgiana, que estivera se sentindo indisposta ao longo dos últimos dias, estava sentada na cama, lendo um romance à luz de abajur, quando Holmes entrou no quarto. Vestindo o paletó, explicou que tinha visita e voltaria logo.

Ele retornou em torno de dez minutos depois, com um sorriso largo. O visitante, contou a Georgiana, era um agente da Pennsylvania Railroad. A empresa tinha decidido alugar várias máquinas ABC Copier. O acordo tinha que ser consumado de imediato, entretanto, já que o funcionário que cuidava do assunto partiria em uma viagem de negócios na tarde seguinte.

Sendo assim, Holmes combinou de ir até a casa do funcionário logo cedo na manhã seguinte para assinar os contratos. Com seus negócios concluídos, ele e Georgiana poderiam deixar a Filadélfia tão logo ela se sentisse bem para viajar.

Com a carteira cheia de novo, Pitezel estava em estado de espírito mais animado. Parando para uma bebida no bar de Fritz Richards, puxou conversa com o barman, William Moebius. Pitezel explicou que era recém-chegado a Filadélfia, onde esperava se estabelecer no ramo das patentes. Enquanto entornava a quarta e última dose, perguntou se o bar abriria no dia seguinte.

Moebius fez que não com a cabeça. A cidade proibia a venda de bebidas alcóolicas aos domingos. Se Pitezel quisesse algo para ajudá-lo a passar o dia, era melhor estocar agora.

Pitezel depositou 50 centavos sobre o balcão e pediu um quartilho. Moebius lhe entregou dois frascos de meio quartilho e Pitezel foi para casa.

Pouco depois, enquanto se reclinava na cama no quartinho do segundo andar, os lábios apertados contra a boca de um dos frascos, se deu conta de que estava ficando sem outro item de primeira necessidade. Voltou a vestir o paletó, andou até a tabacaria próxima administrada por uma mulher chamada Pierce e comprou um punhado de charutos.

Então, refez o caminho de volta até a Callowhill Street, retornou ao quarto e às garrafas, e se acomodou para passar a noite.

Bem cedo na manhã seguinte — domingo, 2 de setembro — Holmes se despediu de Georgiana, saiu para o sol escaldante daquela manhã de sabá, e seguiu direto para o número 1316 da Callowhill Street. A rua estava deserta enquanto caminhava a passos rápidos até a porta da frente, destrancava com sua cópia da chave e entrava.

Avançou furtivo, parou ao pé da escada dos fundos e prestou atenção. O ronco aquoso que podia ouvir vindo de cima era o som que esperava ouvir. Holmes estava bastante familiarizado com os hábitos de Pitezel e estivera contando que seu parceiro fosse beber até cair.

Mesmo assim, ele se manteve o mais silencioso possível enquanto se esgueirava até o patamar do segundo andar. Espiando pela porta do quarto ele pôde ver Pitezel, ainda todo vestido, esparramado na cama de cara para cima.

Enfiando a mão no bolso esquerdo do paletó, Holmes retirou um de seus enormes lenços e o amarrou em volta da cabeça, para que pendesse abaixo de seus olhos como as bandanas usadas por Marion Hedgepeth e outros ladrões de estradas do oeste. Mas o propósito da máscara de Holmes não era esconder sua identidade.

Era para protegê-lo dos gases.

Do outro bolso, ele tirou outro lenço, este enrolado em volta de um objeto liso e cilíndrico. Desenrolou o objeto do pano. Era uma garrafinha de farmacêutico cheia de um líquido transparente.

Desarrolhando a garrafa, ele estendeu as mãos para longe do corpo e embebeu o lenço no líquido.

Então, entrando no cômodo com as janelas fechadas, avançou até o lado da cama e se inclinou sobre o rosto de Benjamin Pitezel.

1861   1896   *CAPITULUM*

CRIME SCENE: PROFILE

NINGUÉM NA SALA
18. EMPTY ROOM

Fugi aterrorizado daquele cômodo e daquela casa.
— EDGAR ALLAN POE, *A Queda da Casa de Usher* —

Ansioso para ver se o sr. Perry tinha conseguido encontrar alguém interessado em sua invenção, Eugene Smith voltou ao número 1316 da Callowhill Street na tarde de segunda-feira, 3 de setembro. Conforme se aproximava do prédio, viu que a porta da frente estava fechada, mas ao subir os degraus de concreto e experimentar a maçaneta, descobriu que o escritório estava destrancado. Empurrou a porta e adentrou o recinto.

Uma estranha atmosfera de abandono pairava sobre o lugar. O cômodo parecia sem vida e bolorento; parecia que Perry fechara o escritório para o fim de semana e ainda não tivera tempo de reabri-lo, embora já se passasse muito do meio-dia. O silêncio era palpável. O sr. Perry não estava em nenhum lugar à vista.

Smith parou no centro do cômodo e, a pleno pulmões, chamou o nome do vendedor de patentes.

Ao não receber resposta, concluiu que Perry saíra por um instante — talvez tenha ido ao bar onde eles desfrutaram de uma bebida na semana anterior. Smith puxou uma cadeira e se sentou.

Olhando ao redor, viu o chapéu e um par de abotoaduras pendurados em um prego grande no corredor dos fundos. A cadeira de Perry estava afastada da mesa e em um ângulo estranho, no canto do cômodo. Além disso, não havia nada de notável no escritório, exceto, talvez, a completa falta de detalhes ou decoração.

Smith cruzou as pernas, juntou as mãos no colo e esperou.

Mais ou menos dez minutos depois, um estranho entrou —de feições marcantes, terno preto e mala preta em uma das mãos. O homem usava vasta barba preta e sobrancelhas pretas e espessas que se juntavam acima de seu nariz. Smith concluiu que ele era judeu.

"O chefe está?", perguntou o estranho.

Smith fez que não com a cabeça.

"Acredito que voltará logo. Sente-se."

O homem de terno preto recusou a oferta. Olhou em volta por um instante, consultou o relógio de bolso e anunciou que não podia esperar. Despediu-se de Smith com um aceno de cabeça e foi embora.

Smith permaneceu sentado por mais alguns minutos, depois se levantou com um suspiro e andou até a porta.

Uma estranha atmosfera de abandono pairava sobre o lugar. O cômodo parecia sem vida e bolorento; parecia que Perry fechara o escritório para o fim de semana e ainda não tivera tempo de reabri-lo...

Conforme saía para a luz do sol e fechava a porta atrás de si, Smith — embora não se sentisse nem um pouco alarmado — sentiu os primeiros indícios de preocupação. Parecia-lhe estranho que Perry apenas saísse do escritório no meio do dia sem nem se dar o trabalho de trancá-lo.

Smith voltou às 9h da manhã seguinte. A porta da frente estava fechada, como a deixara. Ele bateu e apertou um ouvido contra a madeira, ouviu com atenção.

Silêncio. Levou a mão à maçaneta e girou. A porta ainda estava destrancada.

No interior, o escritório estava do mesmo jeito que na tarde anterior. As cadeiras mantiveram as mesmas posições. O chapéu e as abotoaduras de Perry ainda pendiam do prego. Smith não sabia o que pensar. Andou devagar até a cadeira que usou no dia anterior e se sentou.

"Sr. Perry", gritou ele.

No escritório inacabado, o chamado ecoou um pouco, então desvaneceu em silêncio absoluto.

A apreensão começou a se remexer dentro dele. Chamou outra vez, ainda mais alto. Quando seu chamado seguiu sem resposta, concluiu que havia alguma coisa errada.

Levantou-se e andou até o pé da escada.

Hesitou por um instante, olhou para cima. Tentou com atenção captar algum sinal de vida, mas a casa parecia deserta. Um cheiro desagradável flutuava até embaixo. Devagar, Smith subiu a escada estreita.

Conforme se aproximava do topo da escada, pôde ver um quarto bem à frente. Parou no patamar e espiou o interior do cômodo. Viu a cama vazia com algumas roupas de cama em cima. Do contrário, o quarto parecia desocupado.

O fedor estava muito mais denso ali, embora Smith não fosse capaz de identificar a fonte. Ele se virou para olhar atrás de si.

E congelou.

No chão do quarto dos fundos havia um corpo com os pés apontados na direção da janela sem cortinas e a cabeça para a porta, o rosto escurecido e inchado. Smith precisou de apenas uma olhada na figura pavorosa para perceber que via um cadáver.

Precipitando-se para fora do prédio, irrompeu na rua e correu até a delegacia de Buttonwood.

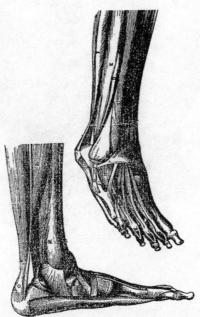

MUSCLES OF FOOT AND LEG.

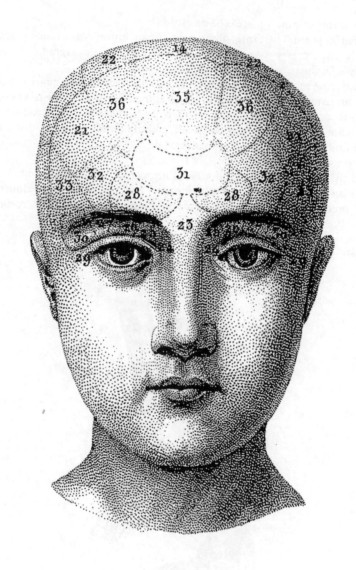

CAPITULUM

CRIME SCENE: PROFILE

CADÁVER PROSTRADO

19. CORPSE ON THE FLOOR

> Ao soprar tua vela, a morte vai então farejar,
> Se é sebo ou cera o cheiro no ar.
> — BENJAMIN FRANKLIN, *Almanaque do Pobre Ricardo* —

O dr. William Scott, que administrava uma pequena farmácia no andar térreo de sua residência na esquina da Décima-Terceira com a Vine, acabara de abrir a loja quando o policial Billy Sauer entrou no estabelecimento. Um homem morto fora encontrado naquela manhã no número 1316 da Callowhill Strett, explicou. A julgar pelas evidências, parecia vítima de explosão. Será que o dr. Scott se importaria de ir ao endereço examinar os restos mortais?

    Preparando-se para a visão medonha, o médico seguiu Sauer ao longo de alguns quarteirões até o pequeno edifício desbotado, em seguida subiu a escada estreita e entrou no quarto dos fundos. Dois homens pairavam acima do cadáver prostrado — um segundo policial e um sujeito magricelo em roupas de operário, de pé com lenço tampando o nariz. O dr. Scott pescou seu lenço e o levou ao rosto ao entrar no cômodo. Mesmo assim, quase engasgou com o fedor. Mas quando deu uma olhada mais atenta no cadáver, algumas coisas lhe pareceram peculiares.

Verdade, o rosto estava em estado pútrido — a pele escura e exsudando, a língua espessa se projetando, fluído vermelho pernicioso escorrendo da boca. Mas em vez de membros despedaçados e carne estraçalhada, mutilações esperadas em vítimas de explosão, o corpo não estava apenas intacto, mas estendido de maneira cuidadosa, quase de maneira cerimonial, no chão.

Rígido e esticado, pernas juntas, o homem morto estava deitado de costas, o braço esquerdo esticado ao seu lado. O braço direito, dobrado no cotovelo, repousava sobre o peito, a mão em concha sobre o coração parado.

Quase dava a impressão de que o homem falecera em paz enquanto dormia. Por outro lado, estava claro que o corpo fora chamuscado por fogo. O peito da camisa estava queimado em algumas partes, assim como o bigode e o cavanhaque, a sobrancelha esquerda e o topete. Pela aparência das coisas, parecia que chamas súbitas se espalharam pela cabeça e pelo peito.

Outra evidência também apontava para explosão. Ao lado da cabeça havia um fósforo queimado, um cachimbo de espiga de milho cheio de tabaco chamuscado e uma garrafa quebrada de um fluído vermelho. Uma fileira de garrafas idênticas, todas desarrolhadas, todas contendo a mistura pungente de produtos químicos, alinhada sobre a cornija da lareira.

Scott se ajoelhou ao lado do cadáver para examinar com mais cuidado e o policial Sauer propôs uma teoria: enquanto acendia o cachimbo, o falecido tinha, por acidente, raspado o fósforo perto demais das garrafas, cujo conteúdo — ao julgar pelo cheiro — consistia em mistura volátil de benzina, clorofórmio e amônia. A chama inflamara os gases químicos, causando a explosão fatal.

Verdade, o rosto estava em estado pútrido — a pele escura e exsudando, a língua espessa se projetando, fluído vermelho pernicioso escorrendo da boca.

Parecia possível, porém quanto mais o dr. Scott examinava, maior era sua dúvida. Se a hipótese de Sauer fosse correta, a explosão danificaria o cachimbo de espiga de milho. Com quase toda certeza, ele teria voado pelo cômodo, porém, o cachimbo permanecera intocado e na vertical, a poucos centímetros da cabeça do cadáver, como se colocado ali de propósito. Além do mais, a garrafa de produtos químicos quebrada parecia ter sido largada no chão, não estilhaçada por explosão.

Ainda assim, Scott não tinha uma explicação melhor. Em todo caso, sua atenção agora se concentrava só no cadáver.

A morte obliterara as feições, embora o operário magricelo — que se apresentara por trás do lenço como Eugene Smith, parceiro de negócios de B. F. Perry que descobrira a tragédia — tenha confirmado que as roupas, a cor do cabelo e a estatura geral do cadáver combinavam com os do vendedor de patentes. Olhando para o rosto escurecido, com seu ralo cavanhaque chamuscado, Scott de repente se deu conta de que conhecera Perry em outra ocasião. Quase um mês antes, um estranho de aparência taciturna que se apresentou como recém-chegado à vizinhança, fora até a farmácia de Scott para fazer uma pequena compra. Por alguma razão, um detalhe em particular — o pequeno tufo de pelos brotando do queixo do homem — se fixara na mente de Scott.

Desabotoando as roupas do morto, Scott notou que, comparados com a parte inferior do corpo, a parte superior do torso e a cabeça estavam em um estado mais putrescente. Também ficou admirado pela disposição do cadáver, que jazia de frente para a janela aberta. As cortinas tinham sido presas em um ângulo que, durante grande parte do dia, os raios de sol banharam o corpo da cintura para cima, acelerando a decomposição.

Suspirando, o dr. Scott ficou de pé. Não havia mais nada que pudesse fazer. Estava na hora de transportar o cadáver para o laboratório do legista para a necropsia formal — o que não seria uma viagem longa visto que, como Scott e os policiais sabiam muito bem, o necrotério da cidade ficava a poucos metros de distância. Na verdade, a janela do quarto se abria para o necrotério.

Para Scott e os outros, isso parecia uma coincidência sombria. A proximidade do necrotério, no entanto, sugeria outra coisa também. Por mais fétido que o corpo de Perry fosse, o cheiro não teria alertado de imediato os vizinhos quanto à sua morte. Flutuando através da janela aberta e subindo pela chaminé, o fedor camuflava-se, em grande parte, pelo odor da morte vindo do necrotério.

Se não fosse por Smith, o cadáver poderia ter ficado ali por um período muito mais longo. Ele, sem dúvida, seria descoberto um dia — mas não até que suas feições terem se decomposto por completo.

A necropsia foi realizada naquela tarde, nesse ínterim, o cadáver foi guardado na câmara fria. O médico-legista William Mattern conduziu o exame *post mortem* com dois colegas: o superintendente do necrotério, Benjamin, e seu assistente, Thomas Robinson. O dr. Scott, que àquela altura desenvolvera ávido interesse pelo caso, também estava presente como testemunha (ou "observador", como ele mesmo se descreveu), e anotou sobre os procedimentos em um caderninho que levara consigo.

Mattern começou destacando a desfiguração do rosto pela necrose. Os dentes estavam em condição espantosa de tão péssimos ("malcuidados" foi a descrição de Mattern), foram examinados à procura de irregularidades. O cabelo do cadáver era preto e começava a rarear, com a parte da frente "penteada em topete" e os pelos do redemoinho eriçados para a esquerda. As únicas outras feições distinguíveis eram o bigodinho "achatado" e o cavanhaque ralo.

Ao abrir o crânio, Mattern encontrou um cérebro normal, sem nenhuma congestão. Em seguida, removeu o coração. Sem nenhuma gota de sangue. "Paralisia do coração", escreveu o dr. Scott conforme Mattern ditava. "Indicativo — morte súbita."

Já os pulmões estavam bastante congestionados e cheios de sangue, o fígado e o baço também obstruídos. Uma olhada nos rins revelou que Perry tinha sido um homem que, como o dr. Scott anotou, "nunca recusou uma bebida quando havia chance de obtê-la". Os rins estavam nefríticos, ou inflamados, característica de alcóolatras.

Embora o estômago não contivesse comida, havia quantidade significativa — talvez 30 ou 60 ml — de um fluído que provava, por meio de cheiro e sabor, ser clorofórmio. Os pulmões também emitiam o mesmo odor inconfundível do mesmo clorofórmio.

Os músculos involuntários dos órgãos excretores tinham relaxado no momento da morte, causando evacuação espontânea tanto da bexiga quanto dos intestinos.

Mattern destacou outro detalhe. Embora as chamas tivessem chamuscado de modo inequívoco o braço direito de Perry — aquele que repousava sobre o peito — não havia nenhuma marca de queimadura na axila ou no lado inferior do braço, a parte que ficara encostada no corpo. Para o legista, isso significava apenas uma coisa — que (como Scott registrou em seu caderno) "a queimadura tinha sido feita depois de o braço ter sido colocado sobre o peito".

A conclusão de Mattern, apresentada no inquérito realizado no dia seguinte, foi que B. F. Perry morrera por envenenamento de clorofórmio. A polícia, no entanto, se manteve firme em sua teoria de morte por explosão.

No fim das contas, os jurados anunciaram um veredicto que cobria grande variedade de possibilidades: Perry falecera de "congestão dos pulmões, causada pela inalação de fogo, ou de clorofórmio, ou de outra droga venenosa". A derradeira questão — se a morte decorrera de acidente, suicídio ou assassinato — permaneceu em aberto.

E foi assim que ficaram as coisas na quarta-feira, 5 de setembro. Notícias da misteriosa morte do igualmente misterioso B. F. Perry — cujo corpo fora devolvido à câmara fria, onde, de acordo com a prática local, seria mantido por 11 dias, aguardando requerente — apareceram primeiro no *Philadelphia Inquirer*. A história se espalhou depressa pelas outras agências de notícias, que enviaram nota para os jornais de todas as principais cidades, incluindo, claro, St. Louis.

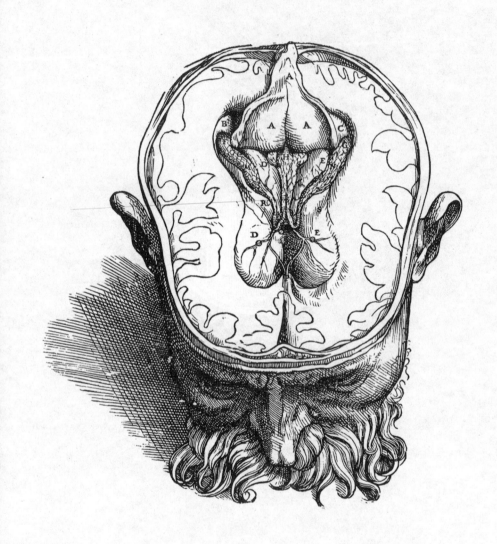

CRIME SCENE: PROFILE

SURPRESA MALIGNA

20. GHASTLY SURPRISE

> O homem violento coage o seu próximo [...]
> ao cerrar os lábios pratica o mal.
> — PROVÉRBIOS 16:29,30 —

A princípio, ela rezou para que o plano fosse por água abaixo — que Benny recuperasse o juízo, ou que Holmes, ao se dar conta dos riscos, perdesse a coragem de aplicar o golpe. Mas conforme o verão avançava, viu que tinham a intenção de seguir em frente com o plano.

Durante semanas, examinanou os jornais, esperando a notícia a qualquer dia. Mesmo assim, foi um choque quando a história de fato apareceu — coluna única na edição do dia 6 de setembro do *St. Louis Globe-Democrat*, reportando a morte do vendedor de patentes da Filadélfia B. F. Perry, morto em circunstâncias peculiares.

Não foi como se acreditasse no artigo. Benny tinha lhe assegurado que as notícias de sua morte seriam falsas. O que a alarmou foi a enormidade da fraude, e o perigo e a vergonha terríveis aos quais seu marido expusera a família. Se Benny fosse pego, não seria apenas ele quem sofreria, mas ela e as crianças também.

As semanas de tensão e incerteza tiveram grande impacto em sua saúde. Durante dias sofreu de horríveis enxaquecas e episódios de colapsos nervosos. Mas não podia se permitir adoecer. Com as coisas daquele jeito, ela e as crianças quase não conseguiam o que comer.

Através da parede que separava a cozinha do quarto minúsculo que todas as cinco crianças dividiam, podia ouvir a tosse abafada e crupal. O pequeno Wharton, com menos de um ano de idade, estava doente havia uma semana. Mas ela não tinha dinheiro para levá-lo ao médico. Antes de partir para a Filadélfia, Benny lhe dera algum dinheiro para despesas de moradia, mas os parcos fundos acabaram em meados de agosto. Desde então, fora forçada a depender de quaisquer trabalhos subalternos que conseguisse — lavando e consertando roupas, e afins.

Em toda a sua vida, não conseguia se lembrar de ter se sentido tão amedrontada, sozinha e confusa.

Sentada à mesa da cozinha, começou a reler a história, mas sua visão se dissolveu em súbito borrão de lágrimas. Largou o jornal sobre a mesa, cobriu o rosto com as mãos e se entregou ao sofrimento.

O som de choro fez com que as crianças corressem até ela. Agrupando-se ao redor da cadeira, acariciaram seus ombros trêmulos e perguntaram se estava doente. Foi então que Alice olhou para o jornal sobre a mesa e encontrou o nome B. F. Perry, que reconheceu de imediato. Ela o vira nos envelopes que sua mãe enviava para a Filadélfia todas as semanas.

"É o papai", gritou ela. "Está morto, ele está morto!"

Seus irmãos permaneceram chocados por alguns instantes, depois irromperam em clamor lamurioso. Até mesmo Dessie se juntou àquela explosão emocional, tendo se esquecido por completo sobre aquela noite, muitos meses antes, quando seu pai cambaleara até a cozinha e resmungara algo enigmático sobre sua morte.

Naquele instante, alguém bateu à porta. Carrie recompôs-se o melhor que pôde, se levantou da cadeira e andou até a frente do apartamento.

Abrindo a porta, se viu cara a cara com H. H. Holmes.

Quando Holmes retornara à pensão da sr. Alcorn, na tarde de domingo, cinco ou seis horas depois de deixar sua suposta reunião no vilarejo suburbano de Nicetown, parecia esbaforido e corado. Ao entrar no quarto, perguntou a Georgiana se ela estava bem o bastante para viajar. Georgiana, que de fato sentia-se mais forte do que estivera dias antes, olhou curiosa para o marido e fez que sim com a cabeça.

Como tinha sido a reunião?, perguntou, olhando-o com atenção. Suor pingava de sua testa e, quando tirou o paletó e a camisa, ela pôde ver que suas roupas de baixo estavam encharcadas.

"Tão bem quanto o esperado", respondeu sem dar detalhes.

"Tem alguma coisa errada, Harry?", perguntou Georgiana. "Você parece tão afoito."

"De modo algum, minha querida. O dia parecia tão esplêndido que decidi andar da estação e estou só recuperando o fôlego."

Enquanto Georgiana levantava da cama e começava os preparativos para a partida, Holmes se limpou no lavatório, depois vestiu terno limpo e foi ao andar inferior para informar a sra. dra. Alcorn de sua partida iminente.

A senhoria perguntou aonde iam, e Holmes lhe explicou que viajariam a Harrisburg para fechar o acordo com a Pennsylvania Railroad Company. Ele instruiu Georgiana a repetir a mesma história.

Naquela noite, os dois se despediram de Adella Alcorn, então subiram na carruagem que aguardava por eles para levá-los à estação, onde pegaram o trem noturno — não para Harrisburg, mas para Indianápolis.

A viagem noturna deixou Georgiana exausta. Quando chegaram a Indianápolis, na segunda-feira de manhã, 3 de setembro, ela sofreu uma recaída. Holmes a ajudou a chegar à hospedaria mais próxima, uma pequena e desprezível chamada Stubbins' European Hotel, a um quarteirão da estação Union.

Lá Georgiana descansou durante os dois dias seguintes. Holmes permaneceu ao seu lado grande parte do tempo, embora às vezes saísse por uma hora ou duas, desconfia-se para verificar mensagens e cuidar de negócios não especificados.

No final da tarde de quarta-feira, 5 de setembro, voltou de suas saídas com novidades. Acabara de receber um telegrama de seu colega de negócios em St. Louis, que requisitava a presença de Holmes de imediato.

Em toda a sua vida, não conseguia se lembrar de ter se sentido tão amedrontada, sozinha e confusa.

Holmes garantiu a Georgiana que estaria de volta em poucos dias. Entrementes, pedira à esposa do hoteleiro para fazer visitas regulares e garantir que Georgiana recebesse os cuidados apropriados.

Partindo na noite de quarta-feira, Holmes chegou em St. Louis no dia seguinte e seguiu direto para o escritório de advocacia de MacDonald e Howe. Ao encontrá-lo fechado, prosseguiu para o apartamento de Pitezel, onde encontrou as crianças em estado de histeria e Carrie à beira do colapso nervoso.

Embora Carrie não sentisse nenhum afeto por Holmes, seu sofrimento e solidão eram tão grandes que, ao ver o rosto dele, se jogou contra seu peito e voltou a se entregar a soluços desamparados. Dando-lhe tapinhas consoladores, Holmes a guiou até uma cadeira, tirou o lenço enorme do bolso e o apertou nas mãos dela. Enquanto Carrie chorava com o rosto enfiado no lenço, Holmes notou que era idêntico àquele que usara para asfixiar o marido dela poucos dias atrás. O pensamento lhe pareceu algo divertido.

Parado ao lado da cadeira, ele tocou seu ombro outra vez e lhe assegurou que Benny estava bem. O cadáver descrito nos jornais era um substituto, que conseguira na cidade de Nova York. Essa informação, porém, não foi suficiente para acalmar a mulher angustiada.

"Por que você continua desse jeito?", perguntou Holmes, uma leve nota de impaciência se esgueirando na voz. "Você está fazendo um estardalhaço terrível por causa disso, mais do que se fosse verdade."

"Estou doente, o bebê está doente", respondeu Carrie entre soluços. "Oh, como o Benny foi capaz de fazer isso e arrumar problemas para todos nós?"

"Qual é o problema com as crianças?", indagou Holmes depois de um instante. "No que elas acreditam?"

As lágrimas diminuíram um pouco, então, Carrie secou o rosto com o lenço de Holmes e soltou um suspiro irregular.

"Elas acreditam que o seu pai morreu."

Holmes assentiu.

"Ótimo. Não deixe que pensem diferente. Isso vai facilitar as coisas."

Holmes avançou até a soleira da cozinha e chamou Dessie com um aceno. Assumiu ar de bondade avuncular e lhe garantiu que tudo ficaria bem, que estava ali para cuidar de todos eles. Então a instruiu a encontrar o médico mais próximo e trazê-lo à casa.

Enquanto Dessie estava fora, Holmes se agachou ao lado da cadeira de Carrie e falou com ela em voz baixa e urgente. Ela precisava se recompor, pois o papel que representaria nos próximos dias era fundamental. O sucesso do plano dependia de sua participação.

Enfiou a mão no bolso do casaco, retirou um cartão de visitas e o colocou nas mãos dela. Na manhã seguinte, explicou, devia ir àquele endereço, levando consigo a apólice de seguro de 10 mil dólares que Benny deixara aos seus cuidados. O escritório ficava no Prédio Comercial, no centro da cidade.

Através dos olhos avermelhados e marejados, Carrie fitou o cartão. O nome impresso no centro era Jeptha D. Howe, Esq.[1]

Naquele mesmo dia, um colega íntimo do advogado Howe se deparou com a notícia da morte de B. F. Perry no *St. Louis Globe-Democrat*. Ele também lia os jornais com regularidade, procurando alguma indicação de que o trapaceiro do Howard contara a verdade.

Ao avistar o artigo, o homem exclamou sem palavras. Apesar das garantias de Howe, não acreditara que Howard de fato seguiria em frente com a fraude. Durante o tempo que passaram como colegas de cela, Howard lhe dera a impressão de ser meio garganta, cheio de papo furado.

O guarda que patrulhava o corredor do lado de fora da cela parou de supetão e espiou através das barras. Não lembrava de Marion Hedgepeth ter emitido um som como aquele antes e se perguntou o que o provocara.

O som foi algo entre latido e risada — o barulho de um homem surpreso, com uma surpresa muito agradável.

---

1   Abreviação de *Esquire*, título formal para homens da alta-sociedade e de status no Reino Unido. Nos Estados Unidos é comumente usado por advogados. [NT]

ORDINARY RATES.

Each insertion, - 75 cents a line
Each insertion, - - $1.00 a line
[small print about advertising rates]

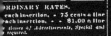

Victors TO THE WORLD

OVERMAN WHEEL CO.
WASHINGTON, DENVER, SAN FRANCISCO.
SPALDING & BROS., Special Agents,
NEW YORK, PHILADELPHIA.

FORGED PRODUCT.

"Rogers' Drive Screw."
Patented May 16, July 12, 1887; July 10, 1888; July 17, 1892.

It will turn like a screw into wood when driven with a hammer, and will not break the fibers of the wood.

[small print]

Send for samples to

**AMERICAN SCREW CO.
PROVIDENCE, R.I.**

THE Motor of 19th Century

Can be used any place, to do any work, and by any one. No Boiler! No Fire! No Steam! No Ashes! No Gauges! An Engineer a perfectly safe Motor for all places and purposes. Cost of operation about 2c. per h.p. per hour. Practically indestructible, having no superheater.

CHARTER GAS ENGINE CO.
P.O. Box 148, Sterling, Ill.

ASTRONOMY

Pop. Celestial Planisphere and Handbook just published.

POOLE BROS., CHICAGO, ILL.

PEDLER ENGINES

SHIPPING ENGINES ARE POSITIVELY BETTER THAN ANY OTHERS COMPRESSORS UPON THE MARKET.

OF THIS FACT WRITE FOR PARTICULARS TO
FRASER & CHALMERS
FULTON ST. W. CHICAGO, ILL.

Are equal
to high priced
Watch in
open face, hunting, nickel, silver and filled gold cases.
All watches selling above $10 are warranted for ten years.
Stem-winding only five seconds required.
Waterbury.
Full jeweled, and sold by jewelers everywhere—for Ladies and Gents. $4 to $13, in a hundred different styles.

PATENTS!

MESSRS. MUNN & CO., in connection with the publication of the SCIENTIFIC AMERICAN, continue to examine improvements, and to act as Solicitors of Patents for Inventors.

[column of small print about patent services]

MUNN & CO., Solicitors of Patents,
361 Broadway, New York.

IN ONE MINUTE IT WILL CONVINCE YOU OF OUR ABILITY TO SUPPLY TOILET PAPER FOR LESS MONEY THAN IT CAN BE OBTAINED ELSEWHERE. **A. P. W. PAPER CO. ALBANY, N.Y.**

**ZINC ETCHING
HALFTONE PROCESS
Engravings
Printer OF
MAGAZINES,
BOOKS,
SOUVENIRS.
CATALOGUE WORK A SPECIALTY**

A. H. KELLOGG
SCOTT & BOWNE BUILDING, New York.

KODAKS.

Take one with You to the World's Fair.

They're the only practical camera for the purpose. No bulky glass plates—no troublesome holders—no need of hunting up a dark room. With our special Columbian spools of film, containing 20 exposures you can have your Kodak loaded before leaving home and can then "press the button" as often as you like, while at the Fair without the necessity of reloading.

Eastman Kodak Co.,
Send for Catalogue.
Rochester, N.Y.

"IMPROVEMENT THE ORDER OF THE AGE."

The Smith Premier Typewriter

Embodies the most Progressive Mechanical Principles.
All the Essential Features Greatly Perfected.
Perfect and Permanent Alignment.
Fastest Running, and Nearly Silent.
All type cleaned in Ten Seconds without Soiling the Hands.

The Smith Premier Typewriter Co., Syracuse, N.Y., U.S.A.
We have 20 branch offices in the principal cities throughout the United States.

No one ever wrote **1000 Letters** an Hour,
that is, unless they first wrote one and then copied the rest on an

EDISON MIMEOGRAPH

Invented by Thos. A. Edison, for Daily Office Use in duplicating both handwriting and typewriting. Anybody can operate it. Simple—Compact—Cleanly—Cheap. Endorsed by every 90,000 users. Catalogues and Samples of Work free upon application. Manufactured only by the **A. B. DICK CO., 151 E. Lake St. Chicago.** Branch Offices, 6 Nassau St., N.Y. City; 111 So. Fifth St., Phila.

BICYCLES ON EASY PAYMENTS

New or 2d hand; lowest prices; largest stock makers & oldest dealers in U.S. We sell everywhere. Cat. free. **ROUSE, HAZARD & CO., 10 G St., Peoria, Ill.**

SCIENTIFIC AMERICAN SUPPLEMENT. Any desired back number of the SCIENTIFIC AMERICAN SUPPLEMENT can be had at this office for 10 cents. Also to be had of newsdealers in all parts of the country.

ELECTRIC SUPPLIES MOTORS, and DYNAMOS, from 1/8 h.p. to 15 h.p.
Bells, Annunciators, Batteries, etc. No Toys, but Standard Goods. Complete illustrated catalogue mailed on receipt of 10c postage.

The Holtzer-Cabot Electric Co.
94 Franklin St., BOSTON, MASS.

AGENTS WANTED FOR FINE TOOLS IN EVERY SHOP. Send for CATALOGUE AND AGENCY.
C. H. BESLY & CO., CHICAGO, ILL. U.S.A.

**HARTFORD STEAM BOILER
HARTFORD, CONN.
INSPECTION AND INSURANCE CO.**

**LONDON HYDRAULIC POWER COM-
pany.**—Description of the plant of a company for supplying hydraulic power in London for running elevators in private dwellings, and doing other similar work. With illustrations. Contained in SCIENTIFIC AMERICAN SUPPLEMENT, No. 893. Price 10 cents. To be had at this office and from all newsdealers.

H. W. Johns' Asbestos Roofing FIRE PROOF. DURABLE. ECONOMICAL.
This Roofing may be easily applied by unskilled Workmen. It is more durable than tin and costs about one-half as much. It has been in use for thirty-five years by many well known manufacturers and large corporations throughout the United States.
SAMPLES, PRICES, ETC., FURNISHED ON APPLICATION.
H. W. JOHNS MFG. CO.
NEW YORK — JERSEY CITY — CHICAGO
PHILADELPHIA — BOSTON — ATLANTA

Electric ✱ Motors
FOR ALL POWER PURPOSES.
MILLS, FACTORIES, SHOPS, LOCOMOTIVE WORKS, ETC., OPERATED BY OUR **ELECTRIC MOTORS.**
Are Cleaner, Healthier, Give Greater Returns for Outlay, than those Operated by Other Methods.
PROFIT — ECONOMY.
GENERAL ELECTRIC COMPANY,
DISTRICT OFFICES:

[list of office addresses]

Why Does he Ride a Columbia?

Because He knows That Columbias
Lead all Bicycles.
Stay at the Head.
Are always the Standard.

Catalogue free at Columbia agencies, by mail for two 2-cent stamps. **Pope Mfg. Co.,** Boston, New York, Chicago, Hartford.

You may have seen this before, so this is only to remind you that the "Hardy" is still in the ring, more popular than ever, and the sales are daily increasing. For low-pressure purposes (below 25 pounds), the "Hardy" is better adapted than any other valve on the market. Practical, convenient, low-priced. *[more small print]*

PATENT JACKET KETTLES
Plain or Porcelain Lined. Tested to 100 lb. pressure. Send for Lists.
BARROWS-SAVERY CO.,
S. Front & Reed Streets, Philadelphia, Pa.

DON'T DRINK DIRTY WATER. AVOID CHOLERA AND ILL HEALTH AND DISEASE AND BUY THE CHEAPEST AND BEST SELF CLEANING WATER FILTER FITS ANY FAUCET.
SAMPLE MAILED PRICE 50c. AGENTS WANTED.
SEED & CO. 23 Central St. NEW YORK

The American Bell Telephone Company
125 MILK ST., BOSTON, MASS.

This Company owns the Letters Patent No. 186,787, granted to Alexander Graham Bell, January 30, 1877, the scope of which has been defined by the Supreme Court of the United States in the following terms:

"The patent itself is for the mechanical structure of an electric telephone to be used to produce the electrical action on which the first patent rests. The third claim is for the use in such instrument of a diaphragm, made of a plate of iron or steel, or other material capable of inductive action; the fifth, of a permanent magnet constructed as described, with coil upon the end or ends nearest the plate; the sixth, of a sounding box as described; the seventh, of a speaking or hearing tube as described for conveying the sounds; and the eighth, of a permanent magnet and plate combined. The claim is not for these several things and of themselves, but for an electric telephone in the construction of which the things or any of them are used."

This Company also owns Letters Patent No. 463,569, granted to Emile Berliner, November 17, 1891, for a Combined Telegraph and Telephone; and controls Letters Patent No. 474,231, granted to Thomas A. Edison, May 3, 1892, for Speaking Telegraph, which cover fundamental inventions and embrace all forms of microphone transmitters and of carbon telephones.

A GENTLEMAN'S LAUNCH

BE YOUR OWN ENGINEER.
Launches 19 to 40 feet in length, with automatic machinery. No Smoke. No Engineer. No Danger. No Dirt.
PADDLE YOUR OWN CANOE
Canoes, Family Row and Sail Boats, Fishing and Hunting Boats. Manufactured by
THOMAS KANE & CO., Chicago, Ill.
Send for catalogue specifying line wanted.

PRINTING INKS
The SCIENTIFIC AMERICAN is printed with

CAPITULUM

CRIME SCENE: PROFILE

MOTIVOS OCULTOS

21. HIDDEN AGENDA

> No campo das histórias inventadas, Herman Webster Mudgett, pseudônimo H. H. Holmes, tem direito a uma posição muito alta. Com ele, a mentira ganhou a forma de arte [...] e a isso se atribui, em grande parte pelo menos, seu maravilhoso sucesso em ocultar seus crimes por tanto tempo.
> — MATTHEW WORTH PINKERTON, *Murder in All Ages* (Assassinatos em Todas as Eras) (1898) —

George B. Stadden, gerente da filial da Fidelity Mutual em St. Louis, estava sentado à sua mesa na manhã do sábado, 8 de setembro, quando o envelope chegou. Dobrados dentro dele havia uma carta sucinta e um recorte de jornal sobre a morte de um homem da Filadélfia chamado B. F. Perry. A carta — escrita em caligrafia esmerada e feminina, embora salpicada de erros ortográficos — era de uma tal sra. Carrie A. Pitezel, que desejava comunicar que o indivíduo descrito no artigo era seu marido, Benjamin Freelon Pitezel, portador da apólice de seguro número 0044145.

Stadden leu o artigo outra vez, dessa vez mais devagar. Então afastou a cadeira da mesa e saiu correndo do escritório.

O presidente da Fidelity Mutual Life Association era um cavalheiro corpulento chamado Levi G. Fouse, que, tentando dar bom exemplo aos seus subordinados, costumava chegar ao trabalho no máximo 9h, mesmo aos sábados. Nesse sábado em particular, contudo, questões pessoais o seguraram em casa, e eram quase 11h quando apareceu na sede da empresa na Filadélfia, na Walnut Street.

Tão logo se acomodou atrás de sua majestosa mesa de mogno, o mensageiro lhe entregou o telegrama do gerente em St. Louis, George Stadden. A mensagem dizia: "B. F. Perry, encontrado morto na Filadélfia, é dito como sendo B. F. Pitezel, que é assegurado sob o número 0044145. Investigar antes que os restos mortais deixem o local".

Fouse — adepto inflexível das medidas de Benjamin Franklin contra o ócio — não perdeu tempo em notificar seu gestor de sinistros, cujo nome, por coincidência, também era Perry: O. LaForrest Perry. Localizando o arquivo número 044145, Perry descobriu que a vida de Benjamin F. Pitezel estava de fato assegurada em 10 mil dólares — soma impressionante na moeda corrente de 1894. A apólice foi emitida no dia 9 de novembro de 1893, pela filial de Chicago.

Inúmeras características do caso pareceram estranhas para Fouse e Perry de pronto. A apólice fora adquirida menos de um ano antes da morte súbita do homem — circunstância que provocava já certa suspeita em corretores de seguros. Além do mais, o pagamento chegara por ordem de pagamento telegrafada bem no último dia do período de carência. E então havia a questão do pseudônimo do homem. Por que usava o sobrenome Perry?

Com o despertar de suas suspeitas, Fouse mandou no ato chamar outro auxiliar confiável, o tesoureiro da empresa, o coronel O. C. Bobyshell, e o enviou ao necrotério da cidade, para ver se o cadáver era compatível com a descrição física de Pitezel conforme registrada no formulário da apólice. Bobyshell retornou depois do almoço para relatar que, embora o rosto do falecido estivesse bastante desfigurado, a aparência geral batia mesmo com a de Pitezel. Bobyshell também obtivera os dados básicos do caso, que conseguira com o legista.

De posse dessas informações, O. LaForrest Perry seguiu para o número 1316 da Callowhill Street, onde, na companhia de um policial da delegacia de Buttonwood, passou quase uma hora examinando a cena do crime. Exceto pela remoção do cadáver, o quartinho permanecera intocado. O cachimbo de espiga de milho, o fósforo queimado e a garrafa quebrada jaziam exatamente onde foram encontrados na terça-feira anterior.

Para Perry, as evidências sugeriam encenação, não explosão acidental, como a polícia continuava a alegar. Agradeceu ao policial por sua ajuda e voltou à sede da empresa. Assim que chegou, Perry relatou as descobertas ao presidente Fouse, que de imediato telegrafou para Edwin H. Cass, gerente da filial de Chicago, instruindo-o a descobrir todo o possível a respeito de Benjamin F. Pitezel e, em especial, a determinar os nomes de seus conhecidos.

Por mais dedicado que fosse à Fidelity Mutual Life Association, Fouse não permitia que negócios interferissem nos prazeres domésticos. Quando voltou para casa naquela noite de sábado, já tinha tirado da cabeça o caso de B. F. Perry.

Ao chegar no escritório na segunda-feira de manhã, contudo, encontrou a mensagem de Jeptha D. Howe, de St. Louis, advogado da sra. Carrie A. Pitezel. Howe desejava informar a Fouse que, junto de um membro da família Pitezel, ele em breve viajaria à Filadélfia para identificar o corpo e resgatar a apólice de 10 mil dólares.

Com base em sua experiência com seguradoras, H. H. Holmes sabia que um membro da família seria convocado para identificar os restos mortais, e não queria que fosse a viúva de Pitezel, pois não podia confiar na mulher para continuar a encenação. Ela já estava no estado de transtorno desesperado. Outro choque — a visão do cadáver decomposto, por exemplo, ou até mesmo algumas perguntas difíceis dos investigadores da seguradora — e ela poderia desmoronar por completo e deixar a verdade escapar.

Pior ainda: poderia reconhecer que o corpo que jazia no necrotério era mesmo de seu marido não o cadáver de outra pessoa. Prevendo essa possibilidade, Holmes fizera o possível para obliterar as feições de Pitezel. Mas ele se sentiria mais seguro se Carrie não tivesse chance alguma de ver o cadáver. Portanto, estava preparado para tomar qualquer medida necessária — de súplicas sinceras a ameaças abertas — para persuadi-la a ficar em St. Louis.

No final das contas, não precisou se dar a esse trabalho, graças à saúde debilitada de Carrie e à fortuita doença do bebê Wharton. Carrie protestou que não era possível viajar tamanha distância. Nem sua filha mais velha, Dessie, necessária em casa para ajudar a cuidar dos mais novos.

Restou a segunda filha mais velha, Alice. Na opinião de Holmes, a menina de 15 anos era a escolha ideal — inteligente o bastante para seguir ordens, mas não tão esperta para descobrir as coisas por conta própria e assim pôr a trama em risco.

Embora Carrie tivesse receios sobre enviar a menina com Jeptha Howe, um completo desconhecido, Holmes lhe assegurou que Alice estaria em boas mãos. Holmes já providenciara que uma prima sua cuidasse da garota assim que ela e Howe chegassem à Filadélfia. Essa prima, Holmes explicou, era uma jovem adorável e bastante responsável em quem podia se confiar sem questionamentos.

Seu nome era Minnie Williams.

Naquele fim de tarde, domingo, 9 de setembro, Holmes e Howe se encontraram para cuidar dos preparativos finais. Na manhã seguinte, Holmes deixou St. Louis no primeiro trem para Wilmette, Illinois.

Quase na mesma hora em que Holmes embarcava em seu vagão Pullman, Edwin Cass, gerente do escritório da Fidelity Mutual em Chicago, refletia sobre o telegrama que acabara de receber da Filadélfia. Depois de desenterrar os registros da apólice 044145 e identificar o agente que a vendera para Pitezel, de imediato procurou o homem, cujo nome era Leon Fay.

Será que Fay por acaso conhecia alguém próximo a Pitezel?, indagou Cass.

Na verdade, Fay conhecia. Muitos anos atrás, antes que entrasse no ramo de seguros, Fay se envolvera em diversas empreitadas, uma das quais o levara a conhecer um próspero cavalheiro que fixou residência em Englewood. Em setembro passado, esse sujeito tinha aparecido do nada no escritório de Fay para se informar sobre o custo de uma apólice de seguro de vida no valor de 10 mil dólares para si mesmo. Fay lhe informou, mas não recebera mais nenhuma notícia dele. Muitos meses depois, contudo, Benjamin Pitezel, disse ser recomendado por um conhecido de Fay, apareceu e solicitou uma apólice para si mesmo naquele exato valor.

Em resposta à pergunta seguinte de Cass, Fay explicou que o cavalheiro em questão era dono de um enorme prédio de escritórios na esquina da Sessenta e Três com a Wallace Street, mais conhecido como o Castelo e seu nome era H. H. Holmes.

No dia seguinte, Cass viajou até Englewood, desembarcou do trem em meio ao burburinho e à agitação da Wallace Street. Não teve dificuldade para encontrar o Castelo, que se assomava como grande fortaleza sombria na esquina do outro lado da estação. Ao se aproximar do edifício, Cass — com olho treinado de investigador — logo avistou os sinais escurecidos de danos de incêndio perto da linha do telhado. Os dois andares superiores da estrutura pareciam desocupados, as janelas escuras e vazias. O andar ao nível da rua, porém, apresentava fileiras de lojas, a maioria delas em funcionamento.

Não demorou muito para Cass descobrir que Holmes não dava as caras em Englewood fazia quase um ano. Um dos lojistas, contudo — o joalheiro chamado Davis —, forneceu a Cass uma pista promissora. Embora o comportamento devasso de Holmes sugerisse o contrário, boatos diziam que era casado e pai de uma bebezinha. A mulher e a criança viviam em algum lugar em Wilmette.

Negócios urgentes mantiveram Cass confinado em seu escritório no dia seguinte, mas na quinta-feira, 13 de setembro, viajou até Wilmette, com o endereço suburbano de Holmes: North John Street, número 38, entre as avenidas Central e Lake. A casa acabou se mostrando um sobrado asseado, pintado de vermelho, com um par de pequenas torres de madeira flanqueando o telhado do alpendre. A porta da frente foi aberta por uma criada, que conduziu Cass até a sala de estar e depois disparou para buscar a patroa.

Apesar de a sra. Myrta Holmes ter tratado Cass com educação, parecia desconfiada. Seu marido, explicou, raras vezes ficava em casa. Seus negócios o mantinham em constante movimento. Os dois trocavam correspondências com regularidade, porém, e ela ficaria feliz em lhe passar quaisquer mensagens que o sr. Cass desejasse.

O que Cass não sabia, é claro, era que, apenas dois dias antes, Myrta recebera a visita súbita e inesperada de Holmes, que passara em Wilmette no caminho de volta a Indianápolis. Parte do motivo foi para ver como a esposa e a filha estavam. Nos anos desde que Myrta se mudara para Wilmette, Holmes continuara a cuidar dela e da pequena Lucy, e a lhes fazer visitas periódicas.

Mas, como sempre era o caso com Holmes, ele também tinha motivos ocultos. Antecipando aquela exata situação em que Myrta se encontrava agora — visita súbita de investigadores da seguradora —, Holmes queria se certificar de que ela saberia o que dizer.

Cass escreveu uma lista de perguntas para Myrta transmitir ao marido. Ele também lhe deixou algo mais para entregar a Holmes — o recorte sobre a morte de B. F. Perry, tirado do jornal local *The Chicago Report*.

A história foi copiada das agências de notícias. Mas quem quer que a transmitira, cometera um único erro significativo — erro que poderia ser a ruína de Holmes, caso a família Pitezel tivesse sido abençoada com uma sorte melhor.

CAPITULUM

CRIME SCENE: PROFILE

OUTRAS VIAGENS

22. TRAVELLING AWAY

> Estas cartas [...] demonstram a enorme capacidade do sr. Holmes para a duplicidade e a enganação. Em vista dos acontecimentos subsequentes do caso, elas retratam seus muitos recursos para reconhecer oportunidades, e a sagacidade que lhe teria servido bem, caso escolhesse ganhar a vida de maneira honesta.
> — FRANK P. GEYER, *The Holmes-Pitezel Case* (O Caso Holmes-Pitezel) (1896) —

Após sua breve parada em Wilmette, Holmes foi direto para Indianápolis, chegando ao Stubbins' Hotel ao entardecer da terça-feira, 11 de setembro. Ele encontrou Georgiana muito melhor de saúde, embora insatisfeita com as pobres acomodações. Seu ânimo melhorou muito quando Holmes lhe presenteou com a lembrança que trouxera de suas viagens — um medalhão em formato de coração em corrente de ouro. Seu humor melhorou ainda mais quando, uma hora depois de sua chegada, ele guardou os pertences dela nas malas e a transferiu para os alojamentos muito mais luxuosos do Grand Hotel.

Ao longo dos dias seguintes, Holmes representou o papel de marido atencioso: deu banho de loja em Georgiana, levou-a aos melhores restaurantes da cidade, acompanhou-a em viagem noturna até a casa dos seus pais, em Franklin. Retornaram a Indianápolis na tarde do sábado 15 de setembro, e se registraram no Circle Park Hotel. Mais tarde naquele dia, enquanto Georgiana repousava na cama, Holmes escapuliu da suíte para verificar se chegara alguma mensagem. Quando voltou, meia hora depois, contou a Georgiana que acabara de receber um telegrama da Pennsylvania Railroad Company, informando-lhe que o pagamento em dinheiro pelas copiadoras estava disponível e à sua espera na Filadélfia.

Um comunicado tinha, de fato, chegado para Holmes, mas não uma mensagem da companhia ferroviária; era um envelope de Myrta, com a lista de perguntas que Edwin Cass lhe deixara, junto do recorte do *Chicago Report*.

Holmes ficou impressionado com a rapidez com que a seguradora o associara a Pitezel, mas já tinha uma resposta pronta. Apesar de sua agenda cheia, estava disposto a ir à Filadélfia e ajudar a identificar os restos mortais etc. etc. Mas enquanto lia o recorte, seu olhar recaiu sobre um erro evidente.

Embora estivesse correto em outros aspectos, o artigo reportava que o corpo de B. F. Perry fora depositado no necrotério em *Chicago*, não na Filadélfia.

Holmes tinha todos os motivos para se sentir sortudo. Caso não percebesse o erro, ele poderia ter entregado o jogo ao revelar que sabia mais — muito mais — a respeito da morte de Pitezel do que deveria.

Não levou muito tempo para decidir. Teria de fingir que o cadáver de Pitezel estava onde o artigo afirmava.

Mas como lidar com aquela informação errônea? Não levou muito tempo para decidir. Teria de fingir que o cadáver de Pitezel estava onde o artigo afirmava.

Naquela noite, Holmes fez as malas e se despediu de Georgiana, explicando que viajaria para a Filadélfia apenas para receber o dinheiro das copiadoras. Em vez disso, pegou o último trem noturno para Columbus, Ohio, reservou quarto em um hotel perto da estação, e logo se sentou para redigir uma carta para Edwin Cass.

Para a primeira pergunta de Cass — Quem fez o tratamento dentário de Pitezel? — Holmes respondeu que não "achava que [Pitezel] cuidasse muito bem dos dentes e pode ser que não tenha feito nenhum tratamento. Lembro-me de que sete ou oito anos atrás, quando trabalhava para mim, teve que interromper o serviço por algum tempo por conta de nevralgia nos dentes".

Voltando-se em seguida para a questão da identificação de marcas, Holmes escreveu:

De modo geral, eu o descreveria como um homem de quase 1,83 m (pelo menos 1,76 m) de altura, bastante magro e peso entre 65 e 75 kg, cabelo bem preto e um tanto crespo, muito espesso, sem tendência à calvície; seu bigode era de cor muito mais clara e, acredito, de matiz avermelhado, embora o tenha visto tingi-lo de preto às vezes, o que lhe emprestava aparência bem diferente. Também me lembro de que tinha problema com os joelhos, que os deixava inchados na parte de baixo ou na frente, como resultado de assentar pisos quando esteve no ramo da construção civil, mas se essa era uma condição temporária ou permanente, sou incapaz de afirmar. Ele também tinha uma espécie de conjunto de verrugas na nuca ou na lateral do pescoço, que o impedia de usar colarinho quando trabalhava. Além disso, não consigo pensar em nada que o distinguisse de outros homens, a não ser que sua testa era mais baixa do que a média e o topo da cabeça mais alto, chamava a atenção. Eu me lembro, porém, que ele tinha, ou pelo menos tinha no final de 1893, um filho de 12 anos de idade que se parecia tanto com ele que se comparado com o corpo que se supõe ser de seu pai iria revelar sua identidade, acredito eu [...] Se a identidade não tiver sido esclarecida até o senhor receber esta carta e, se assim o preferir, irei a Chicago qualquer dia depois da próxima quarta-feira, contanto que o senhor custeie o transporte de ida e volta [...] Eu estaria disposto a viajar sem pagamento em outros tempos, mas não posso arcar com isso no momento.

O sr. Pitezel me deve 180 dólares e, se estiver de fato morto, eu ficaria feliz em receber a quantia retirada da soma pagável da apólice, visto que preciso muito dela [...] Fiz muitas coisas por sua família ao longo dos últimos oito anos e acredito que, se necessário, consigo uma declaração de sua esposa, autorizando que o senhor retenha a quantia que me é devida.

Na manhã seguinte, segunda-feira, 17 de setembro, Holmes postou a carta para Cass e continuou viagem. Desembarcou dessa vez em Cincinnati, onde — depois de se registrar no Grand Hotel — redigiu uma segunda carta astuta ao extremo:

Caro senhor:

Desde ontem, quando lhe escrevi, constatei em um arquivo dos jornais da Filadélfia que o suposto corpo de Pitezel estaria nas mãos do legista de lá, e não em Chicago, como descrito no recorte que me enviou. Estarei em Baltimore em um dia ou dois, e pegarei trem vespertino para a Filadélfia e visitarei seu escritório lá, e se quiserem, irei com algum de seus representantes até o legista, pois acredito que posso dizer se o homem lá é Pitezel — pelo que li aqui, não vejo outra coisa que me faça pensar que o falecido seja outra pessoa exceto um homem chamado Perry.

Com os cumprimentos de
H. H. Holmes

Satisfeito com a maneira com que lidou com as coisas, Holmes se acomodou para passar a noite, não sem antes instruir a recepcionista para que o acordassem às 6h, pois ele tinha um trem para pegar bem cedo e era de crucial importância que estivesse nele.

Naquela mesma noite, terça-feira, 18 de setembro — por volta da hora em que Holmes terminava sua segunda carta a Cass — Jeptha Howe bateu na porta do precário apartamento de Pitezel.

Alice, em vestido de calicô remendado e casaco puído, abriu a porta e o deixou entrar. Uma bolsa de couro rachada, com o punhado de roupas que eram seu guarda-roupa, aguardava no chão da sala de estar.

Carrie levantou-se trêmula de seu leito, deu um beijo de despedida na filha de 15 anos e pediu que Howe cuidasse bem da menina. Os sapatos de segunda mão de Alice eram tão velhos e surrados que os dedos cobertos pela meia despontavam através das pontas. Howe prometeu que iria lhe comprar um par novinho assim que desembarcassem na Filadélfia.

Alice abraçou cada um dos irmãos, então saiu com Howe para o patamar. Enquanto descia a escada, se virou para lançar um último olhar para a mãe, encostada no batente da porta, assustadora de tão frágil e pálida, o rosto encovado riscado pelas lágrimas.

Levando a bolsa de Alice em uma mão e a própria mala na outra, Howe conduziu a garota até a parada de bondinho mais próxima. Instantes depois, o bonde dobrou a esquina. Depois de embarcar, Howe perguntou se Alice trouxera consigo algum dinheiro para despesas.

Alice fez que sim com a cabeça.

"Mamãe me deu uma moeda de 5 centavos."

Revirando o bolso das calças, Howe retirou um dólar de prata, que entregou para a garota. Alice murmurou um agradecimento e o enfiou na bolsa entre seus pés. Pouco depois, chegaram à estação Union, onde embarcaram em um trem que ia para o leste.

O vagão estava vazio o suficiente para Alice ocupar o próprio assento do lado oposto ao de Howe no corredor. Ela dobrou as pernas sobre a almofada, se encostou na janela e observou a escuridão do lado de fora.

Embora Alice estivesse nervosa com a viagem — muito por conta da terrível tarefa que a aguardava em seu destino —, o cansaço levou a melhor sobre ela. Conforme a noite avançava, mergulhou em sono profundo, embalado pelo balanço rítmico do trem.

Raios de sol matutinos preenchiam o vagão quando acordou horas depois — conforme o trem encostava na estação de Cincinnati.

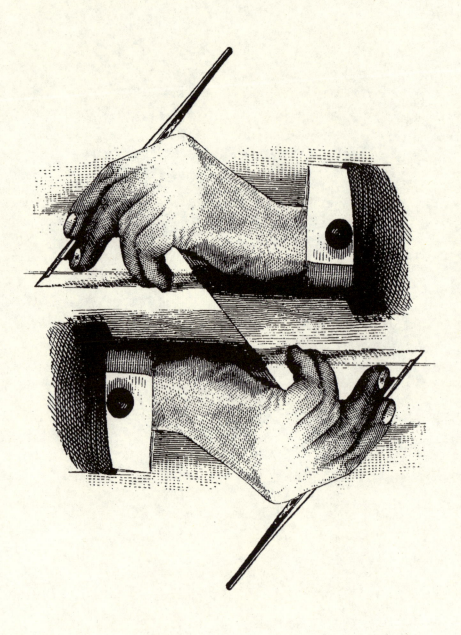

CAPITULUM

CRIME SCENE: PROFILE

CARTAS E TRENS

23. LETTERS AND LINES

> Menininhas, isto é o que tenho a contar, / Nunca no caminho podem parar, / Nunca em desconhecidos confiar; / Ninguém sabe como vai terminar.
> — CHARLES PERRAULT, *Chapeuzinho Vermelho* —

Eles trocaram de trem em Cincinnati. O novo vagão estava mais cheio do que o primeiro e Alice foi forçada a dividir o assento com Howe. Ele a deixou ficar ao lado da janela, e conforme o trem deixava a estação e ganhava velocidade, ela manteve os olhos fixos no cenário que passava. O interior era plano e monótono, mas Alice gostava de observar a paisagem correr.

Depois de um tempo, se tornou algo ciente de que Howe conversava com alguém no corredor. E, de repente, deu-se conta de que a pessoa se dirigia a ela. Alice ergueu o olhar e ficou surpresa ao ver o sr. Holmes, o homem para quem seu pai trabalhava, ali, em pé, sorrindo.

"Que ótima surpresa", disse Holmes e estendeu a mão para tomar a de Alice. "Olá, minha filha. Não reconheci seu casaco de pronto, mas, quando vi seu rosto, soube que era a minha menina favorita."

Acenou com a cabeça para Howe — que se levantou e mudou para uma parte diferente do vagão —, e então se sentou ao lado dela.

"Que grande prazer ver você, minha querida", disse Holmes. "Como está?" Alice respondeu que achava estar bem.

"Muito bom. Você é uma menina corajosa. Foi-lhe confiada uma tarefa difícil. Mas o advogado e eu estamos aqui para ajudar você a enfrentar tudo."

Mantendo a voz baixa, Holmes prosseguiu para lhe contar em detalhes como devia se comportar na presença do pessoal da seguradora se sua família esperava obter o dinheiro da apólice de seu pobre pai. Ela e a família ficariam bem para o resto da vida — mas apenas se Alice seguisse as instruções de Holmes ao pé da letra.

Para começar, nunca deveria deixar escapar que o tinham se visto e conversado no trem. Segundo, deveria fingir que Holmes e o pai eram apenas conhecidos distantes. Por último, embora as devastações da morte pudessem ter danificado o rosto do cadáver, deveria afirmar com convicção que o corpo no necrotério era o do pai.

Além disso, apenas precisava agir de modo natural. Ele e Howe cuidariam do resto.

Holmes pediu para a garota repetir as instruções. Satisfeito, deu tapinhas nas mãos dela, depois se levantou e saiu para encontrar Howe.

Como precaução, Holmes e seu cúmplice concordaram em fazer a última parte da jornada em trens separados. Em Washington, D.C., Howe desembarcou com Alice, enquanto Holmes continuou até a Filadélfia, onde pegou uma carruagem até a hospedaria de Adella Alcorn.

A senhoria ficou encantada em ver o sr. Howard (o nome pelo qual o conhecia). "Qual é a ocasião da visita?", indagou.

Holmes respondeu que voltara para fechar negócio com a Pennsylvania Railroad Company. As negociações estavam demorando mais do que o esperado e poderiam se estender ao longo de um número indefinido de semanas.

Queria, portanto, alugar quartos não apenas para si e a esposa, mas também para sua irmãzinha, Alice, que passaria o inverno sob seus cuidados. Por sorte, os três quartos grandes no terceiro andar da casa estavam disponíveis no momento. Holmes concordou em ficar com o andar inteiro.

A senhoria não poderia ter ficado mais satisfeita.

"E onde estão a sra. Howard e a sua irmã?", perguntou ela.

Holmes explicou que ambas aproveitavam as férias em Atlantic City. Ele planejava viajar até o resort em alguns dias e trazer Alice de consigo. Era provável que a sra. Howard permanecesse lá por mais duas ou três semanas antes de se juntar a eles na Filadélfia.

Antes de se recolher para o quarto, Holmes contou para a senhoria que esperava um visitante — cavalheiro que poderia aparecer naquela noite mesmo ou só no dia seguinte. Será que a sra. Alcorn poderia por gentileza guiá-lo ao andar superior assim que chegasse?

Enquanto Holmes se registrava na hospedaria de Alcorn, Howe e Alice visitavam os pontos turísticos de Washington, D.C. Alice, que nunca vira nada do mundo além das cidadezinhas e cortiços do Centro-Oeste, ficou maravilhada com as glórias de mármore da capital.

Mais tarde, naquela noite, partiram para a Filadélfia e registraram-se em quartos separados no Imperial Hotel, bem cedo, na manhã seguinte, quinta-feira, 20 de setembro.

Alice prometera escrever para a família e provou ser uma correspondente fiel. Nas semanas que seguiram, redigiu uma série de cartas que, apesar da falta de jeito, tinham pungência terrível sob a luz dos eventos futuros. Embora todas estivessem preservadas, apenas algumas poucas chegaram a seus destinos. Alice, claro, ignorava esse fato. Nem poderia ter previsto o papel importante que suas cartas representariam no clímax da tragédia que estava por vir.

Sozinha em seu quarto de hotel na tarde daquela quinta-feira, seu guardião cochilando no quarto ao lado, Alice sentou-se para escrever para a mãe:

Querida mamãe e os outros,

Acabamos de chegar na Filadélfia esta manhã [...] O sr. Howe e eu temos um quarto cada no endereço acima. Irei ao necrotério daqui a pouco. Paramos em Washington, Maryland [...] Ontem pegamos o trem Pullman da Chesapeake and Ohio Railway e ele estava lotado. Então, tive que sentar com o sr. Howe e ficamos sentados lá por algum tempo e muito em breve alguém se aproxima e aperta minha mão. Olhei para cima e ali estava o sr. H[olmes]. Ele não reconheceu meu casaco, mas disse que achava que era o rosto da menina dele, então foi ver e era eu. Não gosto que ele me chame de criança e filha e querida e porcarias assim. Quando subi no bonde na terça-feira à noite o sr. Howe me perguntou se eu tinha algum dinheiro e eu disse que tinha 5 centavos e ele me deu 1 dólar. Como queria ver todos vocês e abraçar o bebê. Espero que vocês estejam melhores. O sr. H diz que vou fazer um passeio no oceano. Queria que vocês pudessem ver o que eu vi. Vi mais paisagens do que já vi desde que nasci eu não sei o que vi antes. Este é todo o papel que tenho então vou ter que parar & escrever de novo. É melhor você não escrever para mim aqui porque o sr. H diz que posso ir embora amanhã. Se você piorou me mande um telegrama beijos de despedida para todos e dois grandes para você e o bebê. Amo vocês.

Naquela mesma tarde, enquanto Howe descansava e Alice procurava distração para sua solidão ao escrever para seus entes queridos, Holmes fez sua primeira visita ao prédio da Fidelity Mutual Assurance no número 914 da Walnut Street.

O gestor de sinistros, Perry, debatia com o presidente Fouse sobre uma questão que não se relacionava com o caso quando Holmes apareceu no vão da porta do escritório. Apresentando-se, Holmes explicou que tinha acabado de chegar de Baltimore para ajudar no caso de B. F. Perry. O gestor de sinistros recolheu seus documentos e saiu do escritório, deixando Fouse e o visitante conversarem em particular.

Holmes sentou ao lado da enorme mesa de mogno do presidente e perguntou a Fouse sobre as circunstâncias exatas da morte de B. F. Perry. Os recortes de jornais visto davam apenas detalhes incompletos.

O presidente Fouse reviu todos os fatos conhecidos do caso, desde a descoberta do cadáver até os resultados da necropsia.

"Um caso bastante peculiar", comentou Holmes, franzindo o cenho. "E qual foi o veredicto do júri do legista?"

"Congestão pulmonar", respondeu Fouse, "causada por inalação de fumaça ou envenenamento por clorofórmio."

Depois de solicitar que Holmes descrevesse Benjamin Pitezel, Fouse perguntou por que o sujeito usaria pseudônimo.

Holmes cofiou o bigode em gesto meditativo por alguns instantes antes de responder. Pitezel, acreditava, tinha encontrado alguma "dificuldade financeira" no sul alguns meses antes e pode ter achado que seria prudente esconder a identidade dos credores.

Fouse prosseguiu e explicou que tinha recebido um comunicado do advogado Jeptha D. Howe, de St. Louis, a caminho da Filadélfia com um membro da família de Pitezel. Tão logo chegassem, o cadáver seria exumado para identificação. Fouse pediu que Holmes deixasse seu endereço na Filadélfia, para que a empresa pudesse contatá-lo quando o exame fosse realizado.

...embora as devastações da morte pudessem ter danificado o rosto do cadáver, deveria afirmar com convicção que o corpo no necrotério era o do pai.

Holmes contou a Fouse que tinha alguns negócios urgentes que poderiam exigir sua atenção imediata. Se isso acontecesse, se certificaria de deixar uma mensagem sobre onde poderia ser encontrado. Caso contrário, passaria no escritório bem cedo na manhã de sexta-feira para ver como andavam as coisas.

Agradecendo a Holmes pela ajuda, Fouse o acompanhou até a porta, muito impressionado pelos modos francos e diretos do eloquente cavalheiro.

Pouco depois das 8h daquela noite, Jeptha Howe — revigorado após um dia inteiro de descanso — bateu na porta do quarto de Alice para lhe informar que estava de saída para cuidar de alguns assuntos e demoraria a voltar. Lá fora, seguiu direto para o número 1905 da North Eleventh Street, chegou à hospedaria de Alcorn no instante em que a proprietária atravessava a porta a caminho de seu grupo de orações noturno. À luz do lampião da rua, Adella Alcorn deu boa olhada no estranho e notou, em especial, o rosto infantil e o bigodinho bem-aparado.

No andar superior, Holmes relatou o encontro com Fouse. Então repassou com Howe a estratégia para o dia seguinte.

Negócios concluídos, a dupla saiu para desfrutar dos prazeres de um prostíbulo local que Holmes frequentou algumas vezes durante a estadia anterior na cidade.

No fim da manhã de sexta-feira, 21 de setembro, Alice se sentou ao lado da janela aberta e escreveu outra carta para a família:

Queridos mamãe e bebê,

Tenho que escrever toda hora para passar o tempo.

O sr. Howe esteve fora a manhã toda. Mamãe você já viu ou provou banana vermelha? Eu comi três. Elas são tão grandes que mal consigo colocar minha mão em volta e fazer meu indicador e meu polegar se tocarem. Ainda não tenho sapatos novos e tenho que mancar por aí o tempo todo [...] Você está de cama ou já levantou? Queria poder receber notícias suas, mas não sei se iria receber ou não [...] Só tenho duas roupas limpas e é uma camisa e minha saia branca. Vi as maiores pedras que aposto que você nunca viu. Atravessei o rio Potomac. Acho que já contei todas as novidades. Então beijos de despedida para você e o bebê.

Sua filha amada.

Howe apareceu no quarto de Alice no começo da tarde. Depois de se certificar de que ela se lembrava das instruções, a levou ao prédio da Fidelity, onde de imediato foram conduzidos ao escritório do presidente.

Howe fora munido de diversos documentos e credenciais, incluindo procuração de Carrie Pitezel, que também lhe fornecera algumas cartas enviadas por Benny durante o verão. O endereço do remetente nos envelopes dizia: "B. F. Perry, Callowhill Street, 1316, Filadélfia".

Quando Fouse fez a Howe a mesma pergunta que fizera a Holmes, por que Pitezel tinha adotado um pseudônimo, o advogado deu, em essência, a mesma resposta, explicando que, devido a algumas "transações financeiras embaraçosas" no Tennessee, Pitezel achara "conveniente mudar seu nome e sua residência" por um tempo.

Fouse examinou as cartas, que não deixavam nenhuma dúvida de que Pitezel estivera se passando por Perry. Ainda assim, elas não provavam que o homem morto encontrado no número 1316 da Callowhill Stret era de fato Pitezel.

O advogado — orientado nessa questão por Holmes — respondeu com a descrição detalhada de Pitezel. Fouse foi forçado a admitir que a aparência do homem correspondia, de fato, aos atributos gerais do falecido.

Fouse então focou a atenção em Alice, calada durante essa conversa, os olhos baixos e os pés enfiados sob a cadeira, como se quisesse esconder os sapatos deploráveis dos olhos do público. Sorrindo para a garota subnutrida em suas roupas surradas, Fouse perguntou se ela poderia dizer como era a aparência do pai. Alice murmurou uma descrição compatível com a de Howe.

"E você consegue se lembrar de alguma marca especial — cicatrizes, machucados ou coisas assim — pela qual seu pai poderia ser identificado?", indagou Fouse em seguida.

Alice mordeu o lábio inferior por alguns instantes, e então — com voz tão baixa e hesitante que Fouse teve de se levantar da cadeira e se debruçar sobre a mesa — gaguejou alguma coisa sobre um polegar machucado o tempo todo e dentes inferiores da frente "torcidos".

Nesse instante, um funcionário adentrou o escritório e sussurrou alguma coisa para Fouse. "Muito bem", respondeu Fouse, então olhou para Howe e explicou que um cavalheiro chamado Holmes — que conhecera Pitezel em Chicago e tivera a bondade de se oferecer para ajudar com a identificação — acabara de chegar. Howe gostaria de conhecê-lo?

"Com toda a certeza", respondeu Howe.

Fouse cumprimentou Holmes com cordialidade ao vê-lo entrar no escritório, então o apresentou a Howe. Os dois trocaram apertos de mão educados e as mesuras costumeiras.

De repente, Holmes pareceu notar Alice pela primeira vez. Avançando até sua cadeira, se inclinou e sorriu.

"Você é a Alice, não é? Não se lembra de mim, minha querida? Eu conheci sua família em Chicago."

Alice deu de ombros, assentiu, depois reconheceu que se lembrava dele.

Howe, que observava Holmes com cautela, se dirigiu de repente a Fouse. Ele não queria lançar suspeitas sobre um total desconhecido, declarou. Não obstante, como advogado da sra. Pitezel, se sentia no direito de saber os motivos do sr. Holmes. Qual era exatamente seu propósito para estar ali?

Holmes, reagindo de maneira um tanto ofendida, declarou que não tinha *nenhum* motivo pessoal. Fora contatado pela seguradora e gostaria de fazer o possível para ajudar a resolver a questão que poderia ser apenas uma fonte de imensurável dor para a sra. Pitezel e seus filhos.

Howe pareceu satisfeito com a explicação e se desculpou caso suas palavras tivessem ofendido o sr. Holmes, que respondeu com cortesia que nenhum pedido de desculpa era necessário.

Neste momento, os três homens se voltaram para a questão que os tinha reunido ali — a identificação do corpo. Em pouco tempo, concordaram com um conjunto de características peculiares em Pitezel: aglomerado de verrugas no pescoço; cicatriz de ferimento antigo na canela direita; a unha descolorida do polegar; os dentes inferiores irregulares.

Os preparativos finais foram feitos. No dia seguinte, sábado, 22 de setembro, todas as partes se reuniriam no escritório de Fouse e seguiriam dali até a vala comum, onde o cadáver de três semanas seria desenterrado para inspeção.

1316

CAPITULUM

CRIME SCENE: PROFILE

CAMINHO SEM VOLTA

24. POINT OF NO RETURN

> Aquele que ensina a criança a duvidar
> A podridão da cova nunca vai deixar.
> — WILLIAM BLAKE, *Augúrios da Inocência* —

Quando Holmes entrou no prédio da Fidelity, na manhã de sábado, Howe e Alice já estavam lá, no andar superior com o presidente Fouse, O. LaForrest Perry e outro homem, o carpinteiro Eugene Smith, a quem fora pedido que comparecesse para ajudar na identificação dos restos mortais. Holmes levou um instante para reconhecer Smith como o sujeito que vira no escritório de Pitezel várias semanas antes. A percepção lhe assustou — Smith era a última pessoa que queria ver. Ainda assim, não havia nada a fazer a não ser sorrir com educação e torcer para que o homem não o reconhecesse.

A princípio, Smith apareceu não o reconhecer. Quando Holmes voltou sua atenção para as outras pessoas na sala, no entanto, o carpinteiro o examinou com mais atenção. Havia algo de uma familiaridade estranha no recém-chegado, pensou Smith. Ele poderia jurar que já tinha visto o garboso cavalheiro em algum lugar antes, embora, por mais que tentasse, não conseguisse se lembrar de onde.

Partindo do escritório de Fouse, pouco antes do meio-dia, o pequeno grupo seguiu para o necrotério da cidade, onde pegaram o dr. William Mattern — o médico que realizara a necropsia — e o assistente do legista, Dugan. De lá tomaram a primeira das duas conduções que os levariam à vala comum na periferia da cidade, onde o corpo de Benjamin Pitezel fora enterrado no dia 15 de setembro, depois de jazer na câmara fria pelos obrigatórios 11 dias.

Conforme chacoalhavam pelos paralelepípedos, Smith continuava a escrutinar Holmes, sentado do outro lado do corredor, conversando baixinho com o presidente Fouse. Quando trocaram de carruagem, quarenta minutos depois, o carpinteiro se certificou de se sentar ao lado de Holmes.

Àquela altura, Smith já começava a lembrar dele. De fato, ficava cada mais convencido de que Holmes era o cavalheiro de terno marrom que entrara no escritório do vendedor de patentes na tarde da segunda visita de Smith e desaparecera no andar superior depois de sinalizar para que Perry o seguisse.

Pigarreando, Smith perguntou a Holmes como foi parar ali.

Holmes hesitou por um instante, como se estivesse considerando como — ou talvez se deveria — responder. Por fim, respondeu que o sr. Pitezel era um colega de negócios de Chicago. Ao ser contatado pela seguradora, se oferecera a ir até a Filadélfia para prestar qualquer ajuda que pudesse.

"A que ramo de negócios o senhor se dedica?", perguntou Smith.

"Agente de patentes", respondeu Holmes em tom que pretendia desencorajar mais perguntas.

Smith, entretanto, estava resoluto.

"Que interessante", refletiu ele. "O sr. Perry tentava vender a minha invenção patenteada na época da morte dele." Smith lançou um olhar esperançoso na direção de Holmes. "O senhor não estaria interessado em cuidar do assunto?"

Holmes emitiu som evasivo.

Um momento desconfortável se passou.

"Como a seguradora entrou em contato com o senhor?", continuou Smith depois de um tempo.

Holmes suspirou, cansado.

"Eu viajo bastante pelos Estados Unidos. A empresa telegrafou para a sra. Pitezel, que transmitiu a mensagem para mim."

Smith refletiu sobre essa informação por um momento antes de perguntar: "Se o senhor viaja tanto, como ela sabia onde encontrá-lo?"

Dessa vez, Holmes respondeu com olhar gélido. Desse ponto em diante, os dois homens viajaram em silêncio.

Conforme a condução se aproximava de seu destino, Smith se debateu sobre o que fazer em seguida, pois acreditava que Holmes era o homem que vira no número 1316 da Callowhill Street muitas semanas antes, mas não tinha certeza absoluta. Sentiu o peso de sua grande responsabilidade. O próprio L. G. Fouse — presidente da Fidelity Mutual Life Association Company — pediu sua ajuda. Ele estava morrendo de medo de cometer uma gafe e fazer papel de idiota.

Depois de revirar o assunto na cabeça até ficar tonto, optou pelo caminho mais fácil: não dizer nada.

Meses iriam se passar antes de Eugene Smith compreender que fora uma escolha catastrófica. E então, claro, que era tarde demais.

Ao chegar ao cemitério municipal por volta das 13h, o grupo foi recebido pelo dr. Lemuel Taylor, responsável pelo lugar. Notificado naquela manhã a respeito do *post-mortem* iminente, Taylor e seu assistente, Henry Sidebotham, já tinham exumado a simples caixa de pinheiro e a levado para um galpão de madeira nas cercanias do cemitério, não muito longe da fornalha do crematório.

Holmes e os outros se apinharam dentro do galpão, onde o caixão fora depositado sobre mesa improvisada. Enfiando a borda de uma pá sob a tampa, Taylor abriu o ataúde. De imediato, um miasma tomou conta do lugar. Fouse e Perry tossiram e engasgaram, sacaram seus lenços e os apertaram contra o rosto, enquanto Howe puxava Alice para longe do caixão, no canto mais distante do galpão.

O corpo de Pitezel estava em estado bastante avançando de decomposição em 4 de setembro. Agora, quase três semanas depois, estava repulsivo o bastante para que até mesmo o dr. Mattern recuasse.

Holmes, no entanto, parecia imperturbável pela condição pútrida. Olhando para o cadáver escurecido e inchado dentro do caixão aberto, anunciou com frieza: "Este é Benjamin Pitezel".

Ao ouvir isso, Alice irrompeu em choro tão lastimável que até mesmo Howe foi levado às lágrimas. Ele passou um braço em volta da criança em prantos e deu tapinhas em seu ombro.

"Talvez devesse levar a criança para fora até o exame acabar", disse Howe e conduziu a menina na direção da porta. Fouse e Perry apoiaram a ideia e decidiram se juntar a Howe e Alice no lado de fora.

Enquanto Mattern vestia o par de luvas de borracha, Holmes, parado ao seu lado, o lembrou das marcas de identificação que estavam procurando — a unha machucada do polegar, a cicatriz da perna e o aglomerado de verrugas. Eugene Smith, enquanto isso, se posicionou do outro lado da mesa para observar o procedimento. Taylor, Sidebotham e Dugan aguardavam ali perto.

Mattern enfiou os braços dentro do caixão e deu início ao exame. Levantou as mãos do cadáver e examinou as unhas com atenção. Era difícil detectar algum ferimento, visto que todas as unhas estavam descoloridas pela putrefação. Rasgou a costura da perna direita das calças e procurou uma cicatriz na pele apodrecida da panturrilha — em vão. Nem as verrugas estavam visíveis.

Por fim, se afastou do caixão.

"Não consigo encontrar as marcas", murmurou. A visão e o fedor do cadáver pareceram o deixar um pouco abalado. Removendo as luvas, as largou sobre a mesa, andou até o balde que Taylor deixara no canto, jogou um pouco de água no rosto e esfregou as mãos.

Enquanto fazia isso, Holmes despiu o paletó, enrolou as mangas e pegou as luvas de Mattern. Colocou-as mãos e levou uma das mãos ao bolso do colete e retirou um pequeno bisturi. Quando Mattern se postou ao seu lado, passou a trabalhar no cadáver.

"Aqui", disse Holmes. Usando a ponta do bisturi, Holmes arrancou a unha escurecida da ponta do polegar direito e a entregou a Mattern. "Limpe com álcool e veja o que consegue encontrar."

Da parte anterior da perna direita, em torno de 6,5 cm abaixo do joelho, removeu a pele, apenas com os dedos, pois a carne da perna estava tão podre que Holmes não precisou do bisturi. Abaixo da pele, a cicatriz do ferimento antigo, fundida ao osso, bastante visível.

"Vamos virá-lo", anunciou Holmes. Taylor, relutante em ter qualquer contato com o cadáver, enfiou a pá dentro do caixão e a usou para virar o corpo. Holmes e Mattern ajudaram, enfiando as mãos dentro do caixão e puxando as roupas.

Com o cadáver de bruços, Holmes apontou para algo que crescia na nuca.

"Olhe", disse para Mattern e marcou um círculo em volta do local com o bisturi.

Mattern pediu para que Holmes se afastasse e pegou o bisturi da mão dele, extirpou a verruga, embrulhou em um pedaço de papel e colocou com cuidado no bolso da camisa.

O corpo foi devolvido à posição original no caixão de madeira. Mattern encontrou um pano velho ali e o arrumou sobre o rosto do cadáver, apenas a boca aberta exposta. Então, a tampa foi posta sobre a parte de cima do caixão para ocultar o corpo do pescoço para baixo.

Holmes saiu do galpão e voltou alguns minutos depois com Alice e Howe. Fouse e Perry permaneceram do lado de fora. Conduziu Alice pela mão até o lado da mesa, lhe pediu com gentileza para olhar os dentes e dizer se pareciam com os de seu pai. Aos soluços, Alice se forçou a encarar a visão horrorosa, fez que sim com a cabeça e enterrou depressa o rosto nas mãos.

Enquanto Taylor e seu assistente recolocavam a tampa do caixão, Holmes declarou de forma solene que cobriria quaisquer custos para cremar o corpo. Howe, o braço em volta da criança histérica, respondeu que perguntaria para a viúva como desejava dispor dos restos mortais, embora concordasse que a cremação parecia ser a escolha mais sábia.

• • •

Alguns dos presentes, como Howe e Perry, sentaram-se em silêncio durante a viagem de volta, tensos demais devido à experiência para se engajar em conversas casuais. Outros, aliviados porque o suplício terminara, batiam papo.

Holmes aproveitou a oportunidade para contar ao presidente Fouse que por causa de negócios urgentes só poderia permanecer na Filadélfia mais um dia. Embora descontente pela interrupção de seu sabá, Fouse concordou em ir ao escritório bem cedo na manhã seguinte.

De volta à cidade, Holmes acompanhou Alice e Howe até o Imperial Hotel e conversou com o advogado em seu quarto enquanto a garota guardava seus parcos pertences. Quando ficou pronta, Holmes a levou à hospedaria de Adella Alcorn. A senhoria tinha ido ao litoral passar o fim de semana e deixou um inquilino de longa data, John Grammer no comando. Holmes apresentou Alice ao idoso como sua irmãzinha recém-chegada de Atlantic City.

Grammer olhou curioso para a menina, que parecia tão pálida e trêmula, como se acabasse de sofrer um choque terrível. Sem dar detalhes, Holmes explicou que a irmã sofria de indisposição, embora tivesse certeza de que ela estaria melhor pela manhã. Desejou boa-noite ao homem, levou Alice até o alojamento e então se recolheu ao próprio quarto para passar a noite.

Pouco depois das 10h da manhã seguinte — domingo, 23 de setembro —, Holmes e Alice foram ao escritório de Fouse. O advogado Howe e O. LaForrest Perry já estavam lá, com o legista Samuel H. Ashbridge, que tratou de obter logo a seguinte declaração de Alice:

"Tenho 15 anos de idade. Benjamin F. Pitezel era meu pai. Ele fez 37 este ano. Minha mãe está viva. Somos cinco irmãos. Meu pai veio para o leste no dia 29 de julho. Foi embora de St. Louis [...] Descobrimos sobre sua morte pelos dos jornais. Vim com o sr. Howe para ver o corpo. No sábado, 22 de setembro, vi um corpo no cemitério municipal e o reconheci com certeza como o de meu pai pelos dentes. Estou convicta de que é ele."

Tão logo concluiu, Holmes fez também sua declaração jurada:

"Conheci Benjamin Pitezel há 8 anos em Chicago. Fiz negócios com ele nesse período [...] Recebi uma carta de E. H. Cass, agente da Fidelity Company, a respeito de B. F. Pitezel, tendo me enviado um recorte de jornal. Vim para a Filadélfia e vi o corpo no sábado, 22 de setembro, no cemitério municipal. Eu me recordava de uma verruga em sua nuca; linha capilar baixa na testa; o formato geral da cabeça e dos dentes. Sua filha Alice descrevera uma cicatriz na perna direita abaixo do joelho, na parte anterior. Encontrei essas marcas no corpo de acordo com as indicações de Alice. Não tenho quaisquer dúvidas de que aquele é o corpo de Benjamin F. Pitezel, enterrado como B. F. Perry. Eu o vi vivo pela última vez em novembro de 1893, em Chicago. Soube que usava um nome falso há pouco tempo, mas nunca o vi usar nenhum outro nome, a não ser o seu próprio. Eu o considerava um homem honesto e honrado em tudo o que fazia."

Negócios concluídos, Holmes apertou a mão de todos e recebeu um cheque de 10 dólares de Fouse para cobrir as despesas de viagem. Howe combinou voltar na manhã seguinte.

Holmes, Howe e Alice deixaram o prédio da Fidelity juntos. Alguns quarteirões depois, pararam em uma esquina. Howe explicou a Alice que ele teria de ficar na Filadélfia para receber o dinheiro do seguro. Entrementes, a entregava aos cuidados do sr. Holmes, que a escoltaria de volta a St. Louis. Ele lhe agradeceu pela ajuda e coragem. Ela fizera um trabalho esplêndido.

Naquela noite, Holmes e Alice embarcaram em um trem para o oeste. Àquela altura, a menina tinha todas as razões para acreditar que estava a caminho de casa.

Mas estava errada.

CRIME SCENE: PROFILE

CRIANÇAS EM RISCO

25. CHILDREN AT RISK

A realidade é mais estranha que a ficção, e se a história da sra. Pitezel é verdadeira, é a demonstração mais surpreendente do poder de uma mente sobre a outra que já vi, e mais estranha que qualquer romance que já tenha lido.
— MERITÍSSIMO MICHAEL ARNOLD —

Durante a ausência do marido, Georgiana ocupara seus dias com atividades variadas — bordado, leitura, olhar vitrines, passear para ver as atrações e outra visita breve à casa dos pais em Franklin. Mesmo assim, teve bastante tempo para desenvolver amizade com a sra. Rodius, a esposa de rosto corado do dono do hotel.

A sra. Rodius estava muito curiosa a respeito do marido de Georgiana. Tivera apenas rápido vislumbre quando ele assinara o registro do hotel. Partira outra vez poucas horas depois, deixando a esposa para se ocupar da melhor forma possível.

Conforme as duas mulheres se conheciam melhor, tornou-se evidente que Georgiana idolatrava o marido. Falava com orgulho especial sobre o sucesso que conquistara por conta própria. Com trabalho duro e transações perspicazes, seu Henry se transformara em homem rico, com bens consideráveis em Chicago e no Texas.

Também era dono de imóveis substanciais no exterior — em Berlim, na Alemanha. De fato, em breve viajariam para a Europa e se mudariam para lá em caráter permanente, assim que o marido resolvesse seus negócios nos Estados Unidos.

A sra. Rodius ficou deveras impressionada e estava ansiosa para ser apresentada de modo apropriado ao sr. Howard, que voltaria a Indianápolis a qualquer momento. Mas nunca teve a chance.

No fim da tarde de segunda-feira, 24 de setembro — o dia depois que ele e Alice Pitezel partiram da Filadélfia —, Holmes surgiu de repente à porta de seu quarto de hotel. Georgiana se jogou em seus braços. Entretanto, tão logo terminou de abraçá-la e de atualizá-la a respeito do progresso ostensivo da sua transação com a empresa ferroviária, Holmes anunciou, com voz cheia de arrependimento, que teria de partir quase de imediato.

Como era de se esperar, Georgiana ficou desalentada, embora Holmes tenha conseguido aplacá-la com alguns presentinhos e a promessa de retornar em uma semana.

E aonde, perguntou Georgiana, estava indo dessa vez?

Para St. Louis, respondeu ele. Para se encontrar com um advogado, um cavalheiro chamado sr. Harvey, sobre algo referente à questão que o mandara para a prisão tantos meses antes.

A primeira parte dessa afirmação, pelo menos, era verdadeira. Holmes estava mesmo a caminho de St. Louis — ainda que por um motivo bem diferente daquele que apresentou à esposa. Como sempre, Georgiana não tinha a menor ideia das verdadeiras atividades do marido. Dentre a miríade de fatos que desconhecia, havia o fato de que ele, na verdade, chegara a Indianápolis muito mais cedo naquele dia.

Com ele estava Alice Pitezel, sentada, naquele momento, em um desprezível quarto de hotel, não muito longe da estação de trem. Ela se perguntava quando voltaria a ver a mãe.

• • •

Enquanto o trem cruzava a fronteira para Ohio, Holmes — falando daquele jeito que odiava, como se Alice fosse sua garotinha predileta — contou-lhe as novidades. Não voltam para St. Louis, afinal. Apesar de não dizer nada a esse respeito na Filadélfia, se correspondera com sua mãe, que se sentia muito melhor, e bastante revigorada. Por razões complicadas demais para ela entender, tinham decidido que a família de Alice deveria se mudar de St. Louis — talvez para Indianápolis ou Detroit, ou algum lugar mais ao leste.

Antes de fazer essa mudança, Carrie queria visitar os pais em Galva. Visto que não fazia sentido para Alice viajar até St. Louis e depois voltar, combinaram o seguinte: Holmes acomodaria Alice em um hotel em Indianápolis, e em seguida prosseguiria até St. Louis, para buscar seus outros irmãos, Nellie e Howard. Holmes os levaria de volta a Indianápolis para fazer companhia a Alice, enquanto sua mãe, Dessie e o bebê Wharton viajariam até Galva. Depois disso, todos iriam se reunir e decidir onde morar. Com o dinheiro que herdaram do pobre falecido pai de Alice, comprariam a própria casa e viveriam confortavelmente para sempre.

Simplória e ingênua, Alice engoliu essa história sem questionar. Ficou desapontada porque demoraria ainda algum tempo para rever a mãe, mas foi um alento saber que em breve teria Nellie e Howard de companhia. E a ideia de viver em uma casa grande com mamãe e Dessie e os pequeninos a deixou feliz.

Quando o trem encostou na estação Union, Holmes a conduziu direto até o Stubbins' European Hotel e lhe alugou um quarto. Explicou que se ausentaria por alguns dias, perguntou se ela gostaria que entregasse uma carta para sua família. Enquanto Holmes voltava à recepção para deixar instruções com o hoteleiro, Alice se sentou e escreveu o seguinte:

Meus queridos em casa:

Estou feliz por saber que vocês todos estão bem e que você está em pé outra vez. Acho que não vai ter nenhuma dificuldade em receber o dinheiro. [O sr. Holmes] vai buscar dois de vocês e trazê-los para cá para ficar comigo e então não vou me sentir tão sozinha [...] Tenho um par de sapatos agora se eu pudesse ver você eu teria bastante coisas para te contar o dia todo, mas não posso escrever tudo vejo todos vocês em breve porém não se preocupem. Está um dia frio. O sr. Perry disse que se você não receber o seguro direito pelos advogados para escrever para o sr. Foust [sic] ou sr. Perry. Eu queria ter um vestido de seda. Eu vi mais coisas desde que viajei do que tinha visto antes na vida. Tenho outra foto para o seu álbum. Vou ter que parar por enquanto então adeus amor e beijos e abraços para todos.

Holmes voltou ao quarto no instante em que Alice assinava a carta. Dobrou-a com cuidado e a guardou no bolso do paletó. Então se despediu de Alice e foi para o Circle Park Hotel para sua breve reunião com Georgiana.

Jeptha Howe, enquanto isso, estava em um trem seguindo de volta a St. Louis. Ele também levava algo para a sra. Pitezel — o cheque de quase 10 mil dólares da Fidelity Mutual Life Association Company.

Ainda que a causa da morte de Benjamin Pitezel permanecesse incerta, os agentes da empresa decidiram interromper as investigações e honrar a apólice sem mais delongas. Seus motivos eram em parte humanitários, em parte questão de relações públicas. O sofrimento da jovem Alice, uma criança tão pobre que sequer tinha um par de sapatos decente, tinha tocado fundo em Fouse. Sua situação deplorável refletia a provação de toda a família — paupérrima, desprotegida, despojada de seu único provedor. Fouse não queria ser visto como chefe de uma empresa que lidava a sangue-frio com viúvas necessitadas e seus filhos pobres e órfãos.

Além do mais, embora Howe lhe desse a impressão de ser trapaceiro, Fouse ficara muito impressionado com a conduta viril de H. H. Holmes. Já que era provável que as verdadeiras circunstâncias da morte de Pitezel nunca fossem descobertas, Fouse foi obrigado a basear sua decisão em outros fatores. Que um cavalheiro tão refinado e honrado como o dr. Holmes tenha atestado a integridade de Pitezel deixava poucas dúvidas sobre a legitimidade da reivindicação. Na ausência de provas irrefutáveis do contrário, a morte deveria ser declarada acidental.

E, portanto, na manhã da segunda-feira, 24 de setembro, Howe se apresentara ao escritório de Fouse, onde lhe foi entregue o cheque de 9.715,85 dólares — o valor da apólice menos as despesas em que a empresa tinha incorrido ao conduzir a investigação. Howe fez um pouco de estardalhaço sobre a dedução, mas decidiu não pressionar. Trocou um aperto de mãos com o presidente Fouse e sr. Perry e foi direto ao seu quarto de hotel, jogou suas coisas em uma mala e não perdeu tempo em dar o fora da Filadélfia.

Na terça-feira, 25 de setembro — a manhã depois de seu súbito surgimento à porta de Georgiana —, Holmes deu um beijo de despedida na esposa e pegou o trem para St. Louis. Depois de dormir algumas horas em um hotel no centro da cidade, ele pegou uma condução para o apartamento de Pitezel bem cedo no dia seguinte.

Ele também levava algo para a sra. Pitezel — o cheque de quase 10 mil dólares da Fidelity Mutual Life Association Company.

Carrie o convidou para entrar. Embora não estivesse mais acamada, parecia aflita e abatida demais. Enxotou as crianças para a cozinha, se sentou ao lado de Holmes à mesa e de imediato perguntou sobre Alice.

Fitando-a nos olhos com sinceridade, assegurou de que sua filha estava bem. Providenciara um alojamento para Alice no melhor hotel de Indianápolis e pagara ao proprietário soma extra para cuidar da menina. Todas as suas necessidades seriam atendidas. Holmes até lhe comprara um livro para ler enquanto estivesse ausente — *A Cabana do Pai Tomás*, da sra. Stowe.

Carrie ficou surpresa e confusa. Por que não trouxe Alice para casa? E onde estava Benny?

O tom de voz de Holmes se tornou confidencial. Benny estava vivo e bem. O golpe funcionara à perfeição. Mas certas precauções ainda precisavam ser tomadas, e Carrie tinha de ouvir com muita atenção o que Holmes lhe diria.

Embora o pessoal da seguradora tivesse caído no golpe, poderiam muito bem continuar a investigação, pelo menos por enquanto. Benny teria que desaparecer por algum tempo. Ele decidira se mudar para o sul até "a tempestade passar". Naquele instante, escondia-se em Cincinnati e queria ver Carrie antes de seguir para o sul.

Não era seguro, contudo, para Carrie viajar com todas as crianças. Se a seguradora tivesse mesmo detetives no caso, eles vigiariam uma mulher sozinha acompanhada de cinco crianças. Portanto, Holmes e Benny bolaram um plano. Holmes levaria Nellie e Howard para Indianápolis, onde pegariam Alice e então continuariam até Cincinnati. Holmes já alugara uma casa lá para o inverno. Ele deixaria as três crianças aos cuidados de sua prima Minnie Williams, que concordara em cuidar delas até Carrie chegar.

Enquanto isso, Carrie voltaria para Galva com Dessie e Wharton para visitar aos seus pais. Depois de algumas semanas, os três viajariam para Cincinnati a fim de se juntar aos outros. Então, Carrie poderia ver Benny antes que ele se escondesse.

Quando Holmes terminou de explicar esse plano, a cabeça de Carrie girava. Assustada e sozinha, apanhada em uma trama ainda mais desonesta do que imaginava, estava indefesa contra a obsequiosa duplicidade de Holmes. Além disso, que escolha tinha a não ser confiar nele? Estava desesperada para ver Benny de novo e faria o que quer que lhe fosse pedido. A ideia de que detetives pudessem estar no rastro do seu marido a fez estremecer. Não achava que conseguiria suportar a vergonha que recairia sobre todos eles com sua prisão.

Afinal, ela consentiu com a proposta. Na sexta-feira de manhã, levaria Nellie e Howard à estação de trem e entregaria seus pequenos a Holmes.

Ao chegar à estação, na sexta-feira, 28 de setembro, com Nellie e Howard a reboque, Carrie ficou surpresa ao ver o advogado Howe na plataforma com Holmes. Os dois homens conversavam absortos.

Quando Carrie se aproximou, Howe se virou para ela e sorriu. Apertou sua mão e a parabenizou. O dinheiro do seguro tinha sido pago, declarou. Havia um cheque à espera em seu escritório.

Holmes olhou para ele e disse: "É melhor você lhe dar um pouco de dinheiro".

Assentindo, Howe retirou um rolo de verdinhas do bolso e pegou uma nota de 5 dólares.

"Obrigada", disse Carrie baixinho, e aceitaou a nota. Então, se ajoelhou na plataforma e abraçou seus dois pequeninos, apertando o menino de 10 anos por tanto tempo que Holmes ficou impaciente.

"Não temos tempo a perder", disse para ela. "O trem está quase pronto para partir."

Depois de carregar o baú das crianças a bordo, Holmes pegou cada uma delas pela mão e as levou aos seus assentos no vagão.

Carrie permaneceu na plataforma até perder o trem de vista. Com o coração pesado, se arrastou para fora da estação. Howe caminhou ao seu lado e explicou que precisvam combinar uma hora para ir ao seu escritório e assinar os documentos finais.

De tão absorta, mal o ouviu, perdida em pensamentos sobre os filhos. Três deles estavam agora sob os cuidados de Holmes. Carrie nunca teria adivinhado que, mesmo antes de deixar a Filadélfia, ele já tinha decidido matar todos eles.

CAPITULUM

CRIME SCENE: PROFILE

JORNADA MACABRA

26. GRIM JOURNEY

Há método na maldade humana.
— BEAUMONT E FLETCHER, *A King and No King* (Rei e Nenhum Rei) —

A não ser pelas permanências em Fort Worth e St. Louis, Holmes viveu uma existência nômade desde sua fuga de Chicago. Mas essa vida parecia quase assentada se comparada com as perambulações que estavam por vir. Na sexta-feira, 28 de setembro — o dia quando levou Howard e Nellie Pitezel para a irmã mais velha —, embarcou em uma jornada que parecia tão bizarra que, para alguns espectadores posteriores, pareceu impulsionada pela loucura.

Se Holmes era louco, porém, ele era do tipo que executa suas compulsões de forma muito metódica. E por trás da odisseia tortuosa que conduziu no outono de 1894, havia um propósito desonesto. Movendo-se de modo constante de cidade em cidade, arrastando suas jovens vítimas de um lado para outro, ele tentava traçar um curso tão vertiginoso e complexo que ninguém seria capaz de seguir.

Bem cedo, na manhã de sexta-feira, Holmes telegrafara para Robert Sweeney, recepcionista do Stubbins' Hotel e pedira que levasse Alice Pitezel à estação para tomar o trem com destino a St. Louis. Ao chegar a Indianápolis, Holmes encontrou Alice e Sweeney na plataforma. Agradeceu ao recepcionista e conduziu Alice para dentro do trem Pullman, onde ela irrompeu em gritinhos encantados ao ver os irmãos. Os três conversaram animados durante todo o caminho até Cincinnati.

Quando chegaram já era tarde e as crianças estavam exaustas. Holmes alugou quartos em um hotel barato, o Atlantic House, próximo à estação, assinou o registro como "Alexander E. Cook e os três filhos". Na manhã seguinte — sábado, 29 de setembro — os transferiu para um hotel diferente, o Bristol, na esquina da Sexta com a Vine. Ainda com o nome Cook, alugou um quarto com duas camas para ele e as crianças.

Tão logo estavam acomodados no quarto, Holmes anunciou que levaria Howard para cuidar de alguns assuntos. Disse a Alice e Nellie para não saírem. Então, com Howard a tiracolo, saiu à procura de uma casa disponível.

O atendente, George Rumsey, estava em sua mesa na imobiliária J. C. Thomas quando o cavalheiro bem-vestido entrou acompanhado de um menininho. Ergueu os olhos de seus papéis e cumprimentou o homem, que explicou procurar casa para alugar. Rumsey apontou para a porta do sr. Thomas e disse ao cavalheiro para apenas entrar. Enquanto a dupla passava por sua mesa, Rumsey os acompanhou com o olhar. Presumiu ser pai e filho, e ficou impressionado com as roupas maltrapilhas da criança comparadas às vestimentas elegantes do pai.

Holmes apertou a mão do sr. Thomas e se apresentou como A. C. Hayes. Desejava alugar casa pequena em uma vizinhança tranquila para ele e sua família. O sr. Thomas folheou os arquivos e encontrou a casa perfeita — residência bonita e ajeitada no número 305 da Poplar Street. Holmes explicou ter certa pressa e concordou com o negócio sem nem ao menos ver o imóvel. Pagou 15 dólares de adiantamento e recebeu as chaves do sr. Thomas. Em seguida, apanhou o menino pela mão, seguiu para a porta da frente, mas parou na mesa de George Rumsey para perguntar o nome da loja de móveis usados mais próxima.

Poucas horas depois, a srta. Henrietta Hill, que residia no número 303 da Poplar Street, ouviu um barulho incomum vindo da casa desocupada ao lado. Saindo para o alpendre, ficou surpresa ao ver uma carroça carregada de móveis encostar diante do número 305. Enquanto observava, um homem bem-vestido em casaco marrom e chapéu-coco tirou a chave do bolso e destrancou a porta da frente, enquanto dois homens puxavam um forno da traseira da carroça e o manobravam para dentro da casa. Parado no jardim da frente, as mãos nos bolsos de seu casaco cinza, o menininho maltrapilho observava em silêncio.

Duas coisas pareceram estranhas para a srta. Hill. A primeira foi o tamanho do forno. Era um cilindro enorme, mais apropriada a um bar do que a uma casa de tamanho modesto. A segunda foi o que a carroça trazia — ou melhor, o que não trazia. Além daquele único objeto, a carroça não transportava mais nada — nenhum acessório, nenhum móvel. Apenas aquele forno de ferro enorme, grande o bastante para aquecer o salão de um bar.

Depois que os homens da mudança foram embora, o menino se divertia sozinho no jardim, Holmes andou de um lado a outro na sala de estar vazia, tentando acalmar sua fúria. Tanto tempo e dinheiro desperdiçados. A casa não chegava nem perto de ser tão isolada como tinha sido levado a crer. Observara a vizinha espiar de seu alpendre frontal. Holmes conhecia o tipo. Em pouco tempo, todos os bisbilhoteiros da vizinhança saberiam tudo sobre o novo inquilino misterioso que alugara a casa no número 305 da Poplar Street e nada trouxera consigo, a não ser um forno enorme e um garotinho. Demorou uns bons vinte minutos até se acalmar o suficiente para tomar uma decisão comedida. Não restava nada a fazer a não ser mudar os planos.

Da próxima vez, seria mais cuidadoso.

Bem cedo na manhã de domingo, a campainha da srta. Hill tocou. O visitante era seu novo vizinho, o sr. Hayes. Ele explicou que, devido a súbita mudança em seus negócios, não alugaria mais a casa ao lado. Já adquirira um forno muito bom, no entanto, e se perguntava se a srta. Hill ficaria com ele. O forno estaria a seu dispor, de graça.

Então, se despediu da solteirona confusa com um toque no chapéu, se virou e desapareceu rua abaixo, para nunca mais ser visto na vizinhança.

Mais tarde, Holmes levou Alice, Nellie e Howard ao Zoológico de Cincinnati — a única vez em suas vidas que as crianças visitaram um lugar tão mágico. Afagaram os avestruzes, olharam espantados para as girafas, soltaram exclamações diante do bisão, e no geral passaram uma tarde maravilhosa.

Os motivos de Holmes para proporcionar um dia tão agradável para os jovenzinhos eram, claro, muito sinistros. Pelo tempo que estivessem sob seus cuidados, servia a seu propósito iludir tanto as crianças como as outras pessoas ao fazer com que o vissem como um guardião carinhoso. Um espectador casual, ao ver Holmes com as três crianças maltrapilhas, poderia confundi-los com um tio bondoso em um passeio de domingo com seus sobrinhos de visita. Tal pessoa nunca concebiria a verdade — tratava-se de um trio de pequenos prisioneiros e seu carcereiro que já os condenara à morte.

De volta ao hotel depois do passeio no zoológico, Holmes mandou as crianças se prepararem para partir. Naquela noite, o quarteto viajou a Indianápolis. Da estação, Holmes os levou ao Hotel English e registrou as crianças com o nome de solteira da mãe deles, Canning.

Lá permaneceram apenas durante a noite. Bem cedo, na manhã seguinte — segunda-feira, 1º de outubro —, os transferiu para o hotel Circle House, a pequena distância do Circle Park Hotel, onde Georgiana tentava preencher seu tempo enquanto aguardava o retorno do marido.

Assim que as crianças se instalaram, Holmes lhes informou que partiria para St. Louis na noite seguinte a fim de buscar o resto da família. Alice, Nellie e Howard deveriam permanecer no quarto — ler, desenhar, brincar com seus poucos brinquedos. Holmes cuidaria para que as refeições fossem levadas até eles.

Quando perguntou se gostariam de mandar mensagens para casa, as duas meninas se sentaram de imediato e redigiram cartas para a mãe. Alice descreveu as maravilhas do zoológico ("O avestruz é mais ou menos uma cabeça mais alta do que eu então você imagina como ele é alto. E a girafa você tem que olhar para o céu para ver ela"). Nellie, de 13 anos, uma escritora errática, fez observações aleatórias sobre o tempo e as acomodações ("É muito quenti aqui e eu tenho que usar esse vestido quenti poque minhas ropas não tão passada. É um lugar muito legal onde a gente tá ficando").

Cartas terminadas, Holmes as dobrou, guardou com cuidado e prometeu entregar pessoalmente para a mãe das meninas. Mentia, claro. Nenhum dos bilhetes das crianças jamais alcançou seu destino. Mas Holmes não destruiu as cartas. Em vez disso, guardou todas e organizou-as em uma caixinha de metal.

Fica bem claro que previu alguma utilidade para aquela correspondência não entregue — para o dia em que poderia ser convocado para provar que, durante as semanas em que os filhos de Pitezel estiveram sob seus cuidados, os tratara com bondade paternal.

Os motivos de Holmes para proporcionar um dia tão agradável para os jovenzinhos eram, claro, muito sinistros.

Mais tarde, Holmes fez aparição surpresa no Circle Park Hotel. Mas antes que Georgiana pudesse se empolgar demais ao vê-lo, anunciou que logo teria de partir de novo. Só voltou por estar desesperado de saudades dela — precisava olhar seu rosto querido, mesmo que por alguns instantes, e sentir o toque de seus lábios contra os seus. Negócios urgentes, contudo, exigiam seu retorno imediato a St. Louis, embora tivesse jurado que se reuniria a Georgiana em questão de dias.

A decepção de Georgiana foi um tanto aplacada pela esplêndida novidade que Holmes trouxera de St. Louis. Ele encontrara comprador para seu imóvel em Fort Worth, um homem de negócios disposto a pagar 35 mil dólares pela propriedade. A chegada desse cavalheiro a St. Louis estava prevista para o dia seguinte, com um adiantamento de 10 mil dólares em espécie.

Georgiana ficou encantada — por ela própria e também por Henry. Com o negócio de Fort Worth encaminhado, a viagem para a Europa estava um passo mais perto de se tornar realidade.

O casal passou algumas horas amorosas juntos. Então Holmes se despediu da esposa, satisfeito com seu estratagema. Sem dúvida, o homem de negócios de Fort Worth era uma invencionice só, mas quando voltasse de St. Louis, Holmes esperava ser muito mais rico, e a venda do imóvel justificaria o aumento súbito em seu patrimônio.

Na manhã da terça-feira, 2 de outubro, Holmes estava de volta a St. Louis. Pouco antes do meio-dia, apanhou Carrie em seu apartamento e a escoltou aos escritórios de McDonald e Howe.

Quando os advogados terminaram com ela, Carrie sentia-se tão desgastada e angustiada que não queria saber de mais nada daquele caso sórdido.

"Não me importo mais com o dinheiro", disse ela em meio às lágrimas. "Só quero ir para casa."

Holmes, sempre o conselheiro bondoso da família, a convenceu a assinar a papelada e acabar com aquilo logo. Carrie por fim cedeu. Depois de endossar o cheque do seguro e pagar a taxa de Holmes —pesados 2.500 dólares mais algumas centenas por despesas diversas, ela recebeu várias pilhas de verdinhas, que enfiou em uma sacola de compras que levara. Então Holmes trocou apertos de mão com os advogados e conduziu Carrie ao First National Bank.

Carrie já fora depenada pelos advogados. Agora era a vez de Holmes esfolá-la por completo.

Dentro do banco, a puxou de lado para informá-la sobre a situação financeira de seu marido. Holmes começou lembrando-a de que, junto dele próprio, Benny era dono de metade de um imóvel valioso que os dois compraram em Fort Worth. Para financiar a transação, pegaram um empréstimo de 16 mil dólares. Benny ainda devia uma nota promissória no valor de 5 mil e perderia sua parte da propriedade a não ser que a quantia fosse paga de imediato.

Carrie espiou dentro da sacola. Estava cheia de notas de cem dólares. Nunca em toda a sua vida tinha visto — menos ainda segurado — tanto dinheiro. Mas não ficaria com ele por muito tempo.

Tirando a sacola das mãos dela, Holmes enfiou a mão dentro e contou 5 mil dólares. Em seguida, levou o dinheiro até o guichê do caixa, no lado oposto do saguão, enquanto Carrie esperava perto do balcão de atendimento ao cliente, de costas para Holmes.

Quando Holmes voltou alguns minutos depois, lhe entregou a nota promissória cancelada no valor de 16 mil dólares retirada do Fort Worth National Bank. A nota estava assinada "Benton T. Lyman" — o pseudônimo que Pitezel usara no Texas. A questão estava resolvida agora, Holmes disse com sorriso. Ela agira bem. Benny ficaria orgulhoso dela.

Holmes, desnecessário dizer, não entregara o dinheiro ao banco. Parado ao lado do guichê do caixa, apenas enfiara as notas no próprio bolso. Mas não tinha mentido de todo para Carrie. Ele e o seu marido de fato deviam 16 mil dólares a um empresário de Fort Worth chamado Samuels. Mas Holmes tinha tanto a intenção de pagá-lo como de confessar o assassinato de Pitezel. A nota promissória que dera a Carrie era um pedaço de papel sem valor.

Antes de deixarem o banco, Holmes aliviou Carrie de adicionais 1.600 dólares — 1.500 dólares por seus próprios serviços, mais cem dólares extras para cobrir as despesas de moradia de seus filhos.

"Acredito que isso nos deixa quites", disse Holmes e guardou o dinheiro.

Carrie, àquela altura tão atordoada, apenas assentiu, cansada. Dos quase 10 mil dólares recebidos da apólice de seguro de vida do marido, ela acabara com 500.

Antes de se despedir, Holmes perguntou se gostaria de enviar uma mensagem para as crianças. Carrie rabiscou um cartão, que Holmes colocou no bolso, para destruir assim que ela estivesse fora de vista.

Do lado de fora do banco, Holmes frisou a importância de deixar St. Louis rápido. Era desejo de Benny que levasse Dessie e o bebê para a casa dos pais dela, em Galva, e ficasse lá até receber mais notícias.

"Vá amanhã", ordenou Holmes. "E então, quando eu escrever para você em Galva, faça o que eu mandar. Essas são as instruções de seu marido, lembre-se."

Então, após prometer que ela encontraria Benny e as crianças em breve, seguiu para a estação de trem com o bolso cheio de dinheiro.

Enquanto Holmes viajava de volta a Indianápolis, deve ter exultado de satisfação. A empreitada dera certo para todos. Sua parte fora a maior de todas — mais de 6.500 dólares no total. Isso era bastante justo, é claro. Afinal de contas, dedicara quase um ano de sua vida ao projeto. Howe saíra com 2.500 dólares por poucos dias de trabalho. Mesmo Carrie acabara com algumas centenas de dólares.

Dados os planos de Holmes para ela e sua família, essa com certeza era uma quantia adequada. Duvidava que ela seria capaz de gastar tudo no tempo que lhe restava.

Mas outra pessoa também esperava sua parte dos lucros — o montante de 500 dólares. E Holmes tinha deixado de levar esse indivíduo em consideração. Se essa falha foi acidental ou deliberada, Holmes viveria para se arrepender — como qualquer outro homem que cometera o erro de irritar Marion Hedgepeth.

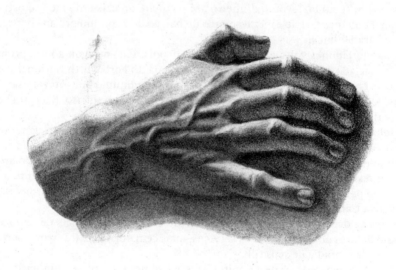

HOLMES ESCAPE

CAPITULUM

CRIME SCENE: PROFILE

O FORNO DIABÓLICO

27. SATANIC FLAMES

> O atrevimento, a frieza e a audácia do homem eram incomparáveis. Assassinato era seu pendor natural. Às vezes, matava pela pura ganância do ganho; com mais frequência, como ele mesmo confessou, para satisfazer uma sede inumana de sangue. Nenhum de seus crimes foi resultado de ataque súbito de fúria — "de sangue quente", como os códigos dizem. Todos foram deliberados, planejados e concluídos com perfeita habilidade.
> — *CHICAGO JOURNAL*, 9 de maio de 1896 —

Holmes voltou para Georgiana com humor radiante, arrebatou-a nos braços e giraram ao redor do quarto de hotel. Correu tudo bem em St. Louis, contou satisfeito — "às mil maravilhas". Enfiou a mão no bolso, retirou um volumoso maço de notas de 100 dólares, ergueu e sacudiu de jeito presunçoso.

Os olhos grandes de Georgiana ficaram ainda mais arregalados.

"Tem 10 mil dólares aí, Harry?" Ela nunca tinha visto tanto dinheiro antes.

"Cinco mil, minha querida. Eu encaminhei os outros cinco para meu corretor, sr. Blackman, em Chicago."

Ele jogou o dinheiro sobre a mesinha de cabeceira, depois se ajoelhou ao lado de sua valise.

"Tenho alguns presentes para você", anunciou. "Por ser tão paciente comigo." Abriu o fecho, colocou a mão dentro da mala e retirou uma Bíblia com encadernação de couro, mais dois porta-joias de veludo, um com medalhão engastado em pérolas, o outro com par de brincos de diamante.

Georgiana jogou os braços em volta de Holmes e se declarou a mulher mais sortuda do mundo.

Eles se demoraram até tarde na manhã seguinte, depois passaram a tarde fora da cidade: fizeram compras, comeram, passearam no parque. O outono estava em seu auge e as árvores chamejavam cores.

Era o comecinho da noite quando voltaram ao quarto de hotel. Georgiana acabara de desamarrar a touca quando Holmes comentou de repente que esquecera de verificar na recepção se havia mensagens. Correria ao andar inferior e voltaria em um instante.

Quando voltou a entrar no quarto, alguns minutos depois, Georgiana pôde ver de imediato que trazia notícias decepcionantes. Ela se esforçou, com sucesso apenas parcial, para manter a repreensão longe da voz.

"Não me diga que precisa ir embora de novo, Harry", protestou. "Não tão cedo."

"É uma questão de extrema urgência. Não pode ser adiada."

Ela suspirou.

"Para onde você tem que viajar dessa vez?"

"Cincinnati."

Georgiana se deixou cair na beirada do colchão e ficou sentada em silêncio por alguns instantes antes de anunciar que não permaneceria nem mais um dia no Circle Park Hotel. Começava a se sentir prisioneira. Mesmo a companhia de sua nova amiga, a sra. Rodius, começou a lhe parecer opressiva.

Sentado ao seu lado, Holmes passou um braço em volta dela. Era todo compreensão. Talvez devesse voltar a Franklin de novo por alguns dias, sugeriu. Mandaria um telegrama assim que tivesse uma ideia melhor da situação. Georgiana, os ombros caídos, soltou outro suspiro e assentiu.

No dia seguinte — quinta-feira, 4 de outubro —, Holmes a acompanhou à estação e aguardou na plataforma até o trem desaparecer de vista.

Então, com a esposa fora do caminho, marchou para Circle House, onde os filhos de Pitezel o esperavam, sozinhos e incautos.

Os pequenos ficaram desanimados quando lhes contou a novidade: não trouxera a mãe deles de volta consigo, afinal de contas. Ela decidira fazer uma última visita aos seus pais em Galva antes de viajar para o leste. As crianças teriam de esperar um pouquinho mais para vê-la — talvez uma semana, no máximo.

Alice e Nellie tentaram não deixar que o desapontamento as dominasse. Mas Howard estava inconsolável. Ficar preso em um quarto de hotel sem nada para fazer a não ser desenhar e ler sobre a vida do general Sheridan era difícil para o agitado menino de 10 anos. Suas irmãs também ficavam cada vez mais infelizes.

Holmes disse para que vestissem os casacos e os levou para passear: comprou vestidos e faixas para o cabelo das meninas, brinquedos de madeira e uma caixa de lápis de cera para Howard, e novas canetas de "cristal" para os três, para que escrevessem para a mamãe e contassem como se divertiam com o "tio Howard" (como Holmes insistia em ser chamado). Ele os levou para uma ótima refeição em um restaurante — frango, purê de batatas, leite e torta de limão.

Depois disso, passearam ao longo da Washington Street e pararam diante de uma loja de sapatos para observar o pintor que usava tinta óleo para criar paisagens completas em um minuto e meio. Cada cliente que comprasse um par de sapatos por 1 dólar, ganhava a pintura de graça (fora a pequena taxa pela moldura). Alice gostaria de poder comprar um quadro; eram todos tão bonitos e coloridos.

Holmes achou que a pequena expedição deixaria as crianças satisfeitas por algum tempo. Mas tão logo passaram pelas portas de entrada do Circle House, Howard fez birra — chutou, gritou, berrou que não queria ficar engaiolado no quarto outra vez. Holmes teve de arrastar o menino pela mão através do saguão.

O proprietário do hotel, Herman Ackelow, observava de trás da mesa da recepção, fazia sinal de negativo com a cabeça. Sentia pena das crianças. Seu filho mais velho, que às vezes levava as refeições para elas, voltara do quarto em diversas ocasiões e relatara que todos os três choravam. Sentiam muitas saudades da mãe e não conseguiam imaginar por que ela não lhes escrevia.

De volta ao quarto, Alice e Nellie se esforçaram ao máximo para consolar o irmão. Foi só quando Holmes ameaçou lhe dar uma surra, contudo, que o menino afinal se acalmou. Mandou que todos ficassem no quarto e prometeu voltar no dia seguinte.

Então, com a esposa fora do caminho, marchou para Circle House, onde os filhos de Pitezel o esperavam, sozinhos e incautos.

A caminho da saída do hotel, parou para conversar com o sr. Ackelow, que fora levado a acreditar que Holmes era o tio das crianças.

Qual era o problema com o pequenino?, indagou o hoteleiro.

A expressão de Holmes ficou sombria. O menino era um malcriado, disse com tristeza. Encrenqueiro desde o dia que nasceu.

"Não sei como minha irmã conseguirá dar jeito nele", continuou, a voz pesada de preocupação. Era uma viúva muito doente cujo marido bondoso, mas improvidente, a deixara sem um tostão.

Holmes considerava diversas alternativas em seu nome — talvez mandar o menino para trabalhar na fazenda ou interná-lo em alguma instituição. Ainda não havia decidido qual seria a melhor atitude, mas algo precisava ser feito a respeito disso.

E logo.

Eram quase 5h daquela mesma tarde quando o sino acima da porta da Oficina do Schiffling tilintou. O dono, Albert Schiffling, ergueu o olhar de sua bancada de trabalho enquanto um cavalheiro bem-vestido adentrava a loja, um par de estojos pretos e finos aninhado nos braços.

Apresentou-se como médico, depositou os estojos sobre o balcão, abriu os fechos e levantou as tampas.

"Eu gostaria de mandar afiar estes itens", disse o cavalheiro. "De quanto tempo você precisa?"

Schiffling olhou para os objetos. Os estojos estavam cheios de ferramentas cirúrgicas cintilantes — bisturis, facas, serras.

O homem respondeu que poderia terminar o serviço até a segunda-feira seguinte.

O cavalheiro cofiou o bigode pensativo por um momento, então disse: "Isso vai servir".

Schiffling preencheu um recibo e o entregou ao médico, que o agradeceu e foi embora.

Do lado de fora, à luz evanescente da tarde, Holmes consultou o relógio de bolso. Já estava tarde para começar a procurar uma casa apropriada. Ele iniciaria sua busca no dia seguinte.

Samuel Brown — administrava uma imobiliária em sua casa em Irvington, vilarejo saído de uma pintura cerca de 10 km do centro de Indianápolis — se acomodava para ler o jornal diário na tarde de sexta-feira, 5 de outubro, quando o estranho entrou. Brown, um homem de 60 anos cuja aparência cordial era compatível com sua personalidade, removeu os óculos de leitura e cumprimentou o cavalheiro com entusiasmo.

O estranho, entretanto, não parecia estar com ânimo para cortesias. Sem nem mesmo um boa-tarde, explicou que acabara de alugar uma casa do dr. Thompson e lhe informaram que o sr. Brown estava com a chave e gostaria de recebê-la, naquele exato momento.

Ainda que pego um tanto de surpresa pela secura do sujeito, o bem-humorado idoso lhe obedeceu sem mais delongas. Abriu a gaveta central de sua mesa e remexeu o conteúdo até encontrar a chave. Sem dizer palavra, o estranho a arrancou de sua mão, girou nos calcanhares e saiu depressa do escritório.

Por alguns instantes, Brown apenas ficou ali sentado e dando muxoxo. Não estava acostumado a ser tratado de modo tão rude. Por fim, recolocou os óculos no nariz, voltou ao jornal e se perguntou o que estava acontecendo com o mundo.

• • •

Várias horas mais tarde, Holmes apareceu no quarto das crianças no Circle House e anunciou que decidira levar Howard embora. O menino ficaria com a prima de Holmes, Minnie Williams, dama rica que não tinha filhos e que tomaria conta dele com dedicação. A srta. Williams tinha uma casa grande em Terre Haute e Howard conseguiria todo o ar puro e exercício que queria. As meninas, enquanto isso, permaneceriam em Indianápolis até que o restante da família — mamãe, Dessie e o bebê Wharton — chegasse.

Holmes ordenou que Alice empacotasse os pertences do irmão no pequeno baú de madeira. Voltaria para buscar o menino bem cedo na manhã seguinte.

Quando Holmes chegou na manhã de sábado, contudo, Howard não estava em lugar nenhum.

"Onde ele está?", exigiu Holmes.

"Ele saiu escondido", respondeu Alice, encabulada. "Eu e Nellie estávamos ocupadas empacotando as coisas e quando nos viramos, tinha sumido." Fez um som exasperado. "Ele não me obedece de jeito nenhum."

Holmes ficou furioso, mas tinha assuntos mais urgentes para cuidar e não estava com tempo para caçar o garoto. Disse a Alice que estaria de volta em um dia, mais ou menos. E, dessa vez, era melhor Howard estar pronto e esperando por ele.

Quando Holmes voltou ao Circle House na segunda-feira, Howard estava sentado de pernas cruzadas no chão, brincando com um pequeno pião de madeira. Mandou que o menino vestisse o casaco, e disse a Alice e a Nellie que se despedissem do irmão. As duas garotas choraram enquanto cobriam as bochechas de Howard com beijos.

"Não fiquem assim", admoestou Holmes. "Vocês logo estarão todos juntos de novo."

Então, instruindo Howard a segurar uma ponta do bauzinho de madeira, Holmes segurou a outra e conduziu o menino para fora do quarto, deixando as garotas entristecidas para consolar uma à outra o melhor que pudessem.

A casa que Holmes alugara do dr. Thompson era muito mais isolada do que aquela que precisou abandonar em Cincinnati. A casa de campo, com sótão e celeiro anexado, ficava a uma pequena distância da Union Avenue, na periferia de Irvington. Não havia nenhuma outra casa nas imediações da vizinhança — apenas uma igreja metodista, no outro lado da rua. O lado oeste da casa era abrigado por um arvoredo de catalpas. A leste se estendia um grande gramado de terreno público. Os trilhos da Pennsylvania Railroad ficavam a 180 km ao sul. No geral, Holmes não poderia ter pedido local mais isolado.

Mesmo assim, teve uma visita inesperada na terça-feira, 9 de outubro. Caminhava diante da propriedade naquela manhã, Elvet Moorman — rapaz de 16 anos, magricelo, orelhas de abano e que fazia pequenos bicos para o dr. Thompson — parou para observar a dupla de homens tirar alguns móveis da carroça e carregá-los para dentro da casa. Um cavalheiro de camisa com as mangas enroladas ajudava os carregadores, além de um garotinho de casaco cinza, que levava alguns objetos mais leves.

Depois, naquela mesma tarde, o dr. Thompson pediu a Moorman que voltasse à casa para ordenhar a vaca do celeiro anexado. Moorman acabara de se agachar em seu banquinho quando o cavalheiro que vira mais cedo entrou e perguntou se Moorman poderia lhe dar uma mão. O homem, que não se apresentou pelo nome, precisava de ajuda para instalar um enorme forno a carvão que transportara para o celeiro.

Assim que se puseram a trabalhar, Moorman perguntou ao homem por que não tinha feito uma conexão para gás natural e, assim, usar um forno a gás em vez de um queimador de carvão.

"Porque não acho que gás seja saudável para crianças", respondeu o homem em um tom estranho, quase malicioso.

Moorman foi embora assim que o serviço terminou. Enquanto passava diante da casa carregando seu balde de leite, gritou uma saudação para o menininho de casaco cinza, sozinho no alpendre da frente, que retribuiu com um pequeno aceno desamparado.

Na manhã seguinte — quarta-feira, 10 de outubro —, um cavalheiro bem-vestido, carregando casaco cinza infantil enrolado em embrulho, entrou na pequena mercearia de Irvington. O cavalheiro explicou que fora chamado para resolver uma questão de negócios urgente e queria se certificar de que o dono do casaco, um menino de 10 anos que o deixara em sua casa por acidente, o pegasse de volta. Será que poderia deixar o casaco com o merceeiro?

O merceeiro concordou. Pegou o casaco com o homem e o guardou sob o balcão.

O menino passaria por ali para pegar o casaco muito em breve, disse o cavalheiro, conforme se encaminhava para a porta. No mais tardar na manhã de quinta-feira.

Mas o menininho nunca apareceu.

CAPITULUM

CRIME SCENE: PROFILE

CONFISSÃO POR CARTA

28. WRITTEN CONFESSION

> O caso de Holmes ilustra o valor prático, assim como a ética pura da "honra entre ladrões", e demonstra como um delito que parece insignificante pode arruinar um excelente e vasto plano criminoso.
> — H. B. IRVING, *A Book of Remarkable Criminals* (Um Livro de Criminosos Notáveis) —

Para os agentes da Fidelity Mutual, o caso Pitezel estava encerrado. Mas uma pessoa da empresa permanecia desconfiada. Isso era parte de seu trabalho. Seu nome era William Gary, e era investigador-chefe e avaliador.

Desde o início, Gary questionara a teoria de que a morte de Pitezel ocorrera em decorrência de explosão acidental. Aos seus olhos, as evidências físicas na cena da morte — o fósforo queimado, a garrafa quebrada e o cachimbo de espiga de milho — tinham todas as marcas de armação. Fouse e seus camaradas executivos liquidaram a apólice contrariando o conselho de Gary, e em seguida focaram suas atenções em outras coisas. Mas Gary, investigador experiente, que começara sua carreira na força policial da Filadélfia, ainda ruminava o assunto.

Como resultado, quando um assunto de negócios desvinculado do caso Pitezel o levou a St. Louis, no começo de outubro, Gary deu uma bisbilhotada por conta própria. No dia seguinte à sua chegada, visitou Jeptha D. Howe.

Sentado no escritório do jovem advogado, Gary conversou um pouco a respeito dos Pitezel. Então, levou o fósforo ao charuto, se reclinou na cadeira e disse, de forma casual:

"Suponho que você recebeu belos honorários pelo trabalho".

Howe hesitou um instante.

"Dois mil e quinhentos", respondeu, por fim.

Gary assobiou diante da soma impressionante.

"Eu mereci cada centavo", resmungou Howe. "Deveria ter sido um terço."

Gary deixou o escritório do advogado mais certo do que nunca de que as suposições de sua empresa estavam erradas, mas ele não tinha nenhuma prova sólida para confirmar suas dúvidas.

E então, na manhã da terça-feira, 9 de outubro, o destino colocou essa prova praticamente em suas mãos.

Gary estava sentado no escritório do gerente da filial, George Stadden, quando chegou mensagem do delegado de St. Louis, Lawrence Harrigan: requisitava um agente da empresa a lhe visitar de pronto. Harrigan acabara de receber um comunicado ligado a um caso que envolvia a Fidelity Mutual.

Gary logo seguiu para a sede de polícia, onde o major Harrigan lhe entregou a carta que chegara mais cedo naquele dia. A carta, Gary descobriu, era de um detento da prisão da cidade que dividira uma cela alguns meses atrás com um acusado de aplicar golpes, chamado H. M. Howard.

O nome do prisioneiro era Marion Hedgepeth e isto é o que sua carta dizia:

Gary reconheceu que — além de se vingar de Howard por ter roubado sua propina — Hedgepeth estava sem dúvidas tentando cair nas graças das autoridades.

CARO SENHOR:

Quando H. M. Howard esteve aqui uns dois meses atrás, veio a mim e contou que gostaria de conversar comigo, já que tinha lido muitas coisas a meu respeito etc.; além disso, depois de nos conhecermos bem, me contou que tinha um esquema com o qual lucraria 10 mil dólares, e precisava de algum advogado confiável, e disse que, se eu também fosse confiável, se certificaria de que eu recebesse 500 dólares por isso. Eu então lhe contei que J. D. Howe era confiável, e ele então me contou que a vida de B. F. Pitezel estava assegurada em 10 mil dólares, e que Pitezel e ele aplicariam um golpe na seguradora pelos 10 mil dólares, e como fariam isso, entrando mesmo nos mínimos detalhes; que ele era especialista nisso, visto que tinha trabalhado com isso antes, e que, sendo farmacêutico, poderia com facilidade enganar a seguradora ao fazer com que Pitezel se estabelecesse de acordo com suas instruções e parecer que tinha sido mortalmente ferido por explosão, e então colocar um cadáver no lugar do corpo de Pitezel etc., e então identifica-lo como o de Pitezel. Não dei muito crédito para o que me contou até alguns dias depois de ele ser solto, o que aconteceu em poucos dias, quando J. D. Howe veio me ver e me contou que aquele tal de Howard, para quem eu o tinha recomendado, fora vê-lo e lhe contara que eu recomendara Howe a ele, e o homem revelara toda a trama, e Howe me contou que nunca tinha ouvido um plano tão elaborado e fácil, e que com certeza daria certo, e que Howard era um dos homens mais astutos e sagazes de que tinha ouvido falar etc., e Howe me contou que se certificaria de que eu recebesse 500 dólares se desse certo, e que Howard ia para o leste para cuidar daquilo o quanto antes. (Nessa época eu não sabia qual seguradora seria enganada, e ainda não sei ao certo qual é, mas Howe me contou que foi a Fidelity Mutual da Filadélfia, cujo escritório fica, de acordo com as páginas amarelas da cidade, no número 520 da Oliver Street.) Howe vinha me ver e me contava a cada dois ou três dias que tudo ia bem e quando a notícia apareceu no *Globe Democrat* e no *Chronicle* sobre a morte de B. F. Pitezel, Howe veio me ver na hora e contou que era questão de poucos dias até termos o dinheiro, e que a única coisa que poderia impedir a seguradora de pagar de imediato era que Howard e Pitezel estavam tão sem dinheiro que não poderiam pagar as mensalidades da apólice até um dia ou dois antes do vencimento, e então tiveram que enviá-las por telegrama, e que a seguradora poderia alegar que só recebeu o dinheiro depois que a apólice caducou; mas a empresa não fez isso, e então Howe e a garotinha (acho que era a filha de Pitezel) voltaram para a Filadélfia, conseguiram identificar e fazer com que o corpo fosse reconhecido como aquele de B. F. Pitezel. Howard me contou que a esposa de Pitezel estava a par da coisa toda. Howe me contou agora que Howard não queria deixar a sra. Pitezel voltar para identificar o suposto corpo do marido, e que tem quase certeza absoluta que Howard enganou Pitezel e que Pitezel ao seguir as instruções de Howard foi morto e que o corpo é de fato de Pitezel.

A apólice foi emitida para a esposa e, quando o dinheiro foi colocado no banco, Howard se afastou e deixou a esposa acertar as contas do Howe por seus serviços. Ela estava disposta a pagar mil dólares, mas ele queria 2.500. Howard está agora a caminho da Alemanha, e a esposa de Pitezel ainda está aqui na cidade, e onde Pitezel está ou se aquele é o corpo de Pitezel eu não posso dizer, mas não acho que seja o corpo de Pitezel, mas acredito que está vivo e bem e, creio, na Alemanha, para onde Howard vai agora. Nem vale a pena dizer que nunca recebi os 500 dólares oferecidos por Howard para que eu o apresentasse ao sr. Howe. Por favor, perdoe minha escrita pobre visto que escrevi isto com pressa e em cima de um livro apoiado no joelho. Estou disposto a jurar por isso e muito mais. Gostaria que você fosse visitar a Fidelity Mutual Life Insurance Company e verificasse se são eles as vítimas desse trapaceiro, e, se foram, diga a eles que quero vê-los. Nunca perguntei qual era a empresa até hoje, e foi depois de conversarmos um pouco sobre o assunto, e então pode ser que Howe não tenha contado o nome certo da empresa, mas você pode descobrir qual empresa é perguntando ou telefonando para empresas diferentes [...] Por favor envie um agente da empresa para me ver por gentileza.

Atenciosamente etc.
MARION C. HEDGEPETH

Acompanhado de um estenógrafo da polícia, Gary logo se dirigiu à prisão da cidade, onde obteve uma declaração sob juramento de Hedgepeth, de certo modo, a recapitulação de sua carta.

Munido de ambos os documentos, mais o retrato do trapaceiro H. M. Howard retirado da galeria de fotos de criminosos, o inspetor Gary voltou para a Filadélfia naquela noite. Na manhã seguinte, se encontrou com os agentes da Fidelity Mutual, no escritório do presidente Fouse, e relatou suas descobertas. Reticentes em admitir que foram passados para trás, Fouse e seus colegas caçoaram das acusações de Hedgepeth. Era óbvio que o fora da lei, argumentaram, tentava passar informações falsas em jogada astuta para reduzir a sentença.

Gary reconheceu que — além de se vingar de Howard por ter roubado sua propina — Hedgepeth estava sem dúvidas tentando cair nas graças das autoridades. Mas Gary insistiu que a história devia ser verdadeira. A carta continha informações que Hedgepeth só poderia ter descoberto com um dos conspiradores — a parte sobre o pagamento tardio do seguro, por exemplo.

Fouse achou essa última parte difícil de refutar. Com o cenho franzido, pediu para ver o retrato de H. M. Howard. Assim que pôs os olhos nele, a cor fugiu de seu rosto.

Fitando-o da fotografia estava o elegante médico cuja decência e bondade tinham impressionado Fouse de maneira tão favorável semanas atrás.

Na manhã seguinte, bem cedo, o inspetor Gary e um colega partiram para a Filadélfia, após serem autorizados pela Fidelity Mutual para usar todos os meios à disposição para encontrar e prender o dr. H. H. Holmes.

CRIME SCENE: PROFILE

CAÇADA AO MALIGNO

29. MANHUNT FOR THE DEVIL

> Lá vem a vela, pra você ir dormir
> Lá vem serra, sua cabeça vai cair.
> — CANTIGA DE RODA —

Quando Gary e seu parceiro embarcaram na caçada, Holmes já tinha saído de Indiana.

Ele voltara para pegar as garotas na noite da quarta-feira, 10 de outubro. Alice e Nellie ocupavam seus dias desde a partida de Howard com seus passatempos costumeiros: desenhar, ler *A Cabana do Pai Tomás*, brincar com seus poucos brinquedinhos. Às vezes, não faziam nada além de sentar e observar pela janela a vida que se desenrolava ao longo da rua movimentada lá fora. Outras vezes, cansadas do tédio e do isolamento, deitavam-se abraçadas e choravam.

Encontrando-as em prantos, a camareira do hotel, uma alemã de meia-idade chamada Caroline Klausmann, presumiu que fossem órfãs, sofrendo pelos pais perdidos. Seu coração se solidarizou pelas crianças arrasadas e desejou poder oferecer palavras de consolo. Mas, sem falar inglês, pôde apenas fitá-las com olhos cheios de compaixão.

Quando Holmes fechou a conta de Alice e Nellie no Circle House naquela noite e as levou à estação de trem, elas devem ter se sentido como prisioneiras libertadas da solitária. Não tinham como saber que estavam apenas sendo transferidas para outra cela.

No dia seguinte, Georgiana recebeu um telegrama há muito esperado do marido, no qual pedia que o encontrasse de imediato em Detroit. Na manhã de sexta-feira, ela deixou a casa dos pais em Franklin, e embarcou em um trem. A viagem durou o dia inteiro e ao entardecer sofria de uma de suas "dores de cabeça nauseantes". Fechou os olhos, tentou dormir, mas foi incomodada pela súbita sensação de outro passageiro deslizar no assento vago ao seu lado. Quando virou a cabeça para olhar, ficou surpresa ao ver seu marido.

Holmes a puxou para perto e beijou sua testa. Que surpresa maravilhosa!, exclamou ele, rindo. Claro, viajaram em vagões separados o dia todo sem se darem conta de que dividiam o mesmo trem. Ele nunca a teria visto se não levantasse para esticar as pernas.

Quando chegaram a Detroit, uma hora depois, Holmes providenciou uma suíte no Hotel Normandie, como "G. Howell e esposa, Adrian". Georgiana, ainda com enxaqueca, deitou-se de pronto. Estava no escuro, olhos bem fechados, quando ouviu a porta do quarto ranger e seu marido se esgueirar para fora da suíte.

Ele viajara ao lado das duas meninas até o trem estar a uma hora de distância de seu destino. Então — inventando uma lorota qualquer para explicar por que não poderia ser visto chegando com elas — apanhara a mala e se mudara para um vagão diferente. As garotas deveriam descer em Detroit e esperar que fosse buscá-las.

Alice e Nellie seguiram suas ordens. Estavam largadas em um banco no interior da estação, malas a seus pés, quando ele apareceu pouco antes da meia-noite.

Transportando-as de cabriolé até o hotel New Western, Holmes alugou um quarto para as meninas, registrou-as com os nomes "Etta e Nellie Canning" e correu de volta ao Hotel Normandie, vestiu o camisolão e em silêncio se enfiou na cama ao lado da esposa adormecida.

Georgiana se sentia muito melhor pela manhã. Holmes explicou-lhe que seus negócios poderiam mantê-lo em Detroit por algum tempo e, por isso, fechou a conta no hotel e os registrou em uma hospedaria na Park Place. O proprietário perguntou a respeito de sua profissão, e Holmes — em brincadeira astuta — respondeu "ator".

Holmes carregou a bagagem do casal até o quarto e ajudou Georgiana a se acomodar. Então, seguindo seu costumeiro *modus operandi*, saiu à procura de uma casa isolada.

Quase na mesma época, em Galva, Illinois, Carrie Pitezel arrumava um baú com seus pertences, os de Dessie e os do bebê, para a iminente viagem a Detroit.

Por obediência a Holmes, viajara para a casa dos pais na sexta-feira, 5 de outubro. Durante seis dias, esperara notícias do paradeiro do marido com crescente ansiedade. A carta de Holmes afinal chegou no dia 11: Ben estava em Detroit. Ela deveria planejar sua viagem para lá em meados da semana seguinte.

Sentindo a falta do marido a ponto do desespero — e sofrendo por Alice, Nellie e Howard —, Carrie decidira contrariar essa instrução e enviou um telegrama para Holmes, para que a esperasse no domingo, 14. Ela, contudo, acatou outra de suas ordens — destruir a carta assim que terminasse de ler.

Quando o trem de Carrie chegou a Detroit, na tarde de domingo, Holmes aguardava na plataforma. Caso fosse capaz de sentir emoções, ele poderia ter se sentido chocado pela aparência de Carrie. Contudo, experimentou uma sensação de branda surpresa ao ver como parecia descarnada e frágil, como se a tensão dos meses anteriores a tivesse impulsionado à velhice. Dessie, que segurava o bebê Wharton nos braços, desceu do trem depois da mãe. Reunindo a bagagem, Holmes as levou a uma condução.

Durante o trajeto até o hotel, Carrie o bombardeou com perguntas sobre as outras crianças. Como estavam? E por que não recebera nenhuma carta delas?

"Elas estão em Indianápolis, sob os cuidados de uma viúva muito gentil", assegurou-lhe Holmes. "Imagino que estão ocupadas demais com as tarefas escolares para escreverem, mas tenho certeza de que receberá notícias delas em breve."

"Qual é o nome dessa viúva?", quis saber Carrie. "Não tenho o costume de deixar meus filhos com estranhos sem saber quem são."

Holmes prendeu o lábio inferior entre os dentes e franziu o cenho.

"É um nome peculiar", disse depois de alguns instantes. "Não consigo me recordar agora."

"Não consegue lembrar o nome dela?", exclamou Carrie. "Como você encontrou essa mulher?"

"Os pais da minha esposa pretendiam se mudar de sua casa em Franklin para Indianápolis. Concordei em ajudá-los a encontrar uma casa. Um dos corretores que consultei me deu o nome dessa viúva."

"Mas quando vou ver meus filhos?", gritou Carrie.

Holmes deu tapinhas nas mãos dela.

"Muito em breve. Assim que tiver visitado Benny, eu a levarei a Indianápolis. Os pais da minha esposa ainda demorarão alguns meses para se mudar para a casa nova. Enquanto isso, você e as crianças estarão livres para morar lá sem pagar aluguel."

Um tanto apaziguada, Carrie fechou os olhos e repousou a cabeça nos ombros da filha até chegarem no Geis's European Hotel.

Holmes a registrou como "sra. C. A. Adams e filha", e Carrie o puxou de lado para perguntar por que dera um nome falso.

"Assim é mais seguro", respondeu ele. "Você não precisa ser tão orgulhosa a ponto de manter o próprio nome."

Então, deixou Carrie e as crianças aos cuidados da governanta, a srta. Minnie Mulholland e foi embora depressa.

A srta. Mulholland conduziu os recém-chegados ao quarto. Enquanto voltava para a frente do hotel, a governanta se perguntou o que diabos poderiam estar perturbando a pobre mulher. Ela nunca vira um ser humano com aparência tão encurvada pela preocupação.

Pouco depois, Holmes fechou a conta de Alice e Nellie no New Western Hotel e as transferiu para uma hospedaria no número 91 da Congress Street, administrada por Lucinda Burns.

Lá, naquela mesma tarde, Alice se sentou e redigiu uma carta para seus entes queridos em Galva. Foi a última carta que escreveria.

Queridos vovó e vovô,

Espero que estejam bem. Nell e eu pegamos resfriados e ficamos com as mãos ressecadas mas só isso. Não tivemos nenhum tempo bom acho que o inverno está chegando agora. Fale para a mamãe que preciso de casaco. Quase congelei com aquela jaqueta fina. Temos que ficar no quarto o tempo todo. Howard não está com a gente agora. Estamos bem perto do rio Detroit. A gente ia passear de barco ontem mas estava frio demais. Tudo o que Nell e eu podemos fazer é desenhar e ficar tão cansadas de sentar que eu poderia levantar e quase voar. Gostaria de poder ver todos vocês. Estou ficando com tanta saudade de casa que não sei o que fazer. Acho que Wharton está andando a essa altura não tá eu gostaria que estivesse aqui ele iria ajudar muito a passar o tempo.

Tudo a respeito dessa carta é de cortar coração, de forma quase insuportável. Nela está, para começar, a simples referência de Alice ao irmão — "Howard não está com a gente agora" — cujo significado agourento não era possível que soubesse. Há os pequenos gritos de solidão e tédio — as únicas reclamações que se permitiu fazer em suas cartas —, que, de modo tão comovente, transmitem o tormento do confinamento físico e a longa separação da família. Há o terrível fato de que, naquele exato momento, sua mãe, sua irmã mais velha e seu irmãozinho, que ansiava tanto por ver, estavam a apenas alguns quarteirões de distância, ainda que Alice nunca chegasse a saber disso.

E então — talvez o mais doloroso de tudo — há os comentários a respeito do casaco.

Durante dias, Alice e a irmã imploraram por roupas mais quentes. Holmes prometia comprar para elas um novo guarda-roupa de inverno. Mentia, é claro. De seu ponto de vista, tais compras seriam um completo desperdício de dinheiro.

Em alguns poucos dias, se tudo corresse de acordo com o plano, Alice e Nellie não seriam mais incomodadas pelo frio.

Na segunda-feira, 15 de outubro, Holmes estava pronto.

Ele alugou uma casa, residência pequena e isolada no número 241 da E. Forest Avenue, na periferia da cidade.

Nos fundos do porão, escavou um buraco de mais ou menos 1,20 m de comprimento, 1,10 m de largura e 1,10 m de profundidade.

Na quarta-feira, dia 17, antes que tivesse a chance de consumar seu esquema, recebeu mensagem de um colega de negócios de Chicago, Frank Blackman. Holmes não gostou da mensagem. Mais uma vez — como em Cincinnati — era forçado a abortar o plano no último minuto e encontrar um lugar diferente para realizar o serviço.

Quando Holmes voltou para seu quarto naquela noite, surpreendeu Georgiana ao anunciar — como maneira de expressar sua gratidão pela devoção inabalável da esposa — que ia levá-la a Niagara Falls. Viajariam por Toronto, onde tinha um pequeno negócio para cuidar — a renovação de alguns contratos das copiadoras.

Bem cedo na manhã seguinte, enquanto Georgiana fazia as malas, Holmes lhe informou que se ausentaria para resolver alguns assuntos. Na rua, seguiu direto para o Geis's Hotel, onde encontrou Carrie e os filhos acomodados em um quarto lúgubre nos fundos, que dava para o beco. O rosto de Carrie se iluminou de expectativa quando viu Holmes à porta. Mas seu olhar esperançoso desvaneceu tão logo ele abriu a boca.

Ele lamentava dizer aquilo, mas ela teria de esperar mais um pouco para ver Benny.

"Procurei casa disponível em todos os cantos de Detroit onde vocês dois pudessem se encontrar", resmungou. "Mas não consigo encontrar um lugar apropriado. Benny não pode se arriscar a ser visto. A esta altura, pode haver pessoas procurando por ele."

"O que eu vou fazer?", exclamou Carrie desesperada.

Holmes a deixou por dentro do plano mais recente, bolado por ele e Ben na noite anterior. Carrie e o marido se encontrariam fora dos Estados Unidos. Ben já estava a caminho do Canadá. Carrie, Dessie e Wharton deveriam segui-lo no trem das 11h30 para Toronto. Holmes já estava com as passagens. Quando chegassem naquela noite, deveriam esperar na estação até Holmes buscá-los. Ele próprio partiria para Toronto às 9h.

Todo o corpo de Carrie murchou de desalento e fatiga, e Dessie soltou um suspiro desanimado. Acariciando as costas da filha, Carrie perguntou a Holmes se era necessário que Dessie a acompanhasse.

"Está tão cansada", disse Carrie. "Talvez possa ir para Indianápolis e ficar com os outros enquanto viajo para encontrar o Benny."

Holmes considerou por um instante antes de fazer que não com a cabeça.

"Você vai precisar dela para cuidar do bebê enquanto vai encontrar o Ben."

Carrie assentiu, resignada, e aceitou as passagens que Holmes colocou em sua mão.

A próxima parada de Holmes foi na hospedaria de Lucinda Burns. Alice e Nellie ouviram, desanimadas, enquanto Holmes lhes dizia o que fazer. Antes de ir embora, tirou do bolso outro par de passagens de trem — para a manhã seguinte — e entregou para as meninas.

Em seguida, correu de volta ao seu quarto, onde encontrou a esposa pronta e esperando.

Holmes e Georgiana chegaram a Toronto, naquela noite por volta da hora do jantar, foram ao hotel Walker House e se registrou mais uma vez com o nome Howell. Algumas horas depois, ele deixou Georgiana no quarto e voltou à estação Grand Trunk, onde encontrou Carrie Pitezel em um banco ao lado da filha mais velha, que aninhava o bebê sonolento nos braços. Tanto mãe quanto filha pareciam completamente exauridas e angustiadas.

"Onde você estava?", gritou Carrie conforme Holmes se aproximava. "Esperamos aqui por quase uma hora e meia!"

"Eu mesmo cheguei à cidade apenas meia hora atrás", disse Holmes. "Meu trem atrasou."

"Não vejo como pode ter atrasado três horas", retrucou Carrie, amarga. "Você disse que iria partir às 9h." Àquela altura, contudo, se sentia cansada demais para discutir. "Onde está o Benny?"

"Escondido em Montreal. Preciso alugar uma casa aqui em Toronto onde vocês possam ficar juntos. Assim que tiver encontrado um lugar, vou avisar Ben e ele virá para cá à noite para encontrá-la."

Carrie, que esperara encontrar o marido aguardando em Toronto, parecia estar à beira das lágrimas.

"Você ficará feliz em saber", disse Holmes apressado e enfiou a mão no paletó e retirou uma folha de papel dobrado, "que recebi uma carta das crianças."

Carrie arrancou a carta da mão dele e a examinou com avidez. Quase de imediato, sua boca se franziu toda.

"Não consigo ler isso", exclamou.

"É claro que não", disse Holmes e riu com suavidade. "Está escrito em código. Como precaução." Tirou a carta dos dedos dela e leu em voz alta. "'Querida mamãe, estamos todos bem e indo para a escola. Temos bastante o que comer e a mulher é muito boa para nós.'" Holmes sorria e afastou os olhos da carta.

"Só isso?", perguntou Carrie.

Holmes assentiu e dobrou o papel em quatro partes de novo e o devolveu ao paletó. Em seguida, apanhou as bagagens e foram todos para o Union Hotel, não muito longe de onde ele e Georgiana estavam. Registrou-as como "sra. C. Adams e filha" e prometeu visitá-las no dia seguinte com mais novidades sobre Benny.

Holmes, no entanto, não manteve a promessa. Em vez disso, passou o dia nos pontos turísticos e nas compras com Georgiana. Às 20h, depois de jantarem em um restaurante elegante, a escoltou de volta ao quarto. Enquanto a esposa despia o casaco, Holmes disse que estava muito "agitado" para se recolher e faria uma caminhada para ajudar na digestão.

Então seguiu direto à estação e chegou bem na hora para encontrar o trem de Chicago. Depois de cumprimentar Alice e Nellie, as entregou aos cuidados do porteiro do Albion Hotel e deu ao homem uma gorjeta de 50 centavos e dinheiro suficiente para cobrir um dia de estadia das meninas.

Àquela altura, Holmes realizava proeza digna de mestre marionetista: manobrava três conjuntos de marionetes humanas — a esposa; Carrie e dois de seus filhos; e Alice e Nellie — de uma cidade para a seguinte e os alojava a curta distância uns dos outros, enquanto os mantinha na ignorância da proximidade que estavam.

Holmes apareceu no Albion bem cedo na manhã de sábado e levou Alice e Nellie para passear. Dentro em pouco, as duas meninas tremiam devido ao vento cortante do Canadá. Depois de levá-las de volta ao quarto, pagou a estadia de mais um dia e explicou ao balconista-chefe do hotel, Herbert Jones, que as garotas eram suas sobrinhas. Elas aguardariam a mãe, que estava para chegar de Detroit mais para o final da semana.

Então saiu apressado à procura de imobiliárias. Prometera levar Georgiana para Niagara Falls à tarde, mas tinha um assunto urgente para tratar primeiro.

Na quarta-feira, 24 de outubro, Thomas William Ryves — um semi-inválido de 70 anos que ainda falava com distinto sotaque, embora quase cinquenta anos tivessem se passado desde que deixara sua Escócia natal — se arrastou até a frente de sua casa, no número 18 da St. Vincent Street, para atender às batidas persistentes em sua porta. Ryver nunca tinha visto o visitante antes — um cavalheiro muito bem-vestido que explicou que acabara de alugar a casa vizinha para a irmã.

Parado na soleira, Ryves colocou a mão livre em concha atrás de um ouvido e inclinou a cabeça na direção do estranho.

"Minha irmã chegará de Hamilton, Ontario, em alguns dias", continuou Holmes e levantou a voz quase a ponto de gritar. "Imaginei se poderia pegar uma pá emprestada com o senhor. Gostaria de arrumar um lugar no porão onde minha irmã pudesse guardar batatas."

"Fique à vontade", respondeu Ryver. "O senhor a encontrará no galpão lá nos fundos."

Agradecendo, o estranho deu a volta até os fundos da casa. Alguns instantes depois, reapareceu com a pá.

Mais tarde, naquele dia, enquanto Ryves balançava-se em sua cadeira ao lado da janela, viu uma carroça parar diante do número 16. Empoleirado no assento da frente estava o condutor — sujeito atarracado com chapéu de aba larga — e o mesmo cavalheiro que pegara a pá emprestada. Ryves observou os dois homens descarregarem uma cama velha, colchão e baú da carroça, e levar tudo para dentro da casa.

O velho ficou surpreso pela escassez da carga e supôs que móveis adicionais chegariam depois.

Não chegou mais nenhum.

● ● ●

Na quinta-feira, 25 de outubro, Herbert Jones estava em seu posto atrás do balcão da recepção do Albion quando o tio das duas garotinhas chegou, como tinha feito todas as manhãs nos últimos seis dias, com exceção do domingo. Alguns instantes depois, após acertar a conta do dia, mandou chamar as sobrinhas no quarto e as levou embora. Isto, também, era o de costume: levava as meninas para ver os pontos turísticos quase todos os dias desde sua chegada.

Às vezes, as garotas ficavam fora até a hora do jantar, embora costumassem voltar em poucas horas.

Naquele dia, contudo, foi diferente.

Naquele dia, as duas meninas não voltaram.

Mais tarde, Carrie levou Dessie para fazer compras na loja de departamentos Eaton, na Yonge Street. Ficaram lá por muitas horas, devagar de andar em andar, admiradas pela profusão deslumbrante de itens de vestuário, joias, artigos de toalete e miudezas.

Por volta das 16h, o bebê começou a se agitar. Carrie declarou que estava na hora de voltar para o hotel.

Quase na saída, Carrie de repente se viu cara a cara com Holmes. Por um instante, os dois congelaram. E ele fez algo tão estranho que Carrie não conseguiu compreender.

A palidez do homem era quase cadavérica.

Um momento depois, entretanto, pareceu se recuperar.

"Estive procurando vocês por toda parte", disse, com voz baixa.

"Qual é o problema?"

"Homens em duas rodas", explicou Holmes, usando o termo para policias de bicicleta. "Dois deles à paisana. Vigiando a casa que aluguei."

"Como...?"

"Não sei. É possível que estejam atrás de outra pessoa. Talvez um inquilino anterior procurado pela lei. Mesmo assim, não podemos correr o risco de trazer o Ben para cá."

"O que vamos fazer?", exclamou Carrie. A angústia em sua voz atraiu olhares de diversos compradores ao redor.

Gesticulando de maneira enfática, Holmes sinalizou para Carrie manter a voz baixa.

"Se vocês compraram alguma coisa", sussurrou ele, "peça que enviem tudo na mesma hora para o seu hotel. Quero ir embora daqui hoje à noite." Olhando ao redor, viu que ele e Carrie continuavam a atrair olhares curiosos. "Esperem aqui", mandou. "Voltarei daqui a pouco. Preciso pegar uma coisa no outro lado da loja." Virando-se, desapareceu no meio da multidão de compradores.

Carrie e Dessie esperaram por quase dez minutos, cada vez mais confusas. Por fim, Carrie pediu que a filha fosse procurar Holmes. Quando a menina voltou sem encontra-lo, Carrie lhe entregou o bebê e saiu em sua própria busca infrutífera. Desnorteadas e consternadas, retornaram ao hotel e começaram a fazer as malas.

Por volta das 17h, Holmes apareceu no quarto delas. Não disse nada a respeito de seu sumiço súbito e Carrie estava aflita demais àquela altura para perguntar. Entregou a ela passagens de trem e mandou que partissem de imediato para Prescott, Ontario, e então atravessassem para Ogdensburg, Nova York. Ele as encontraria em Ogdensburg no dia seguinte.

Alguns instantes depois, assim que se certificou de que Carrie entendera as instruções direito, Holmes partiu apressado.

De volta ao próprio quarto de hotel, Holmes informou Georgiana de que precisavam deixar Toronto naquele instante. Decidira que era hora de fazer a muito adiada viagem à Alemanha. Pegariam um barco a vapor em Boston. No caminho até Massachusetts, tinha diversas paradas rápidas para fazer — alguns detalhes que precisavam ser resolvidos sobre seus negócios com as copiadoras.

Georgiana ficou encantada, embora também confusa pela urgência nos modos do marido. Àquela altura, estava acostumada com aquelas partidas abruptas. Mas havia algo diferente no comportamento de Harry dessa vez. Costumava parecer um homem apressado.

De repente, parecia um homem em fuga.

CAPITULUM

CRIME SCENE: PROFILE

DETETIVES EM AÇÃO
30. DETECTIVES IN ACTION

> A sordidez pode triunfar por algum tempo, o crime pode
> pavonear suas vitórias diante dos trabalhadores honestos,
> mas no fim a lei vai seguir o malfeitor até seu destino amargo,
> e a desonra e a punição serão o quinhão daqueles que pecam.
>
> — ALLAN PINKERTON —

William Gary decidira que St. Louis era o lugar lógico para começar sua busca por Holmes. Chegou com O. LaForrest Perry na sexta-feira, 12 de outubro, e de pronto saiu à procura de Carrie Pitezel, apenas para descobrir por um vizinho chamado Becker que a mulher recém-enviuvada deixara a cidade uma semana antes, com o bebê e a filha mais velha. Do retrato da galeria de criminosos que Gary lhe mostrou, Becker foi capaz de identificar Holmes como o homem que visitara os Pitezel diversas vezes durante o final do verão e início do outono.

Graças ao relatório compilado por Edwin Cass, o gerente da filial da Fidelity de Chicago, Gary e seu colega sabiam que Holmes tinha residência em Wilmette, Illinois. No dia seguinte, a dupla apareceu na asseada casa de estrutura vermelha na North John Street.

Myrta Holmes não foi mais receptiva com os dois investigadores do que fora com Cass. Porém, mais uma vez, um vizinho ofereceu algumas informações úteis. O dr. Holmes quase nunca era visto na vizinhança. De acordo com os boatos, contudo, era bastante conhecido em Englewood, onde enfrentara alguns problemas com a lei.

Naquela mesma tarde, os dois homens viajaram a Englewood. Interrogaram vizinhos e conhecidos de Holmes — incluindo seu corretor e colega de negócios, Frank Blackman, que agarrou a primeira oportunidade para enviar para Holmes a notícia de que os homens da seguradora estavam em seu rastro. Essa mensagem fizera com que Holmes abandonasse seus planos em Detroit.

Após consultar a polícia de Chicago, Gary e seu parceiro conduziram entrevista com dois detetives, Norton e Fitzpatrick. Conforme os agentes da seguradora ouviam, surgiu uma imagem de Holmes que confirmava as suspeitas mais fortes de Gary. Ele descobriu tudo a respeito dos delitos financeiros e das inúmeras fraudes do farmacêutico, incluindo o esquema fracassado do seguro contra incêndios em seu "Castelo". Também soube que Holmes e Pitezel eram procurados no Texas pelas acusações de fraude e roubo de cavalos.

Tornara-se cada vez mais óbvio para os agentes da seguradora que estavam atrás de um criminoso ousado e ardiloso, cujo rastro se estendia ao longo de ampla área geográfica — da Filadélfia a Fort Worth, de St. Louis a Englewood. Àquela altura, Holmes poderia estar em qualquer lugar do país. Dois homens agindo sozinhos, mesmo tão capazes quanto Gary e seu colega, eram insuficientes para o serviço. O que precisavam era da ajuda de um serviço de investigação com o efetivo e o experiência para conduzir a caçada em nível nacional.

Na manhã seguinte, Gary enviou telegrama com sua recomendação para L. G. Fouse. Estava na hora de convocar os Pinkerton.

• • •

Em vez de desembarcar em Prescott, Holmes fez algo que Georgiana considerou peculiar. Ele a conduziu para fora do trem uma estação antes e contratou um transporte para conduzi-los pelo restante do caminho. Georgiana quis saber a razão, e Holmes murmurou alguma coisa sobre ocultar seus movimentos dos concorrentes imorais, que desejavam mais que tudo sabotar seus negócios.

Desceram no atracadouro da balsa e logo desembarcaram em Ogdensburg, Nova York, depois de viagem agitada pelo rio St. Lawrence.

Acompanhada dos dois filhos, Carrie chegou em Ogdensburg um dia depois, domingo, 26 de outubro. Alugou quarto no National Hotel e se acomodou para aguardar mais orientações. Holmes — que deixara Georgiana em hospedaria próxima — apareceu ao entardecer e revelou seu mais novo plano.

Partiria para Burlington, Vermont, na terça-feira, explicou. Carrie e as crianças deveriam permanecer em Ogdensburg até o dia 1º de novembro, e depois seguir viagem no primeiro trem matutino. Holmes os encontraria na estação. Enquanto isso, cuidaria para que Benny viajasse até Burlington, onde Carrie e o marido enfim se reuniriam.

Holmes e Georgiana fizeram a viagem a Burlington no dia 30 de outubro. Mais uma vez, ele insistiu em desembarcar na parada anterior e terminar a viagem de carruagem. Depois de passar a noite no Burlington Hotel, o casal se mudou para a hospedaria de Ahern, onde Holmes os registrou como "sr. Hall e esposa".

Naquela mesma tarde, usando o pseudônimo "J. A. Judson", Holmes alugou uma casa mobiliada no número 26 da Winooski Avenue. Explicou ao corretor que a irmã viúva, a sra. Cook, a ocuparia.

Para aborrecimento de Holmes, Carrie e as crianças não chegaram na manhã seguinte, como planejado. Voltou à estação para esperar o trem vespertino. No momento em que Carrie desceu com as crianças, ele a repreendeu.

"Por que vocês não vieram no trem que eu mandei?"

"Eles me disseram que era um trem local", respondeu Carrie em tom incontrito. "Já é ruim o bastante viajar com o bebê em trem rápido."

"Sempre que eu mandar fazer alguma coisa", rosnou Holmes, "você obedece."

Carrie, contudo, estava prestes a chegar a seu limite. Cansada de ser intimidada, enfrentou a raiva dele com olhar desafiador e manteve gélido silêncio durante a viagem até Winooski Avenue.

No interior da casa, Carrie se afundou em uma cadeira enquanto Dessie, com o bebê nos braços, explorava os cômodos.

"Eu teria levado vocês para jantar", disse Holmes sem emoção, "se tivessem chegado no primeiro trem."

"Não ligo para o jantar", rebateu Carrie. "Só me importo com uma coisa: ver meu marido e meus filhos. Onde está o Benny agora?"

"Ainda em Montreal", respondeu Holmes. Carrie não precisava se preocupar. Ela e o marido logo estariam juntos.

Na manhã seguinte, Holmes retornou para a Winooski Avenue e perguntou a Dessie se gostaria de sair e passear um pouco pela cidade. Com a permissão de Carrie, Dessie concordou. Enquanto conduzia a garota de 17 anos na direção do bondinho, ele de modo casual perguntou se o pai mencionara algo sobre o plano envolvendo o seguro de vida.

Em algum momento da semana anterior, Dessie tinha, de fato, se lembrado dos comentários enigmáticos de seu pai quando estavam em St. Louis. Naquele instante, ela repetiu as palavras dele para Holmes.

"Você mencionou isso para mais alguém?", perguntou Holmes depressa.

Dessie fez que não com a cabeça.

"Ótimo", respondeu Holmes, mais convencido do que nunca de que precisava agir logo.

Poucas horas depois, levou Dessie de volta à casa mobiliada. Antes de ir, perguntou a Carrie como ela estava de dinheiro.

"Estou quebrada", respondeu Carrie com amargura. Todas aquelas idas e vindas que Holmes a forçara a fazer secaram seus parcos recursos.

Holmes pegou algumas notas soltas do bolso do colete, entregou a Carrie e lhe disse para sair no próximo dia e comprar comida.

O próprio Holmes fez algumas compras na manhã seguinte. Pouco depois do meio-dia, voltou à casa alugada na Winooski Avenue com algo embrulhado em panos.

Como esperado, Carrie e as crianças haviam saído. Ele entrou na casa com sua cópia da chave, se esgueirou até o porão, desceu cada um dos degraus a passos lentos e cuidadosos, como se temesse pisar em falso. Agachado ao lado do depósito de carvão, desembrulhou com delicadeza o objeto que os panos protegiam — uma garrafa cheia de líquido espesso e incolor —, e escondeu-o com cautela atrás de algumas tábuas apodrecidas do depósito.

Carrie não voltou a ver nem receber notícias de Holmes por quase uma semana e supôs que fora buscar Benny. Na noite de 7 de novembro, no entanto, inesperadamente, Holmes apareceu, sozinho. Ao ver que seu marido não estava com ele, a frustração de Carrie, que havia muito fervilhava, por fim chegou à ebulição.

"Você mentiu para mim esse tempo todo", gritou ela. "Nada do que você diz acontece!"

"Eu nunca menti para você", disse Holmes com calma.

"Não vou mais aceitar isso", berrou ela. "Vou para Indianápolis ver meus bebês!"

"Eles não estão mais em Indianápolis." Holmes contou que os transferira para uma casa em Toronto, alugada de uma "solteirona". Era lá que estivera na semana anterior. "Você disse que gosta de Toronto."

"Sim, eu gosto de Toronto", retrucou Carrie. "Mas não estou nem aí onde eu estou, desde que meus filhos estejam comigo."

"Bem, você estará com eles em breve."

"Como estão meus bebês?", gritou Carrie.

"Perfeitamente felizes", respondeu Holmes com sorriso. "Empolgados com a casa nova. Saíram correndo, explorando cada canto e recanto."

Holmes comprara casacos novos e pesados para Howard e as meninas, para que "não pegassem friagem". Alice se transformara em "uma jovem mulher de verdade". Ora, havia poucas noites, ela lhe preparara um jantar maravilhoso.

Carrie se tranquilizou um pouco. Ela preferiu acreditar quando ele lhe prometeu que partiria na manhã seguinte para buscar Benny em Montreal.

Naquela noite, Holmes contou a Georgiana que no dia seguinte faria uma rápida viagem de negócios para fechar os contratos de suas copiadoras. Ela deveria encontrá-lo em Lowell, Massachusetts, em uma semana. De lá viajariam para Boston e embarcariam no navio a vapor para a Europa.

Como sempre, Holmes enganou as duas mulheres. Não pretendia de forma alguma viajar de volta ao Canadá e nem sua viagem tinha a ver com a ABC Copier.

Seu destino verdadeiro era Gilmanton, New Hampshire.

Herman Webster Mudgett voltaria para casa.

O logotipo da empresa Pinkerton — o olho arregalado acima do lema "Nós Nunca Dormimos" — rendera à agência seu apelido entre os criminosos: "O Olho" (The Eye). (O termo logo se infiltraria no uso comum como gíria para qualquer detetive particular, ou *private eyes*, em inglês.)

Uma semana após ser chamado para o caso, "O Olho" encontrara o esquivo dr. Holmes.

Uma equipe de agentes da Pinkerton descobrira seu rastro em Prescott e o seguira até Ogdensburg, e então até Vermont. Teria sido simples prendê-lo em

Burlington. Contudo, esperavam que ele os levasse a outros conspiradores do golpe do seguro e, por isso, os detetives decidiram vigiá-lo por algum tempo.

Eles o seguiam quando Holmes apareceu na soleira da porta dos pais no dia 8 de novembro.

Ao verem o terceiro filho, que não viam havia mais de sete anos, Levi e Theodate Mudgett — pessoas que frequentavam a igreja, bem versadas nas escrituras — devem ter se lembrando da parábola do Filho Pródigo. O próprio Holmes, que mais tarde escreveu a respeito da reunião nos termos mais dramáticos, preferia outra analogia bíblica, comparando-se a Lázaro voltando dos mortos.

Holmes passou a semana seguinte revisitando seus refúgios de infância. Para os pais e irmãos, contou mentiras extravagantes sobre sua vida. Em algum momento, também viajou a Tilton para ver a esposa e o filho de 13 anos que abandonara.

A reunião com Clara Lovering Mudgett, que permanecera fiel ao marido e nunca duvidou que um dia voltaria para ela, foi uma experiência emocionante para Holmes. Comovido por sua devoção, jurou: mesmo que em breve partisse de novo, para urgente viagem de negócios, voltaria em abril, para ficar. Havia, porém, uma pequena questão que ele se sentia moralmente obrigado a revelar. Era vergonhoso, mas precisava admitir: pouco menos de um ano antes, por acidente se casara com outra mulher.

A história que contou para Clara foi ultrajante, mesmo para os padrões mitomaníacos de Holmes. No ano anterior, alegou, tivera ferimentos graves em descarrilamento no oeste e foi levado, inconsciente, para um hospital próximo. Assim que acordou, ficou surpreso ao descobrir que todas as lembranças de seu antigo eu tinham sido obliteradas.

"Quem eu era, nome, ocupação, lar, pais, amigos — a lembrança de tudo me escapou. Na noite do acidente, uma cortina fora puxada entre mim e o passado, e todo o conhecimento do meu eu anterior varrido para o esquecimento."

Enquanto jazia nesse estado amnésico, recebeu a visita da benemérita do hospital — "mulher linda e rica, que levava flores para os doentes e lia livros para nós, e com voz gentil procurava trazer alegria para dentro das enfadonhas alas hospitalares". Essa mulher bondosa — cujo nome era Georgiana Yoke — se apaixonara por ele, e ele por ela. Tão logo convalesceu, se casaram.

Muito comovida pelo constante sofrimento de seu novo marido, conforme ele "se empenhava em vão para recuperar os fios das lembranças" de seu passado, Georgiana afinal conseguira um "excelente cirurgião", responsável por uma "operação maravilhosa" no cérebro de Holmes. Ao emergir do éter, sua "memória, feito uma torrente, voltara e, para meu indescritível horror, me dei conta do erro que cometi ao me casar com aquela doce mulher que cuidara de mim enquanto jazia indefeso e doente no hospital. Pois foi só então que me lembrei ser um homem casado, e que minha esposa verdadeira era você, querida Clara."

É mais uma marca do extraordinário poder de persuasão de Holmes que Clara tenha engolido essa mentira deslavada, ainda que a reação dela não tivesse muita relevância para Holmes, visto que não intencionava vê-la — ou a qualquer outro membro de sua família — outra vez.

De certa forma, a enorme mentira que Holmes contara a Clara continha uma verdade simbólica a respeito de sua conexão com o passado. Caricatura grotesca das características norte-americanas, ele se tornara a concretização assustadora das possibilidades mais patológicas da cultura: Holmes se reinventara tantas vezes que nem mesmo ele era capaz de se lembrar de todas as suas identidades. Após uma semana na casa de sua família, estava pronto para deixar para trás sua vida anterior para sempre.

No dia 15 de novembro, alugou uma carruagem para levá-lo a Boston e se despediu do passado sem derramar uma lágrima.

Seu passado imediato, contudo, o alcançava bem depressa. De fato, quando chegou em Boston, ele sabia que alguém o seguia.

Alugou quarto na Adams House, e logo escreveu uma carta para Carrie, orientando-a a se encontrar com ele em Lowell daqui uma semana. Antes de deixar Burlington, contudo, havia uma pequena tarefa que ela precisava executar.

Por motivos complicados demais para explicar por carta, ele guardara uma garrafa com produto químico caro atrás do depósito de carvão da casa dela. Desde então se deu conta de que a garrafa poderia danificar-se onde estava. Assim que Carrie terminasse de ler — e depois destruir — aquela carta, deveria retirar a garrafa do porão, levá-la ao sótão e escondê-la em lugar seguro até Holmes poder pegá-la.

Enquanto esperava a tinta na carta secar, Holmes se lembrou do nervosismo ao transportar a garrafa embrulhada em um pano até a casa na Winooski Avenue e o alívio ao se livrar dela afinal.

Então, lamentou não estar presente para testemunhar os fogos de artifício de quando Carrie subisse os três lances oscilantes de escada com a garrafa de 30 ml de nitroglicerina, saiu às pressas para postar a carta e começar a ronda pelos escritórios que administravam os navios a vapor.

• • •

Na sexta-feira, 16 de novembro, John Cornish, chefe da Pinkerton de Boston, convocou reunião urgente com Orinton M. Hanscom, superintendente-assistente da polícia, ele mesmo antigo agente da Pinkerton. Holmes estava para deixar o país. Era hora de a lei agir.

Por volta das 15h do dia seguinte, Holmes, que se mudara para um quarto no número 40 da Hancock Street, se viu cercado por quatro policiais ao sair da pensão. Ele se entregou sem resistir.

Ainda que a prisão de Holmes tenha sido fonte de enorme satisfação para os Pinkerton — outra condecoração na parede da agência —, não imaginavam que golpe de sorte fora de fato. À época, consideravam Holmes o cérebro por trás de um esquema insidioso e singular. Apenas mais tarde a enormidade completa de seus crimes se tornaria aparente.

Às suas outras conquistas — recuperar uma obra de arte de Gainsborough após busca incansável de vinte anos; frustrar um plano para assassinar Abraham Lincoln; a destruição da rede de espionagem mais ativa dos Confederados; e muitas outras — os Pinkerton acrescentariam outro feito célebre: a captura do homem que logo ganharia infâmia ao redor da nação como "o criminoso mais ignóbil da época".

Pinkerton e Lincoln

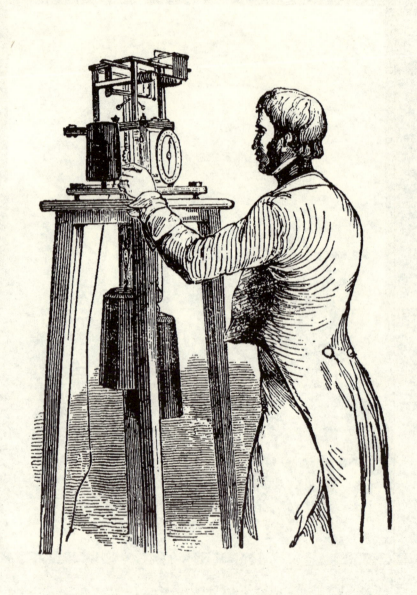

CRIME SCENE: PROFILE

MENSAGEM SOMBRIA

31. MORBID MESSAGE

> Foi ordenado no início do mundo que certos
> sinais pressagiassem determinados eventos.
> — CÍCERO, *De Divinatione* (Sobre a Adivinhação) —

O fio do telégrafo esticado acima do telhado da casa não tinha incomodado muito Linford Biles. Mas quando a empresa de telefonia acrescentou o segundo fio a poucos centímetros do primeiro, começou a ficar irritado. E com toda razão. Sempre que um vento mais forte soprava e fazia com que os fios se tocassem, faíscas voavam sobre as telhas.

Ainda assim, Biles não era homem de causar confusão. Aos 64 anos, passara grande parte da vida como leal e resignado tesoureiro da Atlantic Oil Refining Company da Filadélfia. Embora seus dois filhos adultos — que viviam com o pai enviuvado em sua modesta casa na Tasker Street — o incitassem repetidas vezes a notificar a prefeitura, Biles não queria saber daquilo. Nem mesmo depois do acidente.

Aconteceu no sábado, 17 de novembro — mesmo dia da prisão de H. H. Holmes em Boston. Alguns trabalhadores seguiam para seus lares naquela tarde tempestuosa depois de um dia de trabalho na refinaria de petróleo em Point Breeze e avistaram labaredas em uma das casas alinhadas ao longo da Tasker Street, entre a Décima e a Décima Primeira. Perceberam ao correr em direção às chamas que dois fios elétricos acima do telhado do número 1031 se enroscaram, e choveram faíscas em cima das trepadeiras que cresciam ao longo do lado sul da casa. As faíscas incendiaram as trepadeiras e quando os trabalhadores chegaram, o fogo subia depressa na direção do telhado.

Enquanto um dos homens corria até o alarme de incêndio mais próximo, os outros gritaram. Em poucos instantes, a rua estava cheia de pessoas. A brigada de incêndio respondeu com velocidade admirável. Antes de qualquer dano significativo acontecer à casa, as chamas foram extintas e os fios faiscantes separados. Linford Biles perdeu grande parte da trepadeira, mas ao menos a propriedade passou incólume.

No meio da multidão que observava a tragédia por pouco evitada havia uma idosa chamada Crowell. Enquanto fitava os fios "cuspindo feito demônios" no ar, estranha convicção a dominou: a seus olhos, o fogo se parecia menos com acidente e mais com um portento — uma "mensagem sombria", "aviso maligno".

Algo ruim estava a caminho, a sra. Crowell tinha certeza. E viria atrás de Linford Biles.

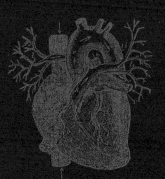
HUMAN HEART.

BACK MUSCLES.

PARTE 04

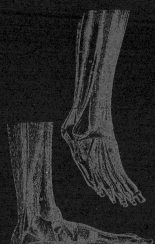
SIDE MUSCLES.

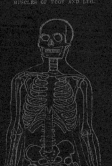
MUSCLES OF FOOT AND LEG.

HAND AND WRIST.

VEINS OF THE BODY.

locked the doors of the office, and my first intention was to dispose of the body to a Chicago medical college, from one of whose offices I had previously obtained dissecting material, as they believed, but in reality to be used in insurance work.

I found it difficult—if not impossible—to thus dispose of it, and was directed to call upon a person to whom I sold bodies, and whose name I withhold, but which I have confided to parties in whom I have confidence. To him I sold this man's body, as well as others at later dates; in short, in this writing, in each instance, when the manner of the disposal of their remains is not otherwise specified, it will be understood that they are turned over to him, he paying me from $25 to $45 for each body, and right easily could he, during the recent investiga-

A TRAP IN A CLOSET.

GAS TANK AND

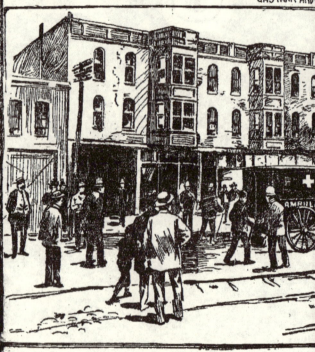

DISCOVERY OF THE BONES.   HOLMES CASTLE.

HOLMES CASTLE INSIDE AND OUT, WHERE MAN

ons, have gone from room to room in the building, when each was more or less growingly familiar to him. It is not necessary for me to add that the efforts of his friends shield him, when it became evident that had talked too freely for his own safety,

ing that she had left Chicago for a Western State and should not return.

A few months ago, the prosecution believing from certain letters purporting to have been written by her, that she was alive, showed me their willingness to give me a

fruit and confectionery store, and once with me I compelled her to live there for a time, threatening her with death if she appeared before my customers. A little later I killed her by administering ferrocyanide of potassium.

Latimer ende away the sol unaided finge

The succee Anna Betts posely substi

APRIL 12, 1896.

at the Castle drug store, should be considered by the authorities if they are still inclined to attribute this death to causes that reflect on Miss Betts's moral character.

Murder Merely an Incident.

The death of Miss Gertrude Connor, of Muscatine, Iowa, though not the next in order of occurrence, is so similar to the last that a description of one suffices for both, save in this respect. Miss Connor left Chicago immediately, but did not die until she had reached her home at Muscatine. Perhaps these two cases show more plainly than any other the light regard I had for the lives of my fellow-beings.

The next death as that of a man named Warner, and here again a very large sum of money was realized, which, prior to his death, had been deposited in two Chicago banks, nearly all of which I secured by means of two checks made out and properly signed by him for a small sum each. To these I later added the word "thousand" and the necessary ciphers, and by passing them through the bank where I had a regular open account, I promptly realized the money, save a small amount not covered by the checks, in the Park National Bank, northwest corner of Washington and Dearborn streets, in that city.

It will be remembered that the remains of a large kiln made of firebrick were found in a basement. It had been built under Mr. Warner's supervision for the purpose of exhibiting his patents. It was so arranged that in less than a minute after turning on a jet of crude oil, atomized with steam, the entire kiln would be filled with tent. In a short time not even the bones of my victim remained. The coat found underneath the kiln was the one he took off before going therein.

A Banker Robbed and Slain.

In 1891 I associated myself in business with a young Englishman, who, by his own admissions, had been guilty of all other forms of wrong-doing save murder, and presumably of that as well, to manipulate certain real estate securities we held, so as to have them secure us a good commercial rating. It was an easy matter for him, and he was equally able to interest certain English capitalists in certain patents, so that it seemed that in the near future our greatest concern would be how to dispose of the money that seemed about to be showered upon us. By an unforeseen occurrence our rating was destroyed, and it became necessary to at once raise a large sum, and this was done by enticing to Chicago a wealthy banker named Rogers from a Wisconsin town, in such a manner that he could have left no intelligence with whom his business was to be. To bring him to the castle and within the secret room, under the pretence that our patents were there was easy, much more so than to force him to sign checks and drafts for $70,000 which we had prepared. At first he refused to do so, stating that his liberty that we offered him in exchange would be useless to him without his money and that

he was too old to again hope to make another fortune.

Finally, by alternately starving him and nauseating him with the gas, he was made to sign the securities, all of which were converted into money, and by ——'s skill as a

that these deaths may be more fully understood it is necessary for me to state that what has been said by Miss Williams's Southern relatives, regarding her pure and Christian life should be believed, also that prior to her meeting me in 1893, she was a virtuous woman, thus rendering truthful the statement of Mr. Charles Goldthwait of Boston, that he had never known her other than as an intimate friend of his wife's, and that in June, 1893, he did not wire her a considerable sum of money to Chicago, in response to a demand for the same from her; that she was not temporarily insane at a hotel opposite the Pullman building, Chicago, May 20 to 23, 1893; was not a little later secluded in the Baptist Hospital in Chicago, under the name of Mrs. Williams, and still later in a retreat at Milwaukee, and that she did not kill her sister and threaten to kill her nurse who had her in charge at No. 1220 Wrightwood avenue, Chicago.

All these statements it gives me a certain amount of satisfaction to retract, thereby undoing, so far as I can, these additional wrongs I have heaped upon her name. I first met Miss Williams in New York in 1888, where she knew me as Edward Hatch, and later under the same name in Denver, as has been testified to by certain young women who recognized my photograph. Early in 1893 I was again introduced to her as H. H. Holmes. She applied for a position as a stenographer. Soon after entering my employ I induced her to give me $2,500 in money, and to transfer to me by deed much Southern real estate, and a little later to live with me as my wife; all this being easily accomplished owing to her innocent and childlike nature, she hardly knowing right from wrong in such matters.

Thereafter I succeeded in securing two checks from her for $2,500 each, and I also

learned that she had a sister, Nannie, in Texas, who was an heir to some property I induced Miss Williams to have her come to Chicago on a visit. Upon her arrival I met her at the depot and took her to the Castle, telling her Miss Williams was there.

STOVE AND CREMATION SAFE.   THE GAS TANK.

IS VICTIMS WERE MURDERED. Copyrighted by Leslies' Weekly, 1895.

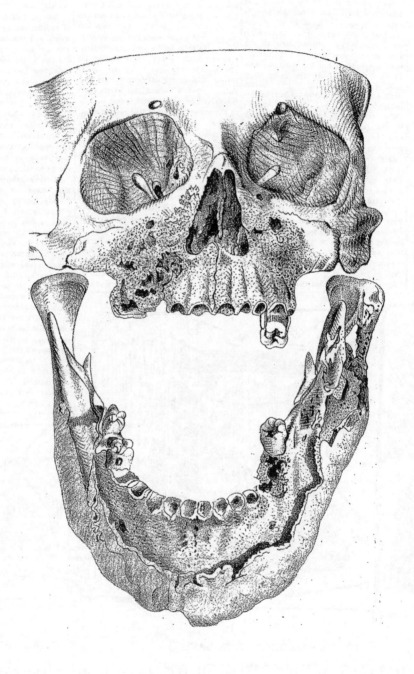

CRIME SCENE: PROFILE

PRIMEIRA CONFISSÃO

32. THE FIRST CONFESSION

A verdade existe, apenas a mentira precisa ser inventada.
— GEORGES BRAQUE —

Desde o início, o caso Holmes ganhou as primeiras páginas dos jornais, não apenas nas cidades de seus maiores crimes — Filadélfia e Chicago —, mas também por todo o país. Sem dúvida, a cobertura inicial foi escassa se comparada ao circo da imprensa ainda por vir. Mas em uma era obcecada por maquinadores que queriam enriquecer depressa, Holmes se tornou uma sensação da noite para o dia — "aventureiro" (como um jornal o descreveu apenas alguns dias depois de sua prisão) "cujas ações o transformam em rival formidável dos personagens mais cruéis jamais retratados na ficção".

De Nova York a São Francisco, toda a nação pareceu dominada pelo poderoso fascínio do desonesto dr. Holmes. E no começo — antes que o horror e o ultraje o subjugassem — tal fascínio foi temperado por admiração relutante pela absoluta audácia do homem.

A ousadia esteve exposta por completo desde o primeiro dia de sua captura. Levado direto para a sede da polícia de Boston, Holmes foi conduzido ao escritório do superintendente-assistente Hanscom, que lhe informou ter sido apreendido por mandado de Fort Worth, Texas. A acusação era roubo de cavalos. Por um instante, Holmes precisou lutar para manter o sangue-frio, visto que a perspectiva de cumprir pena em uma prisão texana o enchia de pavor. Mas recobrou a frieza em seguida, quando O. LaForrest Perry adentrou a sala.

Mesmo depois de convocar os Pinkerton, os principais investigadores da Fidelity, incluindo Perry, deram continuidade ao trabalho de investigação. Auxiliados pelo major James E. Stuart do U.S. Postal Inspector Service,[1] rastrearam inúmeras cartas de Holmes para Burlington. Perry logo pegou um trem para Vermont. Ao longo do caminho, recebeu notícias de que um casal parecidos com Holmes e a sra. Pitezel foram vistos na cidade de Nova York, e se registraram em um hotel elegante no centro.

Após rápida mudança nos planos de viagem, Perry seguiu para Manhattan e chegou no hotel ao cair da noite. Informado pelo recepcionista de que o casal em questão fora ao teatro, Perry sentou-se no saguão. Quando os suspeitos retornaram, algumas horas depois, contudo, logo percebeu que seguira pista falsa.

Exausto e desanimado, voltou à Filadélfia para um descanso muito necessário. Tão logo chegou em casa, recebeu mensagem do escritório dos Pinkerton em Boston — Holmes fora seguido até lá. Perry sentiu-se revigorado no mesmo instante e voltou a embarcar em um trem. Chegou pouco depois de a polícia cercar Holmes e o levar à sede.

Assim que Holmes viu Perry, meio se levantou da cadeira, estendeu a mão direita e cumprimentou o homem da seguradora, cordial.

"Acredito que sei pelo que estou sendo procurado de *verdade*", disse em tom de alívio quase palpável. Preferia mil vezes a hospitalidade do sistema carcerário da Pensilvânia à sentença na penitenciária do Texas ("Não gostaria de ir para Fort Worth cumprir pena", confidenciou a um conhecido. "Prefiro ficar aqui na Filadélfia cinco anos do que um por lá"), Holmes não estava apenas preparado, mas bastante ansioso para confessar a fraude do seguro. Hanscom e John Cornish fazia as perguntas e Perry observava, foi desse modo que Holmes ofereceu sua primeira — mesmo que em grande parte inventada — confissão.

Sob o olhar severo dos captores, Holmes assumiu aparência de sinceridade e cooperação profundas. Olhava os interrogadores nos olhos, respondia de um modo franco e cavalheiresco, o que passava a impressão de honestidade absoluta. Quando as circunstâncias exigiam, também era capaz de recorrer a lágrimas de tristeza, pena ou remorso.

Seu estilo foi muito bem descrito por um indivíduo que teria muitas oportunidades de observar Holmes em ação ao longo dos meses seguintes. "Ao falar", escreveu, "ele tem a aparência de candura, se torna quase patético em momentos em que a compaixão lhe serve melhor, pronuncia as palavras com tremor na voz, quase sempre de olhos marejados, em seguida retorna depressa a um modo de falar determinado e contundente, como se a indignação ou a resolução tivesse surgido de lembranças afetuosas que tocaram seu coração."

---

[1]   Ramificação da força policial norte-americana responsável pela proteção e pelo apoio ao serviço postal dos Estados Unidos, que o resguarda, e a seus clientes, do uso ilegal e/ou perigoso do sistema postal. [NT]

Holmes logo admitiu que ele e Pitezel conspiraram para aplicar um golpe de 10 mil dólares na Fidelity Mutual. Insistiu, contudo, que o cadáver do número 1316 da Callowhill não era de Pitezel, mas um corpo fornecido por um médico da cidade de Nova York — velho camarada da escola de medicina que também conspirara com Holmes antes em outras fraudes de seguros.

Holmes acondicionara o cadáver em um baú, providenciou que fosse enviado para a Callowhill Street, então correu de volta à Filadélfia. Depois de entregar o recibo para Pitezel, Holmes de imediato deixara a cidade outra vez, não sem antes instruir de maneira explícita ao parceiro para forjar a explosão acidental assim que o cadáver chegasse.

Pitezel, em resumo, estava bastante vivo. Holmes o tinha visto em diversas ocasiões desde aquela época — em Cincinnati e Detroit —, ainda que estivesse um pouco confuso com as datas.

Os interrogadores de Holmes estavam, claro, muito ansiosos para saber o nome do médico que providenciara o corpo, mas ele se recusou terminantemente a trair seu cúmplice, mesmo com o risco de atiçar a ira deles.

"Não tenho a intenção de ser seu antagonista, em absoluto", desculpou-se. "Mas, por ora, prefiro não responder essa pergunta."

Seus motivos, fez seus captores compreenderem, eram puro altruísmo. Seu amigo, afinal de contas, tinha reputação imaculada, e um escândalo como aquele seria o fim de sua carreira. Ao mesmo tempo, Holmes admitiu: "Ele é um homem tão bem de vida agora, que se minha esposa se tornar pobre caso eu seja condenado a uma pena de alguns anos, acredito que posso contar com sua ajuda".

Ao constatarem que não descobririam a identidade do médico — e por suspeitarem do verdadeiro motivo da relutância de Holmes em revelá-la (que o indivíduo não existia) —, Hanscom e Cornish se voltaram para outro assunto, ainda mais urgente: o paradeiro de Alice, Nellie e Howard Pitezel.

Para explicar as crianças desaparecidas, Holmes teceu história tão tortuosa quanto a rota que seguira ao longo das semanas em que teve os pequeninos em suas garras. De acordo com essa história, Pitezel — depois de usar o cadáver substituto para forjar a própria morte — fugira para Cincinnati e se escondera em um hotel. Holmes, enquanto isso, viajara de volta a St. Louis, pegara Nellie e Howard com a mãe das crianças, depois buscara Alice em Indianápolis, levara as três crianças para Cincinnati e acomodara-as em um hotel. Carrie e o restante dos filhos deveriam segui-los alguns dias depois. Nesse ínterim, Holmes alugaria uma casa onde ela e o marido pudessem se rever com privacidade antes que Ben partisse para o sul, para esconder-se durante o inverno.

Mesmo condescendente, Carrie fora inflexível em relação a um ponto. Por ora, pelo menos, as crianças — que acreditavam de verdade na morte de seu pai — deveriam continuar sem saber de nada. Ela temia que, se descobrissem a verdade, poderiam abrir o bico e entregar o jogo. Carrie foi enfática a esse respeito: se os pequeninos descobrissem que Ben estava vivo, o acordo seria cancelado. Ela estaria fora do esquema — "jogaria a toalha", como Holmes contou.

Holmes respeitou a posição de Carrie. Afinal de contas, como contou a Hanscom, "Você não pode confiar que crianças de 10 ou 11 anos vão esconder os fatos — evitar que conversem entre si ou na frente de estranhos". Mas, pouco depois de sua chegada a Cincinnati, um incidente muito lamentável aconteceu. O problema resultou da terrível solidão de Ben Pitezel, combinada com sua predileção pela bebida.

Assim que Holmes terminou de registrar Alice e seus irmãos no hotel, visitou Pitezel, que, sem dúvida alguma, passara as últimas vinte e quatro horas na companhia calorosa da garrafa de uísque. Sob o questionamento insistente — mesmo que confuso — de Ben, Holmes fizera a tolice de revelar o paradeiro dos três pequeninos.

Logo no dia seguinte, enquanto Holmes visitava as crianças, a porta escancarou-se de repente. As crianças viram, então, embasbacadas, seu pai, de olhos marejados, que parecia ressurgido do túmulo (onde, ao julgar pelo cheiro, tinha sido preservado em álcool). Ele tropeçou para dentro do quarto de hotel, choramingou as saudades que sentia delas — e estragou o plano por completo.

Assim que Pitezel ficou sóbrio, Holmes — irritado tanto consigo mesmo quanto com seu parceiro dipsomaníaco — explicou em detalhes o dilema em que estavam. A promessa que fizera a Carrie — de que as crianças continuassem na ignorância sobre a condição do pai — tinha sido quebrada. A única solução, até onde os dois homens conseguiam ver, era manter Carrie afastada das crianças para que não descobrisse o que tinha acontecido.

No dia seguinte, Pitezel partiu para Detroit com o pequeno Howard a reboque. Holmes o seguiu pouco tempo depois com Alice e Nellie. Para confundir qualquer perseguidor, disfarçou a menina mais nova de menino.

Pouco depois de chegar a Detroit, Holmes recebeu mensagem alarmante de um colega de negócios de Chicago. Uma dupla de policiais de Fort Worth bisbilhotaram pela cidade e perguntaram sobre Holmes e Pitezel. Claro, a lei estava bem no encalço e poderia rastreá-los até Detroit a qualquer momento. Sem nenhum tempo a perder, Holmes entregou as duas meninas para o pai, que de imediato se escafedeu para a cidade de Nova York, com plano de embarcar em um navio a vapor para a América do Sul. Se não conseguisse comprar passagens logo, pretendia levar as crianças para Key West de trem.

"Então você acredita que ele e as crianças estão vivos e bem?", perguntou Hanscom.

"Sim, senhor", respondeu Holmes.

"Você tem bons motivos para acreditar nisso?"

"Sim, senhor." Holmes não podia dizer com precisão seu paradeiro — se América do Sul ou Flórida —, mas sabia sem dúvida que todos os quatro estavam, naquele exato momento, vivendo em algum clima ensolarado.

Cornish e os outros trocaram olhares de evidente ceticismo. Após esclarecerem alguns pontos a respeito da extensão da cumplicidade de Carrie Pitezel na fraude — e do último esforço infrutífero de extrair o nome do vendedor de cadáveres —, Cornish deixou claras suas dúvidas.

"Devo lhe dizer", avisou, "que a não ser que Pitezel apareça vivo, devemos considerá-lo morto."

"Compreendo", disse Holmes, "e é por isso que digo que não me importo que Pitezel seja logo trazido à Justiça. É quase minha obrigação fazer isso para me proteger. Não é como se eu quisesse traí-lo, de forma alguma."

"Você entende que, de qualquer forma, haverá um confinamento para acompanhar essa confissão?", perguntou o superintendente-assistente Hanscom.

"Com certeza. Pedi para minha esposa — implorei — que fosse embora e largasse tudo porque eu esperava cumprir pena na penitenciária."

"Com certeza", disse Hanscom com sorriso malicioso, "é preferível para você não ser preso pelo crime mais grave."

"Sem dúvida, não quero ser detido por assassinato. Embora seja bastante ruim em relação a pequenas coisas, não sou culpado disso."

Talvez o aspecto mais notável dessa confissão seja a reação de Hanscom e Cornish. Apesar dos modos diretos e persuasivos, sua explicação para o paradeiro das crianças tinha as características óbvias de improvisação desesperada. Não obstante, seus questionadores pareceram menos preocupados com o destino derradeiro de Alice, Nellie e Howard do que com o de Pitezel. Hanscom e seus colegas continuavam a acreditar que Holmes, mesmo com todas as suas alegações de inocência, dera cabo do parceiro. Mas a ideia de que algo terrível pudesse ter acontecido com os pequeninos não parece ter cruzado suas mentes, porque essa simples noção era ultrajante demais. Afinal de contas, apenas uma criatura desprovida de toda a sanidade ou sentimentos seria capaz de assassinar crianças indefesas. E Holmes, ainda que fosse um patife confesso, não era um demente ou demônio.

Ou era isso que pensavam na ocasião.

Holmes, é claro, não era o único que a polícia queria interrogar. Mesmo enquanto o interrogatório era conduzido, um agente dos Pinkerton chamado Lane — disfarçado como mensageiro de Holmes — estava em Burlington, com carta para Carrie Pitezel. A carta, na verdade uma isca, redigida por Holmes, mas ditada por Hanscom, instruía Carrie a levar Dessie e Wharton a Boston de imediato.

Tivesse o plano de Holmes contra os Pitezel restantes sido bem-sucedido, Lane não teria encontrado nada no número 26 da Winooski Avenue a não ser escombros fumegantes. Mas Carrie suspeitou do vidro cheio de líquido escondido em seu porão. Em vez de transferi-lo para o sótão, como Holmes a instruíra, ela o levou com cuidado para os fundos e o enterrou no quintal.

Acompanhados de Lane, Carrie e os filhos viajaram para Boston, onde foram recebidos na estação por outro dos pretensos cúmplices de Holmes — na verdade, o inspetor Whiteman da polícia de Boston. Os homens colocaram Carrie e os filhos em uma condução até a sede da polícia. Quando a verdade de sua situação por fim se tornou aparente, ela desmaiou de choque. Voltou a si alguns instantes depois, apenas para irromper em choro tão histérico que parecia estar à beira de colapso nervoso. Prisão e confinamento — e sua resultante desgraça — eram a realização de seus piores medos. Naquele instante, não poderia imaginar que pesadelos ainda piores a aguardavam.

A primeira confissão de Carrie, feita na segunda-feira, 19 de novembro, continha boa quantidade de invencionices. Seus interrogadores suspeitavam disso. Mas compreenderam que suas mentiras eram o produto do pânico e do medo — não (como no caso de Holmes) obra de desonestidade inveterada.

Questionada a respeito de sua participação na fraude do seguro, Carrie negou terminantemente ter qualquer conhecimento do esquema. Até onde sabia, seu marido tinha viajado para a Filadélfia para conduzir um negócio legítimo sob o nome Perry. Ao ler que o cadáver de Perry fora encontrado no 1316 da Callowhill Street, de pronto supusera que Benny estava mesmo morto.

"Antes do dia em que recebeu essa notícia pela imprensa", perguntou Hanscom, "você sabia alguma coisa a respeito desse esquema?"

"Não, eles não me contaram nada sobre isso."

"Nada foi dito a você?"

"Nada."

"Isso nunca foi discutido com você?"

"Nunca."

"Você não percebeu nenhuma insinuação, nem o menor dos sinais de que isso tinha sido discutido?"

Carrie foi enfática: "Eu não tinha nenhum conhecimento do que iria ser feito."

A notícia da morte de Benny fora um golpe devastador para Carrie. Ela ainda estava abalada pelo pesar quando Holmes — ou Howard, como se chamava na época — apareceu em St. Louis uma semana depois com um anúncio espantoso.

"O que ele disse a você?", perguntou Hanscom.

"Ora, eu contei que li uma coisa no jornal sobre o meu marido e queria saber se era mesmo ele, se aquilo era verdade, e ele me disse: 'Você não precisa se preocupar com isso'."

"Ele a tranquilizou a respeito da morte de seu marido antes de ir embora, contando que não estava morto?"

"Sim."

Carrie, porém, continuou na completa ignorância a respeito do golpe do seguro. Foi apenas mais tarde, quando Holmes a levou ao escritório do advogado Howe para receber o pagamento da apólice do marido, que Carrie desconfiou. Mesmo então, contudo, apenas obedecia às instruções de Holmes e — como ela acreditava — aos desejos do marido. Em nenhum momento ela própria fora conspiradora ativa no esquema.

Se as negações desesperadas de Carrie soavam falsas para Hanscom e seus colegas, a consternação e a confusão dela em relação ao paradeiro do marido eram inequivocamente verdadeiras. Até mesmo seus interrogadores mais duros — os menos dispostos a desculpar suas mentiras evidentes — compadeceram-se pelas cruéis manipulações a que Holmes a submetera.

"Ele manteve você na estrada, não foi?", perguntou Hanscom com o tom brando e solidário de amigo compreensivo.

Carrie piscou para afastar as lágrimas, abaixou a cabeça e assentiu.

"Sim", respondeu, a voz pouco mais que um sussurro.

"Eu gostaria de lhe fazer uma pergunta direta", continuou Hanscom. "Você acredita agora que seu marido está vivo?"

Carrie olhou depressa para ele.

"Bem, deve haver alguma verdade nisso", respondeu ela, em tom que expressava mais esperança do que convicção. Um instante depois, seus ombros cederam. "Tenho certeza de que não poderia jurar, pois não sei se de fato está vivo. Tudo o que sei é o que vocês me contaram e o que Howard me contou, e é isso."

"Mas ele manteve você viajando de um ponto a outro", repetiu Hanscom. "Gostaria que você me falasse sobre isso com suas próprias palavras."

Carrie exalou um suspiro trêmulo.

"Bem, fui levada pra cá e pra lá. Estou arrasada, é isso."

"Sim, eu sei", comiserou-se Hanscom. "Sentimos muito." E fez uma pequena pausa antes de continuar: "Você poderia me contar sobre as paradas da sua viagem na ordem em que aconteceram, e por onde esteve viajando desde que saiu de casa?"

Carrie fechou bem os olhos, como se estivesse tentando repassar a rota em sua mente.

"Saí da casa dos meus pais para Chicago, de Chicago a Detroit, e dali para Toronto, e então para Ogdensburg, e fui para Burlington."

"Você confiou em Howard durante todo esse tempo, que por fim iria levá-la ao seu marido?"

"Eu achei que sim."

"Sua confiança alguma vez fraquejou?"

A voz de Carrie se tornou tão frágil como de criança.

"Bem, às vezes pensei estar sendo enganada ou algo assim."

Sua maior preocupação no momento era a localização atual de seus três filhos. Carrie explicou que não via Alice desde setembro, quando a menina viajara para a Filadélfia na companhia de Howe.

"Quem é esse?", interrompeu Hanscom.

"Ele é o advogado, o procurador."

Hanscom lançou um olhar para Cornish, que abriu o bloco de anotações e rabiscou o nome.

"Um homem de St. Louis?", perguntou Hanscom.

"Sim, senhor."

"Você sabe onde em St. Louis fica o escritório dele?"

"Bem, fica no Prédio Comercial."

Hanscom olhou para Cornish, para se certificar de que ele anotara a informação e voltou ao assunto dos filhos desaparecidos de Carrie.

"Você deixou os outros dois sob a custódia de quem?"

"Ele levou os outros dois. Quer dizer, Holmes os levou de St. Louis para onde Alice estava."

"Qual foi o motivo para ele levá-los? Qual a razão que ele deu?"

"Ele disse que os levaria para lá e eu poderia ir para casa e fazer uma visita para os meus pais, e sem ter o trabalho de cuidar deles, porque meus pais têm idade avançada, e ele levaria as crianças, e então poderia ir para lá quando a visita tivesse acabado."

"Ele os estava levando para se encontrar com Alice?"

"Sim, senhor."

"E todos ficariam com uma viúva?"

"Sim."

"Ele lhe deu o nome dessa senhora?"

"Não, senhor, eu disse que ele não me deu."

Hanscom franziu os lábios, frustrado.

"Desde então, ele chegou a lhe contar que estavam com o pai?", continuou depois de um instante.

"Não, senhor, ele me disse que os levou para Toronto, é só isso que eu sei."

"Você presumiu que estavam lá?"

Carrie assentiu.

"Em Toronto."

"Com amigos dele, ou com quem você acha que eles estão? Seu marido?"

"Não. Ele disse que ficariam com alguns amigos dele lá. Não sei se ele fez isso."

Hanscom encarou Carrie. Suas respostas pareciam tão evasivas que teve certeza de que faltava alguma coisa. Era inconcebível para ele que uma mãe despachasse três de seus filhos com alguém — ainda mais uma pessoa como Holmes — sem saber fatos tão básicos como aonde iam, quanto tempo ficariam e quem cuidaria deles.

"Acreditamos que esse homem seja muito mau", disse Hanscom sombrio depois de um instante, "e queremos descobrir a verdade."

"Bom, isso é tudo o que sei", exclamou Carrie. "Não posso contar mais nada porque eu não sei!"

"Você não achou que essas crianças iriam se juntar ao pai?"

"Não, senhor", respondeu Carrie com tristeza.

"São um menino e duas meninas?"

"Quem foi que lhe contou isso?", perguntou Carrie, o lábio inferior tremendo.

"Conversamos com ele", informou Hanscom em voz baixa. "Não estamos fazendo nada para você se sentir mal. Só tentamos obter os fatos e examiná-los. Ele a mantém viajando pelo país de um lugar a outro, e você parece ter passado por muita coisa. Queremos todos os fatos possíveis. Não acreditamos nesse homem. É por isso que fazemos todas essas perguntas."

De repente, Carrie agarrou a manga de Hanscom com a mão direita.

"Você sabe onde meus filhos estão?", perguntou, desesperada.

Hanscom fez que não com a cabeça, cheio de tristeza.

"Essa é uma das coisas que queremos descobrir. Queremos encontrá-los tanto quanto você. Na verdade, podemos dizer que todas essas perguntas feitas agora sobre as crianças são de seu interesse."

Mas Carrie não prestava mais atenção. Curvou a cabeça, fitou o chão com olhos vazios e disse, com voz fraca e desamparada: "Pensei que talvez fosse ver meus filhos aqui".

O interrogatório terminou logo depois. Carrie foi informada de que seria detida sob a acusação de cumplicidade. Aterrorizada e desamparada, implorou que deixassem seus filhos passarem a noite com ela. Visto que a polícia não tomara providências para Dessie e o bebê, concordaram.

Quando Carrie se levantou, descobriu que quase não podia ficar de pé, quanto mais andar. Hanscom acenou para um de seus subordinados.

Sustentada por um policial robusto e acompanhada da filha adolescente e do bebê, a mulher abalada foi conduzida às Catacumbas.[2]

---

2   *The Tombs* no original. Apelido para a prisão da cidade. [NT]

Frank Geyer e Pinkerton

CRIME SCENE: PROFILE

GOLPE MORTAL

33. FATAL BLOW

Exceto por aquela expressão natural de vilania que todos nós temos, o homem parecia ser bastante honesto.
— MARK TWAIN, *O Estranho Misterioso* —

Ainda que levasse meses até o mundo descobrir a verdadeira extensão da degenerescência de Holmes, sua prisão já era considerada um triunfo da lei. Nos dias seguintes a sua captura, a imprensa esbanjou elogios para todas as partes envolvidas, desde os investigadores da seguradora até os policiais de Boston, pelo que o *Philadelphia Inquirer* descreveu como "o sistema tentáculos de polvo da Agência de Detetives Pinkerton".

Outras partes, enquanto isso, estavam ansiosas para receber parte dos créditos. Dentre aqueles dando tapinhas nas próprias costas estava o presidente da Fidelity Mutual, L. G. Fouse, que não perdeu tempo em mudar seu papel de participante estabanado para estrela da história. Entrevistado pelos repórteres no dia 18 de novembro, Fouse declarou — longe de ter sido enrolado por Holmes — ter "farejado algo errado desde o início" e que estivera "determinado a lançar todos os obstáculos legítimos no caminho da liquidação da apólice".

De acordo com a versão revisada de Fouse, ele enxergara a impostura de Holmes na hora. Foi Jeptha Howe que o enganara ao tirar proveito da bondade excessiva de Fouse.

"Se havia alguém no mundo determinado a desarmar um homem, essa pessoa era Howe", declarou Fouse. "Sujeito inocente, de aparência jovial, rosto franco e honesto. Quando comecei a questioná-lo, apelou para o meu lado mais brando. Disse-me que eu era homem experiente nesses assuntos, e ele apenas um novato na advocacia, e implorou que não o impedisse em seus esforços de ser bem-sucedido."

Mesmo assim, Fouse, com seu faro apurado para tramoias, mandara que seus homens investigassem Howe e Holmes, e "logo minhas suspeitas foram confirmadas". Daquele ponto em diante, foi apenas uma questão de tempo até que os conspiradores fossem levados à Justiça, em grande parte graças aos esforços do presidente da Fidelity Mutual, L. G. Fouse.

Na realidade, Howe ainda estava em liberdade quando da entrevista de Fouse. Porém, na segunda-feira pela manhã, 19 de novembro, um efetivo de agentes da lei — de acordo com ordem urgente emitida por Linden, superintendente da polícia da Filadélfia — apareceu no escritório de Howe no Prédio Comercial e o prendeu sob a acusação de cumplicidade. Levado à sede, Howe foi interrogado por Harrigan, delegado da polícia de St. Louis, e William E. Gary ao longo de várias horas antes de ser solto mediante fiança de 3 mil dólares.

No lado de fora do edifício, Howe foi cercado por inúmeros repórteres, que o pressionaram a fazer uma declaração.

"Vou dizer a vocês o mesmo que disse ao sr. Gary e ao delegado", declarou Howe. "Eu, em primeiro lugar, não acredito que uma fraude foi cometida. Acredito que o corpo identificado pela filha de 15 anos de Pitezel era o de seu pai. As marcas de identificação eram perfeitas. Quanto ao modo como Pitezel encontrou sua morte, não posso dizer. Mas como disse ao sr. Gary, se fraude foi cometida, estou ansioso para que seja investigada e farei tudo ao meu alcance para que o culpado seja punido. Assumi o caso de boa-fé e agi como qualquer advogado teria agido. O sr. Gary me perguntou se eu estaria disposto a devolver meus honorários para a empresa caso a fraude fosse comprovada. Disse-lhe que estaria não apenas disposto, mas que não iria sob nenhuma circunstância ficar com qualquer parte dele."

Indignado com a injustiça das acusações e com os danos ao seu nome, Howe pretendia partir de imediato para a Filadélfia a fim de provar sua inocência e redimir sua reputação.

A indignação justificada de Howe, sem mencionar sua credibilidade, foi um tanto solapada pelo delegado Harrigan, que, pouco depois da soltura do advogado, revelou publicamente o conteúdo da carta de Marion Hedgepeth, que abriu o caso em primeiro lugar. Harrigan também revelou que, de acordo com o bandido, Howe tentara "contrabandear chaves para ele e ajudá-lo a fugir em inúmeras ocasiões" — acusação confirmada pelo agente penitenciário J. C. Armstrong, que, sob juramento, declarou às autoridades de St. Louis ter sido "abordado por Jeptha D. Howe para ajudar na fuga de Hedgepeth".

Naquela mesma tarde, o tribunal do júri se reuniu na Filadélfia para ouvir o testemunho do presidente Fouse e do médico-legista Ashbridge. Às 14h, depois de concluídas as deliberações, o júri emitiu cartas de indiciamento contra Herman Mudgett, pseudônimo H. H. Holmes, sra. Carrie Pitezel e Jeptha D. Howe, acusando-os de "conspirar para roubar e defraudar" a Fidelity Mutual Life Association Company na quantia de 10 mil dólares.

Chama a atenção um nome que ficou de fora do indiciamento: Benjamin F. Pitezel. A omissão refletia a crença difundida de que, mesmo com a insistência de Holmes em afirmar o contrário, Pitezel, de fato, fora assassinado.

A partir do momento em que a história se tornou pública, o destino de Pitezel foi alvo de debates acalorados entre as autoridades e de intenso fascínio na imprensa — mistério sombrio e cativante que confundia a lei e mantinha os leitores palpitando. MISTÉRIO PITEZEL CONTINUA SEM SOLUÇÃO, proclamava o *Philadelphia Inquirer*. HOLMES MATOU PITEZEL?, perguntava o *New York Times*. POLÍCIA CONFUSA SOBRE O GOLPE DO SEGURO DE PITEZEL, apregoava o *Chicago Tribune*. Os jornais através do país tiravam proveito do melodrama, fosse como fosse, tratando o caso Holmes-Pitezel não como notícia ainda com desdobramentos, mas como folhetim de suspense, com o episódio de cada dia na primeira página.

Ainda que levasse meses até o mundo descobrir a verdadeira extensão da degenerescência de Holmes, sua prisão já era considerada um triunfo da lei.

A princípio, o consenso entre o pessoal de dentro era que o traiçoeiro Holmes assassinara o parceiro, que não suspeitava de nada. L. G. Fouse, por exemplo, insistia que os restos mortais encontrados na Callowhill eram sem dúvidas de Pitezel.

De acordo com a teoria que Fouse adiantou para os repórteres, "era a intenção original de Holmes trazer Pitezel para esta cidade [Filadélfia] e fazer com que ele alugasse os cômodos no número 1316 da Callowhill Street. Ele deveria assumir o nome B. F. Perry. Holmes, por ser farmacêutico, desfiguraria a bochecha de Pitezel para que aparentasse ter sido queimada, lhe daria uma droga para deixá-lo inconsciente e o deitaria no chão. Um cachimbo quebrado e outros artigos que forneceriam indícios de explosão seriam espalhados ao redor do cômodo. Em seguida, o médico seria chamado. O médico, claro, acharia que o homem fora vítima de acidente. Depois que o médico partisse, Pitezel seria reanimado, lavado e retirado do local de forma clandestina".

"Mas acredito", continuou Fouse, "que a última parte do esquema nunca foi realizada e que, em vez de dividir os espólios, Pitezel foi assassinado. Tenho bons motivos para pensar que o corpo enterrado na vala comum é de fato o de B. F. Pitezel." A ávida confissão de fraude por parte de Holmes, concluiu Fouse, era apenas um estratagema para "evitar a acusação ainda mais séria de assassinato".

Ashbridge, o médico-legista, também zombou da alegação de Holmes de que arranjara o cadáver em Nova York e o contrabandeara para a Filadélfia em um baú. De acordo com a confissão de Holmes, enfiara o cadáver no baú ao dobrá-lo na cintura. "Uma vez que um corpo foi dobrado, no entanto, ele não volta a ficar rígido outra vez", destacou Ashbridge — e o cadáver encontrado no endereço da Callowhill "estava estendido no chão, rígido". Além do mais, "se aquele corpo tivesse *mesmo* viajado no baú, deveria ter marcas no local da dobradura. Mas nenhuma marca assim foi encontrada".

Também havia a questão do sangue seco manchando o chão perto do cadáver. Como Ashbridge asseverou, "sangue não poderia ter sido extraído da veia de um cadáver como Holmes descreveu, a não ser com uma bomba". Por fim, o legista explicou, "se o cadáver foi obtido de um médico em Nova York, teria sido conservado em álcool. O corpo encontrado na casa da Callowhill Street não foi conservado assim".

A conclusão inevitável foi que alguém foi morto na Callowhill Street e o mais provável é que fosse Pitezel, ainda que Ashbridge não soubesse ainda dizer se a morte foi deliberada ou não. Era possível, o legista opinou, que Pitezel tivesse morrido de overdose acidental de clorofórmio, administrado "para marcar a bochecha de maneira indolor com queimaduras para ser mostradas a um médico". Por outro lado, era tão plausível quanto que, depois de nocautear Pitezel com o anestésico, Holmes se assegurasse de que seu cúmplice nunca mais fosse acordar, eliminando a necessidade de dividir o dinheiro do seguro entre eles.

Havia também, claro, uma terceira possibilidade, adiantada pela polícia de Boston — que o morto não fosse Pitezel, em absoluto, mas sim outra pessoa, atraída para a casa na Callowhill Street sob algum pretexto e então eliminada pelos dois conspiradores. Pitezel, como um dos agentes revelou aos repórteres, "era beberrão, e teria sido simples para ele escolher uma vítima dentre seus conhecidos de bar".

Essa teoria ganhou força na tarde de segunda-feira, quando L. G. Fouse recebeu telegrama de William E. Gary com a informação de que Pitezel era conhecido em Fort Worth como Benton T. Lyman e ainda poderia estar em liberdade sob esse pseudônimo.

É claro que tudo era pura especulação. Apenas uma pessoa sabia a verdade sobre o acontecido no número 1316 da Callowhill Street na manhã do dia 2 de setembro. E ele não a compartilhava.

O detetive Thomas Crawford, gabinete de polícia da Filadélfia, chegou a Boston bem cedo na segunda-feira, com mandados de prisão tanto para Holmes quanto para a sra. Pitezel, que concordou em abdicar de procedimentos de extradição formais. Às 19h30 daquela noite, os prisioneiros foram para a Filadélfia de trem na companhia de Crawford, O. LaForrest Perry e uma dupla de detetives da agência Pinkerton. Também incluídos nesse grupo estavam Dessie Pitezel, que abraçava o irmãozinho contra o peito, e Georgiana Yoke Howard, que ainda exibia aparência de lealdade conjugal, embora seu rosto tenso e seus olhos angustiados demonstrassem vergonha de forma clara.

Depois de dez meses de casamento, Georgiana afinal confrontava a amarga verdade — que sua vida com Holmes fora uma mentira completa desde o início. A polícia, que não a considerava suspeita, compreendia isso. Desde o começo, perceberam que a bonita jovem não era cúmplice de Holmes, mas sim outra de suas muitas vítimas.

Em contraste com o comportamento sisudo da esposa, Holmes — mesmo com a mão algemada ao pulso de Crawford — parecia a perfeita imagem da despreocupação. Vestido de modo impecável com belo casaco de lã, colete combinando, gravata preta com nó americano e elegantes calças cinza, entreteu Crawford a maior parte da viagem com o suposto histórico de sua carreira criminosa.

Ele nascera, crescera e fora educado em Burlington, Vermont, alegou Holmes. Depois de se formar pela Vermont University, lecionou por um tempo em Burlington e então foi estudar medicina na Michigan University, onde encontrou pela primeira vez o sujeito — à época colega estudante de medicina, agora preeminente médico em Nova York — que lhe fornecera o cadáver usado em seu golpe mais recente. A Fidelity Mutual, entretanto, não foi a primeira seguradora que Holmes defraudara. Longe disso. Ele e seu colega médico, cuja identidade ainda se recusava a divulgar, aplicaram o primeiro golpe 12 anos antes. Com grana curta, contrataram a apólice de seguro de vida para o amigo, no valor de 12.500 dólares, obtiveram um "cadáver falso" em Chicago, transportaram-no para o leste e engambelaram a seguradora.

Desde aquela época, afirmou Holmes, repetira a fraude em inúmeras ocasiões. Relatou um dos golpes a Crawford em detalhes.

Depois de assegurar sua vida no valor de 20 mil dólares, Holmes arranjou o cadáver, de maneira ilegal, com uma faculdade de medicina em Chicago, viajou para Rhode Island e alugou quarto em hotel à beira-mar. Na época, usava barba cheia e cerrada, cultivada durante 6 meses.

Ao cair da noite, Holmes deixou o hotel e anunciou ao recepcionista que estava indo nadar. Assim que ficou fora de vista, correu para o lugar isolado, a muitos quilômetros do resort, onde, na vegetação rasteira que margeava a praia, escondera o cadáver. Arrastou-o até a água, cortou fora a cabeça e arrumou o corpo mutilado para que, em suas palavras, "parecesse ter sido levado pelas ondas".

Na tarde seguinte, depois de raspar a barba, Holmes voltou disfarçado ao hotel, se registrou com outro nome e perguntou ao recepcionista se conhecia o senhor Holmes. "Sim", respondeu o recepcionista. Ele se registrara no dia anterior, mas não fora visto desde a noite, quando saiu para nadar. Uma busca foi feita e o corpo mutilado — que se presumiu ser do desafortunado sr. Holmes, que parecia ter se afogado e virado comida de tubarão — foi encontrado na praia.

"Por azar", Holmes suspirou, ao fim de seu relato, "esse golpe em particular fora por água abaixo" e foi incapaz de executar a apólice.

Tudo isso era de extremo interesse para Crawford e seus colegas, embora já conhecessem Holmes bem o suficiente para enxergar o que dizia com intenso ceticismo. A história, mesmo assim, parecia improvável ao extremo — ainda que nem tanto quanto como a parte seguinte da declamação dele. Claro, ao perceber que em breve seria suspeito de crimes mais graves, Holmes tinha uma história extraordinária para contar.

Enquanto morou em Chicago com sua segunda esposa, se apaixonou por uma linda jovem que trabalhava para ele — a datilógrafa. Logo os dois se tornaram íntimos e passaram a dividir um apartamento mobiliado na periferia da cidade.

Algumas semanas depois, a irmã mais velha da amante chegou para uma visita. Louca de ciúmes, ela logo acusou a irmã de flertar com Holmes. Certo dia, enquanto estava fora, as duas mulheres tiveram uma discussão violenta no escritório. No calor do momento, a amante apanhou um banquinho de madeira, golpeou o crânio da irmã e a matou.

"Quando voltei", continuou Holmes, "encontrei o corpo na sala. Peguei o cadáver, coloquei em um baú, amarrei-lhe algumas pedras e o afundei no lago Michigan na calada da noite. Isso aconteceu há um ano e meio. A irmã mais nova, com medo de ser presa por assassinato, ansiava escapar. Era dona de propriedade em Fort Worth no valor de 40 mil dólares. Pitezel e eu tiramos essa propriedade de suas mãos e lhe demos dinheiro para fugir do país.

"Nós então compramos cavalos, com o crédito do valor da propriedade em Fort Worth. Mas a escritura não estava certa e precisávamos de dinheiro para manter as coisas fluindo. Então nós concordamos em aplicar o golpe do seguro, e foi assim que essa encrenca começou."

Crawford meditou sobre essas informações por um instante, então perguntou se Holmes estivera envolvido em algum outro crime.

O prisioneiro de repente ficou melindrado.

"Oh", respondeu com aceno casual da mão livre, "fiz coisas suficientes na minha vida para ser enforcado várias vezes."

O pequeno grupo viajou em silêncio por algum tempo. Enquanto o trem passava por Providence, Holmes se inclinou na direção de seu guardião.

"Veja bem, Crawford", sussurrou. "Acho que minha esposa consegue arrecadar 500 dólares. Sou hipnotizador — aprendi a arte com um colega médico. Posso hipnotizar pessoas com muita facilidade. Se me deixar hipnotizá-lo para que possa escapar, dou-lhe os 500 dólares."

"Desculpe", respondeu o detetive. "Hipnose sempre acaba com meu apetite. Acredito que 500 dólares não são nenhum estímulo quando comparados a uma possível dispepsia."

Esse episódio, divulgado aos quatro ventos pela imprensa, foi considerado mais um sinal do colossal atrevimento de Holmes, e sua alegação de poderes hipnóticos descartados como pura tolice. Ele ainda não era o demônio que mais tarde se tornaria na imaginação popular — criatura de maldade quase sobrenatural, hábil como conde Drácula para hipnotizar suas vítimas com um olhar.

O trem encostou na estação Broad Street, Filadélfia, às 18h10 em ponto da terça-feira, 20 de novembro. Ainda algemado a Crawford, Holmes — cujos belos trajes, como um repórter escreveu, "evidenciava o próspero homem de negócios, [ainda que] seu rosto parecesse demonstrar o fato de que era frio e calculista, homem a ser temido" — foi levado direto para a delegacia da prefeitura. A condição nervosa de Carrie era tal que estava incapacitada de andar sem o apoio dos agentes da Pinkerton.

Na delegacia, Holmes foi levado direto para uma cela escura no segundo nível. Depois de interrogado durante várias horas pelo superintendente Linden, pelo presidente Fouse e por O. LaForrest Perry, foi levado ao departamento de identificação, onde o fotografaram e o mediram de acordo com o sistema do criminologista francês Alphonse Bertillon.

Carrie, enquanto isso, estava trancafiada em cela superior no primeiro nível. Dessie e o bebê permaneceram no corredor do lado de fora, sob o olhar solidário da policial Kalboch.

Ver seus dois filhos brincarem do outro lado das barras de sua cela oferecia pouco consolo para a mãe desventurada, que chorava sem parar desde o instante em que fecharam a porta de ferro com estrondo atrás dela. A lastimável situação da sra. Pitezel se tornava assunto de crescente preocupação, tanto para as autoridades quanto para o público em geral. Até mesmo os agentes da Fidelity Mutual, que a consideravam, pelo menos, cúmplice, comoviam-se pela difícil situação de Carrie. Ingênua e (como os jornais disseram) de "inteligência não mais do que mediana", fora alvo fácil para as manipulações cruéis de Holmes, que ainda por cima a enviuvara — como Ashbridge, o médico-legista e tantos outros continuavam a acreditar.

Ainda mais preocupante era o mistério não resolvido de seus três filhos desaparecidos. Pela primeira vez, a terrível possibilidade era não apenas considerada, mas discutida abertamente pela polícia — Holmes dera cabo de Alice, Nellie e Howard.

Como o *Philadelphia Public Ledger* revelou em matéria de primeira página na quarta-feira, 21 de novembro, "a questão do paradeiro dos três filhos de Pitezel, levados por Holmes para os cuidados do pai, inquieta as autoridades. Um esforço está sendo feito para encontrá-los, mas até o momento não houve nenhum resultado. A polícia acredita que se a acusação pelo assassinato de Pitezel puder ser provada contra Holmes, haverá poucas dúvidas de que acrescentou também os assassinatos das crianças à sua longa lista de crimes pelos quais ele próprio admite merecer ser enforcado".

1861   1896   *CAPITULUM*

CRIME SCENE: PROFILE

MARCAS DO MAL

34. TOUCH OF EVIL

> Eu gosto daquele camarada, mesmo que ele *seja* um patife.
> — AGENTE PENITENCIÁRIO, citado no *Chicago Tribune*, 25 de novembro de 1895 —

Enquanto Holmes sentava-se pensativo em sua cela escura na Filadélfia, seus crimes vinham à luz com bastante rapidez em Chicago. Menos de vinte e quatro horas depois de sua prisão, quase cinquenta vítimas de inúmeras fraudes apareceram na delegacia de Englewood para reivindicar seus bens.

Todo dia trazia uma avalanche de novas revelações sobre falcatruas que pareciam não ter fim, desde seu elixir inútil à falsa máquina de geração de gás até as transações inescrupulosas com empreiteiros e fornecedores de móveis. Inúmeros conhecidos de outros tempos, colegas de negócios e empregados se apresentaram para relatar histórias de suas tramoias — quase sempre com um tipo de risada que reconhecia a pura ousadia e engenhosidade do homem. Como um jornal relatou, Holmes "tramava com tamanha confiança e determinação que ganhou a admiração até mesmo daqueles a quem ele enganou".

Um caso típico de tais fofocas foi a entrevista dada por um cavalheiro chamado C. E. Davis, dono de joalheria no andar térreo do Castelo Holmes.

"Vou lhe dar um exemplo sobre o homem", contou Davis ao repórter do *Chicago Times-Herald*. "Quase todas as partículas de materiais neste prédio e seus ornamentos foram obtidos a crédito e nenhum centavo foi pago [...] Holmes me contou que pagava um advogado para mantê-lo longe de encrencas, mas sempre me pareceu que era a cortês e audaciosa patifaria do homem que o salvava. Certo dia, comprou alguns móveis para o restaurante e os transportou até lá, e naquela mesma noite o vendedor apareceu para receber o dinheiro ou retomar os produtos. Holmes lhe serviu bebidas, o levou para jantar, lhe comprou charuto e despachou o sujeito rindo de uma piada, com a promessa de lhe visitar na semana seguinte com o dinheiro. Trinta minutos depois de o homem partir em seu cabriolé, Holmes chamara carroças que encostaram diante do estabelecimento e carregaram os móveis, e o vendedor nunca viu um centavo. Era o único homem nos Estados Unidos que podia fazer o que fez. Acredito que era um velhaco inglês que descobriu que o velho país era quente demais para ele."

Os comentários de Davis mostram com que rapidez a notoriedade de Holmes cresceu. Em um intervalo de poucos dias após sua prisão, a lenda já se formava: Holmes "o grande conspirador", "o maior velhaco do século", "enganador de homens e traidor de mulheres, que deixou para trás um rastro de ruína e lágrimas que nem todos os tribunais dos Estados Unidos podem lavar".

Notando sua competência "em algumas linhas de trabalhos fraudulentos", o *Chicago Tribune* o declarou "ao que parece, o trapaceiro mais escorregadio e versátil que já atacou esta cidade". Foi a "versatilidade assombrosa" de Holmes que o elevou "acima dos criminosos comuns" — isso e seu notável poder sobre as mulheres. De acordo com o jornal, Holmes arruinara pelo menos duzentas "belas jovens" e tinha seis esposas e vinte e cinco filhos espalhados ao redor do país.

Mas havia crescentes indícios do lado mais sombrio de sua carreira — crimes muito piores do que fraude e sedução, ou até mesmo que a traição homicida de seu fiel comparsa. Na quarta-feira, 21 de novembro, dois nomes foram ligados à bizarra história de Holmes sobre a rivalidade e o derramamento de sangue entre uma amante ciumenta e sua irmã mais velha: Minnie e Nannie Williams.

Auxiliado por suas contrapartes em Fort Worth, a polícia de Chicago já havia descoberto uma grande quantidade de informações a respeito de Minnie Williams — sua origem, criação, relacionamento com Holmes e — não por acaso — sua considerável herança. "Aquelas pessoas em Englewood que conheciam Holmes e a garota Williams podem contar histórias suficientes para encher um livro", tinha asseverado o *Chicago Tribune*. Dentre aqueles com histórias intrigantes estava o antigo zelador do Castelo, Pat Quinlan, que logo cairia também sob o escrutínio oficial, suspeito de ajudar Holmes em seus crimes mais sórdidos. Interrogado por detetives na noite de terça-feira, 20 de novembro, Quinlan compartilhou recordações vívidas a respeito de Minnie Williams e confirmou certos detalhes que pareciam sustentar a versão de Holmes dos eventos — incluindo que Holmes tinha um banquinho de madeira no escritório, do tipo que, se pensava, Minnie usara para rachar o crânio da irmã.

A maioria das pessoas, contudo, continuou a considerar o relato de Holmes invencionice. Alguns sustentavam que, desde o princípio, Minnie fora cúmplice ativa, que "ficara ao lado de Holmes ao longo de sua peculiar carreira". Mas outros — incluindo o tio da garota, o reverendo C. W. Black, de Jackson, Mississippi, que não recebia notícias de nenhuma das sobrinhas desde julho de 1893 — permaneciam firmes em sua convicção de que Holmes, talvez ajudado por Pitezel, dera cabo das duas irmãs para pôr as mãos na propriedade de Fort Worth.

As irmãs Williams não eram as únicas jovens que se acreditava terem sido assassinadas por Holmes. Em artigo de primeira página de 21 de novembro, o *New York Times* revelou que "H. H. Holmes, o golpista do seguro de vida, agora detido na Filadélfia, é acusado de ser a causa do desaparecimento misterioso de uma terceira mulher durante suas operações em Chicago. A pessoa é a srta. Kate Durkee, e diz-se que tinha quantidade considerável de bens".

Um ano antes, o artigo continuava, "os credores de Holmes fizeram uma tentativa desesperada para descobrir quem era e onde estava a srta. Durkee. Supunham ser cúmplice de Holmes e que os bens obtidos de maneira ilegal foram transferidos para o nome dela. De repente, a srta. Durkee sumiu de vista e, como as irmãs Williams, sem nenhum rastro".

George B. Chamberlain, proprietário da agência mercantil de Chicago e um dos muitos credores de Holmes, não nutria dúvida quanto ao destino da pobre mulher. Entrevistado em 22 de novembro, afirmou sua crença absoluta que "a srta. Durkee foi assassinada".

Como as evidências da vilania de Holmes aumentava a cada dia, os repórteres começaram a trazer à tona cada aspecto de sua vida, desde a infância em New Hampshire à sua carreira na escola de medicina em Ann Arbor até o empreendedorismo frenético dos anos em Englewood. Relatos das atividades ilícitas jorravam de todas as partes do país, de Kankakee a Omaha, de Terra Haute a Nova Orleans.

Um dos relatos mais impressionantes veio de Providence, Rhode Island. De acordo com as autoridades, um cadáver fora retirado do cemitério do hospital psiquiátrico estadual muitos anos antes — na mesma época do suposto golpe do seguro de Holmes no resort à beira-mar. O corpo decapitado do morto — um interno chamado Caleb R. Browne — fora recuperado depois, embora a cabeça nunca tivesse sido encontrada. Esse relato emprestou crédito considerável à história contada ao detetive Crawford e acrescentou mais um à crescente lista dos crimes de Holmes. Além de fraudes, bigamia e assassinato, ele também era acusado de roubo de túmulos.

Dado o zelo com que a imprensa sondou cada recanto da vida sombria de Holmes, o que aconteceu em seguida foi inevitável. No dia 25 de novembro, uma passagem pequena, mas significativa, apareceu na primeira página do *Chicago Tribune* — a primeira descrição impressa do imóvel de Holmes na esquina da Wallace com a Sessenta e Três, em Englewood.

"Em todo o território dos Estados Unidos", declarou o escritor, que parece ter se esgueirado para dentro do edifício e feito uma rápida excursão, "não existe nenhuma casa como aquela, e é provável que jamais existirá. As chaminés despontam de lugares onde chaminés nunca despontaram antes, as escadarias não levam a nenhum lugar em particular, há passagens sinuosas que conduzem o intruso temerário de volta ao princípio de supetão, e no geral, é uma construção muito misteriosa."

Pela primeira vez, os jornais, o público e a polícia começavam a saber da construção bizarra e misteriosa que logo ficaria conhecida por todo o país como o Castelo dos Horrores do dr. Holmes.

Ainda que Holmes tivesse talento verdadeiro para autopiedade, exibiu uma fachada estoica durante os primeiros dias de cárcere e assumiu a aparência de pecador arrependido: alguém que sabia ter errado e estava preparado para as consequências — dois anos de prisão, a sentença máxima para conspiração na Filadélfia. Carrie Pitezel, por outro lado, continuava dominada pelo horror e pela vergonha. Durante a primeira longa noite na prisão da Filadélfia, ela se entregou a tamanho pesar que o médico da polícia, Andrews, teve de ser chamado logo pela manhã. Conseguiu acalmá-la com um sedativo, e ela permaneceu prostrada no leito durante grande parte do dia. Uma ou duas vezes, se levantou cambaleante, se arrastou até a porta da cela e espiou através das barras de ferro seu bebê, que engatinhava para cima e para baixo no corredor, agarrado a uma caneca de latão dada pela policial Kalboch.

O terceiro membro da conspiração, Jeptha D. Howe, era esperado na Filadélfia na noite de quarta-feira, 21 de novembro, mas não chegou a dar as caras. Em vez disso, seu empregador, Marshal McDonald — o antigo promotor público de St. Louis e sócio na firma de advocacia do irmão mais velho de Howe, Alphonso —, entrou de fininho na cidade. Depois de se registrar no Lafayette Hotel, McDonald foi se encontrar com seu velho amigo, o superintendente Linden. Os dois conferenciaram durante horas e então encontraram os repórteres.

"Acredito que o sr. McDonald é um homem de honra acima das suspeitas", declarou o capitão Linden, "e completamente inocente de qualquer ligação ilegal com a conspiração Pitezel. Ele me disse que Jeptha D. Howe é apenas iniciante na firma e que foi induzido ao erro, contra a sua vontade, pelo patife do Holmes."

Aprofundando-se na declaração do chefe de polícia, McDonald afirmou que "quaisquer indiscrições que Howe possa ter cometido deram-se devido à influência exercida sobre ele por Holmes. Howe tem apenas 22 anos de idade e se formou em direito na Washington University e é casado com respeitável jovem dama de excelente família de St. Louis. Esse foi seu primeiro caso e se dedicou com todo o ardor de iniciante. Quando Holmes abordou o sr. Howe, tanto eu quanto meu sócio, Alphonso Howe — o irmão mais velho do jovem —, estávamos no Colorado. Se estivéssemos em casa na época, ele nunca teria se envolvido nesse caso."

Ao ser questionado a respeito do paradeiro atual de Howe, McDonald explicou que o jovem fizera uma parada em Washington, D.C., a fim de se aconselhar com o senador Cockrell, do Missouri, antigo amigo da família. Howe era esperando na Filadélfia na manhã seguinte e iria de imediato se entregar às autoridades.

Apesar das garantias do velho amigo, o capitão Linden destacou dois de seus homens para procurar Howe, pois suspeitava que o jovem advogado pudesse ter sido "contrabandeado" até a cidade e escondido em um hotel, para que se entregasse pela manhã, quando poderia ser arranjada uma fiança e evitar, assim, passar a noite na cadeia. Os dois encarregados da tarefa eram Thomas Crawford e um detetive que logo representaria papel célebre no caso Holmes-Pitezel, Frank P. Geyer.

McDonald, porém, dissera a verdade. Na manhã seguinte, por volta das 10h, Howe chegou à estação de trem e foi recebido por McDonald, que de imediato o escoltou à prefeitura. Antes de entrar no escritório do superintendente Linden, o jovem advogado concordou em falar com os repórteres. Levado à sala de imprensa no oitavo andar do edifício, Howe — sempre descrito como "pueril" e "de aparência inocente", com "rosto tão liso quanto o de um bebê" — forneceu um relato tão detalhado de suas transações com a sra. Pitezel que McDonald se sentiu compelido a interrompê-lo. Howe encerrou depressa a declaração e se recusou a dizer qualquer coisa sobre sua ligação com Holmes ou seu envolvimento com Marion Hedgepeth.

Nesse ponto, foi levado ao escritório do superintendente, onde se entregou formalmente e passou algum tempo respondendo perguntas. Na metade do interrogatório, L. G. Fouse apareceu.

"Bem, sr. Fouse", disse Howe gentil e levantou-se para apertar a mão do executivo da seguradora. "O senhor me tratou com tanta bondade e cortesia; lamento que ache que sou criminoso."

"Eu também", respondeu Fouse com frieza. "Mas será necessário muita coisa para me convencer de sua inocência."

Howe protestou que Fouse estava predisposto contra ele por causa das falsas acusações levantadas por Holmes.

Fouse respondeu com um resfolegar.

"Você conhecia Holmes e, de fato, o encontrou a caminho desta cidade. No escritório de nossa companhia, vocês dois se encontraram como estranhos. Você exclamou, quando soube que ele estava aqui: 'Quem é esse homem? Quais são suas intenções? Por que está aqui?' E quando foram apresentados, você agiu de uma maneira que nos levou a acreditar que o via pela primeira vez. Quando puder me explicar por que fez isso, acreditarei que é inocente."

Howe foi levado ao escritório do promotor público George S. Graham, no sexto andar, que determinou fiança de 2.500 dólares: a quantia foi paga mais para o fim daquela tarde por um dono de bar chamado William McGonegal, amigo de McDonald. Depois de solto, Howe contou aos repórteres que permaneceria na Filadélfia por mais um ou dois dias para consultar seu advogado, A. S. L. Shields, antes de voltar a St. Louis e aguardar o julgamento.

Naquela noite, Howe e McDonald foram ao teatro South Broad Street e assistiram à apresentação da atriz de St. Louis, Della Fox. Depois, Howe pareceu bastante relaxado e despreocupado, conversou e riu com McDonald enquanto caminhavam pela Broad Street para o Lafayette Hotel, seguidos por uma dupla de repórteres.

Enquanto Jeptha Howe se divertia na cidade, Holmes e Carrie Pitezel mofavam na cadeia. Na sexta-feira, 23 de novembro, eram feitos preparativos para transferi-los à penitenciária do condado, mais conhecida como Moyamensing.

Naquela manhã bem cedo, os detetives Crawford e Geyer escoltaram os prisioneiros das celas da prefeitura ao Tribunal de Assembleias Trimestrais.[1] Lá, o assistente do promotor público, Kinsey, o médico da polícia, Andrews e o sr. Benjamin Crew, secretário da Society to Protect Children from Cruelty (Sociedade Protetora contra Abusos Infantis), discutiram a pertinência de permitir que Dessie e o bebê continuassem com a mãe. Crew insistiu que as crianças ficassem aos cuidados de sua organização. Entreouvindo sua proposta, Carrie irrompeu em gritos histéricos.

"Vocês não vão tirar meu bebê de mim, vão?", lamuriava-se ela.

De pronto, Andrews passou o braço em volta da mulher transtornada, assegurando-lhe que não seria separada de seu bebê.

"Mandem a garota também", disse ele a Kinsey. "A mulher não está em condições de cuidar sozinha do bebê."

Com a questão resolvida, Carrie e os filhos foram postos em diligência fechada para a viagem à penitenciária do condado. Holmes, enquanto isso, foi sem cerimônias em uma carroça cheia de bêbados ("uma condução lotada de gentalha imunda", ele descreveu mais tarde) e levado a Moyamensing, onde o trancafiaram em cela caiada de 2,70 por 4,30 m.

Entrementes, especulações sobre o destino de Pitezel continuavam a se espalhar. Boatos circulavam com velocidade desnorteante que, como um repórter do *Philadelphia Inquirer* escreveu, eram suficientes para "exaurir qualquer um que tentasse acompanhá-los". Pessoas no caso, incluindo o legista Ashbridge e Jeptha Howe, se mantinham firmes na convicção de que Pitezel estava morto. Outros, contudo, reviam suas opiniões, como L. G. Fouse, pois recebera pistas dos investigadores de Pitezel estar em Chicago no começo de novembro; em Detroit algumas semanas antes e rumores recentes o colocavam em Nova York.

Para tornar tudo ainda mais confuso, E. A. Curtis — dono de um armazém de móveis em Englewood, onde Pitezel teria guardado alguns de seus pertences antes de fugir de Chicago no ano anterior — afirmava saber o paradeiro preciso e poderia localizá-lo dentro de 36 horas, pela recompensa adequada.

Da cela em Moyamensing, Holmes se esforçou ao máximo para turvar as coisas ainda mais ao fazer uma retratação das mais notáveis. Através do advogado Harry Hawkins — que concordara em defendê-lo no caso da conspiração — Holmes declarou que o relato melodramático sobre as irmãs Williams e de sua rivalidade homicida era um embuste.

Hawkins falou aos repórteres no sábado, 24 de novembro e descreveu a conversa que tivera com seu cliente mais cedo naquele dia.

---

[1] *Court of Quarter Sessions*, no original, eram cortes que se reuniam quatro vezes por ano, primeiro no reino da Inglaterra, depois na Grã-Bretanha e então por todo o Reino Unido, até por volta de 1972, e na Escócia até 1975. Algumas colônias estadunidenses, como a Pensilvânia, também as realizavam. [NT]

"Holmes me contou com olhos marejados que é inocente do assassinato de Pitezel e que o homem está vivo e passa bem. Também me disse que a história que contou ao detetive Crawford, sobre uma das irmãs Williams ter matado a outra, e depois ele mesmo ter jogado o corpo no lago, era falsa, sem dúvidas. Ele declarou que as duas garotas estão vivas. Disse que Pitezel se encontrou com Nannie Williams em Nova York e lhe deu mil dólares depois de receber o dinheiro do seguro. Esse dinheiro era para levar as irmãs para o sul."

O que motivara Holmes a inventar uma mentira tão elaborada, para começo de conversa?, quis saber um repórter.

"Holmes disse que Crawford é um sujeito com aparência tão ingênua", respondeu Hawkins, "e quis se divertir um pouco com ele."

Já ocorrera às autoridades que havia um modo certeiro para determinar se Pitezel estava vivo ou não — desenterrar o cadáver da Callowhill uma segunda vez e fazer Carrie Pitezel examinar os restos mortais. Essa medida fora discutida no dia 21 de novembro, quando O. LaForrest Perry declarou que "não era improvável que o corpo fosse exumado outra vez". Enquanto a polícia e os agentes da seguradora debatiam a conveniência disso, Holmes se instalava em suas novas acomodações em Moyamensing.

Na autobiografia que publicaria durante seu confinamento, Holmes descreveu sua cela como "um lugar propício para confinamento solitário", iluminada apenas por uma janela estreita com barras e fortificada com portas duplas — uma interna de barras de ferro cruzadas, e uma segunda de madeira sólida, "a qual, quando fechada, elimina quase todos os sons". Mesmo assim, não estava de modo algum isolado do mundo, visto que tinha permissão para ler os jornais todos os dias. Como resultado, sabia tudo a respeito da proposta de reexaminar o corpo de Pitezel.

Na sexta-feira, 7 de dezembro, também descobriu outra coisa — Carrie Pitezel desmoronara e revelara tudo o que sabia a respeito do golpe do seguro. Àquela altura, Dessie e Wharton tinham sido retiradas da cela de Carrie e deixados aos cuidados da Society to Protect Children from Cruelty.

Holmes entendeu que se a polícia fosse em frente e desenterrasse o cadáver, sua mentira descarada seria revelada, visto que continuava a afirmar que Pitezel estava escondido no sul. Para piorar, sem dúvidas seria acusado de assassinato. E, portanto, recorreu a um típico estratagema insolente. Chamou R. J. Linde à sua cela e apresentou um grande espetáculo de remorso e anunciou que confessaria tudo.

Mentira o tempo todo, confessou. O morto enterrado na vala comum era na verdade Pitezel. Mas Holmes não o tinha matado.

A verdade, Holmes declarou de modo solene, era que Benjamin Pitezel se suicidara.

NANNIE WILLIAMS.

ALICE PITEZEL.

NELLIE PITEZEL.

CAPITULUM

CRIME SCENE: PROFILE

O DIÁRIO DO MALIGNO

35. DIARY OF A MONSTER

> Eu comecei a escrever um relato cuidadoso e verdadeiro sobre todas as questões pertinentes ao meu caso, incluindo o fato de que Pitezel está morto e que seus filhos estão com a srta. Williams.
> — Do diário da prisão de H. H. HOLMES —

Linden convocou um estenógrafo à cela, e Holmes ditou sua declaração formal. A data era 26 de dezembro de 1894. O momento não foi nenhuma coincidência, pois ele esperou de maneira deliberada até o dia depois do Natal para confessar, como se a santidade da época o induzisse a aliviar a alma.

De acordo com Holmes, visitara a casa na Callowhill Street talvez quatro ou cinco vezes depois de Pitezel ter aberto seu falso negócio de venda de patentes. Em algum momento "mais para o final de agosto", foi até lá e encontrou Pitezel em estado de espírito bastante melancólico. Estava claro que abusara da bebida. Quando Holmes "lhe deu uma bronca por isso", Pitezel respondeu "que achava melhor beber o suficiente para [se] matar e acabar logo com tudo". Depois de lhe emprestar 15 dólares, Holmes foi embora, após "cinco ou seis horas".

No sábado seguinte, 1º de setembro, "bem tarde [da] noite", Pitezel apareceu na hospedaria de Adella Alcorn, na North Eleventh Street "e afirmou ter recebido telegrama sobre seu bebê estar doente e que ele precisava ir para casa [...] Não ofereci nenhuma objeção. Quando terminamos todos os preparativos, disse: 'Você vai ter que me emprestar mais dinheiro para a viagem'".

Holmes perguntou o que tinha acontecido com os 15 dólares que Pitezel pegara emprestado havia apenas um ou dois dias. "Bom, não estou com eles", respondeu Pitezel. Holmes se recusou a lhe dar mais dinheiro e Pitezel se retirou noite adentro.

"Na manhã seguinte, por volta das 10h30", continuou Holmes, "fui até a casa de Pitezel. Eu tinha uma chave. Não encontrei ninguém nem no primeiro nem no segundo andar, onde ficava seu quarto de dormir. Tinha uma cama lá em cima, que ele nunca arrumou, creio."

Holmes se dirigiu à Biblioteca Mercantil e ficou lá por uma hora, depois caminhou pela Broad Street "onde tinha uma caixa postal particular". Depois de verificar as cartas, comprou o jornal matutino e voltou ao 1316 da Callowhill Street. Holmes encontrou o lugar ainda vazio, por isso subiu "ao andar superior, onde me deitei na cama e li o jornal". Isso foi por volta do meio-dia.

Meia hora depois, Holmes voltou a descer, para "escrever algumas cartas" à mesa de Pitezel. Enquanto atravessava o escritório vazio, viu algo sobre o tampo da mesa: "Um pedaço de papel com o [...] código que usávamos". Holmes decodificou a mensagem depressa. A mensagem dizia: "Tire a carta de dentro da garrafa no armário".

Intrigado, tirou a carta do armário e ficou chocado ao descobrir que era um bilhete suicida. "O bilhete dizia que ele acabaria com tudo, e que eu o encontraria no andar superior, caso conseguisse se matar."

Ele disparou até o terceiro andar, escancarou a porta "e o vi deitado no chão, parecia morto. Senti seu pulso e repousei minha mão sobre a dele e constatei que estava fria". Pitezel estava de costas com uma toalha cobrindo-lhe o rosto. Na cadeira ao lado do cadáver havia uma garrafa de 4,5 l de clorofórmio, equipada com tubo de borracha de 1,20 m para levar o fluído mortal direto à sua boca.

Os gases eram tão avassaladores que Holmes foi forçado a correr para fora do quarto. "Eu saí e abri as janelas dos outros cômodos, então voltei para entrar no quarto de novo, mas desisti e desci ao segundo andar outra vez. Assim que consegui, voltei a entrar." Olhou para Pitezel com mais atenção e viu que ele estava deitado "com a mão esquerda dobrada sobre o abdômen e a mão direita repousando ao seu lado".

Nesse ponto, Linden o interrompeu e perguntou onde estava o bilhete suicida.

"Não fiquei com a carta da garrafa", respondeu Holmes, "a destruí com outros papéis no trem da Filadélfia a St. Louis no dia seguinte."

Linden pediu que Holmes continuasse.

Fitando o parceiro sem vida, Holmes não demorou a perceber que — por mais lastimável que fosse — o suicídio de Pitezel lhe proporcionava uma oportunidade de ouro, eliminando a necessidade do cadáver substituto. Em um intervalo de minutos, se pôs em movimento. "Retirei os móveis do quarto do terceiro andar e os levei ao segundo, deixei o corpo por último. Então o levei para o quarto do segundo andar e o posicionei do jeito que foi encontrado. Isso foi por volta das 15h."

O passo seguinte era encenar o falso acidente. "Eu combinei com Pitezel que quando posicionasse o corpo substituto, uma garrafa deveria ser quebrada e [...] os fragmentos espalhados pelo quarto. Ergui a garrafa e a quebrei com um golpe de martelo na lateral. Aquela garrafa continha benzina, clorofórmio e amônia, que seria usada para queimar o chão e indicar que ocorrera explosão. Peguei um pouco desse fluido e o coloquei em sua mão direita, seu flanco e no lado direito do seu rosto e ateei fogo [...] Recolhi o tubo de borracha, a toalha e a garrafa de clorofórmio e fui embora da casa assim que pude, por volta das 16h15."

Holmes concluiu a declaração ao descrever sua partida apressada da Filadélfia naquela noite e a viagem a St. Louis na noite da quarta-feira seguinte. Chegou na quinta-feira de manhã, comprou um jornal e viu "um artigo dizendo que o corpo tinha sido encontrado [...] Fui até a sra. Pitezel e descobri que também viram o artigo. As crianças estavam bastante preocupadas, mas a sra. Pitezel não, visto que acreditava que o golpe tinha sido aplicado. Discutimos a questão durante algumas horas. Voltei naquela noite, vi Howe e lhe expliquei o que acontecera, sem contar que se tratava de Pitezel. Deixei que acreditasse que o plano do substituto ainda estava em vigor, e o contratei em nome da sra. Pitezel para obter o dinheiro da seguradora".

Holmes chegou ao fim de sua confissão, e Linden o fitou com severidade. Talvez a história fosse verdade, disse ele. Ou talvez Holmes tivesse encontrado Pitezel em estado de embriaguez e o forçado a ingerir o clorofórmio.

Indignado, Holmes negou essa acusação e insistiu que seu parceiro já estava morto por suas próprias mãos quando o encontrou.

"Se Pitezel está morto", indagou Linden, "então onde estão as três crianças?"

Holmes respondeu sem hesitar.

"Em segurança." Ele as tinha levado a Detroit e entregado para sua antiga amante. Alice, Nellie e Howard estavam sob os cuidados de Minnie Williams.

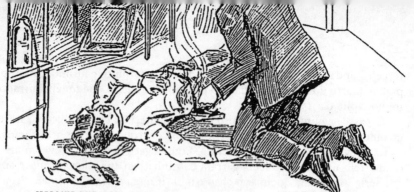

HOLMES BURNING PITEZEL'S CLOTHING IN CALLOWHILL STREET HOUSE.

HOLMES BURNING PITEZEL'S CLOTHING IN CALLOWHILL STREET HOUSE.

CAPITULUM

CRIME SCENE: PROFILE

OUTRA CONFISSÃO

36. ANOTHER CONFESSION

> Não existe a menor dúvida de que Holmes, em suas muitas histórias, não se ateve estritamente à verdade.
> — *PHILADELPHIA PUBLIC LEDGER*, 24 de novembro de 1894 —

A declaração revisada de Holmes — "Confissão nº 2", como as autoridades a rotularam — inspirou ainda maior ceticismo do que a primeira. A polícia zombou da alegação de que Pitezel cometera suicídio — em especial pelo método bizarro descrito. A ideia de que alguém se deitasse de costas no chão com uma toalha sobre o rosto, como na cadeira do barbeiro, e chupasse clorofórmio por um comprido tubo de borracha parecia um completo absurdo. A história toda soava como invencionice descarada, imaginada para justificar a prova irrefutável — um morto no chão de um quarto com o estômago cheio de clorofórmio.

A identidade do morto, porém, continuava assunto para debate. O inspetor Gary descartou a última história de Holmes, e seus colegas intensificaram a busca por Pitezel e pelas crianças desaparecidas em diversas partes do país. O legista Ashbridge, por outro lado, não seria dissuadido de sua convicção de que Pitezel fora assassinado. Alguém que procurasse o parceiro de Holmes não precisava ir além da vala comum, sustentava, e exumar o corpo outra vez corroboraria isso. Mas conforme o inverno se aproximava, as autoridades seguiam hesitantes quanto ao assunto.

Enquanto isso, Holmes se mantinha ocupado em sua cela: monitorava os relatórios diários sobre seu caso nos jornais, tramava com advogados e fazia suas melhores manipulações para impedir a investigação. Georgiana, que continuava a apoiar o marido, lhe fazia visitas periódicas. Quando percebeu que sua respeitável esposa era uma dádiva à sua imagem pública, Holmes fez tudo que podia para continuar em suas boas graças: declarou seu amor imortal e se disse arrependido, com os olhos marejados, da dor que lhe tinha causado.

Trancafiado em sua cela solitária, decidiu se dedicar a um rigoroso regime diário. No diário da prisão, que seria anexado à sua autobiografia, descreveu seu programa de autoaperfeiçoamento em termos que teriam deixado Benjamin Franklin orgulhoso:

Primeiro de janeiro de 1895 — Ano-novo. Estive ocupado quase o dia todo na prisão formulando um plano metódico para a minha vida diária enquanto estiver na cadeia, o qual eu vou de hoje em diante seguir com rigor, pois caso contrário a solidão terrível desses sombrios dias invernais me derrubará. Vou me levantar às 6h30, e depois de tomar meu costumeiro banho de esponja, limparei minha cela e a deixarei arrumada para o dia. As horas das minhas refeições serão 7h30, 12h, 17h e 21h. Não comerei mais carne enquanto estiver confinado. Até as 10h, todo o tempo que não estiver sendo usado deverá ser dedicado a exercícios e à leitura dos jornais matutinos. Das 10h às 12h e das 14h às 16h, seis dias por semana, vou me dedicar aos meus antigos trabalhos médicos e outros estudos universitários, incluindo estenografia, francês e alemão. O restante do meu dia será ocupado com a leitura de periódicos e livros da biblioteca com os quais _____ me mantém bem abastecido. Vou me recolher às 21h e assim que possível me forçar a ter o hábito de dormir ao longo da noite inteira.

A insistência de Holmes de que o morto encontrado no 1316 da Callowhill Street era mesmo Benjamin Pitezel criou uma complicação legal, visto que os conspiradores foram acusados de usar um cadáver substituto para aplicar o golpe. Pouco depois de Holmes fazer sua segunda confissão, os agentes da Fidelity Mutual contrataram um respeitável advogado da Filadélfia, Thomas Barlow, para representar a empresa no caso. Por volta do início de maio, houve um novo indiciamento, acusando Holmes e Howe, assim como Marion Hedgepeth, "de conspirar para enganar a Fidelity Mutual Life Assurance Company ao alegar que certo B. F. Pitezel [...] tinha morrido como resultado de acidente". Planejado para cobrir todas as possibilidades, esse indiciamento era válido estando Pitezel morto ou vivo — em caso de suicídio, assassinato, ou fuga.

Em 27 de maio de 1895, Holmes foi levado a julgamento sob esse segundo indiciamento no Tribunal de Assembleias Trimestrais, presidido pelo juiz Hare.

Levado ao banco dos réus pouco antes das 11h, o prisioneiro trocou algumas palavras com seus advogados — R. O. Moon e Samuel P. Rotan — então olhou em volta do tribunal e retorceu com um gesto casual a ponta encerada voltada para cima de seu bigode estilo *handlebar*. O detetive Frank P. Geyer, presente ao julgamento a pedido do promotor Graham, observava Holmes com atenção da lotada galeria de espectadores.

Apesar de sua resolução de ano-novo de se exercitar todos os dias e cuidar da dieta, Holmes ganhara peso ao longo dos meses de confinamento. Vestido com belo terno preto, corte reto, gravata preta e pesada corrente de ouro do relógio de bolso pendurada, parecia mais gerente de banco do que o criminoso mais cruel dos Estados Unidos.

Os procedimentos começaram com a convocação dos jurados. O promotor Graham não apresentou nenhuma objeção contra os primeiros doze homens que se sentaram. Todavia, Moon, o advogado de defesa, não se convenceu com facilidade. Notou a extraordinária publicidade que acompanhava o caso e pediu a permissão do tribunal para "perguntar aos jurados se tinham alguma opinião formada ou específica quanto à culpa ou inocência do prisioneiro". Ao final, muitos dos jurados foram rejeitados com base no desafio da defesa. Outro jurado em potencial, que sofria de doença do coração, implorou para ser dispensado por temer que um julgamento prolongado colocasse sua saúde em risco.

Em 27 de maio de 1895, Holmes foi levado a julgamento sob esse segundo indiciamento no Tribunal de Assembleias Trimestrais, presidido pelo juiz Hare.

Não precisava ter se preocupado. No fim das contas, o julgamento durou apenas um dia. Graham esclareceu a natureza da acusação de conspiração, recapitulou os fatos do caso e revisou os conteúdos das duas confissões de Holmes.

"Não importa qual declaração do prisioneiro vocês optem por acreditar", disse Graham ao júri, "não faz diferença para o caso do estado,[1] visto que ambas demonstram a intenção de enganar e defraudar a seguradora."

Ele destacou que o cadáver encontrado no número 1316 da Callowhill Street não poderia ter resultado de explosão acidental.

"Todos sabem", disse, "que as forças da natureza reagem e se apressam para repelir o ferimento onde a pessoa é queimada, e então formam-se bolhas. Ao passo que, se um corpo *morto* é queimado, a carne chia e assa como filé. Esse foi o caso. Não havia bolhas no cadáver, e não pode haver nenhuma outra conclusão a não ser que as queimaduras foram feitas depois que a morte aconteceu."

---

[1] *Commonwealth* no original. Designação usada por quatro estados norte-americanos em seus nomes oficiais completos: the Commonwealth of Kentucky, the Commonwealth of Massachusetts, the Commonwealth of Pennsylvania e the Commonwealth of Virginia. [NT]

Sem sequer levantar a questão da acusação de homicídio, Graham deixou claro que, em sua opinião, Pitezel tinha sido assassinado. Ele se referiu repetidas vezes a Carrie (que ocupava um assento proeminente no tribunal) como "a viúva" e afirmou de forma explícita que "não acreditava na história de suicídio".

Graham encerrou sua declaração com nota agourenta, referindo-se aos "três filhinhos de Pitezel", que estiveram "sob os cuidados de Holmes".

"O que quer que tenha acontecido com eles", entoou o promotor público, "apenas Deus e o prisioneiro sabem."

L. G. Fouse, a primeira testemunha a ser chamada para depor, ofereceu relato detalhado de suas relações com Holmes, demorando-se bastante em seu comportamento frio, se não de sangue-frio, durante o exame *post mortem* do cadáver desenterrado. Os jurados pareciam sisudos enquanto Fouse descrevia a perfeita indiferença com a qual Holmes empunhara seu bisturi e cortara com jovialidade as marcas de identificação do corpo putrefato do antigo parceiro. Mais duas testemunhas — o superintendente da polícia, Linden, e o antigo presidente e atual tesoureiro da Fidelity Mutual, coronel O. C. Bobyshell — deram depoimentos breves antes de o juiz Hare encerrar a sessão do dia.

Debatendo com Moon e Rotan ao final do dia, Holmes, percebeu que sua posição era irremediável e orientou os advogados a negociar um acordo com a promotoria. Em troca de sentença reduzida, Holmes mudaria sua apelação — "deste modo economizando pelo menos uma semana do tempo valioso do tribunal", como ele explicou.

Na manhã seguinte, obedecendo aos desejos de seu cliente, os advogados de Holmes apresentaram declaração de culpado e o julgamento chegou a um fim abrupto. O juiz Hare anunciou que adiaria a sentença até depois do julgamento de Jeptha D. Howe.

Acompanhado dos advogados, Holmes foi levado à "cela" da prefeitura para aguardar o transporte que o levaria de volta a Moyamensing. Estava com ânimo para comemorar. Supondo que o juiz Hare o sentenciasse a apenas metade da pena máxima e contasse os seis meses que já passara encarcerado, seria um homem livre em outubro.

Holmes acabara de se reclinar na cadeira, pernas esticadas, dedos entrelaçados na nuca — imagem perfeita de alguém sem preocupação no mundo — quando recebeu a mensagem de que o promotor Graham gostaria de vê-lo em seu escritório naquele exato momento.

CRIME SCENE: PROFILE

O CÓDIGO DO INFERNO

37. HELL'S CODE

"Conhecendo-me como você me conhece, consegue me imaginar matando criancinhas inocentes, sobretudo sem motivo?"
— H. H. HOLMES, em uma carta para Carrie Pitezel —

Uma longa mesa de reunião ocupava o centro do escritório particular do promotor público. De um lado, Holmes e seus advogados. Diante deles, Graham e Thomas Barlow, mais cedo nomeado assistente especial do promotor.

Graham estava prestes a falar quando a porta foi aberta e mais dois homens entraram na sala: o detetive Frank Geyer e o capitão Miller. No corredor, do lado de fora do escritório, uma multidão de repórteres clamava por notícias. Enquanto Miller passava pela porta, um dos repórteres — do *Philadelphia Inquirer* — enfiou a cabeça na sala e gritou: "O que está acontecendo?" Miller acenou para que o homem recuasse: "Não posso dizer nada!". Então bateu a porta e se sentou ao lado de seus colegas agentes.

Graham voltou-se para Holmes e não perdeu tempo em ir direto ao ponto. Decidira largar o caso contra Carrie Pitezel, explicou, e soltá-la sem mais delongas. A pobre mulher já "sofrera o suficiente. A incerteza a respeito do destino de Alice,

Nellie e Howard, junto da morte do marido, quase lhe roubaram a razão". Ele fitou Holmes com um olhar severo. "Desconfia-se bastante", disse Graham, "que você assassinou não apenas Pitezel, mas que também matou as crianças."

Holmes abriu a boca para protestar, mas o promotor o interrompeu com uma mão erguida.

"A melhor maneira de remover essa suspeita é apresentar as crianças de imediato", declarou Graham. "Agora, onde elas estão? Onde posso encontrá-las? Diga-me e eu usarei todos os meios em meu poder para assegurar o resgate delas o quanto antes. É imperativo para a sra. Pitezel — e para você — que as crianças sejam encontradas. Quando foi preso em novembro, você disse que as crianças estavam na América do Sul com o pai. Já é maio e não tivemos nenhuma notícia delas. Você, em seguida, afirmou ter entregado as crianças para a srta. Williams." Graham suspirou. "Estou quase convencido de que não posso confiar em sua palavra, Holmes."

Holmes pareceu ofendido, mas preferiu não responder.

Com as mãos cruzadas sobre a mesa, Graham se inclinou para a frente em sua cadeira, os olhos fixos nos de Holmes.

"Mesmo assim, não sou contra lhe dar uma oportunidade de me ajudar a esclarecer esse mistério acerca do desaparecimento e de onde estão essas crianças. Agora eu lhe peço que me responda com franqueza e honestidade. Onde elas estão?"

Enfrentando o olhar de Graham sem pestanejar, Holmes respondeu que estava "feliz pela oportunidade a mim apresentada para auxiliar na devolução das crianças para a mãe delas". De repente, seus olhos pareceram marejados. Falou com leve tremor na voz e negou com veemência ter matado Pitezel ou feito mal aos pequeninos. "Por que eu mataria crianças inocentes?", exclamou ele.

"Então nos conte o que aconteceu com elas", repetiu Graham.

Holmes levou alguns instantes para se recompor. Então, "com toda a aparência de candura" (como uma das testemunhas relatou mais tarde), se lançou à história que ensaiara ao longo das últimas semanas.

"A última vez que vi Howard", começou, "foi em Detroit, Michigan. Lá, eu o entreguei para a srta. Williams, que o levou para Buffalo, Nova York, de onde seguiu para Niagara Falls. Depois da partida de Howard sob os cuidados da srta. Williams, levei Alice e Nellie para Toronto, no Canadá, onde ficaram por diversos dias. Em Toronto, comprei passagens para Niagara Falls, as coloquei no trem e viajei com elas por alguns quilômetros, para que tivessem certeza de que estavam no trem certo. Antes da partida delas, preparei um telegrama que elas deveriam me enviar de Niagara Falls caso não encontrassem a srta. Williams e Howard. Também prendi com alfinetes 400 dólares em notas graúdas dentro do vestido de Alice, para que a srta. Williams tivesse meios de custear as despesas delas.

"Elas se juntaram a srta. Williams e a Howard em Niagara Falls, e partiram para Nova York, onde a srta. Williams vestiu Nellie de menino e pegou um barco a vapor para Liverpool, e de lá para Londres. Se fizer uma busca pelos escritórios que administram os navios a vapor em Nova York, procure por uma mulher, uma menina e dois meninos, não por uma mulher, duas meninas e um menino. Isso foi feito para que os detetives que estavam atrás de mim pela fraude do seguro perdessem o rastro. A srta. Williams abriu uma casa de massagem no número 80 da Veder ou Vadar Street, em Londres. Não tenho dúvidas de que as crianças estão com ela agora, e é provável que seja nesse lugar."

Houve silêncio momentâneo enquanto Graham e seu colega digeriam essa história improvável. Barlow, cujo rosto registrava com clareza a profundidade de seu ceticismo, foi o primeiro a quebrá-lo.

"Você pode me dar o nome de uma única pessoa respeitável que eu possa procurar", indagou, "em Detroit, Buffalo, Toronto, Niagara Falls ou Nova York, que diga ter visto a srta. Williams e as três crianças juntas?"

Holmes pareceu magoado: "Sua pergunta parece insinuar descrença em relação a minha declaração."

"Com toda a certeza", respondeu Barlow. "De fato, acredito que toda essa história é mentira do começo ao fim."

Holmes insistiu com vigor que sua história era verdadeira — e que tinha uma maneira de verificá-la. Ele e a srta. Williams criaram um modo para se comunicar em emergências, explicou ele. Isso envolvia publicar um anúncio codificado na coluna pessoal do *New York Herald*. Para provar sua veracidade, Holmes se ofereceu para fornecer o código a Graham, que poderia então plantar uma mensagem de isca que atrairia Minnie Williams para fora de seu esconderijo.

Graham concordou em dar a ele a última chance de se vindicar e lhe pediu para fornecer o código até a tarde seguinte. Logo, a conferência foi encerrada e Holmes levado de volta a Moyamensing.

No dia seguinte — quarta-feira, 29 de maio —, Graham recebeu a seguinte carta de Holmes:

Caro senhor:

O anúncio deve aparecer no *New York Sunday Herald* e se algum comentário a respeito do caso também puder ser incluído no corpo do jornal, noticiando o desaparecimento das crianças, e que o anúncio em questão apareça nesse jornal etc., seria uma vantagem. Quaisquer palavras que lhe pareçam apropriadas para usar no anúncio vão servir [...] apenas uma sentença precisa estar codificada, visto que com isso ela saberá que o anúncio partiu de mim e de mais ninguém, a não ser que eu tenha contado a alguém, pode ser o mesmo [...]

O *New York Herald* é (ou era um ano atrás) encontrado com regularidade em apenas poucos lugares em Londres.

Cordialmente,
H. H. Holmes

O código que Holmes anexou à carta era um simples criptograma baseado na palavra *republican*. Escrita em caixa alta, a palavra correspondia às primeiras dez letras do alfabeto; em caixa baixa, a palavra representava as dez letras seguintes; e as seis letras finais do alfabeto permaneciam descodificadas. Esse foi o criptograma que Holmes escreveu:

R E P U B L I C A N r e p u b l i c a n
a b c d e f g h i j k l m n o p q r s t u v w x y z

Para demonstrar como o criptograma funcionava, Holmes escreveu o próprio nome em código:

C b e p B a
H o l m e s

Seguindo a sugestão de Holmes, Graham de imediato entrou em contato com o correspondente do *New York Herald* na Filadélfia, que preparou um artigo sobre o caso, publicado no domingo, 2 de junho. Na mesma edição, o seguinte anúncio apareceu na coluna pessoal do jornal (os nomes Adele Covelle e Gereldine Wanda eram, de acordo com Holmes, pseudônimos às vezes usados por Minnie Williams):

MINNIE WILLIAMS, ADELE COVELLE, GERELDINE WANDA
AplbcnRun nb CBRc EBLbcB 10º PREeB
cBnucu PCAeUcBu
Rn buPB [...] CbepBa. Endereço George S. Graham,
Filadélfia, Pensilvânia, EUA.

A parte codificada da mensagem traduzia-se assim: "Importante receber notícias antes do 10º telegrama. Devolver crianças de pronto [...] Holmes".[1]

Entrementes, Graham entrou em contato com a Scotland Yard, forneceu um resumo detalhado do caso e requisitou auxílio para rastrear a srta. Minnie Williams, a atual proprietária de casa de massagem no 80 da Veder ou Vadar Street. Graham recebeu uma resposta rápida pelo correio.

A carta lhe informava que não havia nenhuma rua com aqueles nomes em Londres.

Apesar das declarações de que Minnie Williams responderia à mensagem codificada "sem demora", duas semanas se passaram sem resposta — fato que não surpreendeu ninguém no escritório do promotor público. Em 17 de junho, Holmes voltou a empunhar uma caneta, dessa vez para redigir extensa carta para Carrie Pitezel, na qual reiterou as mentiras que contara a Graham e aos outros. Começou com um relato explícito sobre o comportamento cada vez mais errático e suicida de Ben ao longo dos meses que antecederam sua morte.

"Os fatos que você precisa saber são os seguintes", escreveu Holmes. "Ben viveu no oeste, e enquanto esteve bêbado em Fort Worth, Texas, se casou com

---

1   No original: *Important to hear before 10ᵗʰ Cable. Return children at once [...] Holmes.* [NT]

mulher de má reputação chamada sra. Martin [...] Quando ficou sóbrio e descobriu o que tinha feito, ameaçou matar a mulher e a si mesmo, e tive de mandar que um dos outros homens o vigiasse até voltar para casa. Quando verificamos a conta bancária, Ben desperdiçara — ou havia sido roubado pela sra. Martin — uma quantia de mais de 850 dólares do dinheiro que tanto precisávamos. Mais tarde, ele quis aplicar o golpe do seguro no Mississippi, onde era conhecido, e eu fui para lá com ele. Quando descobri que tipo de lugar era preferi não seguir com o plano, e eu lhe disse isso, e Ben respondeu que se eu não fizesse o serviço, se mataria e conseguiria o dinheiro para você etc. Para tirar essa ideia da cabeça dele, lhe disse que iria a Mobile e se conseguisse o necessário [ou seja, um cadáver substituto], seguiria em frente, caso contrário eu iria para St. Louis e escreveria dizendo para que fosse até lá [...] Quando cheguei a St. Louis, escrevi para ele, e na carta que me deixou depois de morrer, disse que tinha tentado se matar com láudano, e mais tarde descobri que era verdade."

Rogou a Carrie como um velho amigo da família que sempre teve em mente seus melhores interesses, Holmes a incitou a confiar em seu próprio bom senso, não nas cruéis acusações de estranhos. "Tomei conta das crianças como se fossem minhas", escreveu, "e você me conhece bem o bastante para me julgar melhor do que os estranhos daqui. Ben não teria feito nada contra mim, ou contra si mesmo, assim como não teria feito nada contra os próprios irmãos. Nós *nunca* discutimos. Mais uma vez, ele era muito importante para mim para que eu o matasse, além de não ter nenhuma outra razão para fazer isso. Quanto às crianças, nunca acreditarei, até que você mesma me diga, que acha que estão mortas ou que fiz alguma coisa para tirá-las do caminho. Conhecendo-me como você me conhece, consegue me imaginar matando criancinhas inocentes, sobretudo sem motivo?"

Ele continuava afirmando que Alice, Nellie e Howard estavam sob os cuidados de Minnie Williams. "Sobre a saúde física das crianças, tenho certeza que elas estão tão bem hoje como se estivessem com você, e também que não serão abandonadas nas mãos de estranhos, por dois motivos. Primeiro, a srta. W., embora de temperamento irritadiço, tem o coração mole demais para algo assim; segundo, se estivessem entre estranhos, onde suas cartas não pudessem ser examinadas e detidas, elas teriam escrito para os avós."

Insistindo que sua preocupação mais imediata era vê-la solta, Holmes concluiu com a esperança fervorosa de que "seu sofrimento aqui esteja quase acabando".

• • •

Contudo, os sofrimentos de Carrie Pitezel estavam longe do fim; de fato, indescritíveis angústias aguardavam por ela nas semanas vindouras. Mas seu confinamento, ao menos, tinha acabado. No mesmo dia em que recebeu a carta de Holmes — quarta-feira, 19 de junho —, Graham manteve sua promessa e providenciou sua imediata soltura de Moyamensing.

Carrie piscava sob o sol forte de verão e foi escoltada escada abaixo até seus dois amigos mais antigos, que vieram de Illinois para lhe dar apoio. Após breve parada na prefeitura, onde subiu ao telhado para abrangente vista da cidade, seguiu para o escritório de seu advogado, Thomas A. Fahy.

Dessie e o bebê — que passaram os últimos 6 meses sob custódia da Society to Protect Children from Cruelty — a esperavam lá. Depois de uma reunião comovente, Carrie e os filhos passaram várias horas carinhosas isolados no escritório de Fahy.

Antes de partir para o quarto de hotel que Fahy reservara para ela, Carrie concordou em conversar com um repórter do *Inquirer*. Foi a primeira entrevista desde sua prisão.

Sentado diante dela, o repórter ficou impressionado com sua aparência emaciada. Apesar do cabelo preto, parecia tão encarquilhada quanto uma bruxa velha. Achou difícil acreditar que o bebê aninhado em seus braços era seu próprio filho e não o bebê da jovem de 18 anos sentada ao seu lado.

O repórter pediu sua opinião sobre Holmes, se a sra. Pitezel achava que ele dizia a verdade sobre seus filhos desaparecidos?

"Holmes é capaz de qualquer coisa", respondeu Carrie, amarga. "Ele é um patife de fala mansa. Mentiu para mim e me enganou e não duvido que seja capaz de sumir com as crianças, se isso fosse lhe trazer alguma vantagem."

A seguir, o repórter perguntou a respeito de seu marido, se a sra. Pitezel nutria alguma esperança de que ainda estivesse vivo: "Eu acredito que o corpo era o do meu marido, pois se o sr. Pitezel estivesse vivo com certeza teria voltado para cá e obrigado Holmes a retirar algumas das coisas que disse."

E as crianças...?, perguntou o repórter em voz baixa.

"Não sei o que aconteceu com elas", respondeu, angustiada. "Tenho vontade de percorrer o mundo todo para ver se encontro algum vestígio delas." Seu lábio inferior estremeceu e lágrimas escorreram pelo rosto sulcado. Um minuto inteiro se passou antes que conseguisse falar outra vez.

"Mesmo saber que elas estão mortas", disse ela, "seria um alívio."

Contudo, os sofrimentos de Carrie Pitezel estavam longe do fim; de fato, indescritíveis angústias aguardavam por ela nas semanas vindouras.

Encontrar Alice, Nellie e Howard também tinha se tornado questão crucial para o promotor público. Seus motivos eram em parte humanitários. Seu coração se compadecia pela sra. Pitezel, condenada a uma vida de incerteza torturante — até que o destino de seus filhos se tornasse conhecido.

Mas ele estava determinado a encontrar as crianças por outro motivo, talvez ainda mais premente. Graham sabia muito bem que, ao capturar Holmes, a polícia fisgara algo muito maior do que um golpista de seguros. E ele não tinha nenhuma intenção de deixar sua presa se contorcer até escapar.

Quando Carrie saiu da prisão, Graham, com seu assistente, Thomas Barlow e o superintendente Linden, decidiriam iniciar uma última busca minuciosa pelas crianças desaparecidas. Muitos dos subordinados de Linden acreditavam que essa empreitada era inútil — desperdício de tempo e dinheiro do departamento. William Gary e seus colegas detetives da seguradora, apontavam, procuravam as crianças em vão desde novembro passado.

O consenso entre os agentes da polícia era que Holmes assassinara seus pequenos prisioneiros. Não parecia possível, como um deles afirmou, "que um criminoso tão astuto e ardiloso [fosse deixar] algum rastro para trás". O mais provável era que Holmes tinha afundado os corpos em um lago ou um rio, como afirmou ter feito com o cadáver de Nannie Williams.

Graham, Barlow e Linden, contudo, não foram dissuadidos por esses argumentos. O fato de os homens da seguradora não serem capazes de localizar as crianças apenas significava que sua investigação, nas palavras de Graham, "fora realizada de modo amador". O promotor público não se convencera de que as crianças estivessem mortas. Mas se estivessem, acreditava que uma "busca cuidadosa e paciente" de maneira inevitável revelaria "o deslize que criminosos sempre cometem entre o início e a consumação do crime". Apenas era impossível, insistia Graham, que "hoje em dia um homem possa matar três crianças e escapar sem ser descoberto".

Verdade: era uma tarefa intimidadora, que exigia as habilidades de um detetive de engenhosidade extraordinária.

Por sorte, o promotor público tinha o homem perfeito disponível.

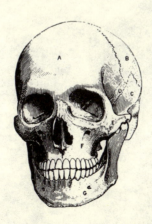

Mack Sennett Comedies • Billy Bevan

CRIME SCENE: PROFILE

NO RASTRO DO MAL

38. CHASING EVIL

> "Se ele é o sr. Hyde", pensara ele, "eu serei sr. Seek."
> — ROBERT LOUIS STEVENSON, *O Médico e o Monstro* —

Com o uniforme da polícia, Frank Geyer se parecia com um personagem de comédia de Mack Sennett — constituição musculosa, topo da cabeça de poucos cabelos, bigode farto e oblíquas sobrancelhas pretas, tão espessas e escuras que davam a impressão de ser maquiagem teatral. Vinte anos depois do caso Holmes, Sennett faria todos os Estados Unidos gargalharem com seus curtas-metragens mudos. Assista a um deles hoje e você verá uma série de sósias de Geyer, segurando-se com as unhas a um bondinho descontrolado ou atravessando a parede de tijolos mais próxima com seu carro de polícia.

Geyer, no entanto, não era nenhum Keystone Kop.[1] Muito pelo contrário. Ele era um sujeito formidável — veterano com vinte anos de polícia da Filadélfia, com a merecida reputação de melhor detetive da cidade.

---

1   Guarda Keystone em tradução livre (*Kop* se refere a *cop*, tira, policial; escrito dessa maneira para manter a inicial *K* em *Keystone*). Os Keystone Kops eram personagens das comédias do cineasta Mack Sennett. [NT]

Mas junto de sua grande aclamação profissional, Frank Geyer vivenciara enorme tragédia pessoal. Em março de 1895 — apenas três meses antes de o promotor Graham decidir montar uma busca abrangente pelos filhos desaparecidos de Pitezel —, um incêndio consumiu a residência de Geyer e matou sua amada esposa, Martha, e sua única filha, uma menina promissora de 12 anos chamada Esther.

O detetive Geyer, que prosperava com tais desafios, estava ansioso em levar a cabo a missão de Graham, fosse como fosse. Mas a perda de seus entes queridos o infundiu ainda mais determinação pela busca. Em parte, isso era a simples questão de encontrar uma distração de seu pesar — esperava se perder na busca por Alice e seus irmãos. Mas também havia algo mais.

A vida tinha ensinado a Geyer terrível lição: nenhum horror se compara à morte de um filho. Que um ser humano fosse capaz de infligir esse horror a outro de modo deliberado lhe parecia perverso ao ponto do inconcebível, quase demoníaco. E Geyer não descansaria até ver o malfeitor punido.

Assim, na quarta-feira, 26 de junho de 1895, o detetive Frank Geyer, a mala a tiracolo, foi à estação de trem e partiu em sua busca.

Não havia muitas pistas para seguir, mas Geyer não viajava em total ignorância. As diversas cartas escritas por Alice e Nellie — que Holmes preservara para seus propósitos traiçoeiros — foram encontradas em uma caixa de metal no momento de sua prisão. Apesar da escrita e da gramática grosseiras, as cartas eram corretíssimas em um aspecto: seguiam o formato convencional e cada uma tinha cabeçalho tanto com data quanto lugar de origem.

Como resultado — ainda que os detetives da seguradora tivessem sido impedidos de encontrar as crianças desaparecidas —, mapearam a rota que Holmes seguira durante o outono anterior, de Cincinnati a Indianápolis, Detroit, Toronto e, por fim, Burlington.

Geyer sabia que as respostas que procurava se encontravam em algum lugar ao longo desse percurso tortuoso. Para alcançá-las, teria de começar do início.

Munido de fotos de Holmes dos arquivos da polícia e de fotografias das crianças — tiradas em 1893 quando eram alunos na D. S. Wentworth School em Chicago —, Geyer chegou a Cincinnati na noite de 27 de junho e se registrou no Palace Hotel, devorou um rápido jantar e seguiu para a sede da polícia, onde encontrou um velho amigo, o detetive John Schnooks. Relembraram velhas histórias por alguns instantes antes de Geyer explicar o motivo da visita. Schnooks aconselhou Geyer a voltar no dia seguinte e conversar com seu chefe, o superintendente Philip Dietsch.

Fiel adepto dos benefícios de farto desjejum, Geyer aproveitou o tempo para se fortificar com uma travessa de panquecas, bacon e ovos antes de seguir para a prefeitura na manhã seguinte. Dietsch o cumprimentou com cordialidade e, depois de ouvir os fatos do caso, chamou Schnooks e o orientou a "prestar ao detetive Geyer toda a assistência disponível".

Com isso, seguiram para a cidade. A Grande Busca (como Geyer pensaria nela mais tarde) tinha começado para valer.

Geyer e seu colega começaram a pesquisa em hospedarias ao redor das estações de trem. Ao final da manhã, localizaram os dois hotéis — o Atlantic House e o

Bristol — onde Holmes alugara quartos com o nome Cook — o mesmo pseudônimo (como Geyer sabia) que obrigara Carrie Pitezel a usar em Burlington. W. L. Bain, recepcionista do Bristol, identificou Holmes e as crianças a partir das fotografias.

Geyer sabia que sua nêmese alugava com regularidade casas nas cidades por onde passara, por isso decidiu mudar de tática e se concentrar em imobiliárias em vez de hotéis. Ele e Schnooks perambularam pela cidade e interrogaram em vão dezenas de corretores, antes de por fim encontrarem o escritório de J. C. Thomas, cujo recepcionista, George Rumsey, não teve nenhum problema em identificar as fotografias de Holmes e de Howard, quem julgara pai e filho. Rumsey se recordava de ficar impressionado pela disparidade entre a aparência elegante e próspera do homem e a vestimenta maltrapilha do menino.

Infelizmente, Rumsey não podia oferecer mais informações sobre a casa que Holmes alugara, visto que os registros estavam no escritório do sr. Thomas, que fora embora ao término do expediente. O recepcionista não sabia o endereço do chefe, apenas que Thomas se mudara havia pouco para Cumminsville, cidadezinha suburbana cerca de 8 km de Cincinnati.

Como tempo era crucial, Geyer e Schnooks partiram de imediato para Cumminsville, mas foram incapazes de encontrar Thomas, cujo nome ainda não estava na lista telefônica. Decepcionados, os dois detetives decidiram dar o dia por encerrado.

Logo cedo, na manhã seguinte, estavam de volta à imobiliária. O dono chegou alguns minutos depois e, como o recepcionista, reconheceu de pronto as fotografias de Holmes e Howard.

Thomas não precisou consultar seus registros para encontrar as informações que os detetives procuravam, pois se lembrava com vivacidade do cavalheiro muito bem-vestido que tinha pagado um adiantamento de 15 dólares pela casa disponível no 305 da Poplar Street e então desaparecido apenas dois dias depois de tê-la alugado. O que acontecera com o sujeito, Thomas não poderia dizer. Sugeriu que Geyer e Schnooks visitassem a srta. Henrietta Hill, que morava bem ao lado da propriedade alugada e poderia ter fatos adicionais a oferecer.

A srta. Hill tinha de fato lembrança vívida do inquilino misterioso que abandonara a casa vizinha poucos dias depois de se mudar. O que a intrigara mais, explicou, foi o enorme forno cilíndrico que levava consigo. O forno não era apenas grande demais para uma casa de tamanho modesto, mas — ainda mais desconcertante — era o único item na carroça da transportadora.

Agradecendo a srta. Hill pela ajuda, Geyer e Schnooks foram embora, bastante satisfeitos. Após rastrear os lugares nos quais Holmes tinha ficado durante a breve estadia em Cincinnati e descoberto seus dois pseudônimos — Cook e Hayes —, Geyer se sentia confiante de ter "agarrado a ponta da corda que por fim me levaria à concretizar minha missão". Naquele ponto, a informação da srta. Hill a respeito do imenso forno de ferro parecia um detalhe intrigante, mas não muito relevante.

Semanas se passariam antes que Geyer descobrisse sua terrível importância.

HOWARD PITEZEL.

CRIME SCENE: PROFILE

A VERDADE DESPONTA

39. TRUTH EMERGES

> O detetive Geyer veio me ver e, em uma longa conversa,
> fiz uma tentativa honesta de deixá-lo a par de todos os fatos
> que seriam primordiais para facilitar a busca proposta.
>
> — Do diário da prisão de H. H. HOLMES —

Geyer sabia, com base em suas cartas, que as crianças foram levadas de Cincinnati para Indianápolis, por isso, partiu de imediato para a capital de Indiana. Chegou por volta das 19h30 de sábado, 29 de junho. Depois de se registrar e jantar na pensão Spencer, se encaminhou à sede da polícia e se apresentou ao capitão Splann, chefe do corpo de detetives.

Antes que Geyer tivesse a chance de explicar a situação, o capitão foi chamado para investigar uma denúncia de assassinato na zona norte da cidade. Foi apenas muito mais tarde naquela noite que Geyer teve oportunidade de conversar com o superior de Splann, o superintendente Powell. Como sua contraparte em Cincinnati, Powell ofereceu toda sua cooperação e encarregou o detetive David Richards de auxiliar Geyer.

Ao longo dos dias seguintes, Geyer seguiu a mesma rotina que lhe tinha sido tão útil em Cincinnati. Começou com as hospedarias em volta da estação Union e seguiu para a vizinhança conhecida como "o Círculo", os dois detetives não demoraram a encontrar uma entrada para as crianças nos registros do Hotel English. Das fotografias de Geyer, o recepcionista identificou Holmes como o homem que alugara um quarto para as crianças na noite de 30 de setembro e então fechara a conta na manhã seguinte.

Àquela altura, Geyer e Richards chegaram a um beco sem saída. Foram incapazes de encontrar alguma pista das crianças depois do dia 1º de outubro. Resolutos, os dois detetives passaram a uma busca metódica em cada hotel e hospedaria da cidade — sem sucesso. Foi então que Richards se lembrou de um pequeno hotel chamado Circle House, que funcionava na Meridian Street em setembro de 1894, mas que já fechara as portas.

Na segunda-feira de manhã, Geyer e Richards conseguiram rastrear o antigo proprietário do Circle House, Herman Ackelow, que naquela época administrava um bar em West Indianápolis.

Ackelow, que não teve nenhum problema para se lembrar de Alice e seus irmãos, pintou um quadro sombrio das três crianças desamparadas, trancadas em seu quarto dia após dia. Contou as vezes que seu filho adolescente tinha levado as refeições das crianças e as encontrava chorando lamentosas, esmagadas pela solidão e pelo tédio que não dava trégua.

Àquela altura, Geyer e Richards chegaram a um beco sem saída. Foram incapazes de encontrar alguma pista das crianças depois do dia 1º de outubro.

A lembrança de Ackelow foi perturbadora em particular: o ataque histérico do pequeno Howard depois de voltar de um raro passeio matinal com Holmes. O dono do bar descreveu sua conversa subsequente com o cavalheiro loquaz que tinha se apresentado como tio do menino.

"Ele me contou que o menino era encrenca desde o dia em que nasceu", relembrou Ackelow. "Disse que não sabia como sua irmã viúva poderia dar jeito nele e pensava em talvez o levar para trabalhar em uma fazenda ou interná-lo em uma instituição. Só queria se ver livre dele, apenas isso."

As palavras de Ackelow fizeram Geyer gelar. O detetive terminou a conversa certo de que Howard não tinha deixado Indianápolis vivo. Essa crença, porém, foi contrariada pelas descobertas dos agentes da própria Fidelity Mutual de que havia "informações seguras de que Holmes e o menino foram vistos em Detroit".

De volta a seu quarto de hotel, naquela noite, Geyer considerou suas opções com cuidado. Sabia que Detroit tinha sido a parada seguinte na jornada diabólica de Holmes, mas havia uma ponta solta que Geyer esperava amarrar.

Antes de embarcar em sua busca, visitara Carrie Pitezel, que lhe fornecera uma descrição detalhada do baú das crianças — aquele que ela enviara com Nellie e Howard quando foram embora de St. Louis com Holmes. O baú desde então desaparecera. Geyer também entrevistara o suspeito, que insistiu ter deixado o baú em Chicago, em um hotel na West Madison Street, próximo à esquina da Ashland Avenue. Geyer estava ansioso para encontrar o baú, pois acreditava que poderia ter uma pista importante quanto ao paradeiro das crianças.

Sendo assim, pouco depois do meio-dia da segunda-feira, 1º de julho, Geyer deixou Indianápolis em um trem que seguia para o norte até Chicago.

Começando cedo na terça-feira — a primeira manhã depois de sua chegada a Chicago —, Geyer passou dois dias no esforço infrutífero de encontrar o baú. De fato, não chegou a encontrar o hotel no qual Holmes disse que o deixara — afinal, o estabelecimento não existia. A informação que Holmes oferecera, Geyer não demorou a perceber, era outra tentativa descarada de desviar o detetive do caminho.

A viagem a Chicago não foi total perda de tempo, entretanto. Acompanhado do sargento John C. McGlinn, designado para ajudá-lo, Geyer realizou busca minuciosa pela West Madison Street. A pouco mais de 15 m da esquina da Ashland Avenue, se depararam com uma hospedaria administrada por Jennie Irons. Embora a srta. Irons não reconhecesse as fotografias dos filhos de Pitezel, de imediato identificou Holmes como o cavalheiro que conhecera pelo nome de Harry Gordon. De acordo com a senhoria, Gordon ocupara quartos em sua hospedaria durante vários meses em 1892 com uma jovem bonita que apresentou como sua esposa.

Foi apenas mais tarde que Geyer descobriu que a adorável "sra. Gordon" era na verdade uma antiga amante de Holmes — Emeline Cigrand —, desaparecida misteriosamente de Chicago no final de 1892, para não voltar a ser vista outra vez.

Geyer também descobriu com Herman Ackelow que uma imigrante alemã, Caroline Klausmann, era a camareira do Circle House durante o período em que Holmes e as crianças ficaram hospedados lá. Ackelow não sabia ao certo se seria de muita ajuda, visto que não falava inglês muito bem, mas sabia que ela vivia em Chicago no momento. Geyer a encontrou no Swiss Hotel, na Wells Street.

O inglês da srta. Klausmann não estava melhor do que um ano antes, mas Geyer sabia o bastante de alemão para informar o motivo de sua visita. No instante em que lhe mostrou as fotografias de Alice, Nellie e Howard, os olhos da boa mulher se encheram de lágrimas. Ainda a entristecia se lembrar das três crianças desoladas e de sua inabilidade em lhes oferecer palavras de consolo.

Geyer não estava mais perto de encontrar as crianças. Mas cada dia trazia novas evidências desanimadoras do sofrimento pelo qual passaram sob a custódia desalmada de Holmes.

Antes de deixar Chicago, Geyer estava ansioso para conversar com outra pessoa. E, portanto, logo depois do café da manhã, na quarta-feira, 3 de julho, ele e McGlinn tomaram um bondinho para Englewood.

Eles estavam a caminho da Sessenta e Três com a Wallace para interrogar Pat Quinlan — o zelador do Castelo Holmes.

Os raios de sol matinais não ajudavam em nada a dissipar a lúgubre atmosfera de abandono que pairava sobre o enorme prédio, com fachada decadente e janelas superiores escurecidas. Os detetives subiram uma escada em caracol até o segundo andar e encontraram o apartamento de Quinlan. Geyer bateu na porta. "Detetives Geyer e McGlinn", chamou ele e as palavras ecoaram no silêncio absoluto do Castelo. Através da madeira, uma voz abafada pediu que entrassem.

Lá dentro, os detetives se viram diante de um homem pálido e magro, estatura mediana, cabelo claro e ondulado, e bigode loiro. Geyer julgou que ele devia ter 38 anos. Geyer apresentou seu cartão. Quinlan o examinou, então convidou os dois homens da lei a se sentar.

Geyer foi direto ao ponto e questionou Quinlan com dureza a respeito de Holmes e as crianças. Ainda que não acusasse o zelador de conluio, o detetive deixou bem claro que acreditava que Quinlan poderia lhe contar tudo a respeito das crianças desaparecidas. Mas Quinlan permaneceu firme em suas negações. Admitiu que conhecia a família Pitezel "muito bem", porém insistiu que não via nenhum deles havia mais de um ano. Estava mais do que disposto a ajudar no que pudesse, mas, em relação ao paradeiro de Alice, Nellie e Howard, não tinha a menor ideia.

Geyer estava inclinado a acreditar em Quinlan, em parte por que o próprio zelador era pai, e deste modo era improvável — no ponto de vista do detetive — que tramasse contra crianças inocentes. Ainda mais importante, ficou claro com base nos comentários de Quinlan, que ele nutria pouca afeição por Holmes.

Seu empregador era um "canalha imundo e mentiroso", rosnou Quinlan. Acompanhou todas as histórias sobre os crimes de Holmes nos jornais, e não ficou nem um pouco surpreso com o que tinha lido. O homem era capaz de qualquer coisa.

"Se o cadáver que encontraram na Filadélfia for mesmo Ben Pitezel", disse Quinlan, "pode apostar bastante dinheiro que Holmes o matou. E se ele deu cabo de Pitezel, então também matou as crianças."

Logo depois, Geyer e McGlinn se levantaram, agradecendo a Quinlan por seu tempo. O zelador os acompanhou até a porta.

Geyer estava a meio caminho da soleira quando Quinlan esticou a mão e o segurou pela manga do casaco.

"Se vocês descobrirem que os pequeninos estão mortos, espero que Holmes seja enforcado por isso", disse com fervor. "E, quando esse dia chegar, eu ficaria feliz em ser o homem que vai puxar a alavanca do alçapão."

CRIME SCENE: PROFILE

NATUREZA MALIGNA

40. NATURAL BORN KILLER

> O tempo há de revelar o que se esconde nas dobras da perfídia.
> — SHAKESPEARE (trad. Millôr Fernandes), *Rei Lear* —

Frank Geyer era um homem com uma missão e não tinha intenção de descansar até que as crianças fossem encontradas. Portanto, na quinta-feira, 4 de julho — enquanto seus compatriotas trocavam seus trabalhos de verão pelo agitar de bandeiras nas festividades do Dia da Independência —, Geyer foi para Detroit, onde diversas testemunhas oculares diziam ter visto Holmes com Howard Pitezel.

Geyer chegou por volta das 18h, se registrou no Hotel Normandie, e se dirigiu de imediato à sede da polícia. Lá encontrou um velho amigo, o detetive Thomas Meyler, que o apresentou ao capitão no comando. Bem cedo na manhã seguinte, Geyer retornou à sede para conversar com o superintendente Starkweather, que designou o detetive Tuttle para ajudá-lo em sua busca.

Geyer e Tuttle seguiram primeiro para o escritório local da Fidelity Mutual Life Association, cujos investigadores tinham encontrado uma pista importante — o nome do corretor de imóveis que alugara a casa para Holmes em outubro passado. Os dois detetives visitaram o corretor Bonninghausen, que lhes informou que Holmes aparecera no escritório e queria uma casa para alugar "na periferia da cidade" e que pagara adiantamento de 5 dólares pela casa na East Forest Avenue. Bonninghausen parecia se lembrar de que Holmes estava com um menininho, de uns 9 ou 10 anos. Seu recepcionista, um sujeito chamado Moore, tinha a mesma impressão.

Ao longo dos anos, Geyer aprendera a confiar em seus palpites. Por intuição, acreditava que Howard fora assassinado em Indianápolis. Mas não podia descartar os testemunhos de Bonninghausen e Moore, que contradiziam a teoria. Decidiu fazer busca em hotéis e hospedarias da cidade, para ver se conseguia encontrar alguma prova da presença de Howard em Detroit.

Tuttle e ele começaram na vizinhança perto da estação de trem e visitaram algumas hospedarias antes de se deparar com a entrada para "Etta e Nellie Canning" nos registros do New Western Hotel. O proprietário, P. W. Cotter, precisou apenas de uma olhada nas fotografias para identificar as meninas como as irmãs Pitezel e Holmes como o homem que as registrara no hotel. Mas Cotter não tinha visto nenhum menininho.

Com base na última carta deplorável de Alice para os avós, Geyer sabia que as meninas tinham sido levadas em seguida para a pensão de Lucinda Burns, no 91 da Congress Street. A senhoria tinha lembrança vívida de Alice e Nellie e recordou que eram crianças muito "quietas e reservadas", que nunca saíam do quarto e pareciam ler e desenhar para passar o tempo.

Assim como P. W. Cotter, contudo, a sra. Burns atestou que as meninas estiveram sozinhas. Ela não viu o menininho de olhos escuros da fotografia que Geyer mostrou.

Era possível, claro, que, por seus próprios motivos diabólicos, Holmes preferisse manter Howard perto de si. Geyer desviou o foco das meninas e decidiu ver se conseguia descobrir onde Holmes se hospedara em Detroit e se estivera acompanhado de um menininho. No registro do Hotel Normandie, o detetive encontrou a entrada para "G. Howell e esposa" e de imediato reconheceu tanto a caligrafia quanto o pseudônimo de Holmes.

Depois disso, contudo, Geyer e seu parceiro chegaram a um beco sem saída. Buscaram os registros de todos os hotéis da cidade, não conseguiram encontrar mais nenhuma pista de Holmes. Decidiram experimentar as hospedarias.

No dia seguinte, a dupla passou hora após hora de tédio perambulando pelas ruas tórridas, tocando dezenas de campainhas e interrogando inúmeros senhorios e senhorias, nenhum dos quais reconheceu as fotografias de Howard Pitezel e de Holmes.

À medida que a noite caía, encontraram a pensão de Ralston, no número 54 da Park Place, onde Holmes — como "membro da profissão teatral" — se hospedou com Georgiana por breve período. A proprietária, sra. May Ralston, se lembrava com detalhes do lindo casal. Quando Geyer lhe perguntou sobre Howard, entretanto, declarou com toda a certeza que Holmes e a esposa não estavam com nenhuma criança.

Dois dias depois de sua chegada a Detroit, Geyer conseguira reconstruir os movimentos das meninas Pitezel e de Holmes. Mas, com exceção das declarações de Bonninghausen e Moore, não tinha nenhuma pista de Howard. Sua viagem até a East Forest Avenue para verificar a casa que Holmes alugara se provou também infrutífera.

Recebidos pelo inquilino atual, Geyer e Tuttle examinaram em minúcias a casa. Esquadrinharam o porão, inspecionaram a caldeira e (nas palavras de Geyer) "fizeram uma busca em cada centímetro do terreno adjacente à propriedade para ver se a terra fora remexida". Nada parecia fora de lugar.

O inquilino, porém, revelou que, pouco depois de se mudar, tinha descoberto uma escavação peculiar no porão, que ele então recobrira de terra. Medindo em torno de 1,20 m de comprimento, 90 centimetros de largura e 1,10 m de profundidade, o buraco, sem dúvida, fora escavado por seu predecessor — o misterioso cavalheiro que ocupara a casa por alguns dias no outono passado.

Talvez, especulou o inquilino, o cavalheiro tivesse escavado para guardar nabos e batatas para o inverno.

Geyer, entretanto, acreditava que o buraco servia a propósitos muito mais sinistros — e se perguntava que reviravolta inesperada impedira Holmes de seguir em frente com seu plano sombrio.

Frank Geyer era um homem com uma missão e não tinha intenção de descansar até que as crianças fossem encontradas.

O mistério do baú desaparecido das crianças continuava a importunar Geyer. Antes de deixar Detroit, se esforçou ao máximo para encontrá-lo, interrogou dezenas de funcionários de estábulos e condutores de carruagens, visitou quase todos os entrepostos de carga, empresas de ônibus e agências de trens expressos na cidade. Mas — para seu aborrecimento — não conseguiu encontrar pista de seu paradeiro.

Geyer também estava preocupado com outra questão. Os registros do Circle House em Indianápolis indicavam que as crianças Pitezel partiram no sábado, 6 de outubro. De acordo com o registro do New Western Hotel, as meninas chegaram a Detroit na sexta-feira, 12 de outubro. Geyer estava transtornado por não conseguir dar conta desse espaço de seis dias entre os dois locais.

Apesar dessas questões não resolvidas, Geyer acreditava ter feito tudo o que podia em Detroit. Havia apenas mais uma visita que queria fazer antes de partir para a próxima etapa da jornada.

Durante a entrevista com Carrie Pitezel, Geyer descobriu que, assim que chegara a Detroit com Dessie e o bebê, Holmes as registrara no Geis's European Hotel. Bem cedo na manhã de domingo, 7 de julho, Geyer caminhou até o hotel e interrogou a governanta, srta. Minnie Mulholland, que deu uma olhada na fotografia de Carrie e logo a identificou como a mulher angustiada que conhecera como sra. Adams. Geyer a pressionou por mais informações, mas a governanta não tinha nada a oferecer — apenas a descrição de partir o coração da desolada sra. Adams, mulher tão abalada pela preocupação que se movia como uma inválida.

A rota que Geyer tomou para voltar ao hotel o fez passar diante da pensão de Lucinda Burns, no 91 da Congress Street. A pensão, onde Holmes hospedara as duas irmãs Pitezel durante cinco dias, estava a poucos quarteirões do Geis's Hotel, que alojara Carrie com Dessie e Wharton, na mesma época.

Geyer parou diante do pequeno edifício de madeira, pensou no terrível anseio de Alice pela mãe, pela irmã mais velha e pelo irmãozinho, todos eles — no exato momento em que escrevia sua última e entristecida carta para eles — hospedados a uma distância de menos de cinco minutos a pé. Mesmo para Geyer, acostumado a tragédias, isso era quase doloroso demais para se pensar.

Conforme voltava os passos na direção do hotel, foi atingido outra vez pela natureza monstruosa de Holmes — o desalmado homem astuto que planejara manter duas crianças desesperadas de saudades longe da mãe enquanto tramava com frieza sua total aniquilação.

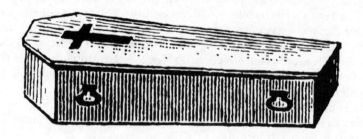

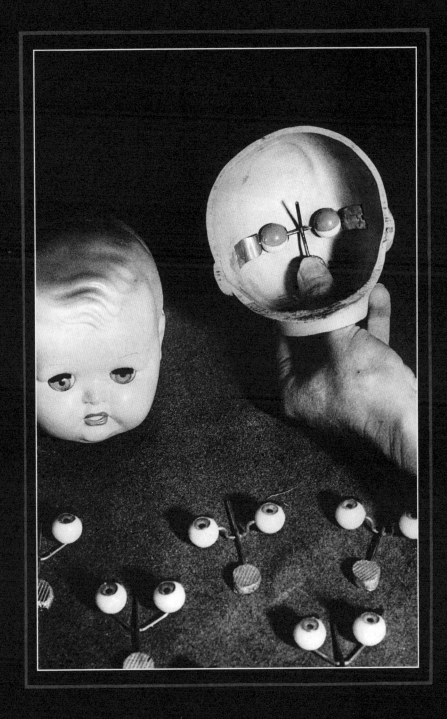

The house, No. 16 St. Vincent Street, where the two little girls were murdered.

CRIME SCENE: PROFILE

O AROMA DA MORTE

41. SCENT OF DEATH

> *Deste modo foi provado que criancinhas não podem ser assassinadas nesta era e nesta geração sem que seja possível descobrir.*
> — FRANK P. GEYER, *O Caso Holmes-Pitezel* —

Geyer foi embora de Detroit na noite de domingo, 7 de julho. Por volta das 9h30 da manhã seguinte, desceu do trem em Toronto.

Geyer visitara a cidade antes e conhecia vários oficiais na força policial, dentre eles o detetive Alf Cuddy, foi encarregado de ajudá-lo.

Os dois homens começaram com o pé direito. Poucas horas depois de iniciarem a busca, rastrearam Holmes primeiro até o Walker House, depois ao Palmer; Carrie, Dessie e Wharton ao Union Hotel; e Alice e Nellie ao Albion.

Neste último, Geyer descobriu um fato agourento com o recepcionista-chefe, Herbert Jones. Depois de examinar a fotografia de Holmes, Jones o identificou como o cavalheiro que levava as duas garotas para passear todas as manhãs durante sua estadia. As meninas costumavam voltar sozinhas ao entardecer, bem na hora do jantar.

Na manhã do dia 25 de outubro, depois de pagar a diária delas, Holmes saiu com as garotas. Mas dessa vez, contudo, as crianças não voltaram.

"Foi a última vez que foram vistas por mim ou por qualquer um do hotel", informou Jones.

Geyer refez os passos de Holmes de cidade em cidade, já familiarizado com seu *modus operandi*. Ele também sabia que Holmes saiu de Toronto de maneira repentina em 26 de outubro. Todos esses fatos juntos — incluindo o que tinha descoberto com Jones —, levaram Geyer a uma nefasta conclusão. Na manhã seguinte, a transmitiu por carta ao seu superior, o superintendente Linden:

"É a minha impressão que Holmes alugou uma casa em Toronto, assim como o fez em Cincinnati, Ohio, e em Detroit, Michigan, e que no dia 25 de outubro assassinou as meninas e se livrou dos corpos enterrando-os em um porão ou outro lugar conveniente, ou queimando-os na caldeira. Pretendo ir a todas as imobiliárias e ver se alguém se lembra de alugar uma casa naquele período para um homem que a ocupou por poucos dias e que alegava ser para uma irmã viúva."

Até quando redigia a última linha, Geyer se deu conta de que estava diante de uma tarefa intimidadora. Mas o detetive se imbuíra do espírito "posso fazer" de uma era confiante. Nunca duvidou nem por um segundo sequer que (como diria mais tarde) "perseverança e determinação trariam bons resultados".

Bem cedo na manhã de quarta-feira, 10 de julho, se armou com as páginas amarelas da cidade e se dirigiu para a sede da polícia para encontrar o parceiro. Ao longo das horas seguintes — enquanto Cuddy lia e Geyer copiava —, os detetives compilaram uma lista de todos os corretores imobiliários de Toronto. Então, se dirigiram para a cidade.

Começaram pelo bairro comercial. Logo Geyer entendeu que o trabalho demoraria muito mais que imaginara. Em todas as imobiliárias da lista, ele e Cuddy tinham de começar do zero, explicar com paciência a natureza da investigação e aguardar enquanto o corretor verificava os registros. Antes que se dessem conta, a noite caiu sobre eles e as imobiliárias encerraram o expediente.

Ficou claro que precisavam de outra abordagem. Uma das melhores qualidades de Geyer como policial era sua tenacidade indômita. Naquele instante, refletiu sobre o problema e exibiu outro dom, bem menos comum: sofisticada compreensão do poder da imprensa. Muito antes da era dos assessores de imprensa e especialistas em relações públicas, Geyer foi astuto o suficiente para reconhecer as utilidades da publicidade. Então convocou uma coletiva de imprensa.

Naquela noite, o quarto de Geyer no Rossin House se encheu de repórteres, que não demoraram a perceber o apelo dramático da história: um detetive intrépido no rastro de crianças desaparecidas, vítimas de um monstro. Geyer forneceu detalhes completos do caso, passou entre os presentes as fotografias das crianças e pediu a "todos os bons cidadãos" de Toronto total cooperação.

A tática funcionou. Na manhã seguinte, todos os jornais da cidade davam pelo menos duas colunas sobre o caso na primeira página. Dessa vez, quando Geyer e Cuddy fizeram a ronda pelas imobiliárias, o trabalho foi muito mais fácil, pois estavam livres da necessidade de repetir a história em cada parada. A maioria dos corretores já verificara seus registros antes de os detetives aparecerem.

Ainda assim, o dia foi uma decepção. Mais uma vez, a dupla acabou de mãos vazias. Quando voltaram à sede da polícia naquela noite, contudo, encontraram a mensagem de um corretor local que lera sobre a investigação de Geyer. O homem gostaria de relatar que, no outono anterior, alugara casa na periferia da cidade para um sujeito chamado Holmes. O imóvel, na esquina das ruas Perth e Bloor, ficava no meio de um campo e tinha cercas de 1,80 m de altura.

Sem querer esperar até a manhã seguinte, os detetives correram para o endereço. Encontraram a casa ocupada por um casal de idosos e seu filho de 20 anos. Geyer repassou a história mais uma vez e concluiu com sua opinião de que Holmes matara as crianças e enterrara seus corpos em algum lugar sob a casa.

O velho ouviu com atenção.

"Isso pode explicar o monte de terra embaixo da construção principal", disse ele ao filho.

Cuddy e Geyer trocaram um olhar significativo. Então Cuddy se virou para o rapaz e disse: "Arranje uma pá".

Enquanto o jovem saía apressado, o pai conduziu os detetives até um alçapão que levava ao forro sob a casa. Os detetives despiram os casacos e se espremeram no espaço exíguo e sem demora encontraram um montículo de terra revirada. A noite já tinha caído àquela altura e eles pediram um pouco de luz. O filho, que voltara com a pá, saiu para buscar algumas lamparinas, e as entregou para os detetives através do alçapão. Revezando-se, Geyer e Cuddy cavaram um buraco de cerca de 0,5 m² e vários metros de profundidade — sem encontrar nada. Empapados e ofegantes no espaço sufocante, deram a noite por encerrada.

Bem cedo na manhã seguinte, foram atrás do corretor imobiliário que entrara em contato com a polícia. O corretor estudou por alguns instantes a fotografia de Holmes, depois balançou a cabeça com movimentos enfáticos: o rosto na fotografia era-lhe desconhecido em absoluto, declarou. Com certeza *não* pertencia ao homem que tinha alugado a casa na Perth com a Bloor.

Frustrado ao extremo com essa revelação, Geyer mudou de tática e interrogou vendedores de passagens de trem o restante do dia, em um esforço para determinar aonde Holmes fora depois de deixar Toronto. Ao cair da noite, estava certo de que Holmes viajara para Prescott. Geyer escreveu ao chefe e anunciou a decisão de fazer daquela cidade sua "próxima parada [...] caso não tenha sucesso em Toronto".

Ainda assim, Geyer escreveu, continuava firme na convicção de "que Holmes tinha se livrado das crianças em Toronto [...] não posso pensar em ir embora antes de realizar uma busca mais extensa".

Na manhã de sábado, Geyer fez uma viagem rápida a Niagara Falls, aonde Holmes passeara com Georgiana. Encontrou seus nomes nos registros do King's Imperial Hotel. O recepcionista-chefe averiguou que o casal se hospedara, sem nenhuma criança — confirmando a crença de que Georgiana nada sabia das irmãs Pitezel. Embora o bígamo Holmes tivesse traído a confiança de Georgiana desde o começo, ao menos a protegera de saber sobre seus crimes mais repreensíveis. Esse era o único atributo redentor que Geyer se dispôs a conceder-lhe.

Geyer retornou a Toronto no começo da tarde e passou o resto do dia nos obituários dos jornais. Verificou anúncios de todos os senhorios particulares que tinham anunciado casas no outono anterior. A começar na segunda-feira, ele pretendia visitar cada um deles.

Entrementes, os jornais continuavam a publicar atualizações diárias sobre o caso.

Geyer se encontrou com Cuddy na manhã de segunda-feira, e seu parceiro estava mais animado. A polícia tinha recebido notícias de um homem chamado Thomas Ryves, que acompanhara o progresso de Geyer nos jornais. Ryves se recordava de que, no final de outubro passado, um homem que correspondia à descrição de Holmes tinha alugado a casa ao lado da sua. O sujeito estava com duas garotas jovens. Mas quando foi embora repentinamente, mais ou menos uma semana depois, as crianças não estavam com ele. A casa em questão ficava no número 16 da St. Vincent Street.

Consultando os classificados que selecionara dos arquivos dos jornais, Geyer encontrou um anúncio para a residência da St. Vincent Street. O anúncio declarava que pessoas interessadas deveriam entrar em contato com a sra. Frank Nudel no 54 da Henry Street.

Por coincidência, Cuddy conhecia Frank Nudel, recepcionista na Secretaria de Educação de Toronto. Cuddy sugeriu a Geyer que visitassem Nudel antes de irem para a St. Vincent Street.

Cuddy e Geyer trocaram um olhar significativo. Então Cuddy se virou para o rapaz e disse: "Arranje uma pá".

Geyer não se permitiu o luxo de ter muitas esperanças. Já fizera muitas buscas inúteis. Mesmo assim, a recordação de Ryves parecia ser a pista mais forte até então. Os detetives partiram de imediato para a Secretaria de Educação.

Os olhos de Nudel se arregalaram quando os detetives lhe contaram o motivo da visita. Ele confirmou que a casa fora alugada no outono anterior, então abandonada de repente uma semana depois, mais ou menos. Mas isso era tudo o que sabia. A casa pertencia a sua esposa, que cuidava dos aluguéis. Era com ela que deviam conversar.

Os dois detetives decidiram visitar Thomas Ryves — o cavalheiro idoso que notificara a polícia. Geyer lhe mostrou as fotografias de Holmes e das meninas Pitezel; mas Alice foi a única que Ryves não teve dificuldade em identificar. Sua história, no entanto, deixava poucas dúvidas de que o estranho misterioso que fora seu vizinho por um breve período era mesmo Holmes.

De acordo com o relato de Ryves, o sujeito apareceu um dia e explicou que tinha alugado a casa ao lado para a irmã viúva, que chegaria em poucos dias. Ele queria escavar um lugar no porão onde a irmã guardasse batatas e perguntou se poderia pegar uma pá emprestada. Ryves concordou.

Naquela tarde, o velho observou pela janela o estranho carregar um colchão, uma cama velha e um baú grande para dentro. Alguns dias depois, Ryves o viu levar o baú embora.

Essa tinha sido a última vez que Ryves o vira.

Àquela altura, Geyer tinha certeza de que estavam na pista certa. Disseram a Ryves que voltariam em uma hora e se encaminharam depressa para a casa de Nudel, no 54 da Henry Street.

A sra. Nudel parecia disposta a bater papo, mas Geyer não estava com tempo para cordialidades. Sacou as fotografias e perguntou se ela alguma vez tinha visto o homem na foto.

"Ora, sim", respondeu depois de estudar a fotografia de Holmes um instante. "Este é o homem que alugou a casa da St. Vincent Street outubro passado e a ocupou por apenas alguns dias." Ele pagou um mês de aluguel adiantado — 10 dólares —, e prometeu quitar o restante na próxima vez que a visse. Então desapareceu sem deixar rastros.

Os detetives deixaram a sra. Nudel com agradecimento afobado e correram de volta para a St. Vincent Street, onde Ryves, na varanda da frente, os esperava ansioso. Geyer pediu-lhe a pá e o velho deu a volta até os fundos da casa, e retornou alguns instantes depois com o mesmo equipamento que emprestara a Holmes nove meses antes.

Em seguida, os dois andaram até a casa de número 16, ao lado.

Era uma casa de campo pitoresca de dois andares, uma única janela triangular na frente e varanda coberta enfeitada com heras floridas. Subir até a varanda era como entrar em um caramanchão de jardim. Geyer parou diante da porta da frente, assimilou a cena e se perguntou se as duas garotas Pitezel tinham mesmo morrido naquele lugar. Era difícil imaginar aquela casa de campo tranquila como o local de tal atrocidade.

A inquilina atual, a sra. J. Armbrust, apertou os olhos, assombrada, quando Geyer explicou o que faziam ali. Ela os conduziu até a cozinha, ergueu um grande pedaço de oleado do centro do chão, que revelou um pequeno alçapão, com cerca de 0,20 m². Geyer levantou a porta e espiou a escuridão lá embaixo. A sra. Armbrust saiu e voltou logo depois com uma lamparina a óleo, e a entregou a Cuddy.

Então, com Cuddy na frente, os dois desceram a escada estreita e íngreme para dentro do breu do porão.

Cuddy segurava a luz enquanto Geyer andava ao redor, cutucando o chão com a pá, em busca de indícios de terra revirada. De repente, encontrou o que procurava — um local macio no canto sudoeste. Cuddy apontou a luz para o canto enquanto Geyer cavava. A terra solta saía com facilidade.

Geyer escavou em torno de 30 cm antes do fedor de carniça emanar da terra. Outros 60 cm e encontrou osso de braço humano, escurecido com carne putrefata.

Cuddy engasgou. Geyer, respirou pela boca, jogou terra de volta no buraco com a pá para manter o fedor lá embaixo. Em seguida, os detetives saíram do porão fedorento e entraram na cozinha.

Com o rosto lívido, Cuddy se postou perto da janela aberta e aspirou grandes golfadas do ar que vinha do jardim.

"Temos de procurar um telefone", disse Geyer, a voz tensa em um misto de triunfo e horror.

Encontraram o telefone na agência de telégrafo da Yonge Street. Cuddy ligou para o inspetor Stark, que parabenizou os homens pela descoberta, então recomendou que procurassem B. D. Humphrey, agente funerário que morava ali perto.

Minutos depois, Geyer e Cuddy estavam no estabelecimento de Humphrey. Ele concordou em acompanhar os detetives de volta até a St. Vincent Street para ajudá-los com a exumação. Geyer descreveu a condição dos corpos e sugeriu que Humphrey levasse três pares de luvas de borracha.

De volta à casa na St. Vincent Street, os homens precisaram de alguns instantes para se preparar, então desceram ao porão. Demorou apenas alguns momentos para que Geyer desencavasse os corpos. Humphrey chamou a sra. Armbrust e disse a ela para mandar o filho adolescente até a funerária para pedir a seu assistente que enviasse dois caixões para a casa.

Na cova rasa nauseabunda, o corpo de Alice jazia de lado, com a cabeça apontada para o oeste. O de Nellie estava de bruços, atravessado sobre o da irmã, com as pernas sobre o corpo de Alice. Ambos os cadáveres estava despidos.

Os três homens se abaixaram e com delicadeza pegaram o corpo de Nellie. A carne estava tão putrefata que, assim que retiraram o pequeno cadáver da cova improvisada, seu escalpo — arrancado pelo peso do cabelo trançado — escorregou do crânio com som molhado.

Àquela altura, a carroça chegara com os caixões. Os três homens depositaram o corpo de Nellie sobre um lençol, o carregaram para cima e colocaram dentro de um caixão; voltaram ao porão e removeram o cadáver de Alice. Os corpos foram levados para o estabelecimento de Humphrey e de lá para o necrotério.

"Àquela altura", recontou Geyer mais tarde, "Toronto estava em polvorosa. As notícias se espalharam por toda a cidade. A casa da St. Vincent Street foi cercada por jornalistas, desenhistas periciais e outros. Todos satisfeitos com nosso sucesso, e as felicitações, misturadas a expressões de horror pela descoberta, eram ouvidas por toda parte."

O fétido aroma da morte ainda parecia presente nas narinas de Geyer naquela noite, e as imagens da decomposição ainda vívidas em sua mente. Pensar nas crianças chacinadas o enchia de indignação e tristeza. Mesmo assim, deitado na penumbra de seu quarto de hotel, uma profunda sensação de repouso começou a dominá-lo.

Verdade, seu trabalho não estava terminado — Howard Pitezel ainda precisava ser encontrado. Mas em menos de três semanas de busca, Geyer resolvera grande parte do mistério. E, ao fazê-lo, não apenas realizara descoberta notável. Ele tinha feito algo que lhe proporcionava um sentimento de satisfação ainda mais profundo.

Frank Geyer havia selado o destino de H. H. Holmes.

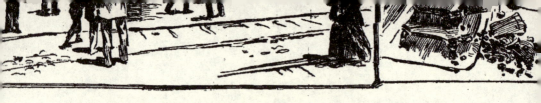

HOLMES CASTLE.

STOVE AND CREMATION SA

DE AND OUT, WHERE MANY OF HIS VICTIMS WERE MURDE

go for a West-
rn.
ecution believ-
porting to have
she was alive,
s to give me a
ublicly known,
ould have used
Pietzel case.
al Death.
eline Cigrande
ago firm to fill
ser to fill the
he had formerly
Ill., where she
h a man, who
time while she
finally engaged
for their wed-
particularly ob-
Miss Cigrande
sable to me in
she had become
ographer. I en-
asions to take
and, falling in
t I would kill
y of their wed-
been sent out
rred, she came
good-by. While
side the vault
ere I detained
would write her
oment he had
possible to live
requently had
hat search for
take her to a
y with her as

this, and pre-
completing the
he door would
she had ceased
ow and linger.

ful attempt to
the $90 that
for the bodies
ho were three
my restaurant
Chicago. That
f their experi-
r is due to my
m all of them
By their com-
wered me and
t, clad only in
attempt to kill
my attempt to
el and two of
thus increasing
was no fault

oisoned.
ried out with
a very beau-
nna Van Tas-
me into my

fruit and confectionary store, and once with me I compelled her to live there for a time, threatening her with death if she appeared before my customers. A little later I killed her by administering ferro-cyanide of potassium.

The location of this store was such that it would have been hazardous to have sent out a large box containing a body, and I therefore buried her remains in the store basement, and from day to day during the recent investigations at the Castle I expected to hear that excavations had been made there as well.

One Starved in a Cell.
Robert Latimer, a man who had for some years been in my employ as a janitor, was my next victim. Several years previous, before I had ever taken human life, he had known of certain insurance work I had engaged in, and when in after years he sought to extort money from me, his own death and the sale of his body was the recompense meted out to him. I confined him within the secret room and slowly starved him to death. Of this room and its secret gas supply and muffled windows and doors, sufficient has already been printed. Finally, needing its use for another purpose and because his pleadings had become almost unbearable, I ended his life. The partial excavation in the walls of this room found by the police was caused by

Latimer endeavoring to escape by tearing away the solid brick and mortar with his unaided fingers.

The succeeding case was that of Miss Anna Betts, and was caused by my purposely substituting a poisonous drug in a prescription that had been sent to my drug store to be compounded, believing that, as it was known that I was a physician, I should be called in to witness her death, as she lived very near the store. This was not the case, however, as the regular physician was in attendance at the time. The prescription, still on file

of a large kiln made of firebrick were found in a basement. It had been built under Mr. Warner's supervision for the purpose of exhibiting his patents. It was so arranged that in less than a minute after turning on a jet of crude oil, atomized with steam, the entire kiln would be filled with a colorless flame, so intensely hot that iron would be melted therein. It was into this kiln that I induced Mr. Warner to go with me, under the pretense of wishing certain minute explanations of the process, and then stepping outside, as he believed, to get some tools, I closed the door and turned on both the oil and steam to their full ex-

he was to
other fort

Finally,
nauseating
to sign the
verted into
forger, in
trace of
hands. I
what prop
the disposa
he, no more
his liberty
equal expe
should be
tion to allo
forcing —
I would on
tion that
form and le
my part o
enabled to
dealings w
large sum
us.

Forge
The next
name has
came to
— was s
time, and
infatuated
learned, w
was marri
came to the
was there,
a family q
threatened
tion. Flus
and I was
power, tha
be. I sug
woman in
if this life
would kill
though —
me in the
deserved de
it is but fai
willing to
would pro
murder bu
anticipated
life, and
take his c

This wa
chloroform
struggles.
given to th
and I can
concern, y
opened up
the body o
coffin-shape
Castle late
police. Is
should have

THE W

TRUNK IN WHICH HOLMES SMOTHERED THE TWO PITEZEL GIRLS.

CRIME SCENE: PROFILE

CORPO NO BAÚ

42. CORPSE IN A TRUNK

> Que dor maior podem ter os mortais que esta:
> Ver seus filhos mortos diante de seus olhos?
>
> — EURÍPIDES, *As Suplicantes* —

Os jornais ficaram repletos de histórias sensacionalistas ao longo da terceira semana de julho de 1895 — acidentes trágicos, avistamentos extraordinários e crimes terríveis. Em Baltimore, um jovem carpinteiro chamado George List encontrou seu terrível fim quando uma pilha de madeira logo atrás dele balançou e caiu, lançando-o de cabeça contra a lâmina giratória de uma enorme serra circular. Rose Gearhart, mulher de 24 anos da Filadélfia, abandonada pelo marido violento, suicidou-se ao engolir estricnina depois de administrar uma dose fatal para a filha de 4 anos, que morreu depois de três horas de convulsões agonizantes.

Os nova-iorquinos estavam perplexos pelos relatos a respeito de uma serpente marinha chifruda de 30 m vista no estuário de Long Island e de uma monstruosa criatura reptiliana com voz trovejante que habitava uma lagoa em Staten Island. (O primeiro era uma píton morta e inchada descartada de um navio a vapor vindo de Singapura, enquanto o monstro da lagoa se mostrou ser uma rã-touro de tamanho considerável.) Em Manhattan, uma viúva de meia-idade chamada Elizabeth Lachmann despencou para a morte enquanto tentava recuperar a dentadura do parapeito do primeiro andar de seu prédio de apartamentos, onde caíra depois de escorregar da boca quando ela se debruçou para fora da janela do quarto.

E de Ashland, Kentucky, vinham relatos de um espantoso ato selvagem: uma bela moça de 17 anos, Carrie Jordan, fora sequestrada por três homens que conhecia. Eles a levaram para uma cabana abandonada, a atacaram com brutalidade, a pregaram pelas mãos à parede e a deixaram lá para morrer.

Mas todos esses horrores e prodígios logo foram ofuscados pelas notícias de Toronto: a muito divulgada busca do intrépido detetive Frank P. Geyer, da Filadélfia, culminara na descoberta dos restos mortais de Alice e Nellie Pitezel.

CRIANÇAS ASSASSINADAS!, trovejava o *Philadelphia Inquirer*. DERRAMADO O SANGUE DE CRIANÇAS!, retumbava o *Chicago Tribune*. CORPOS DAS MENINAS ENCONTRADOS!, proclamava o *New York Herald*. Ao redor de todo o país, a descoberta nefasta de Geyer ganhava as primeiras páginas dos jornais.

Na Filadélfia, o promotor Graham fora o primeiro a saber das novidades, após receber o telegrama de Geyer na noite de segunda-feira, 15 de julho, data da descoberta. Graham planejava esconder a notícia de Holmes, pois pretendia contar a ele durante uma conversa no dia seguinte. O promotor público esperava que Holmes ficasse tão agitado que desmoronasse e confessasse. Por volta das 11h da manhã de terça-feira, Graham telefonou para as autoridades em Moyamensing, orientando-as para que retivessem todos os jornais do prisioneiro.

A ligação chegou tarde demais. Mais cedo, naquela manhã, uma multidão de repórteres aparecera na prisão clamando por uma entrevista com Holmes. Como suspeitou que alguma descoberta tinha acontecido, pediu os jornais. Quando os oficiais de Justiça Gentner e Alexander chegaram para levá-lo à prefeitura, Holmes já vira as manchetes e estava preparado para o interrogatório brutal.

Algemado, permaneceu em um silêncio teimoso no escritório do promotor público, enquanto Graham e Thomas Barlow o bombardearam com perguntas durante quase duas horas. Holmes mais tarde alegou que estivera pasmo de pesar pelos assassinatos (pelos quais tentaria culpar Minnie Williams e um cúmplice misterioso chamado "Hatch").

De volta à sua cela, no entanto, murmurou para um de seus guardas: "Acho que vou ser enforcado por isso".

No mesmo instante em que Holmes dizia essa previsão, o detetive Geyer fazia todo o possível para se certificar de que ela se realizasse. Bem cedo na manhã de terça-feira, ele e Cuddy partiram para encontrar evidências que confirmassem as identidades das garotas assassinadas, cujos cadáveres estavam decompostos e irreconhecíveis.

Antes do almoço, eles tinham sido bem-sucedidos em localizar os inquilinos que se mudaram para a casa da St. Vincent Street logo depois de Holmes tê-la abandonado — a família chamada McDonald, agora no número 17 da Russel Street. A sra. McDonald também atestou que, exceto por uma cama e um colchão velhos, a casa estava vazia. Seu filho de 16 anos, contudo, apresentou um brinquedo simples que encontrara no armário do segundo andar: um ovo pintado ocultando uma pequena cobra que pulava para fora como boneco de mola quando a casca de madeira era separada.

Geyer enfiou a mão no bolso do casaco e retirou uma folha de papel dobrada. Era um inventário que obtivera da sra. Pitezel, detalhando tudo o que seus filhos levaram consigo na fatídica viagem. Geyer examinou o papel e soltou uma pequena exclamação exultante.

Incluído na lista havia um ovo de brinquedo contendo uma cobra acionada por mola. Esse fora o brinquedo favorito de Howard Pitezel.

Embora Geyer ainda acreditasse que Howard fora assassinado ou em Indianápolis, ou em Detroit, soube por Thomas Ryves que Holmes levara um baú enorme para o 16 da St. Vincent Street. Talvez, Geyer especulou, Holmes tenha matado o menino nos Estados Unidos, enfiado o corpo no baú, e depois levado para o Canadá, para descartar.

Geyer voltou ao número 16 da St. Vincent Street e — auxiliado por Cuddy e muitos outros policiais — passou as horas seguintes escavando o fétido porão e fazendo um exame minucioso do celeiro e das construções adjacentes. Mas tudo o que encontraram foram alguns pedaços de esqueleto que acabaram sendo ossos de galinha.

Geyer, contudo, conseguiu corroboração importante da inquilina atual, a sra. Armbrust. Pouco depois de se mudar, ela foi usar a lareira no cômodo norte e descobriu que a chaminé estava entupida. Enfiando a mão pelo cano da chaminé, removeu um emaranhado de palha queimada e trapos chamuscados.

Os trapos eram sem dúvida os restos de roupas femininas — um pedaço de vestido azul, uma tira de blusa cinza, algum tecido marrom-avermelhado de traje de lã feminino. Alguém, ao que parecia, tinha tentado incinerar as roupas, mas as enfiara demais dentro da chaminé, abafando a palha em chamas.

Na caixa de lenha ao lado da lareira, a sra. Armbrust também encontrara outra coisa: um par de botas pretas de botões — botas de menina.

Nenhuma dessas provas existia mais — a sra. Armbrust as jogara fora havia muito tempo. Mas a descrição era bastante consistente com o inventário de Carrie Pitezel dos pertences de Alice e Nellie.

Os corpos das crianças, enquanto isso, foram transferidos da casa funerária de B. D. Humphrey para o necrotério, onde o médico-legista Johnston e um trio de médicos realizaram o exame *post mortem* na manhã de terça-feira. Ainda que a putrefação extrema dos cadáveres dificultasse a conclusão definitiva dos médicos, acreditavam que as meninas morreram sufocadas antes de Holmes enterrar seus corpos no porão — descoberta que levou a mais especulações a respeito da função sinistra do enorme baú.

Na época da prisão de Holmes, o baú fora retirado de seu quarto de hotel. A polícia de Boston o examinara minuciosamente e encontrara um pequeno buraco aberto com habilidade logo abaixo da tampa. Geyer supunha que Holmes tinha de algum modo atraído as duas meninas para dentro do baú, fechado e trancado a tampa, e inserido nele a ponta de um longo tubo de borracha. A ponta oposta prendeu à tubulação de gás, abriu a válvula e esperou com calma que as crianças se asfixiavam.

Embora suas descobertas fossem só palpites, dada a condição dos cadáveres, Johnston e seus colegas tinham bastante confiança em suas conclusões. No entanto, estavam confusos por conta de uma anomalia: faltavam os pés da criança menor.

A princípio, supuseram que os pés foram cortados por acidente pela pá quando os cadáveres foram exumados. Mas não foi encontrada nenhuma pista dos pés durante a subsequente busca no porão.

Geyer, contudo, apresentou a solução para o mistério: por questionar Carrie bastante a respeito das características marcantes da filha, sabia que os pés da pequena Nellie eram um tanto tortos.

A conclusão era irrefutável: Holmes, procurando ocultar a identidade do cadáver da criança, amputou-lhe os pés malformados.

Às 19h30 daquela noite, o júri convocado pelo legista se reuniu no necrotério para examinar os corpos como parte de um inquérito preliminar. Geyer estava lá também, convidado a comparecer pelo médico-legista Johnston.

Àquela altura, os cidadãos de Toronto estavam tão alvoraçados pela descoberta horrenda que Geyer (como escreveu mais tarde) "acreditava que teriam feito Holmes em pedacinhos" caso "pudessem". De fato, o público já clamava pela extradição de Holmes. Geyer encontrou-se com os repórteres pouco antes da abertura do inquérito e lhes garantiu que Holmes com certeza enfrentaria um julgamento no Canadá pelo assassinato das filhas de Pitezel caso ele de alguma maneira escapasse da forca na Filadélfia pelo assassinato do pai delas.

Então, enquanto Geyer permanecia na sala de espera, o médico-legista Johnston conduziu os membros do júri — todos respeitáveis comerciantes da cidade — para ver os corpos das meninas. Instantes depois, os jurados saíram apressados, oprimidos pela visão pavorosa e pelo fedor insuportável dos restos mortais putrefatos.

Na noite seguinte, o inquérito foi retomado no tribunal da polícia, na prefeitura. Convocado como testemunha, Thomas Ryves atestou que as meninas nas fotografias do detetive Geyer eram as mesmas que moraram por breve período na casa ao lado da sua no outono anterior. Geyer também foi chamado ao banco das testemunhas e passou quase duas horas e meia narrando a história do caso Holmes-Pitezel e concluiu com relato detalhado de sua busca persistente pelas crianças desaparecidas.

Nesse ponto, a sessão do inquérito foi encerrada. Ainda que ninguém duvidasse de que os cadáveres decompostos jazendo no necrotério eram de Alice e Nellie Pitezel, não havia prova irrefutável de suas identidades. Apenas uma pessoa poderia fornecer tal prova.

O inquérito teria de esperar até que Carrie Pitezel chegasse a Toronto para ver o que restava das duas filhas mais novas.

Assim como Holmes, Carrie soube das notícias devastadoras pelos jornais. Na semana anterior, viajara da casa de seus pais, em Galva, para Chicago para investigar ela mesma o paradeiro das crianças. Estava com velhos amigos, os Hayward, quando o jornal chegou.

Ao ver a manchete, sucumbiu a um estado de pesar tão histérico que seus anfitriões mandaram o filho mais velho buscar o dr. Hubbert, o médico da família. Com a ajuda de "misturas calmantes", Hubbert tranquilizou por ora a mulher abalada, mas teve de voltar duas vezes ao longo do dia para administrar opioides adicionais. Por fim, as drogas a embalaram em um sono agitado.

Quando acordou mais tarde, encontrou o telegrama do promotor Graham, que a informou que o júri convocado pelo legista não podia seguir sem meios seguros de identificar os corpos.

Bem cedo na manhã de quinta-feira, 18 de julho, Carrie partiu sozinha para Toronto.

Ninguém a reconheceu durante a longa viagem de trem, embora suas roupas pretas de luto e a aparência arruinada atraíssem olhares curiosos. Em Toronto, no entanto, centenas de curiosos estavam na estação Union. Por sorte, Geyer também. No instante em que Carrie desceu do trem, por volta das 21h, ele a tomou pelo braço e a conduziu a passos rápidos por entre a turba cerrada até uma diligência que os aguardava, que os levou até o hotel Rossin House.

Quando Geyer a deixou no quarto bem em frente ao seu, Carrie estava à beira de um colapso. Desolada e exausta, desmaiou enquanto ele a conduzia ao quarto. Geyer, providenciou que sais aromáticos fossem levados ao quarto e de imediato aplicou os restaurativos. Pouco a pouco, os olhos de Carrie estremeceram e se abriram, fitando o detetive.

"Oh, sr. Geyer", gemeu ela. "É verdade que encontrou Alice e Nellie enterradas em um porão?"

Geyer a pegou pela mão e, no tom mais gentil que conseguiu, lhe contou que deveria se preparar para o pior.

Entre lágrimas, Carrie respondeu que daria o seu melhor.

Dito isso, Geyer confirmou que suas filhas estavam mortas — ainda que tivesse omitido a condição de seus corpos e as circunstâncias precisas da descoberta. Depois de providenciar que a camareira cuidasse dela, Geyer se recolheu ao quarto.

Carrie parecia melhor na manhã seguinte quando Geyer foi visitá-la. Estava de saída, explicou, ia cuidar dos preparativos para que ela visse os corpos. Geyer apanhou Cuddy na sede da polícia, e em seguida se dirigiram à casa de Johnston, que os informou que tudo estaria pronto para a inspeção às 16h.

Geyer e o parceiro retornaram ao hotel e tentaram preparar Carrie para a provação vindoura. Ele reuniu todo o tato possível, mas não conseguiu mais esconder a terrível verdade sobre o estado dos restos mortais das crianças. Quando contou "que seria impossível ver alguma coisa a não ser os dentes e o cabelo de Alice, e apenas o cabelo pertencente a Nellie", Carrie chegou perto de desmaiar.

Os dois homens ficaram ao seu lado até a condução chegar às 16h. Então — munidos de conhaque e sais aromáticos — escoltaram a mulher trêmula até o cabriolé que os aguardava.

Enquanto uma pequena multidão mórbida perambulava do lado de fora do necrotério, Geyer e Cuddy levaram Carrie para dentro depressa. Deixaram a mulher na sala de espera e foram se certificar de que tudo estava pronto.

Mais tarde, Geyer descreveu em detalhes a cena atormentadora que se seguiu:

"Descobri que o médico-legista Johnston, o dr. Caven e diversos assistentes tinham removido a carne pútrida do crânio de Alice. Os dentes foram bem limpos e os corpos cobertos com lona. A cabeça de Alice estava coberta com papel, e um buraco fora cortado para que a sra. Pitezel pudesse ver os dentes. Os cabelos das crianças foram lavados com cuidado e depositados no pedaço de lona que cobria Alice.

"Johnston disse que já podíamos trazer a sra. Pitezel. Entrei na sala de espera e lhe disse que estávamos prontos e, com Cuddy de um lado e eu do outro, entramos e a conduzimos até a mesa de necropsia, onde repousava o que restou da pobre Alice. Em instantes, reconheceu os dentes e o cabelo como os de sua filha, Alice. Então, se voltou para mim e perguntou: 'Onde está a Nellie?' Nesse instante, notou a longa trança preta que pertencera a Nellie depositada sobre a lona. Ela não conseguiu aguentar mais e os gritos daquela pobre criatura desamparada ainda ecoam em meus ouvidos. Lágrimas escorriam pelo rosto dos homens fortes que estavam ao nosso redor. Era impossível descrever os sofrimentos daquela mãe abalada.

"Com gentileza a tiramos da sala e a levamos até a carruagem. Ela voltou ao Rossin House subjugada pelo pesar e desespero, e teve um desmaio atrás do outro. As senhoras do hotel a visitaram em seu quarto e conversaram amavelmente com ela, e expressaram compaixão por sua triste perda, o que pareceu tranquilizar sua cabeça um pouco."

Depois, naquela tarde, Geyer recebeu uma mensagem do médico-legista. Ele queria que Carrie testemunhasse naquela mesma noite no inquérito. Ainda que um tanto surpreso com o pedido, Geyer o repassou para Carrie, que respondeu preferir "ir e acabar logo com aquilo".

Ela permaneceu no banco das testemunhas por mais de duas horas, respondendo às perguntas com voz trêmula e quase inaudível. O advogado Crown só a dispensou por volta das 22h, quando a tensão daquele dia insuportável enfim acabou com ela, se entregou ao pesar, e gritou, fora de si, por Alice, Nellie e Howard. Diversos médicos presentes ajudaram a acalmá-la. Foi levada de volta ao Rossin House sob os cuidados de uma enfermeira profissional, que permaneceu ao seu lado durante toda a noite.

Os restos mortais de Alice e Nellie Pitezel foram enterrados no cemitério St. James na tarde seguinte, sábado, 20 de julho de 1895. Os gastos com o funeral ficaram a cargo da cidade de Toronto.

Suas filhas tinham falecido, mas Carrie ainda sustentava esperanças de que Howard estivesse vivo. Geyer não compartilhava de seu otimismo, ainda que guardasse sua opinião para si. Apesar disso, estava resoluto a descobrir o que aconteceu ao garotinho.

Na manhã de domingo, 21 de julho, a dupla embarcou de trem para os Estados Unidos. Carrie viajou para Chicago, onde as boas mulheres da Christian Endeavor Society[1] ajudaram a cuidar dela.

Geyer desembarcou em Detroit.

---

1   Sociedade de Esforços Cristãos, em tradução livre. Sociedade evangélica fundada no Maine por Francis Edward Clark, em 1881, com o intuito de fazer com que seus membros se tornassem mais úteis ao serviço de Deus auxiliando a sociedade. [NT]

CAPITULUM

CRIME SCENE: PROFILE

O HOTEL DO INFERNO

43. HOTEL FROM HELL

> Para equiparar tal carreira é necessário voltar a eras passadas e a época dos Bórgia ou dos Brinvilliers, e até mesmo eles não eram humanos tão monstruosos quanto Holmes parece ser. Ele é um prodígio da maldade, demônio humano, ser tão impensável que nenhum romancista se atreveria a inventar tal personagem. Essa história, também, tende a ilustrar o fim do século.
> — *THE CHICAGO TIMES-HERALD*, 8 de maio de 1896 —

Entrementes, Holmes continuava a protestar que era "tão inocente quanto bebê recém-nascido de ter assassinado as crianças Pitezel" — e na quinta-feira, 18 de julho, um estranho misterioso se apresentou para emprestar peso a essa alegação.

Seu nome era Francis Winshoff e apareceu naquela manhã no escritório do advogado de Holmes, William A. Shoemaker, para anunciar que era um "velho amigo" do acusado. Estivera com Holmes em Toronto, "conheceu bem as crianças Pitezel", e podia jurar que "Holmes não tinha nenhum envolvimento no assassinato".

Jornalistas que cobriam o caso se mostraram de fato em dúvida quanto a Winshoff, em parte porque ele ser uma pessoa de aparência bem esquisita

— atarracado e com testa cabeluda, olhos escuros penetrantes, cabeça coberta por cabeleira preta e boca oculta sob um tufo de bigode grisalho e emaranhado. Tinha modos agitados, gestos descontrolados com as mãos (uma delas só tinha um dedo). Ele se identificou como canadense, o que levou seus ouvintes a concluírem que seu forte sotaque estrangeiro era francês.

Os jornais relataram sua história em tons que iam de educado ceticismo ao mais puro desdém. *The Philadelphia Inquirer* ridicularizou-o como "um dos romances mais bonitos e pitorescos já entrelaçados" naquele caso. O advogado Shoemaker, contudo, declarou confiante que Winshoff era "testemunha viva" que sabia "quem matou as crianças" e sem dúvidas "removeria a cumplicidade de Holmes" no crime.

Os jornais estavam certos no fim das contas.

Na tarde de sexta-feira, Winshoff foi desmascarado como emigrante russo de 50 anos e "espiritualista lunático" que residia na Brown Street, e ganhava a vida com sessões espíritas para um grupo pequeno, mas devoto. Em seu tempo livre, engarrafava e vendia seu próprio "remédio para os nervos" patenteado, e tentava, com a aplicação de seus poderes ocultos, transformar bolas de argila em diamantes ao revirá-las na mão boa.

Ainda que Winshoff mais tarde confessasse que, na verdade, nunca conhecera Holmes, se ateve a sua história e insistiu que recebeu informações de fontes incontestáveis do mundo espiritual.

Que um excêntrico como Winshoff conseguisse atrair tanta atenção era sinal do crescente fascínio do público pelo caso Holmes. Apesar de toda a intensidade, essa fascinação ainda era branda. Abastecida pelos excessos da imprensa marrom, estava prestes a explodir em frenesi.

A história do caso Holmes-Pitezel ganhou os jornais pela primeira vez em momento bastante amargo na vida daquela nação. A economia do país (como um observador contemporâneo comentou) "sofria os espasmos de um fiasco sem precedentes", causado pelo pânico devastador de 1893[1]. Foi uma época de colapso industrial generalizado, vasto desemprego e violentas disputas trabalhistas. Chicago — cenário da dramática greve na ferroviária Pullman, em 1894 — foi uma das cidades mais atingidas pela depressão econômica.

O interesse obsessivo do público por Holmes deriva em parte dessas condições econômicas desalentadoras (que persistiram até 1896). Para muitos, Holmes personificava tudo que tinha dado errado no país. Ele simbolizava toda a futilidade e a corrupção do coração da "ética do sucesso" estadunidense — o que o poeta Walt Whitman depreciava como "a sordidez das classes executivas". Holmes era a encarnação viva da "luxúria por dinheiro", dos males a que a desenfreada busca individual por fortuna poderia levar.

---

[1] Empresas do oeste dos EUA e bancos faliram, seguido de constante queda no valor da prata, o que derrubou a economia de diversas cidades que negociavam o metal. Cidades foram abandonadas e o desemprego chegou a 19% da população ativa do país.

Na terceira semana de julho de 1895, contudo, houve uma drástica mudança na percepção do público a respeito de Holmes. De repente, passou a ser visto como muitas vezes mais diabólico do que o trapaceiro ousado e impiedoso que assassina o cúmplice por dinheiro. Em parte, essa mudança adveio da descoberta da morte das meninas Pitezel, cujas mortes não podiam ser atribuídas à simples ganância.

Mas algo mais fez com que Holmes não fosse apenas "o principal picareta do século", mas também um ser de proporções monstruosas, até míticas — criatura da mesma estirpe do Barba-Azul, do dr. Jekyll, e até mesmo do próprio diabo.

Essa transformação — de "mestre golpista" para "o Inimigo" — aconteceu, de fato, da noite para o dia. Pois na noite de sexta-feira, 19 de julho de 1895, a polícia de Chicago enfim entrou e começou a explorar o Castelo Holmes.

A partir da prisão de Holmes, circularam boatos sobre os corpos das irmãs Williams desaparecidas estarem enterrados no porão de seu edifício em Englewood. A polícia planejava investigar as histórias por semanas, mas foram impedidos pelos protestos dos lojistas, relutantes em ter um exército de oficiais escavando o porão — porque achavam que seria ruim para os negócios. Quando os cadáveres enterrados das meninas Pitezel foram descobertos em Toronto, porém, o inspetor Fitzpatrick, do Destacamento Central de Detetives de Chicago, de imediato decidiu seguir em frente com a escavação.

Os investigadores começaram na noite de sexta-feira, mas o tamanho do porão, que media mais de 15 x 50 m, fazia dos trabalhos uma tarefa desafiadora. Depois de bisbilhotar à luz de lamparinas por algumas horas, os homens deram a noite por encerrada.

Estavam de volta bem cedo na manhã de sábado, com uma equipe de operários da construção civil da cidade como reforço. Munidos de picaretas e pás, procuravam um local provável — talvez um poço oculto — onde Holmes pudesse ter depositado suas vítimas.

Enquanto isso, os inspetores Fitzpatrick e Norton, acompanhados de repórteres dos principais jornais da cidade, subiram ao segundo andar do prédio. Ficaram embasbacados pelo que encontraram — labirinto vertiginoso com óbvia intenção sinistra. Tateando o caminho pelas passagens sinuosas, se depararam com quartos secretos e escadarias ocultas, corredores sem saída e misteriosas paredes deslizantes, alçapões para câmaras bem-seladas e canaletas camufladas que desciam até o porão.

Chocados e perplexos, os exploradores se esforçaram para entender o que viam. Mas era muita coisa para digerir. De fato, levaria várias semanas até que o labirinto do segundo andar fosse vistoriado e mapeado — e mesmo então, a precisa função de algumas das mais bizarras características arquitetônicas desafiaria a razão.

Mas algo ficou claro de imediato: no seio da metrópole mais florescente dos Estados Unidos, o dr. Holmes construiu para si uma residência que lembrava o castelo dos horrores de um romance gótico.

No último andar, os pesquisadores encontraram diversas outras surpresas nefastas, como o enorme cofre de Holmes, as paredes pesadas graças ao revestimento de amianto, para abafar quaisquer ruídos internos (foi essa a teoria da polícia).

O escritório de Holmes era adjacente ao cofre, que continha um imenso forno de ferro, com 2,40 m de altura e 90 cm de circunferência. Ao abrir a porta do forno (cujo interior, como uma testemunha comentou, era "grande o bastante para acomodar um corpo humano"), o inspetor Fitzpatrick cutucou alguns detritos com a bengala. De repente, franziu o cenho, esticou a mão e retirou um objeto carbonizado com semelhança impressionante de uma costela humana.

Fitzpatrick despiu o paletó, enrolou as mangas, enfiou o braço no forno e "varreu" todo o conteúdo restante para o chão. Espalhados entre as cinzas havia mais fragmentos queimados parecidos com ossos. Também inúmeros botões pequenos, caídos sem dúvida de um vestido de mulher e os restos do que parecia ser uma corrente de ouro de relógio feminino.

Mais tarde naquele dia, a polícia mostrou o pedaço de corrente de 15 cm para C. E. Davis, que administrava a joalheria no térreo do Castelo. Mesmo com os elos meio derretidos, Davis identificou a corrente de pronto.

Ele mesmo a fizera, contou à polícia. Fora comprada por H. H. Holmes como presente para sua amiga Minnie Williams.

Fitzpatrick se ajoelhou e enquanto embrulhava as evidências com cuidado no lenço, um dos repórteres removeu o cano de escape e espiou dentro da chaminé. Então gritou, enfiou a mão na abertura e puxou um tufo de cabelo humano chamuscado cujo comprimento deixava claro ser de uma mulher.

Àquela altura, a equipe que escavava o porão fizera suas próprias descobertas, como uma sandália feminina chamuscada e uma tira queimada de fita de gorgorão de roupa de mulher, ambas peneiradas da pilha de cinzas no canto escuro do porão. Ainda assim, não havia nenhum sinal de um poço.

Conforme avançavam ao longo da parede sul, contudo, batiam nela em intervalos regulares com as ferramentas, acabaram por encontrar um lugar oco de 60 cm do lado que dava para a Wallace Street. Com as picaretas, os trabalhadores não demoraram a quebrar a parede. Pela abertura, ficaram estupefatos ao ver um misterioso tonel de madeira, repleto de canos.

Um dos homens se espremeu através da abertura e deu uma forte batida exploratória no tonel com a picareta. A ponta da ferramenta perfurou a madeira e um fétido vapor foi liberado, o que fez todos largarem seus equipamentos e fugirem.

Um encanador foi chamado, mas antes que pudesse chegar ao Castelo, três dos homens voltaram ao porão para ver se os gases tinham evaporado. Enquanto avançavam pela densa penumbra do porão, um deles acendeu um fósforo contra a parede.

O porão explodiu.

A explosão abalou o prédio até as fundações e fez os aterrorizados lojistas do térreo correrem para a rua. Um policial em patrulha ali perto não demorou a dar alarme e, em poucos minutos, o chefe da brigada de incêndio Joseph Kenyon chegava com o Carro nº 51 e o Caminhão nº 20. Àquela altura, vários operários correram para o porão e retiraram seus camaradas, muitos com ferimentos graves.

Antes de os bombeiros montarem seu equipamento, as chamas se extinguiram sozinhas. O chefe Kenyon decidiu abrir o tonel e deixar o gás nocivo dissipar. Ele e vários de seus homens desceram até o porão, mas ficaram tão sobrecarregados pelos vapores que mal conseguiram cambalear de volta à rua. Kenyon delirou por mais de duas horas e, em dado momento, pareceu perto da morte. Mais para o final da tarde conseguira se recuperar o suficiente para supervisionar a limpeza e a selagem do tonel de produtos químicos mortais.

Na manhã do domingo, o ar do porão era respirável outra vez e os investigadores voltaram ao trabalho. O serviço foi um tanto atrapalhado por grupos de caçadores de curiosidades que enxamearam o edifício, atraídos pelas manchetes sensacionalistas sobre a "fábrica de assassinatos" de H. H. Holmes. A polícia enfim conseguiu esvaziar o Castelo, não antes de os intrusos se serviren de diversas lembrancinhas, como cartas pessoais e registros financeiros do escritório de Holmes.

A não ser por uma peça de roupa íntima feminina manchada de sangue, que o inspetor Fitzpatrick encontrou na pilha de cinzas no canto nordeste do porão, a polícia não descobrira nada significativo no domingo. Contudo, fizeram uma revelação sensacionalista à imprensa: as irmãs Williams não era os únicos objetivos de sua busca.

Ao longo de várias semanas, a polícia investigou o desaparecimento misterioso da sra. Julia Conner, que se sabia ser vítima da influência funesta de Holmes. O sr. e a sra. L. G. Smythe, de Davenport, Iowa, pais da mulher desaparecida, pressionaram as autoridades de Chicago para acelerar as buscas.

À luz das descobertas recentes, as autoridades se convenceram de que a sra. Conner e sua filha de 4 anos, Pearl, foram assassinadas pelo "monstro da rua Sessenta e Três".

Os escavadores redobraram seus esforços na segunda-feira, embora não tivessem desenterrado nada além de uma sola de sapato feminino (tamanho 34), a tampa quebrada de estojo de binóculos para teatro e alguns fragmentos que pareciam ser ossos de galinha.

Na extremidade oeste do porão, contudo, se depararam com uma câmara de armazenagem trancada com cadeado, que de pronto quebraram. O piso da câmara estava coberto de lixo e sob os detritos a polícia encontrou um pedaço de corda resistente. Uma ponta da corda fora amarrada em nó trançado.

A ponta oposta — com manchas escuras que se pareciam a sangue seco — fora amarrada em nó de forca.

"O comprimento da corda era tal", escreveu o repórter do *Philadelphia Inquirer*, "que caso o nó trançado estivesse preso à parede superior do poço do elevador de carga secreto, um corpo pendendo do nó de forca cairia a poucos centímetros do chão embaixo do poço. Essa coincidência convenceu alguns dos detetives de que as possíveis vítimas de Holmes foram empurradas pela porta no andar superior para dentro do elevador de carga e enforcadas no poço abaixo."

Enquanto isso, o sargento Norton lia a papelada no escritório de Holmes no terceiro andar e se deparou com comovente carta da mãe de Julia Conner, postada em Davenport e datada de 1º de outubro de 1892. O conteúdo sugeria que a sra. Smythe fizera pelo menos uma tentativa de contatar a filha no Castelo e recebera a resposta em que Holmes negava ter qualquer conhecimento do paradeiro de Julia.

"[Sua carta] nos surpreendeu bastante", respondera a sra. Smythe, "já que supúnhamos que nossa filha Julia estivesse em sua companhia. Estamos muito ansiosos em saber de seu paradeiro e o da filha dela também, e ao responder esta carta e nos contar onde ela está você vai aliviar bastante os pobres e grisalhos pais dela."

A polícia acreditava que Holmes — "o Barba-Azul contemporâneo", como os jornais o chamavam — tinha se livrado de sua antiga amante, assim como de Minnie e Nannie Williams, ainda que ainda não existissem provas irrefutáveis para apoiar suas suspeitas. Na tarde de terça-feira, 23 de julho, contudo, um mistério parecia ter sido resolvido: o destino da filhinha de Julia, Pearl.

Peneirando uma massa de cal virgem que havia no porão, os pesquisadores encontraram parte de um esqueleto decomposto. Examinando os ossos à luz de lamparinas, o dr. C. P. Stringfield declarou que com quase toda certeza eram caixa torácica e a pélvis de ser humano, e que — ao julgar pelo tamanho — só podiam ser de criança, com idade entre 4 e 8 anos.

Informado dessa descoberta horrenda, Holmes negou com veemência qualquer envolvimento no assassinato de Julia Conner ou de sua filha, ainda que por fim admitisse que sua antiga amante estava, de fato, morta — a trágica consequência, declarou, de aborto malsucedido.

"A sra. Conner estava com problemas", contou aos repórteres, e recorreu ao eufemismo da época, "e um médico de Chicago a operou. O serviço foi tão escangalhado que a mulher morreu."

Quanto às irmãs Williams, retornou a sua história original, aquela que contara quando foi preso ao detetive Thomas Crawford.

"Logo depois de Nannie Williams chegar a Chicago", contou Holmes ao jornalista, "Minnie ficou com ciúmes. Certo dia, em acesso de raiva, Minnie bateu na irmã com a cadeira e a matou. Eu coloquei o corpo em um baú e o larguei no lago Michigan. Então, Minnie seguiu meu conselho, transferiu seus bens para mim e fugiu para a Europa."

Mas ninguém — nem público, polícia ou imprensa — acreditou em uma palavra sequer.

"O homem é um mentiroso infernal", rugiu o superintendente Linden do Gabinete de Polícia da Filadélfia.

Como a escavação no Castelo continuava, as autoridades perceberam que lidavam com um novo fenômeno assustador — tão singular que não conseguiam dar-lhe um nome. Um jornalista de Chicago inventou a expressão *homicida múltiplo*. Quase cem anos se passariam antes que criminologistas cunhassem a expressão *serial killers* para descrever criaturas como Holmes.

A cada dia agora, os nomes de novas supostas vítimas pipocavam nos jornais. Emeline Cigrand, a adorável estenógrafa de 20 anos que fora trabalhar para Holmes no verão de 1892 e desaparecera de repente em dezembro próximo. Emily Van Tassel, a bela caixa da mercearia que desapareceu pouco depois de conhecer Holmes em 1893. Wilfred Cole, rico madeireiro de Baltimore que viajou a Chicago para negócios não especificados com Holmes e nunca mais foi visto. Um médico chamado Russler, que se dizia ser íntimo de Holmes, que não era visto desde 1892. Harry Walker, jovem que trabalhou como secretário particular de Holmes em 1893 e sumiu poucos meses depois de contratar uma apólice de seguro de vida de 15 mil dólares. Uma bonita — e rica — viúva, sra. Lee, que passou algum tempo com Holmes, depois sumiu "tão repentina e misteriosamente como se desaparecesse da face da terra" (nas palavras de uma testemunha).

Havia os três membros da família Gorky, cujo paradeiro se ignorava: uma viúva de meia-idade chamada Kate, que administrara um restaurante no primeiro andar do Castelo Holmes durante a Feira Mundial de Chicago; sua graciosa irmã, Liz; e sua bela filha adolescente, Anna. Também havia um número indeterminado de mulheres auxiliares de escritório que teriam desaparecido depois de arrumar emprego no Castelo, como a linda garota de Boston Mabel Barret, a estenógrafa de 16 anos chamada srta. Wild, e a contadora Kelly. (De acordo com um relato, Holmes tinha "empregado mais de cem jovens mulheres durante seus anos em Englewood".)

Além do mais, ele agora era suspeito de matar Mary Cron — mulher de meia-idade atacada com brutalidade no quarto de casa, em novembro de 1893, em Wilmette — e do impressionante sequestro da pequena Annie Redmond, filha de um ferreiro de Chicago, em 1892.

Em 29 de julho, o detetive Geyer acusou Holmes publicamente de ter tramado a morte da própria esposa, Georgiana, para botar as mãos em seus bens. Dois dias depois, o *New York Times* apareceu com acusação tão sensacionalista quanto e afirmou que bem no comecinho de sua carreira criminosa, enquanto ainda atendia pelo nome verdadeiro, Herman Mudgett, Holmes matara um garotinho.

De acordo com essa história, Holmes tinha aparecido certo dia na cidadezinha Mooers, Nova Iorque, ao norte, e "passou impressão tão boa que foi contratado para lecionar na escola do vilarejo. Considerou essa ocupação inconveniente, deixou Mooers e foi para Massachusetts, mas retornou logo, acompanhado de um garotinho, que desapareceu pouco depois de chegar. Holmes alegou que ele fora para casa. Agora acredita-se que o menino tenha sido a primeira vítima do assassino".

Diversas testemunhas juraram escapar por pouco de morrer nas mãos de Holmes. Jonathan Belknap — tio-avô da esposa de Holmes em Wilmette, Myrta — enviou carta para a polícia de Chicago e descreveu uma noite angustiante no Castelo. Belknap viajara para Chicago em 1891 depois de descobrir que Holmes falsificara sua assinatura em uma nota promissória no valor de 2.500 dólares.

"Sabia que Holmes era um patife", escreveu Belknap. "Quando fui com ele à sua casa, me mostrou todo o lugar e insistiu que deveria subir até o telhado com ele. Mas estava muito desconfiado do homem e me recusei a ir. Não queria passar aquela noite na casa, mas ele não queria me deixar ir. Quando fui para cama, tranquei a porta com cuidado.

"Fui acordado algum momento depois da meia-noite por passos furtivos no corredor. Logo, ouvi alguém tentar abrir minha porta e depois a chave na fechadura. Perguntei quem estava ali e ouvi o som de pés descerem o corredor. Era óbvio que havia dois homens, porque a voz de Pat Quinlan respondeu, e disse que queria entrar e dormir no quarto também — não havia nenhum outro lugar disponível. Eu me recusei a abrir a porta. Ele insistiu algum tempo e depois foi embora.

"Tenho certeza agora que se eu fosse com Holmes até o telhado da casa naquele dia, ou se tivesse deixado Quinlan entrar no quarto naquela noite, eu estaria morto."

Outra pessoa que agora estava convencida de que o monstro tramava sua morte era a lavadeira Strowers, que morou na esquina da Sessenta e Três com a Morgan e costumava lavar as roupas de Holmes. De acordo com ela, Holmes a abordara em 1891 e tentara persuadi-la a contratar uma apólice de seguro de vida no valor de 10 mil dólares.

"Você resgata a apólice", Holmes teria dito, "e lhe darei 6 mil dólares em dinheiro por ela na hora."

A sra. Strowers admitiu se sentir tentada pela oferta. Mas enquanto pensava a respeito disso, Holmes se inclinara em sua direção, fixou seu olhar hipnótico e sussurrado: "Não tenha medo de mim". Havia algo tão inquietante no olhar que a sra. Strowers se recusou a considerar a proposta e nunca mais falou com Holmes sobre isso.

Dentre os incontáveis crimes atribuídos a Holmes durante os primeiros e frenéticos dias de busca, havia o assassinato da sra. Pat Quinlan, esposa do zelador do prédio. "Existem mais assassinatos para acrescentar à lista de atrocidades de Holmes?", começava o artigo na primeira página de 25 de julho do *Chicago Inter Ocean*. "Estaria a esposa de Pat Quinlan viva? Teria Holmes, 'o Inimigo', a matado e seus ossos estariam apodrecendo em algum porão enterrados em cal virgem?"

Menos de 24 horas depois de essas perguntas febris serem feitas, contudo, a sra. Quinlan apareceu na sede da polícia de Chicago e foi levada de pronto sob custódia, com o marido, homenzinho magricelo com bigode de morsa e olhos ansiosos. Detidos sob acusação de cumplicidade, os Quinlan sofreram interrogatórios implacáveis. Após inúmeras horas "na cela quente", a sra. Quinlan desmoronou e confessou saber do golpe do seguro contra incêndios de Holmes.

Seu marido, contudo, se negou a ceder.

"Sou inocente", lamuriou-se para os repórteres depois de mais um interrogatório brutal. "Conheci Holmes e trabalhei para ele. Todas essas pessoas que vocês dizem que foram assassinadas eu conhecia, e quando foram embora, como Holmes afirmou, achei esquisito. Vocês dizem que eu o ajudei a matar, mas não é verdade. Sou inocente e não posso lhes contar o que vocês afirmam que eu sei. Me deixem em paz. Sou inocente!"

O delegado Badenoch, contudo, zombou da negação de Quinlan e afirmou sem rodeios que o homem "era um assassino". Na época de sua prisão, o zelador carregava um grande elo de ferro com mais de três dezenas de chaves para todas as portas do Castelo.

Ninguém com esse tipo de acesso para os recônditos do edifício poderia permanecer ignorante de seus horrendos segredos — os tanques de ácido e de cal virgem; os poços da morte e as câmaras de asfixia; as mesas de dissecção de madeira manchada e os baús com instrumentos cirúrgicos encrustados de sangue; a fornalha subterrânea, convertida em crematório particular; as pilhas de ossos humanos.

Informado em sua cela na cadeia que a polícia encontrara uma pilha de esqueletos no canto do porão, Holmes declarou, indignado, que aqueles restos mortais não eram nada além de "refugo do açougue". A análise forense confirmou que alguns dos ossos vinham mesmo de animais. Mas outros foram considerados humanos.

Ao que parece, Holmes procurara esconder as provas de sua carnificina ao misturar os restos humanos com ossos de sopas velhas.

Apesar dessas descobertas — os "tesouros sinistros" desenterrados a cada dia do piso de terra úmido do porão — a polícia ainda tinha de encontrar alguma prova definitiva que ligasse Holmes ao desaparecimento de Minnie e Nannie Williams, Julia Conner ou Emeline Cigrand (quem, de acordo com a história mais recente de Holmes, fora tão acometida de culpa por seu relacionamento ilícito com ele que fugira e se juntara a um convento).

E então, na sexta-feira, 26 de julho, o tenente William Thomas, da delegacia de Cottage Grove, rastreou o antigo empregado de Holmes e anatomista freelance, Charles M. Chappell. Em um intervalo de 48 horas, a polícia anunciou recuperar esqueletos articulados de duas mulheres adultas — da residência de um médico da zona oeste e da LaSalle Medical School —, mais um baú em Saratoga, com variedade de "relíquias humanas", inclusive um úmero, uma mão e um crânio.

As manchetes dos jornais, já com tendência a alegações estridentes, alcançaram novo nível de histeria: CÂMARA DOS HORRORES!, gritava o *New York World*. O CASTELO É UMA TUMBA!, trovejava o *Chicago Tribune*. ESQUELETOS RETIRADOS DO OSSÁRIO DE HOLMES!, berrava o *Philadelphia Inquirer*.

Sem surpresa, a imprensa sensacionalista se esbaldou nos excessos mais descontrolados e publicou os boatos mais extravagantes como verdade nua e crua. Dentre as histórias aberrantes que apareceram nesses jornais havia relatos de que a asseada residência de Holmes em Wilmette era uma segunda "casa dos horrores", equipada com "câmaras secretas, apartamentos ocultos, cofres subterrâneos, portas escondidas e divisórias falsas". Os jornais citaram vizinhos que juravam ter visto "sujeitos misteriosos" carregar objetos para fora da casa "na calada da noite". Outras testemunhas atestaram ter visto Holmes cavar um "cemitério particular" atrás da casa.

Na tarde do dia 27 de julho, um jornalista do *Chicago Inter Ocean* foi até Wilmette para investigar os boatos. Seu relato apareceu no dia seguinte. "Aqui está uma simples declaração da verdade. Aquela casa não contém uma só característica misteriosa. Os artigos que foram 'retirados na surdina' ao longo das últimas duas semanas eram verduras, o chapéu de uma criança, duas caixas de vidro e um forno velho. A 'cova' no jardim é uma fossa, e a homologação autoriza que quem desejar pode explorá-la."

Recebido por Myrta, o repórter se sentou na sala da frente, enquanto Lucy, de 6 anos, — a filha "loira com um rostinho doce" de Holmes —, foi mandada para dentro brincar com suas "bonequinhas".

O repórter ficou comovido pela situação agonizante de Myrta. Cordial e sem dúvida bem-criada, frequentava as missas diárias na igreja episcopal local, ela fora — em seu ponto de vista — "perseguida de maneira cruel e mal representada" do que qualquer outra mulher nesta vida. "Ela fora acossada por pretensos detetives, repórteres e vulgares caçadores de curiosidades. Em todas as horas do dia e da noite, a procuraram em sua casa. Como não receberam permissão para entrar, muitos deles a xingaram e a ameaçaram".

O repórter ficou impressionado pela devoção da mulher a Holmes. Ainda que confessasse com franqueza que ele era capaz de "transações financeiras desonrosas", insistia que não era possível que ele fosse culpado de assassinato. "Em sua vida familiar", atestou Myrta, "jamais existiu homem melhor do que meu marido. Ele nunca usou palavras indelicadas comigo ou com nossa filhinha. Nunca se exaltava ou irritava, mas estava sempre feliz e despreocupado. Em tempos de problemas financeiros ou quando estávamos preocupados [...] sua presença sempre apaziguava a situação."

A prova de sua bondade fundamental podia ser vista em seus sentimentos para com crianças e animais.

"Acredita-se que os bebês são melhores juízes de pessoas do que os adultos", declarou ela. "E nunca vi um bebê que não se deixasse pegar no colo pelo sr. Holmes e ficasse contente com isso. Chamava a atenção seu carinho com as crianças. Com frequência, quando viajávamos e acontecia de ter um bebê no vagão, ele dizia 'Vá lá ver se não deixam aquele bebê com você um pouco', e quando eu o levava até meu marido, brincava com o bebê, se esquecia de todo o resto, até que a mãe o pedisse ou eu percebesse que ela o queria de volta [...] Amava os animais e sempre teve cachorro ou gato, e um cavalo, e brincava com eles a toda hora, ensinando-lhes pequenos truques ou farreando com eles. Um homem assim não tem coração?"

Enquanto falava, seus olhos marejaram, embora o tom deixasse claro que as lágrimas surgiam tanto de frustração quanto de tristeza.

"A ambição foi a maldição da vida de meu marido", disse. "Queria alcançar posição onde pudesse ser honrado e respeitado. Queria fortuna. Trabalhava duro, mas seus esforços falharam. Ele era complicado. A tentação de obter dinheiro de modo desonesto chegou e ele se rendeu. Caiu. Defraudou pessoas, sim, sinto dizer — mas não cometeu assassinato! Foi acusado de crimes que aconteceram na mesma época em Chicago, no Canadá e no Texas. Será que as pessoas não veem que é absurdo acusá-lo de todos os crimes e que se não for assim não podem ser explicados?"

Nesse ponto, sua voz se ergueu em grito desesperado.

"Holmes é humano", exclamou em lágrimas. "Ele não é sobrenatural!"

Àquela altura, de fato, alguns dos jornais mais responsáveis publicaram diversas retratações. Foi constatado, por exemplo, que as "costelas humanas carbonizadas" encontradas no forno do escritório de Holmes eram fragmentos de argila refratária, enquanto que variados artigos "manchados de sangue" estavam descoloridos pela ferrugem. O testemunho do autoproclamado montador de esqueletos, Charles Chappell, fora colocado em dúvida, sua própria família descartou a história como arenga de um beberrão irremediável. E supostas vítimas, como Kate Durkee e sua irmã Mary, estavam na verdade vivas e bem, e muito surpresas pelas histórias sobre seus assassinatos.

Em 29 de julho, o *Chicago Tribune* publicou um cartum que reconhecia aquilo que Myrta Holmes alegou: as acusações contra seu marido alcançavam o ponto do "absurdo".

Dois dias antes, jornais ao redor do país publicaram relatos sensacionalistas sobre um massacre em Jackson Hole, Wyoming. Supunha-se que, uma tribo de "bannocks hostis" chacinara todos os colonos brancos da área.

As histórias eram falsas. Na verdade, a tensão fora fomentada por rancheiros locais que queriam as terras dos bannocks e tentavam expulsá-los da reserva. Antes que a verdade fosse revelada, o *Tribune* publicou cartum que zombava de si mesmo.

No desenho, Holmes é exibido de pé em sua cela na prisão, segura um jornal com a primeira página: "ÍNDIOS BANNOCK NA TRILHA DA GUERRA — COLONOS MASSACRADOS".

Holmes parece muito consternado — não por causa das mortes, mas por saber que está prestes a ser culpado por elas. Encara o leitor e grita em protesto: "EU SOU INOCENTE!".

Ainda assim — e apesar da insistência de Myrta de que seu marido "não era criatura sobrenatural" —, os jornais continuavam a caracterizar Holmes nesses termos: "monstro humano", "demônio sanguinário", "demônio homicida", "espírito do mal" e "ogro". No mesmíssimo dia em que o *Tribune* publicou sua charge satírica, publicou um texto intitulado NADA DE MÉDICO, TUDO DE MONSTRO — manchete que invocava a percepção de Holmes como duas-caras, que para muitos passava a impressão de ser a encarnação real do monstro fictício de Robert Louis Stevenson. O *New York World*, enquanto isso, publicou a planta do Castelo com o título CÂMARA DE HORRORES DO BARBA-AZUL.

E, de fato, quando a exploraçãos do edifício entrava na segunda semana, a polícia continuava a descobrir evidências abomináveis suficientes para justificar caracterizações tão extravagantes. Partes de crânio humano, um acetábulo, uma escápula e diversos pedaços de clavícula e roupas manchadas de sangue coagulado nos aposentos que foram de Julia Conner.

A polícia fez uma descoberta das mais perturbadoras durante a inspeção na caixa-forte de Holmes — algo que deixava pouca dúvida de que algumas de suas vítimas sofreram as agonias da asfixia lenta.

Trancada nessa caixa-forte sufocante, uma dessas pobres almas fizera esforço frenético para se libertar. O sinal de luta ainda era visível no interior da imensa porta de ferro.

A poucos metros do chão, como se tivesse apoiado as costas contra a parede, posto o pé na porta e empurrado com toda força, havia a marca da sola do pé descalço de mulher.

· · ·

Convencida de que o Castelo revelara seus segredos mais sombrios, a polícia interrompeu a busca na segunda-feira, 5 de agosto. Mas uma pergunta surgia: o que fazer com a "casa de pesadelos" de Holmes?

Alguns clamavam por demolição imediata. O lugar, diziam, era uma armadilha mortal — e não só pelas inúmeras vítimas que já pereceram no interior do edifício. Em 23 de julho, E. F. Laughlin, inspetor da Secretaria de Obras de Chicago, visitara o Castelo e se horrorizara com sua construção ordinária. "As partes estruturais do interior são todas fracas e perigosas", escreveu em relatório ao comissário Joseph Downey. "Construídas com o material mais pobre e barato [...] Todas as divisórias entre os apartamentos são inflamáveis [...] As condições sanitárias do prédio são horríveis."

Sua recomendação final: "O edifício deve ser condenado".

Para outros, contudo, demolir o Castelo parecia enorme desperdício. Verdade, o lugar podia não ser apropriado para habitação, mas havia outras coisas para as quais poderia ser usado. No domingo, 28 de julho, quase cinco mil pessoas se acotovelaram na Sessenta e Três com a Wallace, para vislumbrar o interior pavoroso do Castelo — o "calabouço da tortura", a "caixa-forte da asfixia" e as "câmaras de cadáveres". Na semana seguinte, o *New York Times* publicou uma história intitulada ELE SABE COMO É SER SUFOCADO, a respeito de Williams Barnes, de Chicago, que se trancou no cofre de joalheiro porque queria "descobrir as sensações das vítimas de Holmes".

É claro, "o Inimigo" continuava a exercer poderoso fascínio sobre a imaginação do público. Havia bons lucros vindouros com tamanha morbidez, como o ex-policial empreendedor chamado A. M. Clark não demorou a perceber. Mesmo antes de o detetive Norton ordenar pausa nas investigações, Clark combinara alugar o prédio com o curador indicado pelo tribunal. No domingo, 11 de agosto, fez um anúncio à imprensa.

A partir daquela semana, o Castelo se transformaria em atração turística — "museu do assassinato", com admissão de 15 centavos por pessoa e passeios guiados conduzidos pelo próprio detetive Norton.

HOTEL HELL

HOLMES CASTLE INSIDE AND OUT, WHERE MANY OF HIS VICTIMS

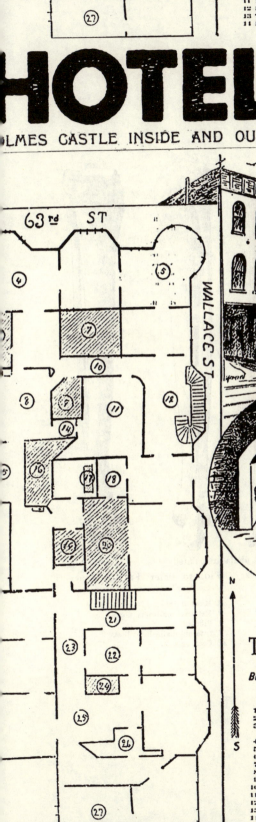

THE EXTRAORDINARY HOUSE

Built by H. H. Holmes, in Chicago, With Its Appalling Apparatus for Wholesale Murder.

1. Side view of Holmes Castle.
2. The underground crematory.
3. Stove which furnished clews in the Williams murder.
4. Reception room.
5. Waiting room.
6. Secret chamber.
7. Dark room.
8. Fire door room.
9. Secret room.
10. Hall.
11. Mysterious closed room.
12. Hall.
13. The black closet.
14. Dummy for lowering bodies.
15. Room of the three corpses.
16. Sealed room, all bricked in.
17. Trap door leading down to secret chamber.
18. Blind room.
19. Dark room.
20. The Hanging secret chamber.
21. Hall.
22. Asphyxiation chamber; no lights with gas connections.
23. Hall.
24. Death Shaft.
25. Hall.
26. The maze.
27. Back room.

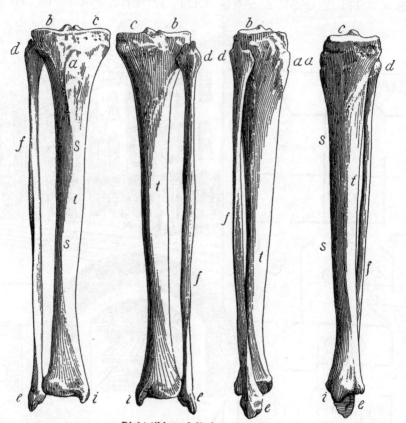

Right tibia and fibula articulated.

FIG. 168. Front view   FIG. 169. Back view   FIG. 170. Outer view   FIG. 171. Inner view

t. Tibia, inner bone of leg.
a. Tubercle of tibia, to which ligament of patella is attached.
b. External tuberosity.
c. Internal tuberosity.
d. Head of fibula.
e. External malleolus (fibula).
f. Fibula.
i. Internal malleolus (tibia).
s s. Crest or shin.

CAPITULUM

CRIME SCENE: PROFILE

ÁRDUA BUSCA

44. HARD CHASE

A verdade vem sempre à luz; um crime não pode ficar oculto por muito tempo.
— SHAKESPEARE, *O Mercador de Veneza* —

Junto da cobertura exaustiva da investigação no Castelo, os jornais publicaram atualizações regulares sobre o progresso do detetive Geyer. Ao final da primeira semana de agosto, o público sabia que ele tinha voltado a Indianápolis depois de não ter conseguido encontrar nenhuma pista de Howard Pitezel em Detroit.

O que ninguém sabia, a não ser o próprio Geyer, era que — pela primeira vez desde que partira em sua árdua busca —começava a duvidar de que o mistério do menino desaparecido fosse ser resolvido algum dia.

Geyer chegara a Detroit pouco antes da hora do jantar de 21 de julho — tarde demais para fazer qualquer outra coisa a não ser visitar seu velho amigo Thomas Meyler, que insistiu em levá-lo para jantar na churrascaria local para comemorar o sucesso de Geyer em Toronto.

Na manhã seguinte, acompanhado mais uma vez do detetive Tuttle, Geyer foi atrás das duas testemunhas que afirmaram ter visto Holmes na companhia de

Howard Pitezel. Interrogados com mais rigor dessa vez, os dois homens admitiram que poderiam estar enganados. O sr. Bonninghausen, o corretor imobiliário que alugara a casa na East Forest Avenue para Holmes, declarou que "não tinha em absoluto nenhuma recordação segura da questão", embora estivesse certo de que o recepcionista, o sr. Moore, "tinha visto um garotinho com Holmes".

Moore, contudo, explicou que "diversas pessoas estiveram com crianças na imobiliária naquele dia". Ele *achava* que havia um jovem —menino pequeno de cabelo castanho — com Holmes. Mas agora "não tinha certeza".

Geyer e Tuttle retornaram ao número 241 da East Forest Avenue e fizeram outra busca minuciosa pela propriedade, inclusive porão, celeiro, demais dependências e quintal. Não encontraram nenhuma sugestão de que Howard foi assassinado ali. Havia no porão uma enorme fornalha — lugar conveniente para descartar cadáveres de criança, Geyer acreditava. Mas nada indica que "um corpo fora queimado ali dentro".

A única pista sinistra de verdade era o buraco misterioso — 1,20 m de comprimento, 90 cm de largura e 1,10 m de profundidade — que o atual inquilino encontrara no porão pouco depois de se mudar. Mas aquele também estava vazio.

De volta ao quarto de hotel à noite, Geyer revisou todos os fatos. Agora que Bonninghausen e Moore mudaram seus testemunhos, não havia nenhuma evidência de que Holmes e Howard estiveram juntos em Detroit. Geyer sabia, além disso, que Alice escrevera, em sua carta de 14 de outubro de 1894, que "Howard não está com a gente agora".

Sabia outra coisa também: o buraco no porão que Holmes cavara na casa da Forest Avenue tinha o mesmo tamanho exato da cova improvisada das meninas Pitezel em Toronto. Sob essas circunstâncias, parecia plausível que o buraco se destinara a Alice e Nellie, não a Howard. Quando alguma reviravolta inesperada forçou Holmes a abandonar a casa, fugiu com as garotas para o Canadá e consumou seu plano monstruoso lá.

Diante dessas considerações, Geyer se convenceu de que quando Alice e Nellie foram registradas no New Western Hotel, no dia 12 de outubro, estavam sozinhas; Howard não chegara a Detroit.

Na manhã seguinte, Geyer enviou um telegrama para seus superiores na Filadélfia e comuniocu que voltaria a Indianápolis.

Ele chegou na manhã do dia 24 de julho. Vinte minutos depois, estava na sede da polícia e conversava com o superintendente Powell, que encarregou de novo o detetive Richards de ajudá-lo. Geyer sabia bem o que procurar: a casa alugada no início de outubro de 1894 por um homem que dizia fazer isso para a "irmã viúva" — a mesma mentira que Holmes usara em Cincinnati, Detroit e Toronto.

A partir das páginas amarelas da cidade, Geyer e Richards compilaram uma lista de todos os corretores imobiliários de Indianápolis e saíram para visitar todos. Enquanto isso, os jornais publicavam histórias sobre a busca de Geyer nas primeiras páginas, incluindo fotografias de Holmes e Howard Pitezel. Como em Toronto, as manchetes estimulavam o público. Como Geyer comentou mais tarde, "Era como se todos os homens, mulheres e crianças em Indianápolis estivessem em alerta e atentos, me ajudando no trabalho de encontrar a criança desaparecida", ainda que, na verdade, às incontáveis pistas que começaram a jorrar se mostrassem inúteis.

Dias após dia, no calor de um dos verões mais quentes do Centro-Oeste de que se tem notícia, os dois homens atravessaram a cidade a pé e de bondinho — em vão. Ao final do mês, até mesmo Geyer, apesar de toda a sua determinação, não conseguia evitar se sentir desanimado. "Começou a parecer", confessou, "que o audacioso e esperto criminoso passara a perna nos detetives, tanto os profissionais como os amadores, e que o desaparecimento de Howard Pitezel entraria para a história como mistério não resolvido."

Bem quando a fé de Geyer começou a fraquejar, seu ânimo foi reanimado pela carta do assistente do promotor público, Thomas Barlow, que tinha a certeza de que "destreza e paciência ainda iriam prevalecer". Depois de analisar as cartas escritas por Alice e Nellie Pitezel, Barlow concluíra não ser possível que as crianças tivessem deixado o Circle House no dia 6 de outubro, como o proprietário, Herman Ackelow, afirmara.

Seguindo para o hotel, Geyer voltou a verificar os registros e descobriu que Barlow tinha razão — o último pagamento da estadia das crianças Pitezel fora em 10 de outubro. Visto que Geyer já tinha "determinado com certeza" que Alice e Nellie chegaram a Detroit na noite de 12 de outubro, agora confirmara estar "na pista certa, com apenas 48 horas para preencher", não seis dias, como acreditava.

Em algum momento durante aquelas 48 horas, Howard Pitezel desaparecera — "ou em Indianápolis, ou entre aquela cidade e Detroit".

Na noite de quinta-feira, 1º de agosto, Geyer recebeu telegrama do promotor Graham que informava sobre o esqueleto de criança desenterrado no porão do Castelo Holmes. Geyer já estava de volta a Chicago antes do desjejum da manhã seguinte, para conversar com o delegado Badenoch e o inspetor Fitzpatrick. Logo tornou-se óbvio para ele, contudo, que os restos mortais não podiam ser de um menininho.

Ele se preparava para viajar de volta a Indianápolis quando recebeu outro telegrama de Graham, que requisitava seu retorno imediato à Filadélfia. Desembarcou do trem na tarde de 3 de agosto, foi cercado por repórteres que clamavam por entrevistas com o herói da cidade. Geyer era uma celebridade.

Ele reconhecia o valor da publicidade, que se provou uma ferramenta muito importante em sua busca, por isso, sempre ficava feliz em atender a imprensa. Mas naquele momento estava cansado demais pela viagem para oferecer mais do que poucas palavras exaustas. De fato, Geyer parecia tão esgotado por seus esforços que seus superiores insistiram que permanecesse na Filadélfia por alguns dias até que se recuperasse.

Na noite de quarta-feira, 7 de agosto, ele estava pronto para retomar a busca. Dessa vez, porém, acompanhado por outro habilidoso detetive: W. E. Gary. Investigador-chefe da Fidelity Mutual Life Assurance Company, estava envolvido no caso Holmes havia muito mais tempo que Geyer.

Os dois seguiram primeiro para Chicago, onde interrogaram Pat Quinlan e sua esposa, ambos "manitveram a alegação de que nada sabiam a respeito das crianças". Geyer se sentiu inclinado a acreditar que diziam a verdade.

Em seguida, ele e Gary viajaram a Logansport e dali para Peru, Indiana; Montpelier Junction, Ohio; e Adrian, Michigan. Em cada uma dessas cidades procuraram, por diversos dias, em hotéis e pensões, e interrogaram corretores imobiliários — "tudo em vão". Os dois detetives, por fim, decidiram retornar a Indianápolis e (nas palavras de Geyer) "ficar por lá até que o promotor Graham nos dissesse para parar ou até encontrar o garoto".

Àquela altura — sua terceira viagem a Indianápolis — Geyer estava desmotivado de novo. "A esperança renovada que tinha reunido no escritório do promotor público na Prefeitura da Filadélfia diminuía bem depressa", admitiu. "O mistério parecia ser impenetrável."

Mais uma vez, os jornais destacaram histórias sobre a retomada da busca. Mais uma vez, ele foi inundado de dicas sobre "pessoas misteriosas que alugaram casas por períodos breves e então desapareceram". Geyer e Gary investigaram cada uma dessas pistas. Também listaram todos os classificados nos jornais de outubro de 1894 com casas particulares para aluguel. No total, eles verificaram nada menos do que novecentas pistas sem nem se aproximar da solução.

Exauridas todas as possibilidades em Indianápolis, voltaram as atenções para as cidadezinhas próximas. Duas semanas depois, investigariam quase todas elas sem encontrar sinal do garoto.

Restava apenas mais um lugar para procurar — a cidadezinha de Irvington, a menos de 10 km.

Na sexta-feira, 23 de agosto, Geyer redigiu carta para o promotor Graham. "Chegada a segunda-feira", escreveu, "nós teremos procurado em todas as cidades ao redor, exceto Irvington, e levaremos mais um dia para concluir a busca lá. Depois de Irvington, não sei mais aonde ir."

* * *

Geyer e Gary pegaram o bondinho para Irvington bem cedo na terça-feira, 27 de agosto. Não havia hotel na cidade para verificarem, portanto, voltaram as atenções para os corretores de imóveis.

Não muito longe da parada do bondinho, Geyer viu a placa de uma imobiliária administrada por um tal de sr. Brown. No escritório, encontraram um senhor idoso de aparência agradável sentado atrás da mesa. Depois das apresentações, Geyer perguntou a Brown se ele "conhecia uma casa naquela cidade alugada em outubro de 1894 por um homem que dizia fazer aquilo para a irmã enviuvada". Geyer pegou uma fotografia bastante gasta de Holmes do pacote que carregava, a entregou a Brown, que ajustou os óculos e estudou o rosto por um momento longo.

Por fim, o velho afastou o olhar da foto e assentiu.

"Sim", disse. "Eu me lembro de um homem alugar uma casa em circunstâncias assim em outubro de 1894, e essa foto se parece muito com ele. Eu não tinha o aluguel da casa, mas estava com as chaves, e um dia, no outono passado, esse homem veio ao meu escritório e de um jeito bastante abrupto disse: 'Quero as chaves da casa'. Eu me lembro muito bem do homem porque não gostei dos modos dele. Senti que deveria ter mais respeito por meus cabelos grisalhos."

Por alguns segundos, Geyer e Gary ficaram ali, congelados. Por fim se viraram, trocaram um olhar e afundaram nas cadeiras diante da mesa de Brown.

"Todo os esforços", escreveu Geyer mais tarde, relembrando as emoções daquele momento, "todo o cansaço de dias e semanas de viagem — trabalho e viagem nos meses mais quentes do ano, alternando entre fé e esperança, e desencorajamento e desespero —, tudo foi recompensado naquele instante, quando percebi o véu prestes a se erguer e me dei conta de que em breve descobriríamos para onde o garotinho tinha ido."

Os detetives, após ouvirem a história, de pronto se levantaram de seus assentos. Brown via a urgência no rosto deles e se ofereceu para acompanhá-los até a casa do dr. Thompson.

O médico morava a uma pequena distância e estava em seu escritório quando os três homens chegaram. Uma olhada nas fotografias de Geyer foi tudo o que Thompson precisou para identificar Holmes como o homem que alugara sua casa no outono passado. Também contou a Geyer que um garoto que trabalhava para ele — o jovem Elvet Moorman — tinha visto e falado com Holmes.

A pedido de Geyer, o dr. Thompson mandou sua filhinha buscar Moorman, que chegou em alguns minutos.

"Ora, este é o homem que morou na sua casa", exclamou o adolescente depois de estudar a fotografia de Holmes. "Aquele que estava com um menininho." Geyer lhe mostrou a foto de Howard Pitezel, e Moorman assentiu de modo enfático. Não havia dúvidas quanto a isto: aquela era a criança que vira na casa com o tal homem.

Àquela altura, Geyer e Gary mal podiam conter a empolgação. Thompson mostrou o caminho e eles correram até a casa, a uma pequena distância da Union Avenue, no extremo leste da cidade.

Os detetives seguiram direto para o porão, dividido em duas partes. No compartimento dos fundos, que servia de lavanderia, o piso era feito de cimento; no da frente, de argila dura. Os detetives puderam ver de pronto que as duas áreas do piso do porão não tinham sido mexidas. Eles decidiram procurar no exterior da casa.

Um pequeno alpendre de madeira, as laterais fechadas com treliças, se estendia a partir da ala direita da casa. Enquanto Geyer espiava através da treliça, algo chamou sua atenção.

Ele ergueu os degraus do alpendre, se espremeu por baixo e retirou um fragmento de um baú de madeira.

Semanas antes, Geyer estivera incomodado pelo mistério do desaparecimento do baú das crianças. Agora tinha certeza de que o resolvera. Levou um momento para examinar esse item crítico de evidência e notou uma tira de calicô azul, de 5 cm de largura, estampada com imagem de flor branca, colada ao longo da costura interna, um evidente remendo.

Geyer voltou a enfiar a cabeça sob o alpendre e detectou um ponto onde a terra parecia remexida. Depois de conseguir uma pá, ele rastejou para baixo do alpendre e escavou o lugar para ver se havia um corpo enterrado ali. Mas não encontrou nada.

Geyer e Gary passaram as horas seguintes em busca pelo terreno sem encontrar nada incriminador. Àquela altura, centenas de pessoas se reuniram e perambulavam ao redor da propriedade e complicavam o andamento da investigação. A noite caía também e, como Geyer estava ansioso para interrogar o corretor imobiliário que alugara a casa para Holmes, decidiram suspender as buscas até o dia seguinte.

Pegando o bondinho de volta a Indianápolis, eles foram atrás do corretor, J. S. Crouse, que de pronto identificou Holmes a partir da fotografia de Geyer. De acordo com Crouse, Holmes tinha alugado a casa "para uma irmã enviuvada chamada sra. A. E. Cook". Crouse tinha recebido um mês de aluguel adiantado e nunca mais vira o homem.

Se os detetives ainda duvidavam de que enfim encontraram a casa, o testemunho de Crouse a dispersou. Geyer sabia que Holmes se registrara com o pseudônimo A. E. Cook durante a viagem a Cincinnati com as três crianças Pitezel.

Os dois se dirigiram em seguida para o escritório da Western Union, onde Geyer enviou mensagem para Carrie Pitezel, em Galva: "O baú desaparecido tinha uma tira de calicô azul em cima da costura, com imagem branca embaixo?"

Esperavam a resposta quando receberam telefonema do *Indianapolis Evening News*, que solicitava a Geyer ir de imediato ao escritório do jornal. Lá, o redator de notícias locais informou a mensagem urgente do médico Barnhill — sócio do dr. Thompson — que acabara de chegar. Barnhill vinha a Irvington com "algo importante para comunicar" e queria que Geyer o encontrasse na redação do jornal.

Pouco depois, Barnhill entrou apressado, com um pequeno embrulho, que desembrulhou sem demora na mesa do redator.

Geyer voltou a enfiar a cabeça sob o alpendre e detectou um ponto onde a terra parecia remexida.

Em seu interior havia diversos fragmentos carbonizados de ossos humanos — parte de um fêmur e o pedaço de um crânio, as suturas bastante visíveis. Barnhill estava convencido de que os restos mortais eram de criança, na faixa etária entre 8 e 12 anos.

Em resposta à pergunta de Geyer, Barnhill explicou que — depois que os detetives foram embora — dr. Thompson e ele continuaram a busca pela área. Enquanto isso, uma dupla de garotos da vizinhança, Walter Jenny e Oscar Kettenbach, decidiu "brincar de detetive" no porão.

Havia uma chaminé na parte de trás do porão, encostada na parede mais distante. O jovem Walter enfiou a mão dentro do buraco do cano de escape, retirou um grande punhado de cinzas. Entre as cinzas havia um pedaço de osso queimado. Enfiou a mão de novo e tirou mais ossos e cinzas. A essa altura, os garotos correram para chamar os médicos.

Apesar da hora avançada, Geyer e o parceiro correram de volta a Irvington, onde encontraram a casa infestada por caçadores de curiosidades da vizinhança. O delegado também estava lá e tentava manter a ordem. Os três homens afinal mandaram todos se afastarem do local, exceto Thompson e Barnhill, e diversos membros da imprensa.

Geyer dirigiu-se ao porão, usou martelo e cinzel para demolir a parte inferior da chaminé. Com uma velha tela de janela, peneirou as cinzas e a fuligem da chaminé.

Quase de imediato encontrou um conjunto completo de dentes e parte de uma mandíbula.

Alguns minutos depois, retirou uma massa grande e carbonizada da parte de baixo da chaminé. Tinha ficado tão endurecida pelo fogo que o dr. Thompson teve um pouco de dificuldade para cortá-la.

Dentro, os restos escuros de estômago, fígado, baço e intestinos.

Depois de 2 penosos meses, Geyer encontrara Howard Pitezel.

As descobertas daquele dia pareciam um pesadelo. Mesmo assim, no quarto de hotel, Geyer desfrutou de sono tranquilo e sem sonhos.

Ele não se regozijou pelo sucesso durante muito tempo, contudo. O êxito de sua jornada lhe rendeu grande fama pessoal. Porém, como agente da justiça, sabia que sua missão não acabara. Como Geyer explicou, "tudo o que foi descoberto não serviria de nada se Holmes tivesse a chance de eludir o firme aperto da lei ou escapar da punição".

A tarefa mais importante ainda permanecia: "O maior dos criminosos ainda tinha que ser forçado a responder por seus atos".

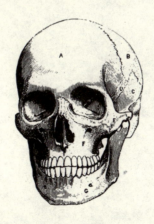

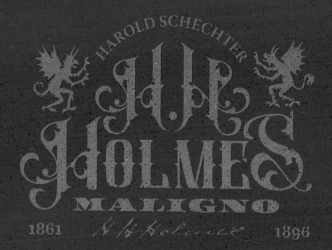

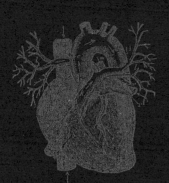
HUMAN HEART.

BACK MUSCLES.

P A R T E

05

SIDE MUSCLES.

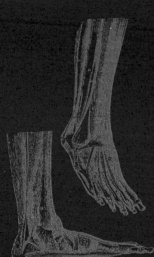
MUSCLES OF FOOT AND LEG.

HAND AND WRIST.

VEINS OF THE BODY.

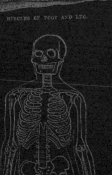

HOLMES' OWN STORY

PRICE, 25 CENTS

In which the Alleged Multi-Murderer and Arch Conspirator tells of Twenty-two Tragic Deaths and Disappearances in which he is said to be Implicated, with Moyamensing Prison Diary Appendix

H. W. Mudgett, M.D.
H. H. Holmes

ACCUSED OF MORE CRIMES THAN ANY OTHER MAN LIVING

PHILADELPHIA
BURK & McFETRIDGE CO.
1895

CRIME SCENE: PROFILE

MEMÓRIAS DO MAL

45. MONSTROUS MEMORIES

> Comecei a escrever relato cuidadoso e verdadeiro
> sobre todas as questões pertinentes a este caso.
> — Do diário da prisão de H. H. HOLMES —

Duas semanas após ser desocupado pela polícia de Chicago, o "Castelo dos Horrores" de H. H. Holmes — recém-transformado em atração turística sob gerência de A. M. Clark — estava quase pronto para receber seus primeiros clientes pagantes. Mas, pouco depois da meia-noite da segunda-feira, 19 de agosto, os sonhos de Clark de enriquecer rápido se transformaram, literalmente, em fumaça.

Jamais descobriu-se como o incêndio começou. Alguns o consideraram um ato de punição divina — a fúria de Deus purificou o antro iníquo de Holmes. A polícia, por outro lado, viu de um ponto de vista mais prático e suspeitou que um ou mais comparsas de Holmes começaram o incêndio para ocultar provas incriminadoras que os investigadores tivessem deixado passar.

Independente da origem, o incêndio acabou com o edifício, e confirmou a avaliação do inspetor Laughlin a respeito da "combustibilidade" do Castelo. No exato horário das 00h13, George J. Myler —vigia noturno do cruzamento ferroviário em

Western Indiana — viu chamas no telhado do Castelo. Antes que pudesse acionar o alarme, uma série de explosões abalou o edifício, explodiu a vitrine da loja de doces de Fred Barton no primeiro andar. Quando os primeiros carros de bombeiro chegaram, o incêndio já estava fora de controle.

Meia hora depois o telhado ruiu e derrubou parte da parede dos fundos do prédio. Sob orientações do comandante Kenyon, os bombeiros conseguiram evitar que a conflagração se espalhasse para as atarracadas casas de madeira ao fundo. Não obstante, quando o incêndio foi extinto, por voltada de 1h30, grande parte do Castelo já tinha sido consumido.

Ainda que as lojas no andar térreo tivessem danos mínimos, os dois andares superiores foram destruídos por completo. No total, as perdas chegavam na casa dos 25 mil dólares. O "museu do assassinato" era uma casca escurecida, e A. M. Clark — ex-policial e produtor teatral — estava fora do show business para sempre.

Outros, contudo, tiveram mais sorte ao explorarem a obsessão do público por Holmes. Na Filadélfia, por exemplo, C. A. Bradenburgh — cujo Museu de Curiosidades[1] na esquina da Nona com a Arch, especializado em atrações de primeira, como "O Concurso do Serrote da Mulher Gorda", "As Náiades da Fonte Fosforescente do Professor Catulli" e "Conde Ivan Orloff, o Homem Transparente Vivo" — atraiu multidões durante os meses de verão ao converter o estabelecimento em "Museu Holmes". Incluídos na exibição havia uma maquete do Castelo, mapas de frenologia com as anormalidades cranianas do "Inimigo", e um crânio humano cujas medidas seriam idênticas às de Benjamin Pitezel.

Para leitores cujo interesse ainda não fora saciado por semanas de notícias nas primeiras páginas dos jornais, as livrarias estavam repletas de brochuras policiais sensacionalistas baseadas no caso. Na maioria eram apenas compilações de relatos publicados antes. Outras — como *Sold to Satan: A Poor Wife's Sad Story* (Vendida ao Satanás: a Triste História de uma Pobre Esposa) — ofereciam revelações (totalmente inventadas) sobre a carreira homicida daquele homem degenerado.

A repentina aparição desses ordinários livros "instantâneos", que se proliferaram durante os meses de confinamento de Holmes, ratificavam ainda mais seu status de fenômeno cultural genuíno. Pois Holmes não foi apenas o assassino em série original dos Estados Unidos. Ele foi o primeiro psicopata da história, cuja identidade era conhecida, a se tornar uma celebridade.

Psicopata ou não, Holmes não era tolo, e percebeu bem depressa o potencial comercial de sua infâmia. Sem dúvida, havia mercado crescente para livros sobre seu caso. Até mesmo obras de encomenda vendiam rápido — obras copiadas-e-coladas como *The Holmes Castle* (O Castelo Holmes), de Robert L. Corbitt, e o anônimo *Holmes, the Arch Fiend, or: A Carnival of Crime* (Holmes, o Inimigo, ou: um Festival de Crimes). *Sold to Satan*, o mais tacanho da leva, foi um sucesso tão imediato que não demorou a ser traduzido para diversos idiomas, inclusive alemão (*Dem Teufel verkauft Holmes!*) e sueco (*Massemorderen Holmes, alias Mudgett*). O próprio Frank Geyer iria,

---

1   *Dime Museum* no original. Entretenimento popular e barato do século XIX especializado em exibir curiosidades humanas ou "aberrações" com o pretexto de ser educacional. [NT]

por fim, lucrar com a onda, publicando seu próprio best-seller, *The Holmes-Pitezel Case: A History of the Greatest Crime of the Century* (O Caso Holmes-Pitezel: Uma História do Maior Crime do Século).

E então, enxergando uma oportunidade de ouro para lucrar com seus crimes, Holmes decidiu escrever seu próprio livro.

Ele tinha outro motivo além da simples cobiça para se dedicar ao projeto. Se os jornais tinham sido irresponsáveis em suas acusações contra Holmes, alguns dos novos livros eram desenfreados. O autor anônimo de *Sold to Satan*, por exemplo, chegou ao ponto de culpá-lo pelo notório assassinato, em 1879, de uma socialite da cidade de Nova York, a sra. Jane Lawrence DeForrest Hull, estrangulada em seu quarto por um vagabundo chamado Chastain Cox. De acordo com o livro, Cox cometera o crime enquanto estava sob a influência de Holmes, que hipnotizara o "bruto mulato" e o enviara para matar a "esplêndida mulher" sem motivo além da "pura perversidade". Cox foi "apenas uma marionete ignorante nas mãos da criatura hedionda que, com seus poderes diabólicos, o forçou a fazer o que fez".

Holmes encarava seu livro como uma maneira de contestar tais acusações. Em suas páginas, os leitores encontrariam uma personalidade bem diferente do Holmes do mito popular, não o monstro sedento de sangue, mas um malandro comum (e não muito bem-sucedido). Com a data de seu julgamento se aproximando, é fácil ver por que estava ansioso em se apresentar sob luz mais inócua — como "golpista, sim, mas inocente de assassinato". Embora lançada como autobiografia, o livro na verdade tinha a intenção de ser a campanha pessoal de relações públicas de Holmes.

Depois de contratar o jornalista freelance John King para ajudá-lo durante todas as fases do projeto, desde o copidesque até a promoção, Holmes iniciou seu relato manuscrito em meados do verão de 1895. Chegado o começo do outono, *Holmes' Own Story* (A História do Próprio Holmes) já estava nas prateleiras, publicado pela editora Burk & McFethridge, da Filadélfia.

O livro, volumosa edição em brochura, vendida a 25 centavos, acompanha a carreira criminosa de Holmes desde a infância ao confinamento. Um retrato em gravura do maligno autor adorna a capa. Os esforços para parecer humano aos olhos do mundo são aparentes de imediato nessa imagem. É difícil conceber figura menos ameaçadora do que o cavalheiro corpulento e barbado que encara sério o espectador como presidente de banco que posa para o retrato da empresa.

Ainda que Holmes tivesse bom gosto para ficção (passava o tempo na prisão lendo *Os Miseráveis* de Victor Hugo), seu próprio livro é destituído de méritos literários e varia radicalmente entre o sentimentalismo lamuriento e o melodrama sensacionalista. O que unifica a obra é seu estilo de escrita exagerado — prosa, como um comentarista o descreveu, "das mais rebuscadas" — e sua desavergonhada intenção de autopromoção. Apesar de todas as suas tentativas de projetar uma atmosfera de candura e sinceridade, sua natureza manipuladora é aparente em cada linha.

Mesmo antes de a história em si começar, Holmes lança mão de todos os artifícios emocionais e faz flagrante apelo nacionalista para os sentimentos patrióticos dos leitores. "Meu único objetivo com esta publicação", entoa Holmes, em breve prefácio, "é vindicar meu nome das horríveis difamações jogadas sobre ele, e para apelar para meu imparcial público norte-americano pela suspensão de opiniões, e por aquele julgamento livre e justo que é o direito de nascença de todo cidadão norte-americano, e o orgulho e bastião da nossa Constituição."

A história começa com a evocação saturada do universo infantil de Holmes. "Venha comigo, se quiser, a um minúsculo vilarejo tranquilo na Nova Inglaterra, aninhado entre as pitorescas colinas escarpadas de New Hampshire [...] Aqui, no ano de 1891, eu, Herman Mudgett, o autor destas páginas, nasci. Que os primeiros anos da minha vida foram diferentes daqueles de qualquer menino comum criado no interior, não tenho nenhum motivo para acreditar. Que eu fui bem-educado por pais amorosos e religiosos, eu sei, e quaisquer desvios da retidão moral direta e reta em minha vida posterior não são atribuídos à falta de orações carinhosas de uma mãe ou do controle de um pai."

Apesar de sua insistência na normalidade de sua formação, contudo, um tom inquietante, até mesmo sinistro, intervém de imediato. No lugar de recordações agradáveis que seriam esperadas em introdução tão idílica, Holmes descreve grande quantidade de eventos perturbadores, se não traumáticos, da infância. Ele recorda a vez em que seus sádicos colegas de escola o arrastaram através dos "terríveis portais" do consultório do médico do vilarejo e o forçaram a ficar "cara a cara" com o "esqueleto sorridente" que pendia de um pedestal de madeira. Ele reconta o incidente em que um fotógrafo itinerante, que montara seu negócio na vila, retirou sua perna de pau na frente do menino de 8 anos e proporcionou ao pequeno Herman sua primeira e terrível visão de membro amputado. E ele se demora no episódio em que enviou pelo correio "todo o seu dinheiro" por relógio e corrente estimados que acabaram se revelando lixo. Dentro de alguns dias após sua chegada, as "engrenagens pararam de girar, o ouro perdera o brilho e a coisa toda se transformara em oportunidade para meus companheiros me ridiculariza-rem e para eu mesmo me repreender".

Um tema comum justifica essas lembranças — a percepção da natureza dúplice do mundo, da impureza e da corrupção subjacentes ocultas sob a superfície brilhante e inocente das coisas. Que Holmes tenha escolhido essas experiências em particular para representar os primeiros anos de sua vida revela mais, talvez, a respeito da escuridão fundamental de sua visão do que pretendia.

Se *Holmes' Own Story* tem direito a alguma distinção, ela jaz na surpreendente característica autojustificativa da obra. O livro é um *tour de force* da racionalização, o equivalente impresso dos espetáculos de fuga de Harry Houdini. Ao longo de 200 páginas, é difícil o leitor não se impressionar enquanto Holmes faz as contorções mais dolorosas para se desvencilhar da culpa. E quando os fatos irre-futáveis fazem com que isso seja impossível, recorre a um simples expediente: se recusa a reconhecer sua existência. Holmes não faz uma única menção que seja à sua esposa em New Hampshire, Clara Lovering (nem, aliás, ao seu segundo casamento, a afirmação de sua bigamia, com Myrta Belknap).

Depois de frequentar por breve período a Vermont University, em Burlington, Holmes se mudou para Ann Arbor para completar sua educação médica. Além da vaga alusão a "algumas experiências desagradáveis" na sala de dissecação, não fornece nenhum detalhe desses anos. Esforça-se bastante, contudo, para negar uma das acusações mais sensacionalistas levantadas contra ele — que pagou seus estudos universitários com roubo de túmulos e venda de cadáveres como espécimes anatômicos para colegas. Para sustentar a afirmação, Holmes destaca o "fato bem conhecido de que, no estado de Michigan, todo o material necessário para trabalhos de dissecação é fornecido pelo próprio estado".

Holmes passa um bom tempo descrevendo sua primeira e abortada empreitada como golpista, ainda que — como de praxe — encubra os detalhes mais repulsivos. Após lecionar por breve período em Mooers Fork, Nova York, abriu consultório médico no vilarejo e oferecia "serviços bons e conscienciosos" em troca de "muita gratidão, mas pouco ou nenhum dinheiro". Com a "fome [...] me fitando nos olhos", Holmes (assim insinua) não teve outra escolha a não ser aplicar golpe em uma seguradora, empregando o plano que elaborara com seu amigo canadense, um antigo colega de classe em Ann Arbor.

As complexidades desse esquema desafiam a paráfrase. Como Holmes explica:

Em alguma data futura, um homem que meu amigo conhecia e em quem podia confiar, à época dono de seguro de vida considerável, aumentaria o valor da apólice para que a quantia total contratada somasse 40 mil dólares; e como era homem de condições moderadas, daria a entender que algum perigo súbito do qual escapara (acidente com trem desgovernado) o impelira a proteger ainda mais sua família no futuro. Mais tarde, se viciaria em bebida e, enquanto estivesse temporariamente louco pelo abuso, iria, como faria parecer, matar a esposa e o filho.

Na verdade, deveriam ir ao extremo oeste e aguardar sua chegada em data posterior. De repente, o marido desapareceria e, alguns meses depois, um corpo bastante decomposto e com as roupas que costumava usar seria encontrado, e com ele a declaração de que matara a família enquanto estava em estado de fúria embriagada, e despachara o corpo desmembrado para dois armazéns distantes a fim de ocultar o crime, não sem antes preservar parte dos restos mortais em forte salmoura. E que ele não queria viver muito mais tempo e que seus bens e seguro deveriam passar para um parente designado nessa carta.

No momento certo, se juntaria à família no oeste e ficaria por lá de modo permanente e o parente receberia o seguro. Uma parte lhe seria enviada, outra retida pelo parente e o restante dividido entre nós [ou seja, Holmes e o amigo canadense].

Como Holmes descreve de modo diplomático, esse esquema exigia "quantidade considerável de material" — a saber, três cadáveres para se passarem como os restos mortais do marido, da esposa e do filho. Holmes e o cúmplice canadense concordaram "que ambos deveriam contribuir com os suprimentos necessários".

Os conspiradores não tiveram chances de colocar seu esquema em ação até 1886, quando Holmes vivia em Chicago. Depois de obter dois cadáveres — "minha parte do material", como descreve — de fonte anônima, de repente foi chamado à cidade de Nova York. Por motivos que escolhe não explicar, decidiu "levar parte do material para lá e deixar o resto em um armazém de Chicago. Isso exigiu que ele fosse reembalado".

Um dos aspectos mais sinistros da autobiografia de Holmes é a constante referência aos cadáveres como "material", como se corpos decompostos fossem apenas itens de sua profissão — o equivalente de tecido para alfaiate ou de couro para sapateiro.

Holmes registrou-se em hotel no centro da cidade e "dividiu o material em dois pacotes", colocou um no depósito de armazenagem Fidelity e enviou o segundo para Nova York.

O plano, porém, nunca foi concluído. Pouco depois de retornar a Chicago, Holmes se deparou com diversos artigos de jornais "sobre a descoberta de crimes ligados a esse tipo de trabalho" e percebeu "pela primeira vez como as principais seguradoras estavam bem-organizadas e bem-preparadas para detectar e punir esse tipo de fraude". "Isso", escreveu ele, "junto da morte súbita de meu amigo, fizeram com que tudo fosse abandonado."

O cancelamento abrupto do esquema deixou Holmes com dois cadáveres para descartar —problema que resolveu ao queimar parte do "material" na fornalha do Castelo e enterrar o resto em canto remoto do porão. Holmes descreveu essa operação em tom bastante pragmático, como se a incineração caseira de cadáveres humanos fosse tarefa doméstica rotineira. Conclui ao insistir que a ossada "encontrada mais tarde" no Castelo pelos investigadores da polícia não eram nada a não ser as sobras queimadas e enterradas desses cadáveres descartados.

Ao recontar esse episódio — e outra aventura parecida que se transformou em comédia de erros pavorosa quando seu baú preparado para contrabandear cadáveres se descobre com vazamento — fica claro que Holmes pretende passar a impressão de charmosa franqueza. De fato, ao julgar pelo tom satisfeito que de vez em quando penetra a narrativa, parece sentir que merece crédito pela engenhosidade de seus esquemas e pela determinação que lhes dedicou. Mais uma vez, parece estar completamente alheio à verdadeira imagem que projeta —a vida infundida no fedor de cadáveres decompostos, e da sensibilidade tão distorcida que considera um corpo da criança morta recurso financeiro.

Nesse ponto da história, Benjamin Pitezel aparece em cena pela primeira vez. Visto que o assassinato de Pitezel era a acusação imediata que confrontava Holmes, em grande parte do livro, ele se exonera do crime ao retratar seu antigo cúmplice como fracassado desesperançado e amargurado que negligenciou os filhos, abusou da esposa e por fim tirou a própria vida em ataque de ébrio desespero.

Essa imagem de Pitezel é consistente com a estratégia de Holmes ao longo de todo o livro. Para rebater as "terríveis difamações lançadas sobre" seu nome, conta com o esperto estratagema de lançar horríveis difamações sobre outros. Ao mesmo tempo, se apresenta como modelo de afeição e fidelidade — amigo e patrão devotado, que fez de tudo ao seu alcance para ajudar Pitezel e sua família, mas, no fim das contas, não foi capaz de salvar seu instável parceiro daqueles "hábitos perniciosos" que por fim o levaram ao suicídio.

Ainda mais odiosa nesse sentido é a imagem de Minnie Williams pintada por Holmes — mulher, de acordo com os relatos, de ingenuidade tão extrema que às vezes parecia ter tão pouca percepção de mundo quanto um recém-nascido. Na versão de Holmes, ela surge como uma endurecida mulher sofisticada de passado bastante duvidoso, alguém que fora seduzida e traída por vários amantes; sofrera colapso nervoso depois de abortar o filho ilegítimo; fora internada em hospital psiquiátrico; assassinara a própria irmã em ataque de fúria; e, por fim, evadira-se para Londres, a fim de abrir uma "casa de massagem" com o amante atual, um personagem obscuro chamado "Edward Hatch".

Das incontáveis invencionices no livro, talvez a mais fascinante seja Hatch, o ser misterioso que leva a culpa pelas mortes das três crianças Pitezel. Não há dúvidas de que Hatch seja pura invencionice. À época do julgamento de Holmes, 35 testemunhas — de Cincinnati, Indianápolis, Detroit, Toronto e Burlington — viajaram à Filadélfia para oferecer seus relatos. Jamais viram as crianças na companhia de outra pessoa a não ser na de Holmes.

No relato de Holmes, no entanto, Hatch "nos acompanhou" a todos os lugares. Foi Hatch quem levou Howard embora no dia em que o menino foi assassinado; foi sob os cuidados de Hatch que Holmes deixou Alice e Nellie; foi Hatch quem esteve com as garotas em Toronto na última vez que Holmes viu as duas irmãs com vida.

E, ainda assim, Hatch permanece figura amorfa no livro — Holmes não lhe proporciona nenhum diálogo, nenhuma feição distintiva, nenhuma motivação psicológica. Conforme a história avança, o leitor passa a enxergar Hatch menos como ser humano distinto e mais como alter ego sombrio: o nome que Holmes dá às suas próprias tendências mais malevolentes. De fato, o próprio nome — com sugestões de subterfúgio (como em "*to hatch a plot*" [algo como *bolar um plano*]) e dissimulação (como em "*to keep under hatches*" [*manter-se na surdina*]) — aponta nessa direção. É como se Holmes confirmasse de maneira inconsciente a comparação popular dele com dr. Henry Jekyll, e criasse, na figura sinistra de Edward Hatch, sua própria versão do personagem Edward Hyde de Robert Louis Stevenson.

Ao recontar sua viagem de volta a Gilmanton, pouco antes de sua prisão, Holmes ataca direto o coração do leitor: "Minha caneta não pode retratar de modo adequado o encontro com meus pais idosos, e, se fosse possível, eu não permitiria que o fizesse para publicação. É suficiente dizer que fui a eles como morto, eles há anos me considerando assim [...] Que, após abraçá-los, enquanto olhava seus queridos rostos mais uma vez, meus olhos turvaram pelas lágrimas enviadas por caridade para afastar, naquele momento, os sinais dos anos adicionais que sabia que meu silêncio desnecessário nos últimos sete anos contribuíra para aumentá-los, sem necessidade." A habilidade descrita pelo próprio Holmes de "liberar a fonte de emoções" não é mais aparente em nenhum outro lugar do que na compaixão inventada desse episódio.

Desavergonhado até o fim, Holmes termina o livro insistindo que seu próprio destino lhe é uma questão indiferente e que sua única preocupação é ver a justiça ser feita: "E aqui não posso dizer *finis* — este não é o fim —, pois, além disso, também existe o trabalho de levar à Justiça aqueles que cometeram as transgressões pelas quais hoje sou obrigado a pagar; e isto não tem o objetivo de prolongar, nem de salvar minha própria vida, pois desde o dia em que ouvi a respeito do horror em Toronto não tenho vontade de viver".

Para alguém que abriu mão da vida, Holmes dedicou interesse excepcionalmente ativo para o sucesso do livro. Pouco depois de o manuscrito ser transcrito por datilógrafo profissional e estar pronto para envio à gráfica, Holmes redigiu carta para seu sócio, John King:

Caro senhor:

Sugiro que você obtenha com o *New York Herald* e o *Philadelphia Press* todos os recortes que tenham e os entregue para o tipógrafo, para que os inclua no livro através de eletrodeposição à custa dele. Use o recorte grande com a barba cheia publicada no dia 25 de agosto no *Herald* para minha fotografia na página oposta ao capítulo de abertura, com as assinaturas dos meus dois nomes (Holmes e Mudgett) por gravação e eletrodeposição ao mesmo tempo, para ir embaixo da imagem [...]

Assim que o livro for publicado, distribua-o pelas bancas de jornal da Filadélfia e de Nova York. Então encontre divulgadores confiáveis para trabalhar durante as tardes aqui na Filadélfia. Pegue uma boa rua de cada vez, deixe o livro, então volte mais ou menos meia hora depois para pegar o dinheiro. Não adianta fazer isso pela manhã, quando as pessoas estão ocupadas. Eu fiz esse tipo de divulgação quando era estudante e considerei o método bastante eficiente.

Então, se você tiver alguma predileção pela estrada, visite os lugares descritos no livro, passando alguns dias em Chicago, Detroit e Indianápolis. Entregue cópias para os jornais dessas cidades para resenhas, isso vai ajudar as vendas.

O entusiasmo de Holmes em ver o livro distribuído era uma qualidade, em parte, de sua sagacidade para os negócios — seu desejo de explorar sua notoriedade enquanto o interesse do público no caso estava no auge. Mas havia outro motivo para sua urgência. Em 23 de setembro de 1895, ele foi processado no Tribunal de Audiências e Veredictos[2] da Filadélfia, e a data para seu julgamento marcada para o dia 28 de outubro.

Se Holmes esperava (como escreveu no prefácio) "apelar para o imparcial público norte-americano por suspensão de opiniões" e "julgamento livre e justo", ele ficava sem tempo com bastante rapidez.

---

2   *Court of Oyer and Terminer* no original. O termo vem do francês *oyer et terminer,* que significa literalmente *ouvir e determinar.* Era um tribunal que se reunia de forma periódica para julgar traições, crimes graves e contravenções. Nos Estados Unidos, esses tribunais tinham jurisdição para julgar crimes puníveis com prisão perpétua ou pena de morte. [NT]

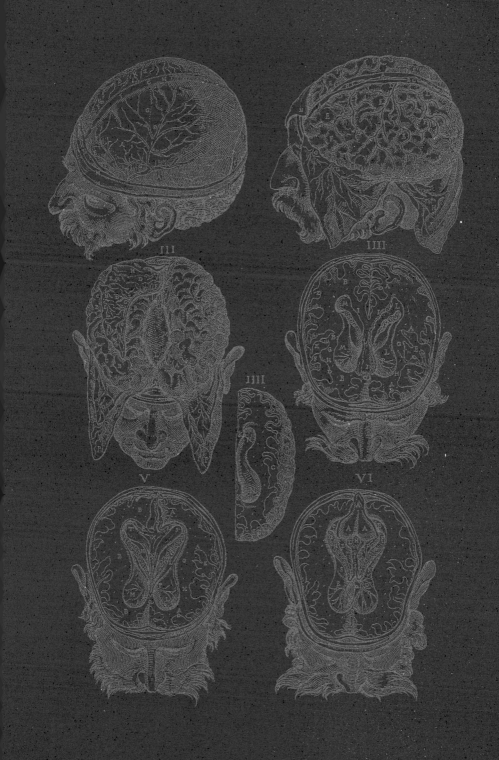

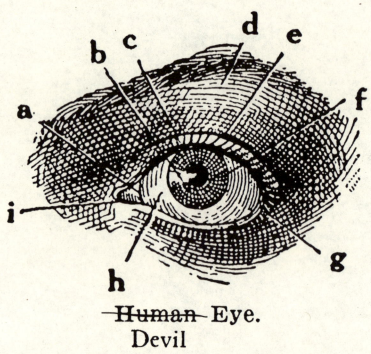

~~Human~~ Eye.
Devil

 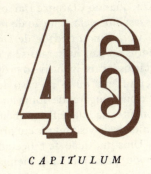

CAPITULUM

CRIME SCENE: PROFILE

OLHOS NO TRIBUNAL

46. ALL EYES ON COURT

> O caso Holmes, com detalhes mundialmente conhecidos, é, desde que foi encontrado o corpo de Benjamin F. Pitezel na casa da Callowhill Street, notável por um motivo: no desenrolar do mistério, ao explorar as idas e vindas pelas cidades, a surpresa, o sensacional e o drama sempre tiveram vez. A abertura do julgamento não foi exceção.
>
> — *THE CHICAGO TRIBUNE*, 29 de outubro de 1895 —

"O Julgamento do Século", como foi divulgado pela imprensa, teve início em uma manhã resplandecente de outono, segunda-feira, 28 de outubro de 1895. Ao longo dos seis dias de duração, ele atraiu a atenção de toda a nação. Apenas o julgamento por assassinato de Lizzie Borden,[1] dois anos antes, tinha gerado empolgação comparável. Os Estados Unidos não veriam algo assim de novo até

---

[1] Acusada de matar o pai e a madrasta a machadadas em 1892, em Fall River, Massachussets. Mesmo sendo a principal suspeita, ela foi absolvida após ser levada a julgamento, apesar de ninguém ter sido condenado. Tornou-se uma figura do folclore norte-americano como um dos casos mais célebres da era vitoriana. [NT]

1924, quando Clarence Darrow defenderia uma dupla de adolescentes mimados, "assassinos pela emoção de matar", chamada Leopold e Loeb.

Com a notoriedade de Holmes espalhado além-mar, jornalistas de todos os cantos do país juntaram-se a um contingente de correspondentes europeus. Dignitários locais, inclusive o próprio prefeito Warwick, ocuparam os assentos da primeira fileira ou — no caso de "juristas convidados", como o ex-chefe de Justiça Paxson — lugares de honra ao lado do juiz. Grande número dos clérigos mais preeminentes da Filadélfia também se fez presente, atraído, talvez, pela inaudita oportunidade de vislumbrar em primeira mão o Inimigo em seu disfarce mais atual.

Uma multidão de espectadores — grande o bastante (como um jornalista observou) para "lotar a Academia de Música" — começou a se reunir do lado de fora do tribunal ao raiar do dia, para conseguir assentos na galeria. Mas o julgamento era o evento mais popular da cidade. Aqueles sem nenhuma influência política descobriram que era quase impossível entrar. Um esquadrão de policiais sob o comando do sargento Newman estava na entrada para manter a ordem e selecionar os espectadores esperançosos.

Em grande parte, cidadãos comuns tiveram de se contentar com os relatos nos jornais. Dia após dia, a primeira página do *Philadelphia Inquirer* se parecia com programas de melodrama popular: HOLMES COLOCADO SOB JULGAMENTO: PROCEDIMENTOS ESTÃO REPLETOS DE INCIDENTES INTERESSANTES E CENAS INCOMUNS! HOLMES LUTA PELA VIDA: MUDANÇAS RÁPIDAS E SURPREENDENTES MARCAM O SEGUNDO DIA DO EXTRAORDINÁRIO JULGAMENTO! A TRISTE HISTÓRIA DA SRA. PITEZEL: UMA CENA DE INTERESSE DRAMÁTICO!

E, de fato, o caso Holmes ofereceria ao público enorme variedade de experiências teatrais, da tragédia à farsa, com atuação incrível "que manteve os espectadores enfeitiçados" (como o *Inquirer* relatou). A audiência do dia de abertura foi preparada para ser uma sensação — e ninguém voltou para casa desapontado.

Mesmo antes de a primeira testemunha ser chamada, o circo já tinha começado.

Com cabelo branco sedoso, bastas sobrancelhas pretas e conduta séria, o Meritíssimo Michael Arnold era a imagem perfeita da solenidade judicial quando entrou no tribunal — impressão aumentada pela nova toga preta farfalhante, vestimenta ritualística que o judiciário recém-adotara na Filadélfia. (De fato, os procedimentos foram um pequeno marco nesse aspecto: era a primeira vez na história da cidade que um juiz de toga presidia um julgamento por assassinato.)

Logo após o juiz Arnold se sentar, outra figura - tão impressionante quanto - apareceu na sala, conduzida através da porta lateral pela dupla carrancuda de oficiais de Justiça. Todos os olhares se voltaram para Holmes enquanto ele tomava seu lugar no banco dos réus, área cercada, que ia até a altura da cintura, de tela metálica posta ao lado da mesa da defesa.

Nos seis meses desde a última vez no tribunal para responder à acusação de conspiração, Holmes passara por transformação impressionante. Agora magro ao ponto da fragilidade, usava terno preto trespassado que enfatizava a palidez do tempo na prisão. Seu intenso bigode basto fora aparado com cuidado e as linhas quadradas de seu maxilar suavizadas por asseado cavanhaque. Com suas belas feições e compleição lívida, projetava um ar de delicadeza quase feminina — embora um repórter tenha comentado sobre o formato distinto de seu nariz, "pontudo e acentuado por aquelas marcas que Dickens sempre atribuía aos personagens de natureza cruel".

Quanto ao estado de espírito de Holmes, as opiniões variavam. Depois de depositar o chapéu-coco no chão ao lado da cadeira e se deixar cair sobre o assento, lançou olhar abrangente ao redor do tribunal. Alguns observadores perceberam naquele olhar um lampejo de sua antiga audácia e desafio. Outros notaram o pesado volume que mantinha apertado na mão. Acreditavam ser a Bíblia e por isso, especularam que talvez Holmes tivesse encontrado a religião nos escuros dias de confinamento. (Na verdade, o livro era *Digest of the Laws of Evidence* (Compilação das Leis das Evidências), de James Fitzjames Stephen.

E alguns detectaram sinais incomuns de agitação naquele conhecido por ser um inabalável mestre criminoso. Os dedos delgados se contorciam, olhos giravam nervosos ao redor e ele não parecia encontrar posição confortável na cadeira. Contorceu-se no assento e colocou, sem querer, a perna da cadeira sobre seu chapéu-coco e o achatou de maneira irremediável.

Mas se Holmes se sentia ansioso, não demorou a recuperar o sangue-frio. De fato, estava prestes a apresentar uma das atuações mais notáveis de autoconfiança que seu público jamais vira.

A escolha do júri foi o primeiro item da agenda. Antes que o primeiro jurado suplente pudesse ser questionado, contudo, um dos advogados de Holmes, William A. Shoemaker — que tinha corrido tribunal adentro poucos instantes antes, pois tinha conseguido de algum modo chegar 15 minutos atrasado para a ocasião mais importante de sua carreira —, ficou em pé de um pulo. Falou com voz fina e aguda que mal alcançava a bancada do juiz e requisitou adiamento. Shoemaker alegou que "o tempo disponível para a preparação da defesa naquele caso, a partir do indiciamento, fora incrivelmente curto e inadequado".

O juiz Arnold voltou o olhar na direção da mesa da promotoria e se dirigiu ao promotor George Graham.

"Concorda com esse adiamento?"

Graham se levantou da cadeira.

"Não concordo", respondeu, enfático. Com sobrecasaca preta e bigode abundante, Graham —homem alto e bem-visto de 45 anos — era figura imponente. Também tinha popularidade extraordinária, naquela época já em seu quinto mandato de 3 anos como promotor público da Filadélfia. "Essa moção não se enquadra em nenhuma lei do tribunal, a não ser que possa apelar para a discrição do Meritíssimo, e eu me oponho com vigor a essa moção de adiamento."

Ao contrário de Shoemaker — a quem fora pedido repetidas vezes pelo juiz que "falasse mais alto" —, Graham não precisava de tal admoestação. Seu vozeirão alcançava todos os cantos da sala.

"Testemunhas reunidas aqui, oriundas de estados distantes, se voluntariaram para estar presentes e vieram apenas pelo seu dever para com a causa da Justiça", argumentou. "Não posso forçar sua presença, e tenho certeza de que nunca mais poderei trazer essas testemunhas aqui outra vez. Outorgar o adiamento representará a destruição absoluta do caso do Estado."

Sua voz assumiu tons ainda mais dramáticos.

"Existe uma pessoa que foi submetida a tensão incomum — incomum não, terrível —, e essa pessoa é a viúva do sr. Pitezel. Sua condição é tal que é muito perigoso para o caso do estado permitir que isso se repita. Esses cavalheiros tiveram tempo mais que suficiente para se preparar. Nenhuma base legal foi apresentada e, portanto, eu me oponho ao adiamento."

Tão logo terminara de falar, o outro advogado de Holmes, Samuel Rotan — jovem com cara de lua cuja compleição corada deixava a pele ainda mais rosada pelo rubor da emoção que se espalhava por ela naquele instante — se levantou de imediato.

"Permita-me o Meritíssimo", começou. "Este homem é acusado do crime mais conhecido pela lei! É o propósito do promotor público, como anunciado nos jornais..."

"Perdão", interrompeu Graham. "Meu propósito não foi anunciado nos jornais. Por outro lado, as afirmações da defesa foram citadas numerosa e abundantemente."

"Só tenho a dizer", rebateu Rotan, "que deixarei para aqueles que leem os jornais que digam de onde vêm esses propósitos."

O martelo do juiz Arnold desceu brusco e interrompeu a disputa.

"Não julgamos os jornais", disparou. "A moção de adiamento do caso está indeferida. Que o júri seja chamado."

Assim, o advogado Shoemaker pigarreou e se dirigiu à bancada. Sua voz ainda era tão baixa que muitos espectadores se esforçaram para ouvi-lo. Mas, no silêncio do tribunal, suas palavras explodiram como bomba:"O passo que estamos prestes a dar nos enche da mais extrema dor e arrependimento. Estamos cientes o suficiente de sua seriedade, de sua ocorrência incomum. Contudo, com respeito a este tribunal, e por uma questão de justiça ao nosso cliente, e também em consideração ao dever que devemos a nós mesmos, precisamos pedir ao Meritíssimo que permita nos retirarmos deste caso, por mais doloroso que possa ser. Não podemos continuar nele".

Com esse pronunciamento extraordinário, os presentes irromperam em burburinho estupefato. O juiz Arnold bateu seu martelo em pedido de silêncio e olhou com severidade para Shoemaker.

"Em casos como este, os advogados não têm o direito de se retirar. Seu dever é permanecer. É claro, não posso forçá-los a ficar e cumprir com seu dever. A solução deste tribunal — se os advogados se retiram, sem consentimento, na véspera de julgamento de assassinato — é entrar com decreto contra eles para que apresentem os motivos para não serem cassados."

De pé ao lado do colega sênior, o advogado Rotan retomou o argumento. Sem um atraso "razoável" para lhes permitir que reúnam as testemunhas necessárias, o julgamento, insistiu, seria "uma farsa".

"Não haverá farsa alguma", respondeu com gravidade o juiz Arnold. "Chamem o júri!"

Pouco mais de trinta minutos tinham se passado desde que o julgamento começara. Mas a atmosfera já estava tão carregada que até mesmo o promotor Graham parecia incomodado pela tensão. De maneira incomum, ele permitiu que sua impaciência explodisse durante o exame do primeiro jurado em potencial, o condutor de bonde Enoch Turner.

Em resposta à pergunta tendenciosa de Graham, Turner admitiu que, com base nas leituras dos jornais, já tinha opinião formada quanto à culpa de Holmes.

"O senhor poderia, a despeito dessa opinião, subir à bancada do júri, e sob juramento, como jurado, julgar este caso com base nas evidências que ouvir neste tribunal, apesar do que você possa ter lido nos jornais?", indagou Graham.

"Bom, acho que sim", sugeriu Turner.

"O senhor não sabe se poderia ou não?"

"Não tenho certeza."

"O senhor é chamado como jurado neste caso para julgar de acordo com as provas", continuou Graham, cada vez mais exasperado. "O que eu quero saber é o seguinte: o senhor não pode assumir o seu lugar sob a obrigação de seu juramento e julgar este homem com justiça e imparcialidade de acordo com as provas ouvidas neste tribunal?"

Turner pensou nisso um instante antes de responder:

"Bom, não sei ao certo."

"O senhor não tem força de vontade suficiente", falou Graham, ríspido, "para julgar este caso de acordo com as provas ouvidas neste tribunal e deixar de lado essas objeções externas?"

"Sim, senhor", respondeu Turner encabulado.

Após, enfim, dar a resposta certa, Turner foi aprovado pelo Estado.

Durante todo esse interrogatório, Holmes confabulou com seus advogados. Agora, Rotan se voltou para a bancada e anunciou que seu cliente gostaria de fazer uma declaração.

De pé ante o banco dos réus, Holmes se dirigiu ao juiz em tom de humilde súplica — a voz de um homem que não pensa em si mesmo, apenas no bem-estar dos outros.

"Permita-me, Meritíssimo. Não tenho nenhuma intenção de pedir que o sr. Rotan e o sr. Shoemaker continuem neste caso quando posso ver que isso vai contra seus próprios interesses. Com isso em mente, peço que sejam dispensados do caso. Esses cavalheiros me apoiaram durante o ano passado e não posso pedir desta vez que fiquem quando isso vai contra seus interesses..."

"Não queremos que o tribunal tenha a impressão de que estamos desistindo deste homem", interrompeu Rotan. "Ele agora afirma que prefere seguir com o caso por conta própria."

O juiz Arnold ignorou o rechonchudo advogado e falou diretamente com Holmes.

"Não lhe é permitido dispensá-los, sr. Holmes. Isso é uma decisão do tribunal, e, se eles decidirem se retirar deste caso, serão punidos."

"Se o Meritíssimo me desse apenas até amanhã para obter um representante adicional", implorou Holmes, com voz trêmula.

"Não mais debateremos essa questão, sr. Holmes", respondeu o juiz, então se virou para Shoemaker e Rotan, que discutiam apressados e aos sussurros com seu cliente. "Os senhores vão interrogar este jurado?", perguntou Arnold, um tanto ríspido. "Caso contrário, ele subirá à bancada do júri."

Rotan ergueu o olhar para o júri.

"Meritíssimo, o réu diz que pretende ele mesmo examinar estes jurados suplentes, pois não quer que interfiramos com o exame, e que é isso que vai fazer."

O juiz Arnold olhou para Holmes.

"Se o senhor deseja fazer seu próprio exame, pode fazê-lo. É seu direito constitucional julgar seu próprio caso."

Enquanto Rotan e Shoemaker retomavam seus assentos à mesa da defesa, Holmes pousou as mãos no corrimão do banco dos réus e se inclinou na direção do banco das testemunhas. Depois de algumas perguntas ao jurado Turner — que reafirmou ter "formado uma opinião quanto à possível culpa ou inocência do réu" —, Holmes usou uma das vinte objeções peremptórias para fazer o homem ser dispensado.

Nesse ponto, Rotan voltou a se pronunciar.

"Meritíssimo, não seria de nenhuma utilidade o sr. Shoemaker e eu permanecermos aqui. O réu seguirá adiante e não nos permitirá fazer coisa alguma. Pedimos permissão para nos retirar. Fazemos isso com relutância e, ao mesmo tempo, com total ciência do nosso ato."

O juiz suspirou resignado.

"Muito bem. Mas os senhores terão de arcar com as consequências — e sabem muito bem quais são elas."

Então, enquanto os espectadores arfavam de espanto, os advogados de Holmes pegaram as maletas, colocaram os chapéus e marcharam para fora do tribunal.

Levou alguns instantes para o juiz Arnold restaurar a ordem na corte. Quando o público por fim se acomodou, se virou para Holmes e disse:

"O senhor acabou de dispensar seus advogados. Nós pretendemos seguir adiante com o caso e o senhor pode muito bem parar com os esforços para forçar o adiamento. O senhor é agora seu próprio advogado."

Assim, Holmes se muniu de lápis e papel e deu início ao seu espetáculo. O público sentou-se, enfeitiçado conforme ele se transfigurava de maneira espantosa. Do suplicante engasgado de emoção de instantes atrás, Holmes se transformou na figura "fria e serena" (como uma testemunha relatou), "cuidando do próprio caso com prontidão que teria merecido o crédito de advogado bastante experiente na Ordem". Examinou cada um dos jurados suplentes e exibiu sagacidade e habilidade que incitou resmungos de admiração relutante até mesmo dos poucos representantes do Estado.

Suas perguntas focavam em grande parte na publicidade do caso. Cada candidato era questionado se tinha visitado a "exibição sensacionalista" no Museu de Curiosidades na esquina da Nona com a Arch ou tinha sua convicção com base nas leituras dos jornais. O juiz Arnold foi obrigado a destacar para Holmes que "opinião formada com base no que aparece em publicações já não é causa suficiente para objeção. Foi assim no passado. Constatou-se que é impossível impô-la como motivo para excluir jurados. Os jornais são tão numerosos que todos os leem hoje em dia e, é claro, presumem algo. Portanto, a não ser que a opinião esteja tão fixa que seja imutável, o jurado é competente".

"Tenho a prerrogativa de usar uma exceção à essa regra?", indagou Holmes.

"Sim", respondeu o juiz. "O senhor tem esse direito."

"Então quero que uma seja anotada", respondeu. Um comentarista, ao descrever o comportamento de Holmes nesse momento, observou que "o próprio sir William Blackstone, grande legalista inglês, não teria lidado com a situação com mais desenvoltura".

Em outra ocasião, Holmes se opôs a outro candidato pelo motivo contrário — não porque o jurado, o vigia ferroviário James Collins, fora influenciado pelos jornais, mas porque forçava a credulidade ao insistir que nunca lera uma só palavra sequer a respeito do caso. Depois de o homem ser dispensado, Holmes se voltou para o público com expressão de descrença exagerada que incitou risadinhas apreciativas da galeria.

O Estado, enquanto isso, reservou grande parte de suas objeções para aqueles com inclinação contra a pena capital. O fabricante de sacos de papel Harry S. Coles, por exemplo, teve lugar no júri negado depois de admitir ter "escrúpulos a respeito da questão da pena capital" — posição que ele mesmo considerava ser uma falha de caráter um tanto embaraçosa.

"O senhor agora é chamado para agir como jurado", lembrou-lhe o promotor Graham, "onde não há envolvimento com a questão de punição, mas apenas de culpa ou inocência do prisioneiro. O senhor não pode subir à bancada do júri e cumprir seu dever de acordo com as provas?"

"Não, Meritíssimo", respondeu Coles. "Não se foi assassinato em primeiro grau. Não poderia fazer isso de maneira consciente." Um tom de reprovação penetrou sua voz. "É um ponto fraco meu."

"Quando foi a primeira vez que chegou a essa conclusão?"

"É uma falha minha desde que me casei, nos últimos 15 anos."

Graham arqueou as sobrancelhas.

"Com certeza, o fato de casar não tem nada a ver com a questão."

"Bom, eu sei", admitiu Coles e deu de ombros pesaroso. "Sempre foi um defeito meu."

Depois de admitir tal fraqueza embaraçosa, Coles foi objetado por justa causa, e dispensado.

Às 14h, o júri estava escolhido e jurado. O grupo era abrangente: ferreiro, tesoureiro, carroceiro, fabricante de sabonete, fazendeiro, dono de estrebaria, engenheiro, sapateiro, pintor de casas, florista, fabricante de fios têxteis e construtor de carroças.

O membro sênior do grupo foi designado como primeiro jurado: Linford Biles, o viúvo de bigodes grisalhos de 64 anos cuja casa quase pegara fogo no mesmo dia em que Holmes fora preso, quando a chuva de faíscas elétricas de fios cruzados caiu sobre seu telhado.

. . .

Às 15h em ponto, após recesso de uma hora para o almoço, o promotor Graham fez seu discurso de abertura. Estendeu-se por pouco menos de duas horas. Durante todo esse tempo, Holmes ouvia atento do banco dos réus, anotava copiosamente e, de vez em quando, consultava seu volume do *Digest of the Laws of Evidence*, de Stephen.

Depois de recitar os detalhes técnicos da acusação, Graham declarou que, embora incluísse-se no poder do júri decidir por um dentre quatro veredictos — homicídio culposo; assassinato em segundo grau; assassinato em primeiro grau;

absolvição —, havia, na verdade, apenas "um veredicto que vocês conseguirão encontrar. Ou este homem no banco dos réus matou Benjamin F. Pitezel de modo intencional, deliberado e premeditado, ou não. Se não o matou, então, é claro, deve ser absolvido. Mas se o matou, sob as circunstâncias do caso, as provas de que cometeu assassinato não podem, ao meu ver, recair abaixo do grau mais alto conhecido pela lei: assassinato em primeiro grau".

Graham então se lançou no relato detalhado do crime: a descoberta do corpo carbonizado e escurecido de Pitezel; a exumação do cadáver; o pagamento da apólice de seguro; a divisão dos espólios entre Holmes e Jeptha Howe. Mas a ganância, asseverou, não foi o único motivo de Holmes para assassinar seu cúmplice fiel. O alcóolatra Pitezel, com a língua solta pela bebida e o conhecimento íntimo dos muitos crimes de Holmes, se tornara um perigo efetivo para seu empregador de longa data.

Em seguida, Graham contou a respeito do encontro fatídico entre Holmes e Marion Hedgepeth, da traição que fez com que este último dedurasse o golpe do seguro à polícia, e dos movimentos sinuosos de Holmes pelo Centro-Oeste até o Canadá com a indefesa família Pitezel em suas garras e os Pinkerton nos calcanhares.

"Este homem teve um grande trabalho nas mãos", disse Graham para o júri, a voz carregada de sarcasmo. "Movia essas pessoas em três destacamentos. Em um deles, tinha a si mesmo e Georgiana Yoke, a mulher iludida que ele chama de esposa.; em outro, a sra. Pitezel, Dessie e o bebê; e, em outro ainda, Alice, Nellie e Howard. Ele movia esses três destacamentos em separado, sem que nenhum membro de um destacamento encontrasse algum membro dos outros. Que general! Não me surpreende que este homem se encarregue de defender a si mesmo. Não tenho dúvidas de que vai se sair melhor que qualquer advogado que pudesse encontrar. Alguém capaz de conduzir três destacamentos e manter cada um deles ignorante dos outros é um general de verdade."

Em grande parte, essa história era conhecida dos jurados. Todos tinham admitido acompanhar o caso nos jornais. Mas Graham evocou algumas reações chocantes — e fez as bochechas de algumas damas no local corarem — quando insinuou que, durante a noite passada na hospedaria de Adella Alcorn, na Filadélfia, Holmes violara a inocência de Alice Pitezel.

"Este homem levou Alice Pitezel, uma menina de 15 anos, para o número 1905 da North Eleventh Street", disse Graham inclemente, o dedo acusatório apontado para Holmes, "e a apresentou como irmã, e receberam quartos contíguos. Irmã! Irmã! Vou lhes provar que esteve no quarto com aquela garotinha no número 1905 da North Eleventh Street!"

Holmes — cuja expressão até esse ponto estivera tão inexpressiva quanto a do estenógrafo do tribunal — se assustou com a acusação e meio que se levantou da cadeira. Logo, contudo, pareceu pensar melhor, se acomodou no assento e recomeçou a anotar.

Graham causou outra comoção um pouco mais tarde ao recontar a tentativa fracassada de obliterar o restante da família Pitezel com a garrafa de nitroglicerina — parte da história que ainda não tinha ido a público.

"Holmes pediu a sra. Pitezel para manusear nitroglicerina suficiente para destruir uma fileira inteira de casas", disse Graham, "na esperança de que pudesse explodir enquanto estivesse em posse da garrafa e morresse junto das duas crianças que lhe restavam. Mas não, ela não morreria naquele dia; ela ainda vive. Será que isso foi uma salvação providencial, para que os elos pudessem ser unidos e este homem recebesse a punição que merece? A sra. Pitezel, ainda que seja apenas uma sombra do que costumava ser, ainda vive e pode contar sua lastimável história, como vai muito em breve fazer, do começo ao fim."

Graham concluiu como tinha começado e repetiu que "existe apenas um grau de culpa aplicável para este crime, e é assassinato em primeiro grau — cuja punição é a morte."

Eram quase 16h45 quando o promotor público terminou e aproximou-se da bancada, fez breve consulta com o juiz Arnold, que então encerrou a sessão até as 10h da manhã seguinte. Os oficiais de Justiça foram até o banco para conduzir o réu para fora do tribunal.

"Com isso", escreveu o correspondente do *Chicago Tribune*, "Holmes se levantou da cadeira, e a última sensação de um dia repleto de incidentes extraordinários aconteceu."

Falando com voz "vibrante de emoção", Holmes se dirigiu ao juiz.

"Meritíssimo", começou, "sou forçado a pedir que certos privilégios sejam concedidos a mim na prisão. Não são privilégios muito extensos." Sua cela, explicou, carecia de luz suficiente para que trabalhasse à noite. Portanto, requisitava um abajur, assim como "papel e materiais de escrita", para "que possa preparar meu caso".

Então, olhou desafiador para o promotor público e exigiu que lhe fosse permitido "interrogar certa pessoa: minha esposa!".

"Qual esposa?", retrucou Graham.

Holmes estufou o peito e endireitou todo o corpo.

"Sr. Graham, sabe muito bem a quem me refiro", respondeu, indignado.

"Não, eu não sei. Sei que o senhor tem uma esposa em New Hampshire e outra em Wilmette, Illinois, e ainda a srta. Yoke nesta cidade."

"Que não haja nenhum engano", disse Holmes com amargura, "que me refiro à mulher que o senhor insulta ao chamar de srta. Yoke. Posso enviar uma mensagem a ela? Eu gostaria de vê-la."

"Ela não vai vê-lo. O senhor teve a oportunidade de vê-la em meu escritório, mas ela o evitou."

"Nunca tive essa oportunidade! Fui legalmente casado com essa mulher dois anos atrás e não houve nenhuma separação a não ser aquela causada pelo senhor."

"Isso é decisão dela", disse Graham e deu de ombros. "É indiferente para mim se ela o vir ou não. Mas ela se recusou a vê-lo."

"Pelo menos, me permita escrever e perguntar a ela, para que possa responder e eu leia na caligrafia dela que não quer me ver."

"Ela lhe disse isso na sua cara", retrucou Graham, sem emoção. "Eu estava presente."

"Tenho que discordar do senhor", disse Holmes, o rosto corado de raiva.

Nesse instante, o juiz Arnold se manifestou:

"Sr. Holmes, eu lhe dou permissão para escrever uma carta para ela e um dos oficiais do tribunal vai entregá-la. Se houver resposta, ele a entregará ao senhor."

"Não quero que a carta seja levada por nenhum oficial que esteja ligado de alguma maneira ao promotor público", respondeu Holmes.

Agora foi a vez de o juiz se irritar.

"Bem, isso o senhor não pode ter. Não pode conseguir tudo. Não pode conseguir o mundo. Temos oficiais jurados do tribunal aqui. Tudo o que tem de fazer é escrever uma carta para a srta. Yoke que será levada por um oficial."

Holmes dirigiu o olhar enfurecido para Graham.

"O senhor responderia uma pergunta direta? O senhor interceptou ou não minhas cartas para ela desde julho passado? Não fez nada ao seu alcance para nos manter separados? Responda sim ou não."

"Não sei que direito tem para me dirigir um interrogatório", disse Graham, zangado. "Mas lhe direi que não dirigi mais que meia dúzia de palavras a ela em toda a minha vida!"

"Sr. Holmes", interveio o juiz Arnold. "Essas são meras suspeitas frívolas. Pode escrever sua carta. A carta será entregue por um oficial do tribunal e ninguém a não ser ela a verá."

"E", acrescentou o promotor público, "eu a trarei ao tribunal amanhã de manhã, além disso."

"E eu vou me certificar", concluiu o juiz, "de que o senhor tenha luz e materiais para escrita."

"Eu lhe agradeço, senhor, pela regalia", disse Holmes, com uma mesura.

O juiz Arnold abaixou seu martelo e encerrou a sessão até o dia seguinte.

A insistência fervorosa de Holmes de que ele e Georgiana tinham se casado legalmente parecera genuína para os observadores — a resposta ultrajada do homem cuja virtude da esposa fora colocada em dúvida. Mas outros, mais versados na lei, viram motivo diferente — e muito menos galante — para sua demonstração de indignação.

Estabelecer a legitimidade de seu casamento era questão não de honra, mas de urgente interesse para Holmes, que sabia muito bem que a esposa não pode testemunhar contra o marido sem seu consentimento.

CRIME SCENE: PROFILE

ADVOGADO DO DIABO
47. DEVIL'S ADVOCATE

> Holmes estava agressivo. Quase não parecia ser um
> réu [...] Ele era orador, príncipe da réplica, advogado
> e alguém lutando pela vida, tudo isso combinado.
> — *PHILADELPHIA INQUIRER*, 30 de outubro de 1895 —

A galeria dos espectadores — grande varanda de madeira com por volta de quinhentos assentos — estava vazia na terça-feira. O anúncio de que apenas indivíduos autorizados teriam acesso ao julgamento manteve a multidão curiosa afastada.

Mas se a galeria estava vazia, a parte inferior do tribunal abarrotou-se. Ninguém conseguia se lembrar de um caso que o acusado de assassinato tinha defendido a própria vida no julgamento, e o espetáculo sem precedentes atraíra grande multidão legal, desde estudantes de direito e suas distintas maletas verdes[1] até eminentes advogados, como A. S. L. Shields, Joseph H. Shakespeare, o coronel Wendell P. Bowman e a sra. Carrie Kilgore, o único membro feminino da Ordem da Filadélfia.

---

[1] Era comum que advogados carregassem seus documentos em maletas verdes. O termo *green bag* pode ser usado como gíria para se referir a advogados. [NT]

Alguns cidadãos preeminentes também tinham usado sua influência para entrar, dentre eles o xerife Clement e o vereador Bringhurst. Antes do fim do dia, o senador Becker também apareceu e admitiu que, "pela primeira vez, a curiosidade o tinha arrastado para longe de seus afazeres comuns".

Pouco depois das 10h, o prisioneiro chegou ao tribunal pela entrada reservada para os advogados. Foi a passos rápidos até o banco dos réus — colocado mais perto do banco das testemunhas, à frente da bancada do júri —, Holmes jogou o casaco por cima do corrimão e se sentou.

Ele dormira apenas uma hora e preparara seu caso no resto da noite, por isso, parecia ainda mais exausto do que no dia anterior. Assim que os procedimentos começaram, contudo, Holmes "agarrou seu caso com vigor notável" (relatou o *Philadelphia Inquirer*). "Em alguns pontos, o advogado mais sagaz não conseguiria derrotá-lo em suas investidas e defesas. Às vezes, ele focava suas saraivadas no promotor público e o atacava com dardos venenosos."

A troca de farpas entre o prisioneiro e Graham começou mesmo antes de a primeira testemunha ser inquerida. Holmes levantou-se do banco dos réus, se dirigiu ao juiz Arnold e requisitou de modo humilde que lhe fossem permitidos "certos privilégios ou favores, além daqueles concedidos com tanta bondade na noite passada". O primeiro era que lhe fossem entregues "desenhos da casa em Callowhill Street, com todos os três andares e a escadaria".

"Temos plantas de toda a casa", disse o promotor Graham, "e o senhor poderá usá-las no momento apropriado."

"Muito bem", prosseguiu Holmes. "Também gostaria de pedir que uma pequena quantidade desse líquido mortal, que o promotor tão ousadamente me acusa de ter pretendido usar para exterminar o remanescente da família Pitezel, seja submetido à análise, e, se isso for possível, que uma amostra seja entregue a alguém que indicarei para esse propósito. Isso é imprescindível, se o Meritíssimo permitir, pois o líquido em questão é inofensivo. Embora contenha nitroglicerina, está em sua forma comercial, encontrado em quase todas as farmácias, e só pode causar danos se incendiado, e mesmo assim com extensão limitada."

"Posso perguntar a que fármaco mortal se refere?", perguntou Graham, de expressão confusa. "Tenho dificuldades para compreender a alusão."

"Em seu discurso para o júri", respondeu Holmes, a voz trêmula de ressentimento, "o senhor me acusou de usar esse fármaco mortal e deu a entender que tem uma pequena quantidade em sua posse."

"Refere-se àquela que eu disse ter sido deixada na casa em Burlington, a qual o senhor pediu que a sra. Pitezel levasse de uma parte da casa para outra?"

"É disso mesmo que estou falando."

Graham deu de ombros.

"Isso nunca esteve em minhas mãos, e não posso submetê-lo à análise, nem lhe dar uma porção."

"Ainda assim foi capaz de fazer convictas afirmações", rebateu.

"Provarei o que disse", retrucou Graham com frieza. "A sua própria declaração confirmou se tratar de nitroglicerina."

"Não nego isso de modo algum." Holmes olhou para o juiz. "Então a única coisa que peço é receber alguma obra recente sobre toxicologia e medicina legal."

O juiz Arnold olhou para Holmes com curiosidade.

"O senhor é médico?"

Por um instante, Holmes pareceu um pouco surpreendido, perplexo pelo juiz não saber de fato tão divulgado.

"Ora, sim, senhor. E no presente não tenho ninguém para providenciar coisas como essas, de vital importância para mim."

"Talvez o sr. Shoemaker ou o sr. Rotan as consigam para o senhor, já que vamos lhe dar a oportunidade de consultar esses cavalheiros", respondeu o juiz.

Holmes assentiu com graça na direção da bancada.

"Muito bem. Isso me satisfaz."

Com essa etapa superada, o interrogatório da primeira testemunha — a filha mais velha de Pitezel, Dessie — começou.

Segura de si e, para a surpresa de todos, bonita em vestido cinza-escuro, a menina de 17 anos ocupou o banco por poucos minutos. Seu testemunho foi mera formalidade para identificar o retrato fotográfico do pai. Graham, no entanto, impressionou o tribunal quando — depois de mostrar a foto para a menina — girou nos calcanhares e a segurou diante dos olhos de Holmes.

"Gostaria de vê-la, senhor?", perguntou com severidade.

De acordo com uma testemunha ocular, "foi um momento dramático — o suspeito de assassinato de repente confrontado com a representação da vítima na presença de seus acusadores".

Mas se Graham esperava abalar Holmes, ficou desapontado. O prisioneiro olhou sem piscar para a fotografia por um instante, se virou e fez algumas perguntas simples a Dessie, que respondeu de forma concisa antes de descer.

Foi pouco depois, quando Eugene Smith testemunhou, que Holmes se lançou a verdadeira ofensiva. Com as perguntas de Graham, Smith — o carpinteiro e inventor amador que encontrara o corpo de Pitezel — recapitulou sua parte no caso, desde o dia em que levara seu modelo de afiação de serra ao escritório de patentes de "B. F. Perry", na Callowhill Street, até sua ida à vala comum para ajudar a identificar o cadáver.

Em grande parte, Smith parecia seguro no banco. Revelou sua típica timidez, contudo, quando confessou reconhecer Holmes na ida ao cemitério, mas não quis alertar as autoridades por que temia "dizer alguma coisa". Embora Holmes fosse indiciado apenas pelo assassinato de Benjamin Pitezel, os espíritos de Alice, Nellie e Howard eram presenças que pairavam sobre o tribunal durante todo o julgamento; mais de um observador, ao ouvir o testemunho de Smith, chegou à pesarosa conclusão de que o acanhamento do carpinteiro tinha contribuído, por mais que fosse involuntário, para as mortes das crianças. Caso Smith tivesse coragem para se pronunciar naquele dia, a parte de Holmes na fraude seria exposta ali mesmo e a tragédia subsequente evitada.

Ao iniciar seu contrainterrogatório, Holmes não demorou a marcar um ponto ao obrigar Smith a se retratar de uma de suas declarações. O carpinteiro atestara que, na segunda visita ao vendedor de patentes, vira Holmes entrar no escritório, seguir para o andar de cima e gesticular para que "Perry" o seguisse. Em pé na plataforma dos réus, o lápis apontado para a testemunha em gesto acusador, Holmes forçou Smith a admitir que, ainda que tivesse visto os dois homens subirem a escada, na verdade não os vira subir até o segundo andar.

Entretanto, ainda que as plantas dos andares mostrassem com bastante clareza que a escadaria não levava para nenhum outro lugar, essa confissão pareceu à audiência uma conquista muito menor do que o sorriso satisfeito de Holmes sugeria.

Quanto ao restante do testemunho, Holmes se esforçou ao máximo para abalar Smith, mas ele se manteve firme em suas declarações originais. Em dado momento — com óbvio interesse de sustentar sua alegação de que Pitezel cometera suicídio —, Holmes tentou forçar a testemunha a dizer que o vendedor de patentes parecia melancólico. Smith, porém, não caiu nessa:

"Não me pareceu que tivesse alguma preocupação ou problema, pelo menos que eu tenha notado."

O contrainterrogatório terminou com acalorada troca de farpas entre Holmes e o promotor. Sob interrogatório direto, Smith atestara que, depois de o dr. Mattern fracassar em encontrar as marcas de identificação no cadáver exumado de Pitezel, Holmes tinha "despido o casaco, vestido as luvas do médico, tirado um bisturi do bolso e trabalhado no corpo". Holmes insistiu em um detalhe que parecia insignificante — se ele tinha vestido as luvas de borracha antes ou depois de Mattern ter saído para lavar as mãos —, mas Graham objetou com voz zangada.

"Isso é irrelevante", exclamou. "O prisioneiro recebeu bastante liberdade, mas me oponho a essas perguntas a não ser que ele nos diga o que pretende demonstrar."

Holmes apontou o lápis na direção de Graham.

"Eu quero protestar contra o modo sanguinolento que o promotor e a testemunha estão inclinados a fazer parecer que não perdi tempo em mutilar o cadáver do meu amigo."

"Ninguém sugeriu isso", interveio o juiz.

"Você não tinha sede de sangue", disse Graham. Depois acrescentou, de um jeito sombrio: "Não dessa vez".

"Não", retrucou Holmes, "já *o senhor* teve sede de sangue em outras ocasiões."

Após a dispensa de Smith, Graham convocou a primeira de suas testemunhas médicas, o dr. William Scott, o farmacêutico chamado para o número 1316 da Callowhill Street para examinar o cadáver de Pitezel. Antes de o promotor fazer a primeira pergunta, contudo, Holmes se levantou, fez uma moção e pediu que todas as outras testemunhas fossem retiradas da sala durante o testemunho de Scott.

"Não acho justo para o meu lado do caso", declarou, "que estas outras testemunhas permaneçam sentadas aqui e recebam o benefício completo de todas as perguntas que foram feitas, lhes dando tempo para considerá-las e preparar suas respostas."

"Não vou concordar com isso", retrucou Graham.

"Estou com dificuldades para entender", disse Holmes, com a voz cheia de sarcasmo, "se é o senhor quem toma as decisões ou se é o Meritíssimo juiz."

"Às vezes, o senhor e o promotor acertam questões sem me incomodar", interrompeu o juiz Arnold, um tanto cansado da constante troca de farpas entre os dois. "Se me pedir para excluir todas as testemunhas, o pedido será negado. Mas as testemunhas pertencentes a essa parte do caso — o que aconteceu no 1316 da Callowhill Street e na exumação do corpo na vala comum — serão orientadas a sair."

A um gesto de Graham, o assistente do promotor público, Thomas Barlow, pegou uma folha de papel e leu os nomes das testemunhas relevantes, que saíram em fila do tribunal.

Holmes, porém, ainda não satisfeito, insistiu em ver a lista:

"Sem ver a lista de testemunhas, não sei se todas foram retiradas."

"Gostaria de poder fazer o prisioneiro entender que todos agem com honestidade neste caso", disse Graham impaciente.

Holmes ignorou o comentário.

"Jeptha Howe está aqui?", indagou.

"O sr. Howe está em St. Louis", respondeu Graham, "mas pode chegar mais tarde."

"E quanto a minha esposa?"

"Qual delas?", perguntou Graham de forma brusca.

O rosto de Holmes corou de raiva.

"Aquela a quem o senhor se refere como srta. Yoke e, desse modo, difama tanto a ela quanto a mim."

"É assim que ela quer ser referida", rebateu Graham. "O homem que preparou a fundação da difamação é o homem que se casou com ela tendo duas outras esposas ainda vivas."

"Vou desafiá-lo a provar isso", disse Holmes elevando a voz.

"É o que faremos", rebateu Graham com um tênue sorriso.

Holmes levou alguns instantes para se recompor. Quando falou outra vez, sua voz voltara ao volume normal, ainda que vacilasse um pouco.

"Pergunto se minha esposa testemunhará e peço que ela seja excluída."

"Se está falando da srta. Yoke — e esse é o nome que ela me deu, pois tem o direito de dizer qual nome prefere", respondeu Graham, "se se refere a srta. Yoke, eu me recuso a informá-lo se ela vai ser interrogada como testemunha ou não. Mas ela não está no tribunal, se essa é uma questão que satisfaz o senhor de alguma forma."

Com palavra irônica de agradecimento a Graham, Holmes voltou a se sentar e o interrogatório do dr. Scott continuou.

Guiado por Graham, o farmacêutico descreveu as condições tanto do corpo da vítima quanto do quarto no segundo andar no qual ela jazia. Ficou claro que o advogado queria que o testemunho do dr. Scott mostrasse que a morte de Pitezel não poderia ter sido causada por explosão química ou por suicídio.

Embora tivesse ido até a casa "e que esperava encontrar um homem morto por explosão", Scott declarou que as provas não eram consistentes com um acidente desse tipo. Havia uma garrafa com produto químico quebrada perto do corpo, mas os fragmentos, em vez de "espalhados por todo o cômodo", estavam dentro da base intacta. "A impressão que dava", explicou Scott, "era que a garrafa fora manuseada com força e quebrada no chão, e os pedaços caíram dentro dela." De maneira parecida, o cachimbo de espiga de milho da vítima repousava ao lado do rosto do falecido, como se "colocado ali" de modo deliberado.

O cadáver em si, ainda que em estado de terrível putrefação, parecia surpreendentemente sereno.

"O corpo jazia em paz, tranquilo", declarou Scott, "como se tivesse adormecido e a vida se esvaído dele sem luta."

Scott, que estivera presente no exame *post mortem*, passou a descrever as descobertas, todas as quais — o coração drenado, a bexiga vazia, o esfíncter paralisado e os pulmões congestionados cheios de clorofórmio — apontavam para a conclusão "morte súbita por envenenamento de clorofórmio". Os examinadores também encontraram uma quantidade do produto químico no estômago da vítima, embora tivessem decidido que fora "introduzido após a morte", visto que o órgão não exibia "inflamação ou congestão, o que seria o resultado se o clorofórmio fosse consumido em vida".

"Uma pessoa tomando clorofórmio poderia", perguntou Graham, "ter arrumado seu corpo como esse cadáver foi encontrado?"

A resposta de Scott foi enfática:

"Não, senhor".

"Isso não poderia acontecer?"

"Impossível", insistiu Scott.

"Por quê?"

"Se tomado via oral, causaria espasmos — não a morte por choque de imediato. Se inalado, ele perderia a consciência e não seria capaz de controlar a própria força de vontade."

De acordo com a declaração de Holmes no dia 26 de dezembro de 1894, Pitezel cometera suicídio no terceiro andar da casa da Callowhill Street. Ele alegava ter arrastado o cadáver até o quarto do segundo andar, onde encenou o falso acidente. Para refutar a alegação, Graham perguntou a Scott minúcias sobre as matérias corporais liberadas de modo involuntário pela vítima no momento da morte.

O farmacêutico atestou que o intestino e a bexiga do falecido foram esvaziados no quarto do segundo andar. Além disso, um fluxo de fluído vermelho nauseabundo "fora expelido pela boca e escorreu para o chão, preenchendo os veios das tábuas". Em contrapartida, o terceiro andar não tinha nenhum traço dessa liberação.

Embora essa conversa sobre excreções fosse tão explícita que deixou vários jurados desconfortáveis, pareceu surtir efeito bem diferente em Holmes: anunciou que "não tinha comido nada hoje", e solicitou com todo o respeito recesso para o almoço. O juiz Arnold outorgou a moção e suspendeu o tribunal por uma hora.

Quando o julgamento foi reiniciado às 14h30, Holmes se lançou em brusco contrainterrogatório com Scott. Ele se portou de modo tão profissional que até mesmo o juiz Arnold assentiu sua aprovação em diversos momentos. Não obstante, Holmes fracassou em obter uma única resposta que (de acordo com um redator do *Chicago Tribune*) "funcionasse a seu favor em algum ponto que fosse".

Quando a testemunha seguinte foi convocada — o médico-legista dr. William K. Mattern —, a pressão sobre Holmes começou a se fazer notar. Ele alegou cansaço e implorou por adiamento de um dia, pois "não se sentia à altura da tensão" de contrainterrogar outra testemunha importante. Mas Graham não concordou com a moção e passou a interrogar Mattern, cujo testemunho a respeito das descobertas da necropsia confirmou a declaração do dr. Scott.

Quando foi a vez de Holmes, logo se tornou claro que — apesar de sagacidade e habilidade — ele tinha chegado ao limite de suas aptidões legais. Então, atacou Mattern, um esforço desesperado para encontrar algum ponto vulnerável no testemunho do médico. Mas todos na sala podiam ver que Holmes disparava a esmo.

Após quase duas horas de contrainterrogatório, Holmes insistiu em detalhes tão pequenos e insignificantes — o tamanho exato do bisturi que usou para retirar a verruga do pescoço de Pitezel no exame *post mortem* na vala comum — que Graham não conseguiu mais ter paciência. Levantou-se irritado e protestou que Holmes desperdiçava tempo com irrelevâncias. O juiz Arnold concordou e Holmes, contrariado, tratou de encerrar o contrainterrogatório logo.

Quando Graham terminou o interrogatório da testemunha seguinte —dr. Henry Leffman, professor de toxicologia da Women's Medical College (Faculdade de Medicina para Mulheres) da Pensilvânia, um dos principais analistas químicos do país — Holmes parecia derrotado. Leffman admitiu que era sabido de pessoas que se mataram com clorofórmio, mas insistiu que seria impossível "para um homem administrar clorofórmio a si mesmo e então se acomodar" na posição tranquila que o cadáver de Pitezel estava.

"Por quê?", perguntou Graham.

"Ninguém está ciente do momento em que a consciência é suspensa", explicou Leffman. "Ao julgar pela minha experiência pessoal, estive sob a influência de anestésicos quatro vezes. Existe um estado de confusão antes que a verdadeira insensibilidade tome conta e seria, acredito, impossível para alguém arrumar seu corpo em posição tão serena quanto aquela por conta própria."

Ao contrainterrogar a testemunha, Holmes se limitou a algumas perguntas desanimadas. Para os observadores, parecia alguém diferente daquele da manhã, quando argumentara e lutara — de acordo com um correspondente — com "o desespero de hiena encurralada". Agora, escreveu esse repórter, "a hiena era quase um cordeiro".

O juiz Arnold então anunciou sua intenção de dar continuidade aos procedimentos após recesso de uma hora para o jantar, porém Holmes implorou que reconsiderasse.

"É impossível que eu atenda três sessões sem desmoronar e adoecer", disse, se lamuriando. "Sou propenso a dores de cabeça nauseantes, que sofri o dia inteiro. Acredito que duas sessões por dia, pelo menos durante os próximos dias, seriam suficientes."

"Bem, realizaremos uma sessão esta noite", respondeu o juiz. "Examinaremos a questão amanhã."

A sala cavernosa estava bem mais vazia quando o tribunal voltou a se reunir às 19h30. Grande parte da audiência tinha ido para casa — inconsciente de que o julgamento, já repleto de reviravoltas dramáticas, estava prestes a passar por ainda mais uma.

A sessão da noite começou devagar. Graham e seu assistente se atrasaram e mantiveram a corte esperando. Depois de se desculpar pelo atraso, o promotor convocou a testemunha seguinte, mas o meirinho entendeu o nome errado e levou um tempo para acertar a questão.

Durante esse intervalo, Holmes se levantou num rompante e fez um anúncio sensacionalista:

"Meritíssimo, em parte devido à minha condição física, em parte porque fui incomodado sem necessidade por não ser rápido o suficiente ao interrogar as testemunhas, e em parte porque meus advogados são criticados por me abandonar, eu lhes pedi que viessem aqui e conferenciassem comigo. Se estiverem dispostos a continuar, gostaria de saber se o tribunal permitiria que retornem ao caso."

"Ora, vamos, sr. Holmes", zombou Graham. "Seja franco ao menos uma vez. Sabe muito bem se eles estão dispostos a vir ou não. O senhor confabulou com eles durante o recesso."

Holmes pareceu aturdido.

"Bem, sim", gaguejou. "pedi que viessem."

Nesse ponto — como atores respondem à deixa —, Rotan e Shoemaker adentraram o tribunal enquanto os membros restantes da plateia irrompiam em burburinho animado. Andaram direto até a bancada, e Rotan — a voz alta o suficiente para ser ouvida acima do barulho — começou longa e intricada explicação ao juiz Arnold, que o interrompeu com aceno de mão.

"Não precisa se desculpar", disse o juiz. "Prossiga."

Assim (escreveu o *Philadelphia Inquirer*), "Holmes, o advogado criminal", se metamorfoseou em "Holmes, o criminoso acusado".

A noite ofereceu um último momento dramático enquanto Graham interrogava Adella Alcorn, a proprietária da pensão onde Holmes e Alice Pitezel passaram a noite de 22 de setembro de 1894, com posterior identificação do cadáver do pai dela. A senhoria atestou que, depois que a dupla saiu na manhã seguinte, subira ao andar superior para limpar os quartos.

"Quantas camas tinham sido ocupadas?, perguntou Graham.

"Duas."

"O que a senhora encontrou, se é que encontrou alguma coisa, nesses quartos ocupados pelo prisioneiro?"

A sra. Alcorn respondeu em alto e bom som.

"Uma camisola."

"E o que encontrou além disso?"

A essa altura, estava óbvio para todos no tribunal que Graham tentava provar a acusação de seu discurso de abertura: que Holmes violara a pureza da garota de 15 anos. Rotan, contudo, levantou objeção veemente, e Graham reformulou a pergunta:

"A senhora encontrou mais alguma coisa lá, sem declarar o quê?"

A sra. Alcorn assentiu.

"Sim, senhor."

"Pertencia ao prisioneiro?"

A sra. Alcorn se remexeu no assento.

"Não estava lá antes de ele chegar, mas não posso dizer a quem pertencia porque não era meu, e mais ninguém esteve no quarto."

Quando Rotan objetou outra vez, Graham admitiu que havia "algumas dúvidas na cabeça quanto a sua relevância, e não quero fazer nenhuma afirmação na presença do júri. Se os advogados fizerem o favor de se aproximar da bancada do juiz, contarei ao Meritíssimo o que pretendo provar, e então os senhores podem admiti-lo ou rejeitá-lo".

Enquanto a defesa se aproximavam da bancada, o público — seu interesse lascivo perto do auge — ruminava sobre o mistério. É claro, a sra. Alcorn descobrira algo suspeito, mesmo chocante, no quarto de Holmes. À luz do comentário "não era meu", especulou-se que o item incriminador era alguma roupa íntima feminina — um dos artigos "indizíveis" daquela época vitoriana.

Mas o mundo nunca descobriria o que foi encontrado. Depois de breve conferência com os advogados, o juiz Arnold rejeitou a moção de Graham. Alguns instantes depois, a sra. Alcorn desceu do banco das testemunhas e deixou o público — e os jurados — livres para imaginar o pior.

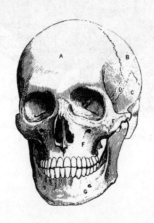

CAPITULUM

CRIME SCENE: PROFILE

PROVAS CABAIS

48. UNEQUIVOCAL EVIDENCE

> Nunca antes, é seguro dizer, fora testemunhado em nenhum tribunal dentro da Commonwealth uma cena como a de ontem no julgamento de H. H. Holmes. A sra. Carrie Pitezel esteve cara a cara com o homem que, diz a acusação, matou seu marido, suas duas filhas e seu filhinho a sangue-frio. O encontro foi mais do que a pobre mulher pôde suportar. Ao ver as diversas cartas infantis na caligrafia de seus pequeninos, desabou completamente e seus gemidos lamentáveis cortaram todos os corações no tribunal. Todos, exceto um.
> — *PHILADELPHIA PUBLIC LEDGER*, 31 de outubro de 1895 —

O retorno de Rotan e Shoemaker significava que o julgamento perdera uma de suas características mais interessantes — a atuação fascinante de Holmes como seu próprio advogado de defesa. Mesmo assim, o terceiro dia foi um dramático ponto alto nos procedimentos, com aquilo que todos concordavam ser a "cena mais sensacionalista até então apresentada — cena que levou muitos às lágrimas, mexeu com as emoções dos jurados e fez até o juiz e os promotores secarem os olhos".

Até essa cena, contudo, o dia ofereceu poucas distrações. Uma sucessão de testemunhas foi convocada ao banco, inclusive O. LaForrest Perry e William E. Gary da Fidelity Mutual Life Assurance Company. Mas seus testemunhos metódicos, ainda que importantes para o caso do estado, fez com que os espectadores reprimissem os bocejos.

A audiência voltou à vida por breve instante quando Orinton M. Hanscom, superintendente-assistente da polícia de Boston, se aproximou do banco. Ele era algo como uma celebridade, depois de representar importante papel no caso de Lizzie Borden como detetive para a defesa. Ainda que fosse figura imponente, no entanto, seu testemunho foi tão direto quanto o dos oficiais da seguradora.

Entrementes, Holmes permaneceu sentado em seu cercado de arame à altura da cintura e tomou notas com grande diligência, enquanto o frenologista profissional John L. Capen, M.D., o estudava a pequena distância. O dr. Capen estava ali como representante do *New York World*, e sua análise das feições de Holmes apareceu na edição do dia seguinte. O tom de extremo sensacionalismo desse retrato era típico do tratamento que Holmes recebia da imprensa popular.

Holmes, de acordo com esse especialista, era um homem com rosto forte, mas bastante repulsivo: rosto com formato de machadinha, como uma daquelas machadinhas antiquadas [...] O formato da cabeça é incomum, anormal. O topo da cabeça é achatado, a não ser por uma saliência pronunciada que ergue-se repentina e brusca. Acreditar-se-ia significar reverência pelo frenologista comum. Mas nenhuma reverência pela vida humana — pelo menos, não neste caso.

Os olhos são muito grandes e arregalados. São azuis. Grandes assassinos, como grandes homens em outros ramos de atividade, têm olhos azuis. Existem linhas profundas sob os olhos decorrentes de noites insones repletas de pensamentos perturbados e fúria descontrolada.

Da boca do assassino não é possível ver muita coisa, pois os pelos são tão espessos quanto a pelagem mais espessa. Mas é possível ver que os lábios são muito finos e a expressão tão cruel e fria ao ponto de não ser humana.

À primeira vista, a característica mais impressionante do homem é o crânio, com formato anormal na parte de trás; mas não é tão anormal como as orelhas do assassino. Essas orelhas — tão pequenas quanto as de uma garotinha, e retorcidas, por isso as partes internas despontam para fora da borda externa — marcariam o homem como criminoso na opinião de todos os estudantes de criminologia. São orelhas bastante pequenas e na parte de cima modeladas e esculpidas no estilo que os antigos escultores indicavam crueldade e depravação em suas estátuas de sátiros.

Ele é feito de molde muito delicado. Para ser um grande assassino precisava de astúcia e artimanha, pois a natureza não lhe deu nem a força física nem a brutalidade animal necessárias para a matança violenta. Ele matou seus amigos, matou, retalhou e queimou criancinhas, e assassinou mulheres que fingia amar. Mas é provável que nunca olhou nenhum deles nos olhos para assassiná-los.

Ao final do testemunho de Hanscom, foi pedido que o assistente do promotor, Barlow, lesse a transcrição da declaração que Holmes fizera às autoridades após sua prisão em Boston. Elocucionista treinado, Barlow se levantou e declamou a confissão com voz profunda e dramática.

Estava na metade do documento quando a porta ao lado da mesa do meirinho foi aberta e um trio de figuras vestidas com roupas escuras adentrou. Uma era Dessie Pitezel, vestida com a mesma roupa que usara no dia anterior no banco das testemunhas. A outra era uma mulher corpulenta e matronal, cujos modos esclareceram logo ser enfermeira profissional. Entre essas duas se encontrava uma figura frágil, mortalmente pálida, vestindo o preto fúnebre.

Sussurros animados percorreram a sala. Carrie Pitezel estava ali.

Os espectadores mais ao fundo esticaram o pescoço para enxergar melhor, mas sua vista era obstruída pelo promotor público, que avançou para breve e sussurrada conversa com a "viúva muito comentada" (como os jornais a chamavam). Alguns minutos depois, Barlow chegou ao fim do documento e Graham convocou a sra. Carrie Alice Pitezel para o banco das testemunhas.

Naquele dia — quarta-feira, 30 de outubro de 1895 — Carrie estava a poucos meses de completar 37 anos. Mas a tragédia drenara todos os traços de juventude de seu rosto. De fato, teria conquistado seu propósito sem pronunciar uma palavra sequer; sua própria aparência parecia ser prova cabal da vilania de Holmes.

Ela era, escreveu o correspondente do *Philadelphia Inquirer*, "a imagem perfeita da tristeza humana. O desespero estava escrito em cada traço de seu rosto pálido. Enormes círculos escuros marcavam seus olhos e linhas pesadas sulcavam suas bochechas — a evidência indelével da dor e da aflição incessantes".

Enquanto tomava seu lugar, Carrie lançou um olhar do ódio mais amargo na direção do cercado do prisioneiro. Naquele instante, Holmes ergueu o olhar de seu bloco de anotações. O tribunal estava silencioso como a morte. Na tentativa de transmitir a tensão daquele momento, o *Inquirer* atingiu um novo patamar melodramático:

Cara a cara com a mulher cujo marido é acusado de assassinar, cujos filhos sabe-se que tirou da mãe, quer seja culpado de dar fim às suas vidas ou não; cara a cara com a mulher que — se a teoria da acusação estiver correta — vai algum dia ficar diante dele na presença medonha de um Tribunal Superior e vai se reunir aos seus pequeninos em terrível denúncia, "Tu és o homem!", o prisioneiro Holmes sentava-se calmo e indiferente.

Depois de olhar para Carrie por um momento, Holmes, com atitude desinteressada, voltou a escrever, enquanto Graham se aproximava da bancada.

O testemunho de Carrie se estendeu por horas. Ao longo desse tempo, sua voz soava tão chocada e frágil que o meirinho teve de se postar ao lado do banco e repetir suas respostas. Em vários momentos, ficou tão fraca que teve de ser reanimada com sais aromáticos, administrados pela enfermeira que permaneceu sempre ao seu lado. Diversas vezes ao longo da tarde, seu médico, o dr. Thomas J. Morton, passou no tribunal para ver como ela estava.

Enquanto isso, Holmes era "a imagem do contentamento ocupado. Anotava os procedimentos e de vez em quando lia algo em um livro. Às vezes, conversava alegre com seus advogados". Parecia bastante indiferente ao espetáculo de partir o coração que se desenrolava poucos metros à frente — mesmo quando quase todos os olhos no tribunal umedeceram com lágrimas piedosas.

Guiada pelo promotor, a mulher acabada contou da mudança do marido para a Filadélfia, a fim de levar a cabo a fraude do seguro; a respeito da notícia no jornal sobre a morte de "B. F. Perry"; sobre a aparição súbita de Holmes em St. Louis; a viagem de Alice para identificar o cadáver; e o resgate da apólice, cuja renda não demorou a desaparecer nos bolsos de Holmes e Jeptha Howe.

Então, com voz alquebrada e quase inaudível, pontuada por soluços de agonia, descreveu como Holmes levara Alice, Nellie e Howard embora, depois como a carregara de cidade em cidade até — meio ensandecida de confusão e preocupação — se ver nas mãos da polícia de Boston.

Era uma história conhecida, que os detalhes foram repetidos à exaustão na imprensa. Mas ganhou força nova — e insuportavelmente trágica — por vir direto dos lábios da esposa e mãe atormentada.

Graham — que considerava a sra. Pitezel seu grande trunfo — conduziu o interrogatório com tanta destreza que as manchetes da noite descreviam a sessão como "caminhada no parque para a acusação". Em dado momento, foi até a mesa da promotoria, pegou dois objetos, um em cada mão, depois voltou ao banco das testemunhas e segurou as provas para a inspeção de Carrie — duas pequenas tiras de pano um tanto desbotadas.

Em um relance, pareciam ordinárias — tão comuns quanto panos de limpeza. Mas não havia nada de comum nelas.

Muitas pessoas, se soubessem de onde aquelas tiras vinham, se recusariam a tocá-las. Poucos poderiam segurá-las, como Graham fez, sem sentir um tremor de inquietação — até mesmo de pavor.

Eram amostras das roupas mortuárias de Benjamin Pitezel, retiradas de seu corpo putrefato durante a segunda exumação, no início de setembro.

"Sra. Pitezel", disse Graham, sombrio. "Eu lhe mostro partes de duas vestimentas tiradas do cadáver enterrado na vala comum, desta cidade, mas lavadas. A senhora reconhece o material?"

O lábio inferior de Carrie estremeceu com violência e ela chorou com o rosto no lenço. Demorou alguns instantes até que recuperasse controle suficiente para falar.

"Aquele azul", disse com a voz rouca. "É da mesma cor das calças do meu marido quando o vi a última vez — quando ele foi embora de St. Louis." Ela apontou o dedo trêmulo para a outra mão de Graham. "E aquele xadrez. Eu fiz uma camisa para ele com um tecido como esse."

O momento foi bastante comovente e produziu o efeito desejado: diversos membros do júri pareciam lutar para conter as lágrimas, e um ou dois lançaram olhares ameaçadores para o prisioneiro.

Alguns minutos depois, Graham "atacou o coração" de cada espectador na sala quando ergueu, bem alto, algumas das cartas que os filhos de Carrie, com saudades de casa, tinham escrito, mas que Holmes nunca chegou a postar.

"Sra. Pitezel", disse Graham, "eu gostaria de lhe mostrar estas cartas neste momento com o único propósito de identificação da caligrafia. Olhe-as e as devolva." Graham entregou a ela uma das cartas, então perguntou: "De quem é essa caligrafia?"

As mãos de Carrie tremiam enquanto examinava o papel.

"Oh, meu Deus, sr. Graham. É..." Não conseguiu terminar a frase. Apenas quando a enfermeira correu até ela e administrou várias colheradas de remédio para os nervos que Carrie foi capaz de identificar a caligrafia como de Alice.

Mas o momento mais angustiante ainda estava por vir. Parado perto do banco das testemunhas, Graham perguntou a Carrie se tinha visto o marido desde que ele viajara de St. Louis para a Filadélfia no verão de 1894.

"Eu nunca mais vi meu marido, desde o dia 29 de julho", respondeu ela, baixinho.

"A senhora viu ou teve notícias de Alice, Nellie ou Howard desde que este homem tomou posse deles e os levou para longe?"

Carrie secou os olhos antes de responder.

"Não, senhor. Não tive nenhuma notícias deles."

"E a senhora não os viu desde então?"

Nesse momento, Rotan levantou enérgica objeção contra a linha de questionamento; insistiu que era desnecessária e irrelevante, e iria predispor de maneira irremediável os jurados contra o seu cliente.

O juiz Arnold, porém, decretou que o testemunho era admissível, e Graham repetiu a pergunta.

"A senhora não os viu desde então?"

"Eu os vi em Toronto", respondeu Carrie com a voz alquebrada. "No necrotério. Lado a lado."

O público, que se esforçava para ouvir cada palavra, estava em total silêncio durante a resposta. Mas então, ao mesmo tempo, alguns gritos irromperam por todo o tribunal, membros do júri choraram de maneira copiosa e o próprio juiz Arnold tateou sob a toga à procura de seu lenço e secou os olhos.

Rotan voltou a objetar, apesar de parecer abalado:

"Não consigo enxergar um motivo para mencionar essas crianças." Mas sua voz soou incomumente fraca.

A voz de Graham, em contraste, ressoava com indignação.

"Não havia motivo para que ele pegasse Alice e a tirasse do caminho — a garota que enviou para identificar o pai, que já sabia estar enterrado na vala comum? Não havia motivo para ele matar a criança? Como podemos saber o que essas crianças juntas tinham conversado a respeito do que acontecera? Não havia motivo para ele ter de destruir as vidas de todas as três?"

Virando-se, Graham apontou o dedo acusatório na direção do cercado do prisioneiro, onde Holmes — cujo rosto mostrava nada além de indiferença displicente — rabiscava em seu bloco. Observando-o através das lágrimas, inúmeros espectadores balançavam a cabeça, espantados, e se perguntavam mais uma vez que tipo de ser era aquele.

Alguém, pelo menos, acreditava ter a resposta. Naquela noite, durante o recesso para o jantar, o correspondente do *New York World* conseguiu uma entrevista exclusiva com o criminoso famoso no mundo todo.

O repórter desceu um lance de escada de pedra, até o porão do tribunal, em seguida andou por um longo e mal iluminado túnel ladeado de celas com barras de aço, chegou ao aposento onde Holmes comia e conferenciava com os advogados durante os recessos.

O jornalista encontrou Holmes relaxado em uma confortável poltrona de couro com os pés em cima da mesa. Recebia uma visita, o cavalheiro chamado McGarge — "distinto cidadão da Filadélfia" —, ali apenas pela mais pura curiosidade. Quando o jornalista entrou, ele tinha acabado de perguntar a Holmes sobre os rigores da vida na prisão.

Holmes admitiu que as autoridades o tratavam com muita consideração. Mesmo assim, lamentou, considerava sua vida muito "enfadonha e desgastante", em especial pela inexorável solidão. "Se ao menos tivesse companhia", suspirou. "Qualquer ser vivo — que seja um pássaro ou um camundongo. Ou uma aranha!"

De repente, Holmes se dirigiu aos guardas, fora da cela.

"Eu enganei vocês uma vez, rapazes", disse com risadinha baixa. "Tive uma galinha viva na minha cela, e fiquei com ela para me fazer companhia por um mês inteiro."

Enquanto os guardas emitiam sons incrédulos, Holmes se voltou para seus visitantes e contou uma história extraordinária.

"Vejam, recebi permissão para receber comida dentro da prisão, desde que pudesse pagar, assim, pedi alguns ovos crus. Guardei um e o choquei."

O sr. McGarge exibiu moderada expressão de ceticismo.

"É verdade", insistiu Holmes. "Embrulhei o ovo no casaco, o coloquei ao lado do radiador, e ele chocou, pode apostar. Você não pode imaginar a felicidade e a satisfação de trazer em segurança uma vida para este mundo para ter companhia naquela cela. Aquele pintinho me amava e eu cuidei dele. Eu o escondia quando os guardas apareciam, e fiquei com ele durante um mês inteiro. Então...", sua voz de repente ficou rouca de emoção, "então ele morreu, como todas as coisas que amamos morrem neste mundo."

Enquanto os dois visitantes retornavam ao tribunal pouco depois, o jornalista deu sua opinião de que Holmes era um exemplo extraordinário de "dupla personalidade".

"É muito interessante como estudo da natureza humana", comentou, "ver o homem que matou e assou criancinhas chocar uma galinha e lamentar sua morte com sinceridade indubitável."

O sr. McGarge, contudo, teve opinião um pouco mais cínica da situação e observou de maneira irônica que, pouco depois de chocar o ovo, "Holmes sem dúvida fez um seguro de vida para a galinha".

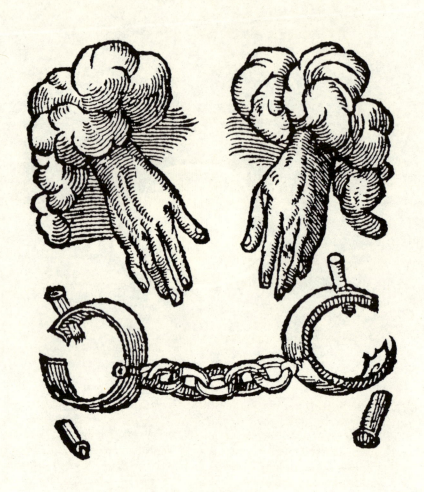

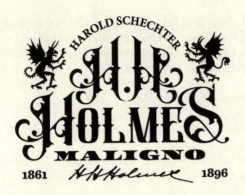 

CRIME SCENE: PROFILE

A VITÓRIA DO MAL

49. THE TRIUMPH OF EVIL

> A Morsa choramingou:/ "Lamento muito, minhas caras"/
> E, aos prantos, selecionou/ As que lhe pareciam mais raras./
> Com um lenço disfarçou/ As lágrimas que vertia às claras.
> — LEWIS CARROLL (trad. Marcia Heloisa), *A Morsa e o Carpinteiro* —

O interesse público no caso Holmes continuava nas alturas — em particular na Filadélfia, onde os jornais tratavam o julgamento como o maior espetáculo que a cidade testemunhara desde o centenário de 1776. Na manhã da quinta-feira, 31 de outubro, apareceu na prefeitura a maior multidão até então, que insistia em entrar. Apesar dos policiais do lado de fora do tribunal, um número surpreendente de indivíduos não autorizados conseguiu entrar — a maioria (como notou o correspondente do *Inquirer*) belas jovens cujas únicas credenciais eram "sorrisos encantadores" e "brilhantes olhos azuis".

A multidão esperava espetáculo, e Holmes lhe deu um. Ao final do dia, porém, os espectadores se dividiam quanto ao que viram. Alguns estavam convencidos de que aquela tinha sido a atuação mais extraordinária de Holmes.

Outros estavam certos de que, pela primeira vez, ele não atuara em absoluto.

A aparição tão antecipada de Georgiana Yoke foi a ocasião para a atuação dramática de Holmes. Antes que ela pudesse testemunhar, contudo, Graham teve de resolver a questão do estado civil. Com esse objetivo, primeiro voltou a chamar William E. Gary, que visitara a residência de Holmes em Wilmette como investigação para seguradora.

"Quem o senhor viu lá?", perguntou Graham.

"A sra. H. H. Holmes", respondeu Gary.

Graham lhe entregou a fotografia e pediu que a identificasse. Era uma foto de Myrta Holmes.

Gary a estudou por um instante antes de declarar: "Esta é a sra. H. H. Holmes".

Ele passou a explicar que, pouco depois de ver Myrta, interrogou Holmes em Moyamensing.

"Eu contei ao sr. Holmes que visitara Wilmette e encontrara sua esposa, e que a considerei uma mulher alegre e inteligente. Ele afirmou que ela *era* uma mulher muito inteligente. Enquanto encerrava o interrogatório, o sr. Holmes pediu que esperasse um instante e declarou que gostaria de escrever uma carta para a esposa se eu pudesse esperar. Eu assenti, e ele foi até o banquinho e escreveu um recado, que me pediu para enviar para a sra. H. H. Holmes em Wilmette."

Por acaso, Gary tomara a precaução de copiar a carta antes de enviá-la. Depois de pedir que identificasse a cópia, Graham a exibiu como prova.

A carta dizia o seguinte:

Penitenciária Moyamensing

Querida mama:

É Dia de Ação de Graças. Eu me encontro em uma cela com forte sentimento de que não tenho nada pelo que dar graças, nem mesmo pela minha vida. Eu me arrisquei e falhei, e meus principais arrependimentos são o sofrimento e a desgraça que recaíram sobre você e todos os outros. Acredito que não preciso pedir que não acredite nas acusações de assassinato [...] Espero uma sentença de dois anos, mas, se estivesse livre hoje, não voltaria a viver como no passado, nem com você nem com mais ninguém, visto que nunca mais me arriscarei a correr o risco de degradar ainda mais qualquer mulher [...] Em breve, escreverei para você acerca dos bens; apenas cartas de meia página são permitidas, aos cuidados do superintendente, se você quiser escrever.

H.

Graham então passou a ler mais duas cartas — aquelas que Holmes redigira em setembro de 1894 para Edwin Cass, chefe do escritório da Fidelity, em Chicago. Nelas, Holmes se referia repetidas vezes a Myrta como "minha esposa".

Graham ainda lia essas cartas em voz alta quando a porta atrás da bancada do júri foi aberta e uma jovem adentrou a sala. Todas as cabeças no setor dos espectadores pareceram virar ao mesmo tempo na direção da cativante figura em elegante vestido preto, chapéu preto de aba larga adornado com veludo e luvas combinando.

Holmes também olhou para ela, e uma estranha e aflita expressão passou por seu rosto.

Nesse exato momento, Graham terminou de ler as cartas. O juiz Arnold passou por cima das objeções do advogado Rotan e anunciou a intenção de permitir o testemunho de Georgiana.

"Não tenho conhecimento de nenhuma evidência mais forte que possa ser trazida a este tribunal", disse o juiz, "do que o testemunho desse homem contra si mesmo. Ele fala, em sua própria declaração, acerca de seu casamento e de sua esposa em Wilmette. Cabe ao júri dizer se ele era casado ou não com a dama de Wilmette, e que, se for esse o caso, o segundo casamento é inválido e nulo, e não exige um divórcio para que assim o seja. Havendo o testemunho de um primeiro casamento na época em que se casou com esta dama, ela tem o direito de testemunhar contra ele."

Dito isso, Georgiana Yoke subiu ao banco das testemunhas, enquanto os espectadores sentavam-se paralisados por seu charme. "Os dela", escreveu um jornalista do *Inquirer*, "eram um rosto e um porte calculados para ganhar solidariedade. Esbelta, delicada, refinada, parecia a imagem da doce inocência. Suas bochechas estavam coradas, mas o matiz rosado lhe caía bem — complementava a cabeça de cabelos loiros. Seus lábios delicados se contorciam ansiosos. Seus olhos sonhadores estavam abatidos. Em nenhum momento se voltaram na direção do prisioneiro. Nem de relance voltaram-se naquela direção."

De repente, no entanto, a multidão foi distraída de sua contemplação daquela figura arrebatadora. Algo extraordinário aconteceu no cercado do prisioneiro.

H. H. Holmes — "Holmes, o brilhante, Holmes, o destemido, que permanecera sentado sem nem tremer enquanto a sra. Pitezel contava sua terrível história, esse ser que parecia tão desprovido de emoção" — chorava solto.

Essa cena notável foi descrita no jornal da manhã seguinte:

Pela primeira vez desde que o julgamento começou, seus nervos pareceram abandoná-lo. Assim que a srta. Yoke subiu ao banco das testemunhas, seus olhos se encheram de lágrimas e então ele apoiou a cabeça no braço, que repousava no corrimão do cercado, e se entregou aos soluços. Dois ou três lamentos audíveis escaparam de seus lábios, e demorou vários minutos para que conseguisse recuperar a compostura.

A visão desse homem, que suportara as acusações mordazes do promotor e as lamentáveis histórias lacrimosas da viúva cujo marido e filhos é acusado de assassinar, em demonstração tão patente e imoderada de pesar, foi de fato uma surpresa para todos que a testemunharam. Lágrimas escorriam pelas bochechas do prisioneiro e seu lenço lhe cobria o rosto.

O que o horror e a compaixão não conseguiram, o rosto de uma mulher fez.

Mais tarde, alguns se mantiveram firmes na opinião de que todo o espetáculo foi uma farsa — Holmes fingia, a pedido de seus advogados, que o incitaram a demonstrar um pouco de emoção humana depois da chocante indiferença em resposta à sra. Pitezel.

Outros, porém, sustentavam que não era possível que a explosão emocional fosse fingida. "A emoção", insistiu um repórter, "não poderia ser simulada. O peito arfante, os lábios ofegantes, eram reais demais. Quais lembranças a aparição da jovem lhe invocaram, ninguém pode saber. Será que foi amor — ou o medo — que mexeu com o homem?"

Em todo o caso, a reação de Holmes incitou murmúrios de espanto de muitos na audiência. O juiz Arnold martelou para pedir ordem e Graham começou o interrogatório, enquanto Holmes secava as lágrimas, engolia os soluços e a observava com tristeza.

Durante o interrogatório de Graham, Georgiana recontou suas experiências com Holmes. Ela deu atenção especial ao estranho comportamento dele na tarde do dia 2 de setembro de 1894 — o dia da morte de Pitezel — quando ele tinha voltado, corado e ofegante, de seu passeio matinal e insistido que precisava deixar a Filadélfia de imediato.

Nesse ponto do testemunho de Georgiana, Holmes recuperara a compostura o suficiente para ter conferência urgente e sussurrada com seus advogados.

Assim que Graham terminou o interrogatório, o advogado Rotan se levantou e informou ao juiz que o réu insistia em contrainterrogar a testemunha ele mesmo. Sem encontrar nenhuma objeção, Holmes se pôs de pé devagar e apoiou as mãos no corrimão da bancada.

Mais tarde, alguns se mantiveram firmes na opinião de que todo o espetáculo foi uma farsa — Holmes fingia, a pedido de seus advogados...

Por um instante, pareceu prestes a se entregar às lágrimas outra vez. Conteve o ímpeto e levou o lenço aos olhos. Foi uma visão comovente — ainda que sua autenticidade fosse um tanto solapada por um comentário que deixou escapar para seus advogados. Enquanto se levantava, um jornalista perto da bancada o ouviu murmurar:

"Agora vou liberar a fonte de emoções."

Ainda que Holmes se esforçasse ao máximo para tocar o coração de Georgiana — apelando para suas lembranças dos dias de viagem que compartilharam —, a jovem permaneceu distante. Ela se recusou a encará-lo nos olhos e respondeu suas perguntas em tom de fria formalidade. O contrainterrogatório acabou sendo breve e enfadonho, notável apenas pelo estremecimento teatral na voz de Holmes, como se a todo momento se esforçasse para manter as emoções sob controle.

Georgiana foi sucedida no banco das testemunhas pelo detetive Frank Geyer. A audiência irrompeu em murmurinhos empolgados, pois esperava ver a recitação dramática em primeira mão da célebre caçada pelas crianças Pitezel. Estavam prestes a se decepcionar.

Geyer relatou os detalhes da entrevista que conduzira com o prisioneiro na cela da prefeitura em 20 de novembro de 1894 — o dia em que Holmes fora levado de volta à Filadélfia após ser capturado na Boston. Depois de interrogar Holmes sobre a morte de Pitezel, Geyer lhe perguntara "o que aconteceu com as crianças". Holmes tecera sua história agora conhecida sobre tê-las entregado a Minnie Williams.

Nesse ponto do testemunho de Geyer, Graham se virou na direção da bancada.

"Eu proponho, com a permissão do Meritíssimo, seguir em frente e provar a descoberta dos restos mortais dessas crianças."

Rotan se levantou de um pulo.

"Insisto que essa questão não deve ser discutida diante do júri."

Com ordem do juiz, os oficiais de justiça escoltaram o júri para fora. Tão logo estavam longe dos jurados, Graham voltou a se dirigir ao juiz: "Minha intenção é provar a investigação relacionada ao paradeiro das três crianças, e a descoberta do corpo de Howard Pitezel na casa em Irvington nos subúrbios de Indianápolis, e a descoberta do corpo de Nellie e o de Alice no número 16 da St. Vincent Street, em Toronto".

Graham deu um passo na direção da bancada, os dedos enganchados nos bolsos do colete.

"Me parece — e eu pensei muito nessa questão — que essas coisas estão relacionadas de maneira muito próxima à ocorrência no 1316 da Callowhill Street que fazem parte da mesmíssima transação. Estou de todo ciente de que alguém não pode ser condenado, como a lei afirma — e esta é uma lei sábia, também —, por uma ofensa ao se provar que cometeu outra. Mas um grupo de autoridades na Pensilvânia indica que a prática de outros crimes pode ser provada para certos propósitos. Para tornar um ato criminoso parte de outro, deve ser demonstrado que uma ligação entre eles existiu na cabeça do perpetrador."

Após breve pausa, Graham asseverou: "É claro, não deve haver nenhuma ilustração maior ou mais significativa dessa proposta do que este caso. Para ser essa a questão, principalmente quando nos lembramos de que uma das crianças, cujos corpos foram encontrados na casa em Toronto, era Alice Pitezel, a garotinha que veio até aqui e identificou o corpo do homem como sendo de seu pai".

O tom de Graham ficou mais ardoroso à medida que continuava.

"Se não cometeu crime algum, Holmes não teria motivo para tirar aquela criança do caminho. Porém, tendo assassinado o pai da menina, a quem ela identificou, tornou-se parte de seu propósito remover um dos elementos que ameaçariam todos os dias de sua vida. Ele começou com a esposa, a sra. Pitezel, fugindo com ela, depois de tirar-lhe as crianças, e a levou para diversos lugares. Esses são atos que cometeu na fuga. Todo ato que alguém comete em fuga com o propósito de se proteger é prova, visto que deriva do crime original, mesmo que seja a perpetração de novo crime. Ele tem sucesso em se livrar das três crianças em fuga — parte contínua da transação."

Graham continuou: "Acredito que esses atos estão conectados, pois originam-se do mesmo motivo, resultam do mesmo pensamento. De fato, apresentamos essa prova para apoiar a teoria de que este homem pretendia matar não apenas as três crianças e o pai, mas também todos os membros daquela família".

Enquanto encerrava seu argumento, Graham introduziu nota pronunciada de deferência na voz, como se demonstrasse sua fé total na sagacidade do juiz Arnold.

"Não acho que tenha mais algo a acrescentar, mas espero com fervor que o que disse seja levado à atenção do Meritíssimo. Acredito que a prova é admissível. Acredito também que agi dentro do escopo geral da lei, e que essa prova deve ser apresentada ao júri como parte do caso."

Com o público em silêncio arrebatado, Graham retornou à sua cadeira, enquanto Rotan se levantava para apresentar a resposta.

"Meritíssimo", começou ele, "meu sócio e eu pensamos que agora chegamos à parte mais importante do caso, pois parece que o resultado, em grande parte, depende da admissibilidade dessa prova em particular. Como disse o promotor, é um princípio bastante conhecido que quando alguém é julgado por determinado crime, provas de outro crime são inadmissíveis. De tempos em tempos, certas exceções surgiram, mas não consegui encontrar, em todos os casos que pesquisei, nenhum em que a lei pôde ser tão ampla em escopo quanto essa para se adequar à exibição sugerida das provas em relação às supostas mortes das três crianças na aplicação na suposta morte do pai."

Rotan leu depressa algumas anotações que tinha na mão.

"O juiz Agnew, em *Shafner versus Estado*, diz que deve haver unidade de propósito, igualdade de propósito e que se um número de mortes for causado por um ato do réu é necessário que o propósito seja anterior ao assassinato de qualquer um dos falecidos.

"Agora, se o Meritíssimo me permitir, para aplicar esse raciocínio neste caso, será necessário que acredite, para poder admitir essa prova, que Holmes pretendia tirar a vida de todas as pessoas que morreram até agora, e não apenas isso — de acordo com o argumento do promotor —, mas também a vida da sra. Pitezel e a vida da criança restante, Dessie. Ele não poderia ter motivo para tirar as vidas daqueles que estão mortos sem tirar as vidas daqueles que estão vivos. Isso romperia a ligação."

Rotan fez pequena pausa, como se quisesse deixar que seu ponto fosse digerido.

"É justo presumir que exista alguma evidência de que ele pretendia tirar a vida da sra. Pitezel? Existe alguma evidência no caso para justificar a suposição de que ele pretendia tirar a vida de Dessie?"

Rotan fez o movimento de negativo com a cabeça, grave.

"Meu sócio e eu acreditamos que não existe nenhuma evidência que indique que Holmes teve em mente alguma dessas mortes. Nós, portanto, sentimos, com base em todas as circunstâncias do caso, que o Meritíssimo não deve permitir nenhuma prova desse tipo. É uma circunstância do caso, e sentimos, como disse, que o Meritíssimo não deve permitir."

Ainda que suas habilidades retóricas não fossem suficientes para confrontar as de Graham, Rotan argumentara de forma eficaz. Antes mesmo que terminasse, o juiz Arnold parecia ter se decidido.

"A alegação do Estado", declarou ele enquanto Rotan retornava à sua cadeira, "de que o prisioneiro matou Alice Pitezel com o propósito de destruí-la como testemunha não tem nada para suportá-la. Ela não foi testemunha da ofensa. Caso tivesse testemunhado o assassinato do pai e então fosse morta, isso, é claro, seria prova admissível. Mas não existe nada do tipo aqui. Tudo o que a garotinha fez foi identificar o cadáver do pai uma ou duas semanas depois de ele ter morrido.

"Dizer que o assassinato da menina em época subsequente é relevante neste julgamento causaria conexão imaginária entre os dois atos. Este prisioneiro é julgado agora pelo assassinato de Benjamin F. Pitezel, na cidade da Filadélfia, e esse é o único caso que será julgado aqui. Provas dos assassinatos subsequentes dessas crianças em outro lugar não serão permitidas."

O juiz Arnold inclinou-se sobre os braços dobrados e dirigiu suas palavras a Graham: "Se ele não for considerado culpado do assassinato que foi indiciado, poderá ser enviado ao Canadá ou a Indiana. Contudo, não pode ser julgado por esses crimes adicionais agora."

O decreto do juiz Arnold significava que quase três dezenas de testemunhas — de Detroit, Indianápolis, Toronto, Vermont e de outros lugares — tinham ido a Filadélfia à toa. Também foi excluída uma caixa cheia de evidências horrendas — que incluíam os ossos carbonizados de Howard Pitezel — que Graham estava preparado para exibir.

A decisão foi um golpe para a acusação e frustrante para a multidão. Rotan e Shoemaker, por outro lado, ficaram visivelmente exultantes. Conquistaram uma vitória significativa — a primeira que podiam reivindicar de maneira legítima.

De fato, isso pareceu infundir Holmes e seus advogados com sensação inebriante de confiança e os instigou a fazer o movimento tático que proporcionaria a comoção final do julgamento.

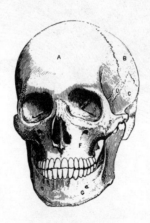

H. H. HOLMES IS PRONOUNCED A DEGENERATE.

Dr. Horatio C. Wood's Opinion from a Study of the New York Press Portrait—Dr. Charles K. Mills Thinks Prisoner Does Not Show Abnormal Signs, but Is a Wonderful Man.

CAPITULUM

CRIME SCENE: PROFILE

DERROTA DO MAL

50. THE FALL

> Enquanto que a lei é desapaixonada, a paixão deve
> sempre influenciar o coração do homem.
> — ARISTÓTELES, *Política* —

Quando Holmes entrou no tribunal lotado no começo da sessão de sexta-feira, parecia surpreendentemente relaxado — quase animado. "Seu passo era firme e saltitante", observou um repórter do *Inquirer*. "Seus olhos pareciam cintilantes e confiantes. Ele andava como se tivesse repousado bastante bem durante a noite."

Havia, de acordo com o repórter, apenas dois motivos aparentes para o bom humor de Holmes: "Ou seu colapso do dia anterior aliviara a tensão de seus nervos sobrecarregados de tristeza, ou a vitória que seus advogados obtiveram renovou suas forças".

De qualquer maneira, parecia ter recuperado toda a sua antiga arrogância. Ele lançou um olhar desafiador ao redor do tribunal enquanto entrava em seu cercado.

A acusação dedicou a manhã para amarrar algumas pontas soltas. Tanto Carrie Pitezel como o médico-legista, o dr. William Mattern, voltaram a ser convocados ao banco das testemunhas por um breve momento — ela para identificar as abotoaduras de seu falecido marido, ele para confirmar que a liberação fecal involuntária pode ocorrer apenas "na hora ou logo depois da morte", não "depois de o *rigor mortis* se estabelecer".

Assim que o dr. Mattern desceu do banco, Graham encerrou o caso da promotoria. Àquela altura, já era hora do almoço.

Quando o tribunal voltou a se reunir, às 14h, a sala quase transbordava de tão lotada. Aqueles que não conseguiram assentos — tanto homens quanto mulheres — ficaram de pé em cada centímetro disponível, e se empurravam para ter visão desimpedida da bancada. Eles foram para assistir à defesa montar seu caso. De acordo com os boatos, estava programado para Holmes aparecer como a estrela das testemunhas, talvez naquela mesma tarde.

Dez minutos se passaram, mas a mesa da defesa e o cercado do prisioneiro permaneciam vazios. A multidão se inquietava como a plateia de uma peça na espera de que a cortina subisse. Por fim, às 14h12, Holmes foi conduzido ao seu lugar, seguido poucos minutos depois por Rotan e Shoemaker. O primeiro, corado e nervoso, ofereceu rápida desculpa ao juiz, que a aceitou com brusco aceno de cabeça.

Mais três minutos tensos se passaram enquanto os advogados de Holmes conversavam aos sussurros. Então Rotan se levantou e se dirigiu ao juiz:

"Se o Meritíssimo me permitir, o estado apresentou todas as suas provas, e nós temos certeza de que a promotoria falhou ao montar o caso. É incumbência do estado, em todos os casos criminais, onde quer que seja julgado, que deve provar tal caso além de qualquer dúvida razoável. Sentimos, com base nas provas apresentadas aqui, que essa dúvida razoável existe.

"O estado provou o fato de que esses homens eram íntimos e que vieram aqui com o propósito de colocar em prática fraude de seguro. Mas o testemunho médico não demonstra que esse homem foi morto por outra pessoa. Levanta, sim, dúvida. Mostra que pode ser possível o suicídio. Sentimos que o estado não identificou o que é conhecido como *corpus delicti*. Provou que o corpo de um homem foi encontrado lá, mas não provou além da dúvida razoável que alguém o matou."

A voz de Rotan tinha soado um pouco trêmula no início, mas concluiu com firmeza.

"A defesa tem o direito a essa dúvida razoável, e nós pedimos, Meritíssimo, que Vossa Excelência passe ao júri instruções imperativas."

Rotan, em resumo, pedia ao juiz que indicasse absolvição.

Antes que o juiz Arnold respondesse, Graham se pronunciou.

"Isso é tão ridículo", exclamou, "que nem vou argumentar."

O juiz pareceu concordar: "Eu me nego a decretar algo assim. O júri deve chegar ao veredicto por conta própria. Não vou expressar nenhuma opinião".

Depois de outra conferência apressada com Shoemaker, Rotan voltou ao seu lugar e outra vez se dirigiu ao juiz: "Meritíssimo, chegamos agora ao estágio onde é a incumbência da defesa decidir qual será a defesa. Como eu disse ao tribunal antes, não tivemos tempo suficiente para preparar nossa defesa de maneira apropriada, e pedimos a Vossa Excelência que nos dê uma ou duas horas para decidir a linha de nossa defesa. Trabalhamos com afinco em relação a outras questões, e por conta das características peculiares do caso solicitamos ao tribunal um pouco mais de tempo."

Emitindo um som curto e exasperado, o juiz Arnold concordou com recesso de meia hora. Enquanto Holmes e os advogados saíam da sala, um murmúrio irrompeu da multidão, que pareceu sentir que algo imprevisto, até mesmo extraordinário, estava prestes a acontecer.

Eles estavam certos.

Após quarenta e cinco minutos, bem depois do tempo atribuído pelo juiz Arnold, Holmes e seus advogados voltaram. Enquanto Shoemaker se sentava à mesa da defesa e Holmes tomava seu lugar no banco dos réus, Rotan se aproximou da bancada. E largou a bomba.

"Se o Meritíssimo me permitir, o sr. Shoemaker e eu acabamos de conferenciar com o réu quanto à defesa. Sentimos que — devido à nossa incapacidade de trazer grande quantidade de testemunhas importantes de outros lugares — é aconselhável que encerremos o caso agora, sem apresentar nenhum testemunho que seja.

"Fazemos isso, Meritíssimo, também baseados no fato de que sentimos que o estado fracassou por completo em apresentar o caso."

Essa foi a reviravolta final e talvez mais surpreendente desse julgamento sem precedentes — "a última grande cartada", como um jornal a descreveu, "em um jogo audacioso cuja aposta era uma vida humana". A defesa decidira não chamar nenhuma testemunha em nome de Holmes. Os advogados apresentariam seu caso em apenas um derradeiro argumento.

Quando as intenções de Rotan se tornaram claras para a multidão, as pessoas resmungaram de decepção — o tipo de som ouvido nas casas de espetáculos da Broadway quando o gerente anuncia que, por motivos de saúde, o papel principal será representado por um substituto anônimo em vez da estrela lendária. O juiz Arnold bateu o martelo e pediu ordem, então encerrou a sessão até as 10h da manhã seguinte, quando os argumentos finais seriam ouvidos.

• • •

Às 7h da manhã de sábado, o corredor do lado de fora do enorme tribunal já estava lotado. Homens, mulheres e até mesmo crianças empurravam, puxavam e se acotovelavam para se aproximar da entrada. Quando as grandes portas duplas foram enfim abertas, por volta das 9h45, a multidão se lançou com sofreguidão. Muitos daqueles que conseguiram entrar, o fizeram à custa de rostos arranhados e roupas rasgadas.

Pela primeira vez desde o dia de abertura, a enorme galeria superior foi liberada para os espectadores. Em menos de um minuto estava lotada. Algumas das espectadoras levaram binóculos para teatro. Empoleiradas na beirada de seus assentos na galeria, seguravam os pequenos apetrechos junto aos olhos e se inclinavam para a frente para dar uma boa olhada no réu.

Não era necessário escrutínio tão intenso para ver que Holmes — apesar de toda a bravata — sofria de grave ansiedade. Confinado ao cercado de arame, tentava escrever em seu sempre presente bloco de anotação, mas os dedos tremiam tanto que foi forçado a desistir.

Pouco antes das 10h, o promotor Graham — cujo discurso final esperava-se que fosse o destaque da sessão — adentrou a sala, seguido por grande séquito, em sua maioria de mulheres. Depois de conduzir as amigas aos assentos, levou algum tempo para encontrar lugar para o restante de seu grupo, que era formado por pessoas como o antigo promotor William B. Mann — ele mesmo lendário orador — e dignitários como o general Louis Wagner, o major Moses Veale e Christopher L. Flood.

De maneira quase previsível, os advogados de Holmes proporcionaram alguns melodramas finais. Às 10h15, o juiz Arnold tamborilava os dedos sobre a bancada quando o advogado Rotan entrou apressado para anunciar que acabara de receber notícias de que seu associado caíra enfermo. Prometendo "agir o mais rápido possível", saiu correndo do tribunal.

Ele voltou cinco minutos depois.

"Se o Meritíssimo me permitir explicar", disse, ofegante como se tivesse voltado de uma corrida, "fui até uma farmácia, onde encontrei o sr. Shoemaker sob cuidados de um médico, que disse que ele está em completo colapso mental. Sei que esteve doente durante os últimos dois dias, mais ou menos. Mas o sr. Shoemaker afirmou estar disposto a deixar toda a questão nas mãos do tribunal — se a corte achar que o caso deve prosseguir, não faz objeção. Eu expresso um sentimento igual, mas, ao mesmo tempo, é claro", aqui, o jovem advogado de rosto corado fez pausa para recuperar o fôlego, "reconheço que o réu, pela lei, tem o direito de ter dois discursos."

Pela primeira vez desde o dia de abertura, a enorme galeria superior foi liberada para os espectadores. Em menos de um minuto estava lotada.

Uma breve diatribe se seguiu, durante a qual Rotan insistiu em seu direito de fazer tanto a declaração de abertura quanto a de encerramento, com os comentários finais da promotoria espremidos no meio. O juiz Arnold discordou dessa interpretação, asseverando que era direito da acusação apresentar o argumento de encerramento.

Graham acertou a questão com um gesto que, para a multidão, foi de extrema generosidade. Em pé, acenou com cortesia na direção de seu oponente.

"Em vista do fato de que o sr. Shoemaker está doente", declarou, "e deixou o sr. Rotan aqui sozinho, proponho, em nome do estado, abrir mão do meu direito de encerrar o caso. Farei o discurso de abertura ao júri e deixarei o argumento de encerramento para o sr. Rotan."

Dito isso, Graham reuniu o maço de papéis, endireitou o corpo em toda a sua altura imponente e se postou diante da bancada do júri.

A reputação de Graham como orador tinha seu mérito, e sua declaração final — combinando lógica clara e persuasiva com fervorosa oratória — demonstrou suas amplas habilidades.

"Cavalheiros do júri", começou, com voz profunda e ressonante. "Tenho convicção de que é com sentimento de alívio que veem o fim deste julgamento se aproximar depressa, agora que vocês — tirados de suas casas, seus negócios, praticamente 'aprisionados' ao longo de toda a duração dos procedimentos — estão prestes a ser 'soltos', liberados para voltar e retomar seus lugares habituais e obrigações na sociedade.

"Gostaria de lhes pedir, agora, que se juntem a mim para raciocinar um pouco a respeito das evidências que ouviram — os testemunhos deste caso. Eu lhes pedirei toda a sua atenção, e seus melhores pensamentos, enquanto tento refrescar sua memória e ajudar para que seu raciocínio chegue à conclusão certa com base nas evidências.

"O estado da Pensilvânia não quer nenhuma vítima. O estado da Pensilvânia não pede a condenação deste homem — ainda que seja encoberto pelas evidências de culpa em outras questões —, a não ser que, neste caso específico agora julgado, os testemunhos que ouviram apontem sem sombra de dúvidas para sua culpa e autorizem sua condenação. Peço que atentem às evidências porque pretendo lhes dizer que, depois de exame cuidadoso, minha mente é obrigada a concluir que devo impor-lhes o cumprimento de enorme e talvez difícil obrigação.

"A tarefa que jaz diante de mim é esta: devo apontar, com base nas evidências, os fatos que provam que este prisioneiro no banco dos réus assassinou Benjamin F. Pitezel no número 1316 da Callowhill Street no segundo dia de setembro de 1894 de maneira tão conclusiva que não restará uma única dúvida em suas mentes, de maneira tão assertiva que sentirão, em seu juramento como jurados, que há apenas um curso aberto diante de vocês, que é declarar o veredicto indicado na abertura deste caso — o mais alto conhecido pela lei —, um veredicto de assassinato em primeiro grau."

A recapitulação de Graham seguiu curso direto e cronológico, começando com as primeiras testemunhas da segunda-feira. Deu atenção especial aos médicos, cujos testemunhos especializados provaram de modo inequívoco que a vítima fora envenenada por clorofórmio, não morta por explosão acidental.

"Ainda que a garrafa quebrada e outras evidências de explosão existissem", afirmou Graham, "elas foram produzidas por alguém com a intenção de enganar. Não houve nenhuma explosão."

Além do mais, o depoimento de ambas as testemunhas médicas e dos lojistas que vendiam charutos e uísque para Pitezel na noite anterior à sua morte contradiziam a alegação de suicídio.

"Este homem que esteve fora na noite anterior, parecia feliz, tomou providências para o dia seguinte, não pretendia morrer, mas sim obter algumas das coisas que considerava necessárias para seu conforto — Holmes alega que ele suicidou-se. Este homem que escrevia para a esposa: 'Estou indo vê-la, e se eu puder preparar tudo para cuidar dos negócios na Filadélfia, vou levar você e as crianças para a Filadélfia, e nós vamos morar lá' — este homem, diz Holmes, cometeu suicídio. Todos os antecedentes deste caso negam que ele tenha pensado em suicídio, e a história que Holmes conta é absolutamente impossível, e é refutada pelas evidências."

Graham prosseguiu com a alegação de Holmes de que levara o corpo do terceiro para o segundo andar e apelou para o bom senso dos jurados.

"A primeira pergunta que faço é: por que não o deixou no chão do terceiro andar? Que necessidade havia para levá-lo para o segundo andar? Não poderia muito bem tê-lo queimado e desfigurado ali mesmo, no chão do terceiro andar, como poderia tê-lo feito no segundo andar?

"Cavalheiros", disse Graham com gravidade, "aquele corpo nunca esteve no chão do terceiro andar. O relaxamento dos músculos involuntários e a liberação involuntária da pessoa acontecem no momento ou logo depois do falecimento. Essas liberações foram encontradas no piso do segundo andar, não no piso do terceiro andar, o que indica, sem dúvida, que a morte aconteceu onde o corpo foi encontrado. Esse é um fato bastante significativo."

Tendo estabelecido que "o morto tinha sido envenenado" e que "o veneno *não* tinha sido administrado pelo próprio falecido", Graham revisou "o segundo passo no progresso do caso" — a saber, a identificação da vítima. "O estado deve mostrar, pois não podemos supor nada, que o falecido era Benjamin F. Pitezel, o homem designado no indiciamento como vítima deste assassinato." Para alcançar esse objetivo, a promotoria convocara um grupo de testemunhas, começando com o legista Ashbridge.

"Por que o legista Ashbridge?", perguntou Graham enquanto a voz assumia de súbito tom lúgubre. "Não poderíamos chamar Alice Pitezel, a filha que o identificou diante do legista. Não poderíamos chamá-la para provar que o cadáver rígido e desfigurado sobre o qual seus jovens olhos repousaram na vala comum era o corpo de seu falecido pai. Não poderíamos trazê-la para esse propósito, pois a mãe nos contou que a última vez que a viu foi seu cadáver no necrotério na cidade de Toronto."

Graham balançou a cabeça com tristeza antes de continuar.

"Não, essa prova o estado não pôde exibir. Mas o estado prossegue de maneira formal e de modo ordenado para estabelecer, para sua satisfação, que esse corpo era o de Benjamin F. Pitezel."

Além das testemunhas que Graham chamara, havia outras provas, ainda mais convincentes, da identidade do cadáver.

"Não apenas há a declaração dessas poucas pessoas sobre Perry e Pitezel serem a mesma pessoa, como também temos o túmulo em si, de cujos recessos sombrios retiramos testemunhos silenciosos, mas persuasivos, em relação à identidade. Fragmentos das roupas do cadáver foram colhidos pelo médico. Aqui está um pedaço da camisa que esse homem usava. A pobre sra. Pitezel foi chamada de volta ao banco das testemunhas, e vocês podem se lembrar dos soluços abalados com os quais exclamou 'Oh, essa é a camisa que Benny levou consigo quando viajou de St. Louis para a Filadélfia'. Aquele fragmento queimado é parte da roupa que a esposa identificou como do marido. Enterrado com o corpo, bem fundo naquele túmulo escuro, ele vem à tona sob a luz dos vivos para proclamar que o corpo repousando ali é o corpo do amigo de Holmes, Benjamin F. Pitezel."

Tendo demonstrado que foi Pitezel quem morreu na Callowhill Street e que sua morte "não ocorrera pelas próprias mãos, mas fora assassinado por uma segunda pessoa naquela casa", o estado em seguida foi obrigado a provar que o assassino era Holmes. Portanto, Graham prosseguiu com a sinopse detalhada da conspiração do seguro, dos motivos financeiros de Holmes para eliminar o parceiro e de seu comportamento suspeito no dia da morte de Pitezel, quando o réu, "acompanhado da esposa, praticamente fugiu da Filadélfia".

Com desdém desconcertante, Graham descreveu as declarações iniciais de Holmes à polícia.

"São criações maravilhosas na linha da ficção. São declarações excelentes, quase sem elementos de verdade. A facilidade com que este homem consegue proferir uma mentira após a outra deve estar óbvia para vocês com base nas observações desse testemunho e nas declarações que ouviram, não apenas dos oficiais, mas da boca dessa mulher pura e bondosa a quem chamava de esposa, a srta. Yoke.

"Pensem nisso!", exclamou Graham, a voz ressoando de indignação. "Pensem nisso! Pensem na mentira e na desonestidade! Pensem em como a enganou! Ele a conhece em St. Louis. Ele fica noivo dela. E, então, lhe conta uma história sobre o tio fictício, com seus milhões, ou seja lá quais bens tenham sido, que solicitou que ele, H. H. Holmes, assumisse o nome de Henry Mansfield Howard, e daí em diante fosse reconhecido como seu herdeiro. Ingressa em um dos relacionamentos mais sagrados da vida com desonestidade e mentira pairando sobre si. Ele se casa com ela como Henry Mansfield Howard. Durante todas as viagens, nem uma vez sequer coloca o próprio nome nos registros de hotel. Mentiras tomam o lugar da verdade em todos os momentos, e os registros falsos são a norma de sua viagem nos hotéis."

Graham afastou-se da bancada dos jurados com um giro, apontou o dedo acusador na direção do prisioneiro, que pareceu estremecer diante da investida.

"A cada passo, de um ponto a outro, à medida que repassamos essas evidências, descobrimos que Mudgett, pseudônimo Holmes, é um mentiroso e um enganador!"

Graham voltou-se para os jurados outra vez.

"Mas isso é digressão, então peço atenção para a declaração outra vez. Ele disse que o corpo foi substituído. Será que havia corpo substituto? Vocês não acreditam, assim como eu, que este homem", neste momento Graham ergueu a fotografia de Pitezel que mostrara a Dessie no segundo dia de julgamento, "era o mesmo que estava na vala comum? Vocês não acham que este é o homem cujo corpo foi encontrado no quarto do segundo andar? Mentira número um. Mas ele diz: 'B. F. Pitezel está na América do Sul, com o pequeno Howard'.

"Ah, cavalheiros, essa é uma declaração terrível, revoltante. Que distorção e destruição medonhas da verdade! Pitezel na América do Sul! Ele vira o corpo ser retirado da vala comum e fez a pequena Alice atestar que era o corpo de seu pai. Lá na América do Sul! É de se espantar que a mentira não tenha queimado seus lábios, como as chamas queimaram o cadáver de Pitezel e consumiram sua carne. O pequeno Howard está com o pai na América do Sul! Cavalheiros, pensem nisso, e então lembrem-se da declaração abalada daquela pobre mulher, a sra. Pitezel, quando estava prestes a deixar o banco das testemunhas — em resposta à pergunta "Onde você viu Howard pela última vez?" —: 'A última vez que vi os pertences do pequeno Howard foi no escritório do legista em Indianápolis'. O pequeno Howard na América do Sul com seu pai? Que Deus ajude um mentiroso desses!"

Graham fez pequena pausa, como para recobrar a compostura depois de ser arrebatado pela força de seu ultraje. Quando voltou a falar, a voz parecia vergada sob o peso de terrível compaixão.

"Então temos a história da sra. Pitezel. Cavalheiros, vocês se lembram da história. Não vou cansá-los com repetição. Em todos os meus 15 anos de serviço neste ramo, não me lembro de uma história que tenha tocado meu coração ou mexido com minha sensibilidade mais do que as frases alquebradas daquela mulher. Com sofrimento evidente em cada linha e marca de seu rosto, no esforço supremo para se controlar e não desmoronar, ela contou aquela história deplorável, ainda que surpreendente, de como este homem a conduziu de um lugar a outro em busca do marido. Foi uma história estranha, cavalheiros. Se vocês e eu a tivéssemos lido em obra de ficção, poderíamos dizer, talvez, que o romancista aumentara os fatos, exagerara a história e a deixara mais intensa do que nossa imaginação ou fantasia consegue tolerar."

...Graham reuniu o maço de papéis, endireitou o corpo em toda a sua altura imponente e se postou diante da bancada do júri.

Apesar da promessa de não "cansar" os jurados com repetição da história, Graham, na verdade, repassou-a em detalhes.

"Será que já houve domínio sobre uma família mais completo do que o deste homem?", admirou-se ele. "Todas as cartas interceptadas — nenhuma comunicação entre eles. Nem uma palavra de filho para mãe. Nenhuma palavra de mãe para filho. Eu me expressei de maneira errada, cavalheiros, ou fui cruel ao ter feito tal afirmação quando disse que este é um homem de aço, com coração de gelo? Qualquer pessoa que pegasse as cartas endereçadas à mãe dessas crianças e as escondesse e as ocultasse pode ser acusado com justiça de ser desalmado, e de ser cruel além de qualquer comparação.

"Ele é o carcereiro da família. Ele reteve suas correspondências. Mas...", e aqui Graham permitiu que um sorriso sombrio brincasse em seus lábios, "ele não as destrói. Pois em quase todos os casos de vilania e criminalidade, de um jeito ou de outro, quer seja providencial para a descoberta e punição do patife, quer não, eu não posso dizer, mas, de algum modo, o vilão se excede em seus esforços para dissimular, e aqui e ali um fato revelador vem à luz e aponta um dedo infalível e acusador para ele, dizendo: 'Aquele é o culpado'. Sim, esta é uma história assombrosa e sua conclusão não é menos assombrosa do que o resto."

Graham encerrou o discurso ao repassar os estágios de seu argumento, demarcando o caminho que só poderia levar a uma única conclusão possível.

"Vejam o quão longe chegamos em nosso progresso. Estabelecemos que este é Benjamin F. Pitezel. Estabelecemos que ele morreu de envenenamento por clorofórmio. Estabelecemos que a substância não foi administrada pela própria vítima, mas por segunda pessoa. Demonstramos que Holmes esteve sozinho na casa com o falecido naquele fatídico domingo. Demonstramos que todas as histórias contadas por ele para explicar sua presença são falsas. Demonstramos que a alegação de suicídio é falsa. Demonstramos seu esforço em omitir quando não havia nenhum outro objetivo, a não ser que o réu sabia que cometera assassinato e contava essas mentiras, uma após a outra, para esconder o fato.

"Sob nenhuma outra hipótese pode essa conduta ser explicada, a não ser que ocultasse o crime de assassinato. Foi isso que o fez fugir de cidade em cidade. Foi isso que o fez levar a esposa com ele nessa viagem maravilhosa. Foi isso que o fez levar as crianças junto. Foi isso que o fez esconder as cartas. E foi isso que o fez interromper a comunicação entre os diferentes membros da família.

"Este homem fugia da sombra do assassinato. Esse era o crime que tentava evitar. Era disso que fugia. Era a ameaça da perseguição e da descoberta que o obrigava a fazer essa jornada, que, se não fosse interrompida em Boston, só terminaria quando chegasse a Berlim com a suposta esposa, a srta. Yoke."

O discurso acabou em tom sereno, como se, após dispor de evidências tão convincentes sobre a culpa do réu, Graham não tivesse mais necessidade de eloquência.

"Agora essa estranha história chega ao fim. Foi dramática em seus incidentes, mas tais incidentes não têm relação com o caso. O fato de que esse homem apareceu sem advogados que o representassem e então outra vez com advogados nada tem a ver com sua culpa ou inocência. A simples questão é: o estado da Pensilvânia, como é seu dever, apresentou seu caso além de qualquer dúvida razoável e justa? Se vocês acreditam que sim, então é seu dever decretar veredicto de assassinato em primeiro grau contra este homem. Não existe meio-termo. Se esse homem foi envenenado, então houve a intenção de matar, e isso é assassinato intencional, premeditado e deliberado, e este prisioneiro é culpado pela mais alta forma de veredicto que vocês podem apresentar."

Agradecendo-os pela "atenção paciente e sincera", o promotor fez uma mesura para os jurados e retornou ao seu assento. A aprovação murmurada da multidão deixou claro que — caso tais demonstrações fossem permitidas no tribunal — Graham, como qualquer virtuoso, teria sido ovacionado de pé.

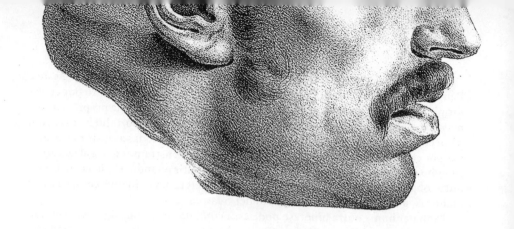

Herman Webster Mudgett

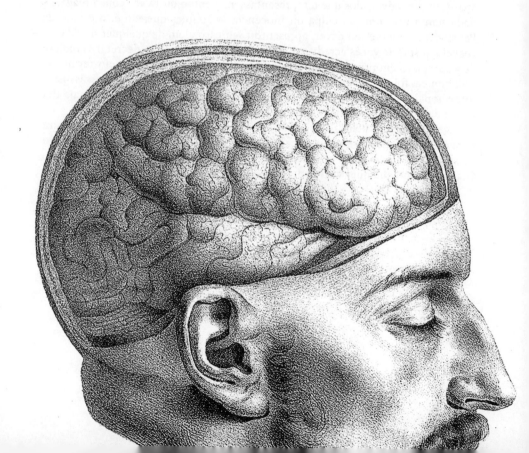

CRIME SCENE: PROFILE

SENTENÇA FATAL

51. DEATH SENTENCE

> E, quando o júri retornou com o veredicto, a Justiça gritou: "Amém!"
> — FRANK P. GEYER, *O Caso Holmes-Pitezel* —

O argumento de encerramento de Rotan teve início apenas às 15h, após recesso de uma hora para o almoço. Seu discurso foi bem mais breve do que o do promotor e nem de perto tão bem-sucedido. Ainda assim, o jovem advogado recebeu elogios de seus ouvintes pela atuação hábil diante de probabilidades desfavoráveis.

Ciente de que batalhava não apenas contra Graham, mas também contra as alegações desenfreadas da imprensa, Rotan relembrou os jurados de que Holmes tinha o direito ao princípio da presunção da inocência. Ao fazer isso, exibiu seu talento para metáforas dramáticas.

"Embora possa haver opiniões em relação a este caso formadas por vocês com base nos jornais, vocês prometeram colocar tudo isso de lado como duvidoso. Vocês vieram aqui, e depois de olhar para o réu, pela lei devem dizer: 'Este homem na minha opinião é inocente'. Este homem parece, enquanto olham para ele, que usa armadura. A armadura é o princípio de presunção de inocência que a lei o envolve, e ainda que todas as influências venenosas que possam encontrar nos jornais, e todas as evidências condenadoras neste caso, se choquem contra e perfurem essa armadura, a presunção não é removida até que toda a armadura seja estilhaçada e caia com estrondo ao chão."

De forma astuta (e necessária, ja que a defesa não apresentou o próprio caso), Rotan usou as testemunhas do estado a seu favor. Longe de desafiar seus testemunhos, de boa vontade admitiu suas verdades, enquanto argumentava que elas serviam apenas para reforçar a posição da defesa — de que Pitezel tirara a própria vida.

Ele admitiu que o falecido era Benjamin Pitezel; que Pitezel e Holmes não eram apenas amigos íntimos, mas conspiradores na fraude do seguro; que Holmes visitara a casa na Callowhill Street no dia da morte; que o estômago de Pitezel continha vários mililitros de clorofórmio; e que Holmes mantivera Carrie viajando ao fingir que o marido ainda estava vivo.

Não obstante, insistiu, "se olharem para as evidências, verão, ao analisá-las com cuidado, que cada fato no caso é mais consistente com a teoria de suicídio do que com o crime de assassinato".

Em essência, o argumento de Rotan consistia em uma série de perguntas projetadas para evocar aquela "dúvida razoável" com a qual esperava obter a absolvição. Por que, perguntou, Holmes iria — o suposto mestre do crime — dificultar tanto para si mesmo o resgate do dinheiro do seguro se pretendia matar Pitezel desde o início? Por que a apólice de seguro só poderia ser resgatada por Carrie, e não Holmes? Por que teria introduzido clorofórmio no estômago do cadáver e fazer parecer que Pitezel fora envenenado? "Vocês conseguem imaginar um homem matando outro de maneira que passasse a impressão de suicídio quando a apólice continha uma cláusula *contra* suicídio?"

E havia outros elos fracos na que se imaginava a perfeita corrente de provas do estado. Como Holmes — "homem fraco, delicado, e frágil, afeminado em modos, afeminado em sua força" — poderia dominar um sujeito "forte, musculoso e de constituição robusta" como Pitezel, que pesava no mínimo 10 kg a mais do que ele? De acordo com o promotor, Pitezel se embriagara até perder os sentidos na noite anterior e ainda estava inconsciente quando Holmes chegou à Callowhill Street. Mas os médicos especialistas da promotoria atestaram que não encontraram "nada no estômago para comprovar álcool em quantidade considerável, nada no cérebro para comprovar que havia álcool lá".

"O que então poderia ter sido?", exclamou Rotan. "Será que Pitezel estava adormecido? O réu não saiu da hospedaria na North Fifteenth Street até 10h30 ou 11h da manhã, e levou entre vinte e vinte e cinco minutos pelo menos para descer até a Décima-Terceira com a Callowhill. Isso dá 11h10 ou 11h20. É possível que o homem dormisse até tal hora? Existe algo que comprove que estava deitado na cama? Ele estava deitado no chão. Alguém deitaria no chão, por vontade própria, para dormir? Não é natural inferir que quando um homem vai para o quarto, se deita no chão e você o encontra adormecido ali às 10h30 ou 11h20 da manhã de domingo."

Rotan admitiu que Holmes manipulara Carrie Pitezel ao prometer que logo se reuniria ao marido. Mas ali também, argumentou, não havia nada que sugerisse que Holmes fosse culpado de algum crime maior do que fraude de seguros.

"Por quê?", perguntou Rotan, "Holmes levava esta mulher para todos os lugares com ele —Toronto, Detroit, Prescott, Ogdensburg? Era evidente sua intenção de seguir para a costa e tirar todos do país. Visto que a sra. Pitezel conhecia a conspiração do seguro, Holmes não poderia deixá-la em St. Louis, ou na casa dos seus pais, em Galva, já que seria encontrada pela polícia e usada de testemunha contra ele na fraude.

"Se Holmes tivesse declarado para a sra. Pitezel que seu marido estava morto, qual seria o resultado? Em primeiro lugar, ela desmoronaria: em segundo lugar, poderia ter dito: 'Já que meu marido está morto, não vou viajar mais'. Portanto, ele continuou usando esse estímulo para mantê-la na estrada. Ele exercia controle sobre ela para mantê-la em movimento, a fim de tirá-la e a todos eles do país, para que, se o resgate fraudulento do dinheiro do seguro fosse descoberto, estivesse a salvo e as testemunhas contra ele fora de alcance."

Por fim, perguntou Rotan, por que — se Holmes assassinara Pitezel — voltou por vontade própria à Filadélfia quando poderia ir ao Texas para enfrentar a acusação menos grave de roubo de cavalos?

"Agora a promotoria quer que vocês acreditem que lincham pessoas no Texas por roubo de cavalos e que Holmes tinha medo disso. Mas será que lincham homens, a não ser em turbas, a não ser quando os ladrões são pegos no ato? Será que linchariam um homem preso a 4.800 km de distância e levado de volta pelo devido processo da lei, meses mais tarde, muito tempo depois de os ânimos envolvidos terem tido tempo de se acalmar?

"Não. Holmes voltou à Filadélfia por vontade própria, para enfrentar quaisquer acusações que lhe aguardassem aqui. E se ele tivesse matado Pitezel, com certeza saberia que o fez. E saberia também, caso o tivesse feito, que um dia seria descoberto. Mas voltou — destemido — e o destemor foi produto da inocência do assassinato."

Encerrando seu argumento, Rotan demonstrou inteligência ao homenagear a eloquência superior de Graham enquanto lembrava aos jurados de que seu dever solene era basear a decisão nas provas irrefutáveis, não na oratória eloquente.

"Este homem", disse e gesticulou na direção do cercado de prisioneiros onde Holmes estava sentado e arrancava com movimentos nervosos os pelos do queixo, "foi atacado bastante tempo por esta e aquela questão. Foi indiciado aqui por assassinato, e o caso agora passa a vocês para a consideração mais sincera. Espero que apenas em relação ao testemunho dado do banco das testemunhas este homem seja julgado, e quero que vocês não sejam influenciados pelo discurso grandioso e pelo modo magistral que o estado, representado pelo nosso erudito promotor, apresentou os fatos nos discursos. Ele é hábil e perito nisso — um magistral jogador. Nós, até certo ponto, somos inexperientes, nunca tivemos oportunidades para ganhar experiência e, devo dizer, é provável que nunca alcançaremos a destreza com que o promotor conduz casos desse tipo.

"Vou apenas pedir para que não tenham preconceitos em relação a este caso por causa de algum discurso feito por ele. Vocês não devem ser influenciados por isso."

Rotan proferiu as palavras finais com toda a confiança que conseguiu reunir.

"Eu agora deixo o caso passar para vocês com bastante confiança — tanta confiança que não apresentamos defesa. Sentimos que o estado fracassou em remover aquela dúvida razoável de que o prisioneiro tem direito, e que podemos com segurança passar este caso para vocês e que vocês vão apresentar o veredicto de inocência."

Logo depois do discurso de Rotan, o juiz Arnold passou as instruções ao júri. Ele reiterou um ponto que Graham mencionara em seu discurso de abertura — que, ainda que os jurados tivessem nas mãos o poder de declarar Holmes culpado de assassinato em segundo grau ou de homicídio culposo, nenhum desses veredictos "estaria de acordo com as evidências. Ao meu ver, este é um caso que exige veredicto de assassinato em primeiro grau ou de absolvição".

Visto que o caso do estado se baseara todo em provas circunstanciais, o juiz Arnold passou algum tempo definindo o conceito.

"A palavra *circunstancial* leva algumas pessoas a acreditar que a prova é inconclusiva e imperfeita, mas não é assim. A diferença entre provas circunstanciais e diretas é que a prova direta é mais imediata — a prova da visão, quase sempre — e exige menos testemunhas do que uma série de circunstâncias que leva apenas a uma conclusão."

Para esclarecer a questão, o juiz deu um exemplo realista.

"Suponha que, enquanto caminha pela rua, você ouve algo atrás de você que soa como disparo de pistola. Você se vira e se depara com um homem que corre e é perseguiido por outros. Você se junta à perseguição e o homem é preso. Então, volta com o preso, e no caminho encontra uma pistola com uma cápsula disparada, ainda quente e fumegante. Mais adiante, se depara com um homem morto por disparo de pistola. Qual é a conclusão que tira desses fatos? E a conclusão não é irresistível? Ainda assim, você não viu a pistola disparar.

"Agora no caso de assassinato por envenenamento, a experiência mostra que quase todos os casos assim são ratificados apenas por provas circunstanciais. Envenenamento costuma ser um ato secreto e, a não ser que a pessoa com o veneno tenha quem o ajude e que mais tarde confesse e testemunhe, provas diretas não podem ser obtidas.

"No presente caso, o réu é acusado de assassinar Benjamin F. Pitezel com veneno. Três questões devem ser consideradas, determinadas e respondidas por vocês a fim de chegar ao veredicto de culpa por assassinato, como acusa o indiciamento.

"A primeira questão é: Benjamin F. Pitezel está morto? A segunda é: sofreu uma morte violenta? E a terceira é: Se sofreu morte violenta, cometeu suicídio ou o réu o matou?"

O juiz Arnold então levou mais de uma hora para repassar a "soma e substância" do testemunho no caso com base em suas anotações feitas à mão. Do lado de fora das janelas do tribunal, a luz sombria do dia desvanecia. O céu cinzento de outono se transformara em preto quando ele encerrou os comentários.

"Em todos os casos criminais, cavalheiros, é essencial que o réu seja condenado pelas evidências que convençam o júri da culpa do prisioneiro além de qualquer dúvida razoável. Se, depois de considerar os testemunhos, vocês não forem capazes de chegar à conclusão de que o acusado é culpado — se houver dúvida quanto a isso e vocês hesitarem, ou não estiverem satisfeitos com as provas de sua culpa —, ele tem direito ao benefício da dúvida e deve ser absolvido."

O juiz retirou o pincenê, abaixou o maço de anotações e olhou com gravidade para os jurados.

"Considerem o caso deste réu com calma, reflexão, paciência. Não tenho dúvidas de que farão isso. Basta se ater às provas, e então não terão problemas para chegar a um veredicto justo."

Eram quase 18h quando os jurados foram escoltados para a sala de deliberação pelo contingente de oficiais do tribunal. Assim que estavam por trás de portas trancadas, Graham — cumpriu a promessa que fizera à imprensa alguns dias antes — levou os repórteres até seu escritório e permitiu que examinassem o conjunto de provas que (como um dos jornalistas escreveu) "não deixava nenhuma dúvida de que Holmes era um canalha indigno da forma humana".

Aqueles itens pavorosos — barrados no tribunal pelo decreto do juiz Arnold em relação às crianças Pitezel — incluíam o maxilar carbonizado e vários dos dentes de Howard, o forno onde o menino fora incinerado e a pá com que Holmes enterrara os corpos de Alice e Nellie.

Graham também mostrou o crânio de Benjamin Pitezel, que (junto das amostras das roupas identificadas por Carrie) fora retirado do cadáver durante a exumação mais recente. Graham apresentaria o crânio como evidência, mas se abstivera quando a defesa admitiu que o falecido era Pitezel.

Enquanto as relíquias passavam de mão em mão, Graham notou um desconhecido que examinava o crânio de Pitezel com interesse que superava até mesmo o dos jornalistas. Ele abriu caminho entre a multidão e confrontou o cavalheiro, que era ninguém menos do que C. A. Bradenburgh, proprietário do "Museu Holmes" na esquina da Nona com a Arch. Bradenburgh — que ganhava uma bolada durante os últimos meses com a exibição de um crânio substituto, dentre outras réplicas — deixou claro ao promotor que oferecia uma bela soma pelo original. Será que o estado estaria interessado nessa transação?

"É claro que não!", gritou o promotor, ultrajado, arrancando o crânio das mãos do produtor teatral e levando-o até a porta sem cerimônias.

• • •

Holmes, enquanto isso, fora levado à cela do porão para aguardar o veredicto. Ainda que demonstrasse pouco apetite pelo jantar oferecido, ele parecia, no geral, surpreendentemente seguro de si para alguém cujo destino estava em jogo. Bateu papo com os carcereiros e passou algum tempo ocioso com uma moeda — lançava no ar com o polegar, pegava na palma e batia nas costas da outra mão.

Quando um dos guardas, Charles Wood, lhe perguntou o que ele estava fazendo, Holmes respondeu que tentava prever o veredicto.

"Coroa, condenado", disse Holmes com sorriso de esguelha. "Cara, absolvido."

Ao todo, Holmes jogou a moeda dez vezes. Ela deu cara — "inocente" — todas as vezes, exceto uma.

Holmes não era o único que brincava com jogos de adivinhação. No tribunal — onde grande parte da multidão permanecera em seus lugares, com medo de perder os assentos — tanto advogados quanto leigos discutiam e até mesmo apostavam no resultado.

O interessante era que o consenso concordava com a moeda de Holmes. A maioria achava que, apesar de toda a habilidade de Graham, a promotoria falhara em apresentar o caso sem deixar dúvidas razoáveis.

Alguém da velha-guarda — o secretário do tribunal William Henszey, que observava júris a mais tempo do que conseguia lembrar — se manteve firme em opinião divergente. Os doze homens que tinham a vida de Holmes nas mãos o mandariam para a forca, declarou.

Ele tinha visto isso em seus rostos.

Às 20h45 em ponto, a comoção no tribunal deixou claro que o júri estava prestes a voltar. O juiz Arnold foi o primeiro a entrar, seguido por Graham e seu assistente, Thomas Barlow. Depois vieram Rotan e Shoemaker que, embrulhado no sobretudo, tremia como se sofresse de malária.

Por fim, o prisioneiro entrou escoltado e foi conduzido ao banco dos réus.

O silêncio no tribunal lotado era quase opressivo. Todos os olhos se voltaram para Holmes, postado ereto no cercado, uma mão envolvendo o punho da outra atrás das costas. Não demonstrava nenhum sinal óbvio de agitação — embora os espectadores sentados atrás dele conseguissem ver, com base na brancura dos nós de seus dedos, a força com que ele apertava o punho.

Um instante depois, o júri entrou em fila. Nenhum deles olhou na direção de Holmes enquanto tomavam seus lugares na bancada.

Holmes viu a expressão nos rostos deles. Ele empalideceu, tossiu seco algumas vezes e levou o dedo trêmulo aos lábios.

"Cavalheiros do júri", entoou o secretário Henszey, "vocês chegaram a um veredicto?"

Quando o primeiro jurado respondeu que sim, Henszey olhou para o juiz.

"Meritíssimo, o júri chego ao consenso."

O juiz aquiesceu, e outra vez Henszey se voltou aos jurados.

"Senhores do júri, ao anunciar seu veredicto, vocês por gentileza devem se levantar e permanecer em pé até o tribunal registrá-lo."

Os jurados se levantaram todos ao mesmo tempo.

"Senhores do júri, qual é o veredito?", perguntou o secretário, de voz rouca. "Declaram o prisioneiro no banco dos réus, Herman W. Midgett, culpado pelo crime de assassinato pelo qual foi indiciado, ou é inocente?"

Sem hesitação, o primeiro jurado respondeu:

"Culpado por assassinato em primeiro grau."

Holmes apertou os lábios com força para impedir que tremessem. Então deixou-se cair na cadeira enquanto — a pedido de Rotan — o secretário Henszey inquiria os jurados, que confirmaram um por um o veredicto condenador.

Mais tarde, um dos jurados contou a um repórter que ele e seus colegas tomaram a decisão antes que a porta da sala de deliberação se fechasse atrás deles. Mas — acharam impróprio enviar um homem à forca sem ao menos passar a impressão de devida consideração — decidiram jantar e discutir as evidências antes de proferir a sentença.

Tão logo a sessão encerrou-se formalmente, Holmes foi levado para uma sala de detenção no porão. A turba de jornalistas se reuniu apressada no lado de fora da porta com barras de ferro, e implorou um comentário.

"Não posso dizer muita coisa", respondeu Holmes com voz rouca. "Eu mal sei o que acrescentar ao que já disse."

Pouco depois, foi escoltado para uma diligência fechada e voltou a Moyamensing. Ao chegar a sua cela, pensou em algo que desejava dizer. Sentado à escrivaninha, redigiu uma declaração formal, publicada nos jornais da manhã seguinte em todo o país:

Não é seguro para alguém em minha posição criticar o veredicto que recebi. Muitos advogados competentes que acompanharam o julgamento declararam que as evidências não são suficientes para a condenação. Eu, que sei da minha inocência em relação à acusação levantada contra mim, sei, é claro, que nenhuma prova *poderia* ser apresentada. Sei que sou inocente e, ainda que a falta de tempo e dinheiro para preparar meu caso resultaram nessa derrota temporária da Justiça, como sei também que serei absolvido e vindicado no final.

Foi-me dito e alertado que contar a verdade seria perigoso. A negação direta, foi-me dito, seria mais convincente do que qualquer explicação, por mais verdadeira. Acreditava, contudo, como ainda acredito, que um inocente não pode ser condenado por nossas leis e que com certeza não pode ser condenado por contar a verdade.

Estou ciente de que o tribunal superior deve aprovar minha sentença antes que ela seja confirmada. Sei que o tribunal superior deve, diante da minha inocência, me proporcionar novo julgamento. Nesse novo julgamento, terei tempo, pelo menos, de preparar minha defesa e refutar a teia de falsas acusações tecida por promotores ambiciosos que me processaram e perseguiram.

Eu não assassinei Pitezel. Ele cometeu suicídio. Sou inocente daquilo que me acusam. Não é possível que seja condenado por um crime que não cometi.

Cedo na vida fui muitas vezes deixado na companhia de um velho, a quem passei a encarar quase como um oráculo. Costumava me dizer: "Aquele que procura compaixão recebe escárnio". Com isso em mente, e de modo algum querendo aparecer diante do público como mártir, sobretudo mais pelo bem de outros do que pelo meu próprio, peço que por algum tempo pelo menos eu seja tratado com indulgência, pois em nome de Deus Todo-Poderoso e em nome daqueles que me são íntimos e queridos, declaro que não tirei uma vida humana.

Isso era o que Holmes tinha a dizer no dia em que o julgamento chegou ao fim. Mas não foram suas últimas palavras.

Alguns meses depois, ele divulgaria outra declaração, bastante diferente. E sua publicação enviaria ondas de choques através dos Estados Unidos.

He Was a One-Man Murder King

Two views of H. H. Holmes, so-called Criminal of the Century, who took up crime as a ca[reer] while still a student in college and carried on for thirteen years before police finally ca[ught] up with him. During that period he averaged more than two murders a year.

Murders a Year Avera[ge] of 'Criminal of Century[']
Strangest Tangle of Tragic Horror[s]

At left—Facsimile of part of a contract (top) between Holmes and Pitezel and (bottom) reproduction of part of a letter by Holmes while he was in prison. Above—Henry H. Holmes; the house at 1316 Callowhill Street, Philadelphia, where the body of Pitezel was found; and (right) Marion Hedgepath, the convict whose letter furnished the first clue to the Holmes murders.

[B]enjamin F. Pitezel, insurance [fr]aud's plotter whose murder [pr]ompted the investigation that [fi]nally unmasked Holmes as the arch-murderer.

Holmes's Con[fession]

Written exclusively [for the]
Journal—th[e] most ma[sterly]
crime ever penned by [a criminal]

NO. 4,895.

CRIME SCENE: PROFILE

PALAVRAS DIABÓLICAS

52. DIABOLICAL WORDS

Nasci com o diabo no corpo. Não pude evitar ser um assassino, não mais do que o poeta consegue evitar a inspiração para compor [...] Nasci com o Maligno como padrinho parado ao lado do leito onde fui trazido a este mundo, e ele permanece comigo desde então.
— Da confissão de H. H. HOLMES —

Na manhã de sexta-feira, 10 de abril de 1896, o *Philadelphia Inquirer* publicou um anúncio de meia página alardeando a atração sensacionalista vindoura, programada para a edição de domingo:

HOLMES CONFESSA MUITOS ASSASSINATOS
O Assassino Mais Assustador e Terrível
Jamais Conhecido nos Anais do Crime

PRIMEIRA E ÚNICA CONFISSÃO COMPLETA
A História Mais Extraordinária de Assassinato
e Vilania Inumana Jamais Tornada Pública

CONDENAÇÃO EM CADA LINHA
A única maneira de descrevê-la é dizer que foi escrita
pelo próprio Satanás ou um de seus monstros escolhidos

Impresso no centro do anúncio havia o fac-símile de uma carta, na caligrafia fluida de Holmes: "A declaração a seguir foi escrita por mim na Penitenciária do Condado da Filadélfia para o *Philadelphia Inquirer* como confissão verdadeira e exata em todos os detalhes. É a única confissão de meus crimes pavorosos que já fiz ou farei. Eu escrevo admitindo por completo todos os horrores que ela contém e como ela me condena diante do mundo".

Após alegar sua inocência tanto tempo e se proclamar bode expiatório para as ambições políticas do promotor, Holmes parecia ter passado por mudança extraordinária de opinião. Seria de se supor que estivesse ansioso para desabafar antes de se encontrar cara a cara com o Criador. Mas aqueles com conhecimento mais próximo da natureza manipuladora de Holmes enxergaram outros motivos, menos piedosos, por trás dessa reviravolta extraordinária.

Holmes, para começar, não tinha nada a perder. Três semanas depois de o júri proferir seu veredicto, a Suprema Corte da Pensilvânia negara sua solicitação de novo julgamento. Quando o *Philadelphia Inquirer* alardeou a notícia da confissão iminente, a execução de Holmes já estava marcada para a quinta-feira, 7 de maio.

Por outro lado, Holmes tinha muito a ganhar ao difundir suas atrocidades. Em meados de março, recebera a visita de representantes do magnata do jornalismo William Randolph Hearst, que teria lhe oferecido 7.500 dólares por direitos exclusivos da confissão — soma considerável em 1896. Mesmo com a forca pairando sobre si, Holmes estava preparado para fazer uso de qualquer oportunidade. Pelo que consta, sempre fora bom provedor para sua esposa em Wilmette, Myrta, e para sua filhinha, Lucy. O dinheiro oferecido por Hearst constituiria uma herança substancial — e Holmes, por sua vez, estava preparado para fazer cada centavo contar.

Mas dinheiro era apenas parte da história. Holmes tinha outro estímulo, ainda mais forte, e mais de acordo com suas aspirações singularmente perversas. Já em 30 de outubro, o repórter de um jornal, ao visitar o notório criminoso na cela, percebera a desesperada "ambição de Holmes de ser excepcional de alguma maneira — e seus exemplos de grandeza, se é que é possível julgar com base em sua conversa, são antigos vilões de alto nível".

E de fato, logo após o término do julgamento, o promotor Graham profetizara aos repórteres "que Holmes confessará tudo quando descobrir que todas as esperanças de fuga acabaram. O orgulho que sente da carreira criminosa não tem limites. Quando estava em estado de espírito mais melancólico, sempre se animava quando o sr. Barlow e eu lhe dizíamos que o considerávamos o homem mais perigoso do mundo. Temos confiança que, antes de morrer, ele fará confissão tal que o elevará à posição mais alta de criminoso indiscriminado".

Foi previsão astuta e extraordinária. Pois no domingo, 12 de abril de 1896, Holmes se revelou ao mundo como o criminoso mais monstruoso de sua época, assassino psicopata cujo recorde de matança permaneceria inigualado até a segunda metade do século XX e do nascimento da era que ele pressagiou — a Era do Assassino em Série.

Durante a investigação da polícia no Castelo, quando a histeria ao redor do "Inimigo" estava no auge, os jornais alteraram todos os tipos de números. As estimativas de vítimas variavam de meia dúzia a centenas.

O número final que ele admitiu no domingo, 12 de abril, era muito menor do que a maioria dos palpites mais desvairados, ainda que o suficiente para marcá-lo como o assassino mais prolífico de sua época.

Vinte e sete pessoas — homens, mulheres e crianças.

Antes de proporcionar os detalhes hediondos de seus delitos, Holmes apresentou comentários preliminares. A natureza desses comentários sugere que, além de ser leitor de Mark Twain e Robert Louis Stevenson, Holmes estava familiarizado com as obras de Edgar Allan Poe, em especial o famoso conto "William Wilson", cujo narrador descreve sua transformação, de um criminoso "trivial" no vilão mais maligno de sua época, "objeto para o escárnio — para o horror — para a repulsa da minha raça". O "registro dos crimes imperdoáveis" de Wilson lhe é tão doloroso para colocar no papel que ele contempla a veloz morte que se aproximava com alívio.

Holmes começa a confissão em verve que surpreende, de tão parecida. "Uma palavra a respeito dos motivos que levaram à execução desses tantos crimes e vou prosseguir para a tarefa mais desagradável da minha vida, o registro em toda a sua terrível nudez da narrativa dos assassinatos premeditados de vinte e sete seres humanos [...] desse modo me marcando como o criminoso mais detestável dos tempos modernos —tarefa tão difícil e repugnante que, se comparada, a certeza de que em alguns dias serei enforcado até a morte não parece nada mais do que um passatempo."

Apesar da promessa, entretanto, Holmes não apresenta nenhum motivo para seus crimes. Em vez disso, descreve a metamorfose extraordinária que aconteceu ao longo dos dois últimos anos.

"Estou convencido que desde meu confinamento mudei lastimável e abominavelmente daquilo que costumava ser em relação a minhas feições e traços. Minhas feições assumem pronunciado aspecto satânico. Eu me tornei afligido por aquela horrível doença, rara, mas terrível, com a qual os médicos estão familiarizados, mas que não têm nenhum controle em absoluto. Essa doença é a malformação ou a distorção da ossatura [...] Minha cabeça e meu rosto aos poucos assumem forma alongada. Acredito de verdade que estou ficando parecido com o diabo — e que a semelhança é quase completa.

"De fato, estou tão impressionado com essa crença que me convenci de que não tenho mais nada de humano em mim."

Depois de ler a narrativa que se segue a essa espantosa declaração, os leitores, sem dúvidas, se sentiram inclinados a concordar.

Embora as provas sugerissem de forma contundente o contrário, Holmes insistiu ser inocente de assassinato até 1886, quando matou sua primeira vítima, o dr. Robert Leacock de Baltimore, "amigo e antigo colega de escola", cuja vida estava "segurada por grande soma", que Holmes fracassou em resgatar. Até aquela época, escreve, "nunca cometera tamanho pecado em pensamento ou ato. Mais tarde, como tigre comedor de homens da floresta tropical, cujo apetite por sangue foi despertado, vaguei pelo mundo à procura de quem destruir".

Outro médico, um homem chamado Russell, se tornou a segunda vítima de Holmes. Russell, um inquilino no Castelo, atrasara o pagamento do aluguel. Durante discussão acalorada sobre o assunto, Holmes "o levou ao chão com golpe de pesada cadeira" e "com grito de ajuda, que terminou em gemido de angústia, [Russell] parou de respirar". O cadáver do inquilino se tornou o primeiro de muitos que Holmes vendeu para seu conhecido em uma faculdade de medicina por valores entre 25 e 45 dólares cada.

Julia Conner e sua filha de 4 anos, Pearl, foram as próximas. Holmes foi vago de maneira provocante a respeito do assassinato de Julia e escreveu apenas que ela morreu "até certo ponto devido a operação criminosa". Deu cabo da menininha para eliminar a possível testemunha. "A morte de Pearl", escreve ele, "foi causada por veneno [...] Fiz isso porque eu acreditava que a criança tinha idade suficiente para lembrar da morte da mãe."

O quinto assassinato foi o homicídio a sangue-frio de um homem identificado como Rodgers, colega inquilino em uma pensão em West Morgantown, Virgínia, onde Holmes ficou "hospedado por algumas semanas" durante viagem de negócios. "Ao descobrir que o homem tinha algum dinheiro, eu o induzi a sair para pescar comigo e, bem-sucedido em acalmar suas suspeitas, por fim acabei com sua vida com golpe súbito contra sua cabeça, com um remo."

A vítima número seis também morreu de fratura craniana — ainda que, nesse caso, Holmes alega, o golpe fatal tenha sido desferido por seu cúmplice. A vítima era um "especulador sulista", Charles Cole. "Depois de número considerável de correspondências, esse homem foi a Chicago e eu o atraí ao Castelo, onde, enquanto o entretinha na conversa, meu cúmplice desferiu golpe bastante violento na cabeça dele com um cano de gás." O crânio de Cole ficou tão danificado que o cadáver "quase não serviu" como espécime médico. Quanto ao cúmplice anônimo, Holmes diz apenas que "é tão culpado quanto eu e, se possível, mais desalmado e sanguinário, e não tenho dúvidas de que ainda se dedica ao mesmo trabalho nefasto".

A sétima vítima foi a doméstica chamada Lizzie, empregada no restaurante do Castelo. Pat Quinlan, subordinado de Holmes — casado com diversos filhos pequenos —, se apaixonara pela jovem. Holmes temia que o indispensável Quinlan pedisse demissão e fugisse com a garota e "julgou sensato pôr fim à [sua] vida [...] Isso eu fiz chamando-a ao meu escritório e sufocando-a no cofre, sendo a primeira vítima a morrer ali dentro. Antes de sua morte, a compeli a escrever cartas para os parentes e Quinlan, para contar que saíra de Chicago e viajara para um estado ocidental, e não retornaria".

Ao longo da investigação no Castelo, Holmes fora comparado ao personagem folclórico Barba-Azul — o lendário assassino de mulheres, que massacrou cada uma de suas sucessivas noivas quando elas abriam a porta proibida e descobriam os cadáveres de suas predecessoras. O relato do assassino a respeito de seus crimes seguintes fazia essa analogia parecer mais adequada do que nunca.

Esses assassinatos aconteceram logo depois da morte de Lizzie — na verdade, na mesma noite em que Holmes preparava o cadáver da amada de Quinlan para transportá-lo para a faculdade de medicina. Dentre os inquilinos do

Castelo naquela época havia o cavalheiro Frank Cook, sua esposa Sarah, e a sobrinha dela, srta. Mary Haracamp, de Hamilton, Canadá, que, pouco depois de chegar a Chicago, fora estenógrafa de Holmes.

Por motivos que ele não explica, "a sra. Cook e sua sobrinha tinham acesso a todos os cômodos do Castelo com a chave-mestra". Na noite em questão, Holmes, no andar superior, "ocupado em preparar minha última vítima para envio", viu quando "a porta abriu de súbito e a sra. Cook e sua sobrinha apareceram diante de mim. Era hora de agir rápido: em vez de explicar-se, e antes que elas se recuperassem daquela terrível visão, ambas já estavam dentro do cofre fatal, a pouco ocupado pelo cadáver".

O que fez desse crime ainda mais abominável foi que "a sra. Cook, caso sobrevivesse, seria em breve mãe". Com a criança nascitura, a contagem dos assassinatos de Holmes agora chegava a dez.

Emeline Cigrand se tornou a vítima número onze. Pela primeira vez, Holmes confirmou o que a polícia suspeitara durante meses — que assassinara a adorável jovem ao sufocá-la no cofre. Ele o fizera, afirmou, porque Emeline estava noiva de outro — "ligação odiosa para mim, em especial, porque a srta. Cigrand se tornara quase indispensável para o trabalho no escritório e minha amante, além de estenógrafa".

Na manhã do dia de seu casamento, Emeline foi até o escritório de Holmes para se despedir. Enganando-a para que entrasse no cofre, bateu a porta atrás dela, e então prometeu soltá-la se escrevesse carta ao noivo, cancelando o casamento. "Ela estava bastante disposta a fazer isso, e preparada para sair do cofre assim que terminasse a carta, apenas para descobrir que a porta nunca mais voltaria a se abrir até que terminasse de sofrer as torturas da morte lenta e prolongada."

Holmes então passa a descrever a tentativa fracassada de homicídio triplo. Ao que parece, bastante necessitado de dinheiro e ansioso para coletar "os 90 dólares que meu agente responsável por se livrar dos 'defuntos' me daria pelos corpos", tentara matar três jovens mulheres que trabalhavam em seu restaurante. Tarde da noite, se esgueirou até o quarto que elas dividiam no Castelo e as atacou na cama. "Que essas mulheres sobreviveram para contar a experiência [...] se deve a minha tola tentativa de usar clorofórmio em todas ao mesmo tempo. Com suas forças combinadas, me subjugaram e correram para a rua aos gritos, vestidas apenas com as camisolas." Holmes revela que foi "preso no dia seguinte, mas não foi processado".

Ele acrescentou a essas sobreviventes a sra. Pitezel e seus dois filhos vivos, cujas vidas também tentara tirar, e se sente no direito de reivindicar (se com orgulho ou contrição, impossível dizer) "trinta e três [vítimas] em vez de vinte e sete, visto que não foi minha culpa terem escapado".

Holmes teve mais sucesso com o ataque seguinte, "jovem muito bonita chamada Rosine Van Jossand". Depois de morar com ela "por algum tempo" no Castelo, a envenenou "ao lhe administrar ferrocianeto de potássio" e então enterrou seus restos mortais no porão.

A afirmação de Holmes de que a sede de sangue se tornava mais forte a cada nova vítima pareceu confirmada pela crueldade sádica de seu assassinato posterior. A vítima foi o antigo empregado do Castelo, Robert Lattimer, que sabia "de certos esquemas com seguros em que eu estava envolvido" e cometeu o erro de chantagear o patrão. "Sua morte e a venda de seu corpo foram a punição infligida a ele. Eu o confinei no quarto secreto e o deixei sofrer morte lenta por inanição [...] Por fim, precisando usar o cômodo para outro propósito, e porque suas súplicas tinham se tornado quase insuportáveis, pus um fim à sua vida. A escavação parcial das paredes dessa sala encontrada pela polícia foi causada pelos esforços de Lattimer para escapar ao arrancar tijolos e argamassa sólidos apenas com os dedos".

Asfixia, inanição lenta e envenenamento por clorofórmio, os métodos favoritos de morte de Holmes, foram usados para eliminar ainda mais vítimas do Castelo: a mulher identificada apenas como "Kate"; um "jovem inglês" parceiro de Holmes em diversos golpes imobiliários; a viúva rica "cujo nome me foge à memória"; e o "homem que foi a Chicago para visitar a Feira Mundial". Por questão de conveniência ou variedade, contudo, ele às vezes também empregava outros métodos. Despachou duas mulheres — certa srta. Anna Betts e a irmã de Julia Conner, Gertie — ao substituir o veneno por medicamentos vendidos sob prescrição. Também alegava matar Warner — "criador" do patenteado "Processo de Vergar Vidro Laminado Warner" — de maneira especialmente abominável.

"É memorável", escreve Holmes, "que os restos da grande fornalha de tijolos refratários foram encontrados no porão do Castelo [...] Montada de tal maneira que, menos de um minuto depois do jato de petróleo bruto atomizado com vapor ser acionado, a fornalha inteira se enchia com chama incolor, de intensidade tão forte que era possível derreter ferro lá dentro." Holmes teria construído essa fornalha porque estava interessado em entrar para o negócio de vergar vidro laminado, e com o pretexto de obter "explicações minuciosas sobre o processo" com o inventor que conseguiu atrair Warner para dentro do forno. Assim que Warner entrou, Holmes fechou a porta e acionou "tanto o petróleo quanto o vapor na potência máxima. Em pouco tempo, não restavam nem mesmo os ossos da vítima".

As vítimas 21 e 22 foram as irmãs Williams. Enfim, Holmes desistiu de fingir que Minnie Williams estava viva e admitiu que sua lúgubre história de sororicídio era mentira.

Ele se retrata de suas difamações anteriores — sua descrição de Minnie como meretriz de personalidade instável que fugira para Londres a fim de abrir uma casa de massagens depois de assassinar a irmã em um ataque de fúria —, e se desculpa pelas "calúnias que lancei sobre o nome dela" e confirma sua "vida pura e cristã [...] Antes de me conhecer em 1893, era uma mulher virtuosa". Logo depois de sua chegada a Chicago, Minnie foi trabalhar para Holmes e não demorou muito até ele a persuadir "a me dar 2.500 dólares em espécie e transferir para meu nome escrituras de imóveis do sul no valor de 50 mil dólares". Ele também a induziu "a morar comigo como minha esposa, tudo isso feito com bastante facilidade devido à sua inocência e natureza infantil, já que ela mal sabia a diferença entre o certo e o errado em tais assuntos".

Ao perceber corretamente que Nannie, sua irmã mais velha (e muito mais perspicaz), era ameaça em potencial para seus esquemas, Holmes a convidou para ir até Chicago, a levou para o Castelo e a matou no cofre. "Foi a pegada de Nannie Williams", escreve, "que foi encontrada na superfície pintada da porta do cofre, deixada durante seus esforços desesperados antes de morrer." O assassinato de Minnie aconteceu em seguida. De acordo com essa versão, Holmes a levou em viagem para Momence, Illinois, onde — em uma casa abandonada na periferia da cidade — a envenenou, e enterrou seu corpo no porão.

Mas Holmes não tinha terminado com a família Williams. Depois da morte de Minnie, "encontrou entre seus papéis a apólice de seguro emitida a favor dela por seu irmão, Baldwin Williams, de Leaville, Colorado. Portanto, fui lá no começo de 1894 e, após encontrá-lo, tirei sua vida com um tiro. Para todos os efeitos, o fiz em legítima defesa".

De todos os seus pecados, Holmes professa o mais profundo remorso por aqueles cometidos contra Minnie. "Por causa de sua vida imaculada antes de me conhecer, por causa da enorme quantia de dinheiro em que a defraudei, porque matei sua irmã e seu irmão, porque, não satisfeito com tudo isso, me empenhei em manchar seu bom nome depois da minha prisão [...] por todos esses motivos, esse é, sem dúvidas, o mais triste e mais atroz dos meus crimes."

Como era de se esperar, Holmes dedica mais espaço ao crime que o condenara. Depois de negar a culpa por dois anos, ele afinal admitiu o assassinato de Benjamin Pitezel. Na verdade, vai ainda mais longe. Por motivos apenas conjecturáveis — o desejo perverso de se manter firme em seu papel satânico, a disposição do exibicionista em dar ao público o que pedia, ou até mesmo a necessidade sincera de confessar seus pecados mais horripilantes — ele apresenta a própria imagem de modo muito mais cruel até do que sugeriam seus acusadores.

"Deve-se compreender", declarou Holmes, "que na primeira hora nos conhecemos, mesmo antes de saber que ele tinha família que mais tarde me proporcionaria mais vítimas para a satisfação da minha sede de sangue, eu pretendia matá-lo." Ele se esforça para exonerar seu antigo cúmplice de qualquer envolvimento em assassinatos e declara que Pitezel "não sabia nem fez parte de atos que tiraram vidas humanas". Ao investir a vítima da dimensão de inocência, essa revelação torna o crime ainda mais terrível.

E, de fato, aquele crime, como Holmes o descreve aqui, foi muito mais horrível do que qualquer um suspeitava:

Pitezel saiu de casa pela última vez no final de julho de 1894, feliz e despreocupado, para quem problemas ou desânimos de qualquer ordem eram praticamente desconhecidos. Nós então viemos juntos para Nova York e depois para Filadélfia, para a fatídica casa alugada na Callowhill Street, onde encontrou sua morte no dia 2 de setembro de 1894 [...] Depois veio a espera diária até eu ter certeza de encontrá-lo em estupor ébrio ao meio-dia [...] Depois de me preparar desse modo, fui até a casa, destranquei a porta em silêncio, me esgueirei para dentro e subi ao segundo andar sem fazer barulho, onde o encontrei desmaiado de bêbado, como o esperado.

Apenas uma dificuldade se apresentou. Foi preciso que eu o matasse de tal maneira que não houvesse luta ou movimento de seu corpo [...] Superei essa dificuldade ao amarrar as mãos e os pés e, depois, o queimei vivo: encharquei as roupas e o rosto com benzina e o incendiei com um fósforo. Tão terrível foi essa tortura que, ao descrevê-la, me sinto tentado a atribuir algum meio mais benevolente à sua morte — não para me poupar, mas porque receio que não se acredite que alguém possa ser tão desalmado e degenerado.

A descrição feita por Holmes da morte do pequeno Howard Pitezel é tão chocante quanto. Depois das preparações — "comprar as drogas necessárias para matar o menino", Holmes parou "para pegar as facas longas que eu tinha deixado lá antes para amolar" — escreve, "chamei [Howard] para dentro de casa e insisti que fosse para a cama de pronto, não antes de lhe administrar a dose fatal da droga. Assim que parou de respirar, cortei o corpo em pedaços e com o uso combinado de gás e espigas de milho, o queimei com tão pouco sentimento quanto se ele fosse algum objeto inanimado [...] Pensar que cometi esse e outros crimes pelo prazer de matar meus semelhantes, ouvir seus gritos de misericórdia e seus apelos para ter tempo suficiente para rezar e se preparar para a morte — tudo isso é agora horrível demais até para mim, criminoso insensível que sou, reviver sem estremecer. Será que causa algum espanto que desde minha prisão meus dias foram repletos de torturas do remorso e minhas noites insones devido ao medo? Ou que até mesmo antes da minha morte, comecei a assumir a forma e as feições do próprio Maligno?"

Quanto às últimas vítimas, Alice e Nellie Pitezel, Holmes confirma a teoria de que assassinou as meninas ao trancá-las no baú, inserir um tubo de borracha no buraco aberto para esse propósito, depois conectar a outra ponta do tubo ao bico de gás e as asfixiar. "Então veio a abertura do baú e a visão de seus rostinhos escurecidos e distorcidos, depois fazer as covas rasas no porão da casa, o implacável despojar das roupas e o enterro sem invólucro a não ser a terra fria."

Ele também confirma a verdade da insinuação feita durante o julgamento — que "arruinara" Alice Pitezel. As mortes das duas garotas, escreve, "parecerão a muitos as mais tristes de todas, tanto por conta da terrível maneira desalmada com que foram realizadas quanto por que, em certa ocasião, no caso de Alice, a mais velha dessas crianças, sua morte foi o menor dos maus-tratos que sofreu em minhas mãos".

Como se admitisse que condenava a si mesmo além do ponto de esperar o perdão humano, Holmes se abstém de apresentar declaração convencional de arrependimento. "Agora seria um momento bastante oportuno para expressar arrependimento ou remorso [...] Fazê-lo com a expectativa de que ao menos uma pessoa que tenha lido esta confissão até o fim acredite que em minha natureza sórdida existe espaço para tais sentimentos é, receio, esperar mais do que se pode conceder."

Quando esse documento extraordinário foi vendido para os jornais, a notoriedade de Holmes se espalhou ao redor do mundo. (Em dado momento da confissão, observa com orgulho aparente que seu nome é conhecido "até mesmo na África do Sul, onde o caso a pouco tempo recebeu considerável preeminência em publicação local".) Dadas as circunstâncias, não é surpresa que esse catálogo de derramamento de sangue e tortura fosse grande sensação.

No intervalo de poucos dias depois da publicação, também foi tema de controvérsia acalorada. Apesar de aparente candura brutal, havia um problema significativo: partes dela eram inegavelmente falsas.

Em primeiro lugar, a insistência de Holmes de que passou por metamorfose física tão assustadora a ponto de estar "agradecido de não lhe ser mais permitido ter espelho" não era um fato. Seus carcereiros e visitantes atestaram que — a não ser pelo cavanhaque, que raspara — sua aparência não mudara em absoluto desde o julgamento.

Uma anomalia era ainda mais preocupante. Logo depois de a confissão aparecer, grande número das ditas vítimas se apresentou para refutar as alegações, como o supostamente incinerado sr. Warner e o antigo funcionário de Holmes, Robert Lattimer, cujas agonias da morte foram descritas com grande clareza. Sabia-se que uma terceira "vítima" falecera em um descarrilamento. Ao mesmo tempo, havia fortes suspeitas de que Holmes dera cabo de outros inquilinos do Castelo cujos nomes deixou de incluir na confissão.

O promotor Graham apresentou a explicação mais convincente para essas inconsistências.

"A confissão", disse ele aos repórteres, "é uma mistura de verdades e mentiras. Holmes nunca conseguiu se abster de mentir."

Se as mentiras de Holmes foram compulsivas ou calculadas, tiveram o efeito de garantir que seus crimes permanecessem para sempre cercados de mistério e ambiguidade. Como a pilha de ossos encontrada no porão do Castelo, cuja mixórdia de restos mortais humanos e animais fez que fosse impossível para a polícia descobrir a verdade, sua declaração final foi tanto dissimulação como confissão.

Holmes's Confession.

Written exclusively for the Sunday Journal—th most marvellous story of crime ever penned by the perpetrator.

NO. 4,895.

THE JOURNAL

NEW YORK, SATURDAY, APRIL 11, 1896.—16 PAGES.—COPYRIGHT, 1896.

on a three months' leave, and that, for all the department knows, he will go back to his post on its expiration.

reached the rope broke and the elevator fell to the basement.
An exciting scene then ensued. All the

Kate Reilly, of No. 2250 First avenue, had contusions about the face; Lena Suber, of No. 109 Norfolk street, was cut about the

Confession of H. H. Holmes.

The case of the murderer Holmes is one of the most extraordinary in the criminal history of the world. So great was the public interest in his story as revealed at his recent trial that it would be superfluous to rehearse the facts of his crime. Finding that there is no possibility of stay or reprieve, and that he will certainly go to the scaffold on May 7, Holmes has made a complete confession. This startling story is told with a candor and circumstantiality that make his narrative one of the most interesting and extraordinary psychological studies ever published.

The following statement was written by me in Philadelphia Co Prison for the Journal of N.Y. as a true & accurate confession in all particulars — It is the only confession of my fearful crimes I have ever made or will make. I wrote it fully appreciating all the horrors it contains & has condemns me before the world

Signed H. H. Holmes

Aprie 9th 1896

Read the SUNDAY JOURNAL to-morrow.

CRIME SCENE: PROFILE

A MORTE DO MAL

53. EVIL DIES

> NADA DE INDULTO PARA HOLMES.
> O DIABO VAI RECEBER O QUE MERECE.
> — *BOSTON GLOBE*, 2 de maio de 1896 —

Mesmo com a morte se aproximando, a audácia de Holmes seguia inalterada. Ao longo da última semana de abril — pouco depois de confessar publicamente o assassinato de mais de duas dezenas de pessoas — apelou ao governador Hastings por clemência executiva. O governador se recusou a concedê-la.

Holmes permaneceu resoluto. Para alguém que alegava considerar sua execução iminente uma dádiva — a libertação de dias e noites de "torturante remorso" —, parecia desesperado para obter, se não o perdão, pelo menos o indulto temporário. No dia 30 de abril — uma semana antes da data do enforcamento —, ele enviou uma carta para Thomas Fahy, o advogado de Carrie Pitezel na Filadélfia. Nela, Holmes apresentou a complicada transação financeira relacionada aos encargos de seus bens em Chicago. Holmes garantiu a Fahy que conseguiria obter acordo com seus credores que renderia pelo menos 2 mil dólares, que ele propôs "incluir de imediato em depósito fiduciário em benefício da sra. Pitezel". Além disso, ofereceu a Carrie "um terço do que lucrarmos com [a venda] do quarteirão na rua Sessenta e Três".

O único porém era que essas questões demorariam muitas semanas para ser resolvidas — até o dia 18 de maio, no mínimo — o que significava que Carrie teria de interceder por ele, enviar petição para o governador Hastings e pedir adiamento.

Holmes encerrou a carta com comentário extraordinário. "Tentei facilitar as questões para a sra. Pitezel o máximo que pude", escreveu o homem que assassinara seu marido e seus três filhos mais novos. "Também imploro a sra. Pitezel para que se lembre que, ainda que me considere inapto para viver, com certeza não estou apto para morrer, e, em troca do que posso fazer por ela, gostaria da oportunidade de ler e de ter outras maneiras de me preparar para a morte."

Quando Carrie — que reconheceu a proposta como suborno descarado — se recusou a morder a isca, Holmes fez a última tentativa para ganhar tempo. Redigiu outra carta, ainda mais extraordinária, para sua antiga nêmese, o detetive Frank Geyer. Nela, alegou que sua confissão recém-publicada continha a versão imprecisa dos assassinatos de Alice, Nellie e Howard Pitezel. "Continuo a aceitar a responsabilidade pelas mortes das crianças", escreveu, "e ainda assim não fui eu quem as matou. Eu tinha um cúmplice e o instruí a fazer o serviço." Holmes se ofereceu para ajudar Geyer na captura desse "cúmplice" misterioso em troca do adiamento.

Mas Geyer, como Carrie Pitezel, também não foi fisgado. Estava determinado a ver Holmes balançar na corda e não tinha qualquer intenção de adiar essa satisfação.

Na quarta-feira, 6 de maio, H. H. Holmes, o mestre golpista, estava, enfim, sem estratagemas. E sem tempo.

• • •

Holmes concluíra a carta para Carrie com o pedido para ter "oportunidade de ler e de ter outras maneiras de me preparar para a morte". A leitura a que se referia era, é claro, a Bíblia.

Em novembro, no dia em que a sentença de morte foi declarada formalmente, Holmes fora entrevistado por um repórter do *Philadelphia Public Ledger*, que perguntou se ele pretendia procurar o auxílio de "conselheiros espirituais". Holmes negou com a cabeça em resposta enfática. "Sou um fatalista", declarou. "O que será, será. Não tenho nenhuma preocupação em relação ao além."

À medida que as semanas avançavam, contudo, uma mudança pareceu tomar conta dele. Tornou-se cada vez mais introspectivo. Enrolada no canto de sua cela havia pesada corrente de ferro para conter prisioneiros indomáveis: a ponta livre tinha grilhão e a outra era presa a grampo de ferro no chão. Certo dia, logo depois da publicação da confissão, um guarda olhou através das barras da cela e viu a corrente no formato de cruz. Alguns dias depois, Holmes anunciou que se convertera ao catolicismo romano. Na última semana de vida, recebeu visitas regulares do reverendo Dailey da Igreja da Anunciação.

E, de fato, após fracassar em seus últimos esforços febris para obter o adiamento, Holmes pareceu possuído de recém-descoberta serenidade. Na noite antes da execução, sentou-se à escrivaninha até bem depois da meia-noite, redigiu cartas para parentes, parceiros de negócios e membros ainda vivos das famílias de muitas das vítimas. Às 00h15, ele largou a caneta, arrumou os papéis em pilhas organizadas, se despiu e dobrou as roupas com o cuidado costumeiro. Depois de suas devoções noturnas, se esticou no leito, virou de costas para a luz fraca no lado de fora da porta da cela e adormeceu em poucos minutos.

Dormiu profundamente até as 6h da manhã seguinte, quando o vigia diurno, John Henry, entrou em serviço.

"Harry!", chamou o guarda em voz baixa através das barras.

Holmes se mexeu de leve.

"Harry, está na hora de levantar."

Despertado, Holmes se sentou e cumprimentou o guarda.

"Já são 6h?"

"Sim. Como está?"

Holmes pensou na pergunta um instante.

"Bastante solene."

"Está nervoso?"

Holmes sorriu um pouco, se levantou do leito e enfiou a mão esquerda por entre as barras da porta, os dedos abertos.

"Veja se estou tremendo."

Henry mais tarde contaria aos repórteres que a mão estava "tão firme como barra de ferro".

Depois de pedir desjejum de torradas, ovos e café, Holmes se vestiu "da mesma maneira despreocupada" (de acordo com Henry) "de alguém que ainda tem milhares de toaletes a fazer antes de morrer".

Havia uma tradição em Moyamensing: os condenados à morte ganhavam um terno novo. Holmes, porém, se recusou a seguir o costume. Em vez disso, vestiu o conjunto que usara muitas vezes antes — terno de sarja cinza-claro, colete de lapela e sobrecasaca. Mas com uma mudança: em vez do colarinho e da gravata, amarrou um lenço branco folgado em volta do pescoço.

Àquela altura, Samuel Rotan chegara e parecia bem mais agitado do que seu cliente. Depois de cumprimentar o jovem advogado de maneira calorosa, Holmes o fez sentar para uma última conversa sincera. A questão foi os planos funerários de Holmes.

Sua carreira como vendedor de cadáveres deixara Holmes com pavor de acabar na mesa de dissecação de alguém. Esse receio não infundado, visto que diversos médicos preeminentes já tinham declarado seu interesse na necropsia do cérebro daquele criminoso extraordinário. Também havia bons motivos para Holmes acreditar que seu corpo pudesse ser atraente de maneira irresistível para algum mascate macabro, para exibi-lo em público. Rotan fora abordado a pouco tempo por alguém assim, que lhe oferecera soma considerável — surpreendentes 5 mil dólares, de acordo com os noticiários — pelos restos mortais do agora mundialmente famoso "Demônio Assassino".

Holmes tinha um esquema elaborado para proteger seu cadáver dos ladrões de túmulos. Estava determinado a não permitir que seu corpo fosse violado, nem por ferramentas exploradoras nem pelo olhar lascivo das multidões.

Naquele exato momento, enorme multidão se reunia do lado de fora dos altos muros sombrios de Moyamensing, ainda que não tivessem nenhuma esperança de ver a execução. A entrada para o enforcamento era restrita e só disponível a quem tivesse um passe. Pedidos jorraram de lugares tão distantes quanto São Francisco — mais de quatro mil no total. Apenas sessenta passes estavam disponíveis, contudo, cada um personalizado com o nome do seu portador.

O grosso da multidão fora até lá apenas para fazer parte do grande evento. A fileira de policiais da cidade estava ali para manter a ordem, mas a multidão no geral foi bem-comportada — riu, conversou, fez piadas grosseiras. A atmosfera de festa prevalecia.

Às 9h30 em ponto, a pequena porta encaixada no enorme portão de madeira abriu com rangido. As testemunhas da execução brandiam seus passes e abriram caminho por entre a multidão, então fizeram fila para passar pelo porteiro de olhos de fuinha e entrar no pátio úmido da penitenciária. No fim das contas, pelo menos vinte indivíduos não autorizados — parentes e amigos de diversos funcionários da penitenciária — conseguiram entrar, o que fez número total de testemunhas ser pouco mais de oitenta.

Além de duas dezenas de jornalistas, os espectadores incluíam figuras preeminentes como o dr. N. MacDonald, famoso criminologista de Washington, o xerife S. B. Mason, de Baltimore, e o professor W. Rasterlu Ashton, da Medico--Chirurgical College (Faculdade de Medicina Cirúrgica) da Filadélfia. Também estavam lá o detetive Frank Geyer e L. G. Fouse, presidente da Fidelity Mutual Life Assurance Company.

Por mais ou menos quinze minutos, o grupo perambulou em volta do pátio de paralelepípedos, onde as execuções eram realizadas em tempos anteriores. A Penitenciária Moyamensing fora construída em 1771, e acima da entrada pendia o lembrete sombrio daquela era passada — parte de uma forca inglesa. Confuso pelo dispositivo enferrujado de aros de ferro com formato que parecia um ser humano, um jovem repórter perguntou qual era sua função. Foi-lhe dito que muito tempo atrás — uma era que se diz menos civilizada — os corpos dos enforcados eram colocados dentro daquela geringonça, parecida com gaiola, depois suspensos em postes altos nas encruzilhadas até que nada restasse a não ser os esqueletos.

De repente, a porta do escritório da prisão abriu. Dentre as quatro dezenas de testemunhas havia doze jurados convocados pelo xerife, ali para certificar a hora, o lugar e o modo como morreu o prisioneiro. Os membros do júri incluíam três antigos xerifes e quatro médicos. Por curiosa coincidência, outro jurado — Samuel Wood, fabricante de fios têxteis de Germantown — também fora membro do júri no julgamento de Holmes.

Os doze homens foram chamados para dentro do escritório da grande prisão, onde o xerife Clement — bigodes grisalhos em uma sobrecasaca comprada para aquela ocasião em especial — administrou o juramento. Em seguida, o restante dos espectadores foi admitido no escritório. Durante os dez minutos seguintes, permaneceram ali, inquietos, fitavam o relógio na parede e enchiam a sala de fumaça de tabaco.

Exatamente às 10h, o assistente do xerife Clement, o sr. Grew, surgiu na sala. "Tirem os chapéus, cavalheiros", ordenou ele. "Não podem fumar. Testemunhas, por favor, formem fila dupla, jurados na frente, e sigam por aquela porta." Gesticulou na direção da porta por onde acabara de sair, que se abria para o bloco de celas principal da penitenciária. "Vocês vão, por gentileza, se manter em perfeita ordem."

Chapéus foram tirados, cigarros e charutos apagados com as solas dos sapatos. Os oitenta homens se alinharam em silêncio na coluna dupla. Então a procissão solene atravessou a porta oposta e entrou no bloco de celas, as solas dos sapatos raspando o chão de asfalto.

Havia uma tradição em Moyamensing: os condenados à morte ganhavam um terno novo. Holmes, porém, se recusou a seguir o costume.

A luz do sol entrava por grande claraboia e iluminava o corredor longo e caiado com celas em três níveis de cada lado. Na metade do corredor assomava a forca, cercada por um grupo de guardas uniformizados. As testemunhas se aproximaram dela e de repente romperam a fila, empurraram umas às outras para pegar os melhores lugares para assistir à execução.

Mais de cinquenta homens morreram naquela forca em particular, que datava da década anterior à Guerra Civil. Sua plataforma cercada se elevava a 2,40 m do chão e era pintada de verde tão escuro que parecia quase preto. Poderia ser um palanque — exceto pelo alçapão de portas duplas e pela barra transversal acima, da qual pendia corda surpreendentemente fina. À luz cintilante, os espectadores podiam contar sete espirais no nó de enforcamento acima do laço.

Depois da disputa indecorosa pelo melhor ponto de observação, as testemunhas caíram em silêncio. Pardais trinavam no pátio exterior enquanto os espectadores tensos olhavam para cima, esquadrinhavam os três níveis de celas com barras pesadas à procura daquela que continha Holmes.

Após terminar seu desjejum, Holmes pegou papel e caneta pela última vez e escreveu breve bilhete de gratidão para Rotan. Quando os padres Dailey e MacPake chegaram instantes depois, Holmes se entregou aos seus cuidados. Os dois tinham acabado de administrar a extrema-unção quando o superintendente da penitenciária, Perkins, e seu assistente, Alexander Richardson, apareceram diante da cela.

"Você está pronto?", perguntou Perkins ao prisioneiro ajoelhado.

Holmes assentiu uma vez e se pôs de pé. Apertava um crucifixo em ambas as mãos e saiu para o corredor, com Perkins e o xerife Clement na frente, os dois padres de mantos brancos ao seu lado, Rotan e Richardson fechavam a retaguarda.

Aglomerados diante da forca, os espectadores não conseguiam ver o grupo solene se aproximar pelo lado oposto. Mas podiam ouvir o canto dos padres — zumbido fúnebre mais alto a cada instante. De repente, solas de sapatos rasparam os degraus de madeira da forca e o xerife Clement e o superintendente Perkins surgiram na plataforma. Logo depois, se moveram rápido para o lado e abriram espaço para Holmes.

O grande criminoso avançou até o parapeito e lançou olhar sereno para a multidão. Na intensa luz matutina, seu cabelo ondulado parecia quase loiro, assim como o longo bigode ondulante. As testemunhas ficaram impressionadas com o asseio das roupas: o terno escovado, calças vincadas, sapatos de ponta quadrada polidos. Com o crucifixo diante de si, a expressão calma e imperturbável, parecia um clérigo prestes a proferir a homília para a congregação dominical.

"Cavalheiros, tenho algumas palavras", começou com voz maviosa. "Eu não faria nenhum comentário neste momento não fosse pelo meu sentimento de que, se não falar, aceito minha execução por enforcamento. Gostaria de dizer neste instante que a extensão de meus delitos em tirar vidas humanas consiste em matar duas mulheres. Elas morreram nas minhas mãos como resultado de operações criminosas. Declaro isso apenas para que não haja equívocos quanto as minhas palavras no futuro. Não sou culpado de tirar as vidas da família Pitezel, das três crianças ou do pai, Benjamin F. Pitezel, por cujas mortes serei enforcado agora. Isso é tudo o que tenho a dizer."

Mais tarde, um dos amigos íntimos de Holmes — o advogado R. O. Moon — revelou que, no dia anterior à execução, Holmes lhe confidenciara que as "mulheres" eram Julia Conner e Emeline Cigrand.

Depois dessa espantosa declaração — em essência, total retratação da confissão jurada que dera apenas algumas semanas antes —, Holmes fez uma mesura e deu rápido abraço em Rotan, que se virou e desceu às pressas os degraus do cadafalso, bastante dominado pela emoção. Holmes, enquanto isso — puxando as pernas das calças para cima a fim de preservar os vincos —, se ajoelhou por breve instante entre os padres que cantavam.

Voltou a se pôr de pé, entregou o crucifixo ao padre MacPake e se posicionou em cima do alçapão. Richardson se inclinou na sua direção e sussurrou alguma coisa em seu ouvido. Holmes assentiu, removeu o lenço branco do pescoço, abotoou o botão de cima do casaco, e então estendeu as mãos diante do corpo.

Richardson logo puxou um dos braços de Holmes para trás, depois o outro. A plateia ouviu um clique agudo — algemas fechadas em volta dos pulsos do condenado. Então Richardson pegou o que se parecia com um saco de cetim preto e o colocou sobre a cabeça dele.

"Ande logo, Alex", disse Holmes, a voz abafada pelo tecido.

Com frieza, Richardson passou o laço pelo pescoço de Holmes, levantou a parte inferior do capuz para apertar a corda. Àquela altura, o xerife Clement e o superintendente Perkins tinham sumido de vista. Os padres ainda ajoelhados no degrau de cima, entoavam o *Miserere*.

Richardson tirou do bolso seu lenço branco e deu um sinal que os espectadores não conseguiram ver. Quase de imediato, o ferrolho emitiu um clique e o alçapão se abriu com estrondo.

A figura de capuz preto despencou, foi impelido para cima, voltou a cair, então girou devagar na ponta da corda esticada, a cabeça inclinada para um lado em posição grotesca. Os dedos fecharam, o peito e os ombros subiram e desceram, e os pés se agitaram em estranho movimento rítmico, como se o corpo pendurado andasse no ar.

"Meu Deus", o xerife-assistente Saybolt ofegou e então desmaiou nos braços do homem parado ao seu lado. Muitos outros espectadores empalideceram e desviaram o olhar.

Enquanto o corpo rodava no raio de luz do sol, o médico da prisão — dr. Benjamin F. Butcher — subiu no banquinho oferecido pelo guarda e encostou o ouvido no peito de Holmes.

"Ainda está batendo", anunciou ele.

Embora a força da queda tivesse quebrado o pescoço de Holmes e deixado o laço tão apertado que a corda penetrou na carne, seu coração continuou a funcionar por mais quinze minutos. De tempos em tempos, o corpo estremecia e os membros se contorciam em movimentos convulsivos. Por fim, os movimentos diminuíram.

Exatamente às 10h25 — quinta-feira, 7 de maio de 1896 —, H. H. Holmes foi declarado morto.

Na opinião do júri do xerife, a morte tinha sido "instantânea". O enforcado, afirmaram com autoridade, "não sofreu nenhuma dor".

Enfim, após anos de demonização pela imprensa — acusado de ser "Satanás ou um de seus monstros escolhidos" —, Holmes recebeu não apenas status de humano, mas até mesmo certo grau de respeito. Os jornais trombetearam a execução nas edições matutinas, de Nova York a São Francisco, destacaram a força e coragem nos momentos finais da vida de Holmes. Mas foi o *Chicago Tribune* — jornal que o acusara por meses dos atos mais diabólicos — que lhe prestou a derradeira homenagem.

Holmes encontrara sua morte, dizia a manchete, "como homem".

THE JOURNAL

To-Morrow
Cometh apace, and the Journal will greet the new work-a-day week with a paper without a trace of "Blue Monday" upon one of its 16 pages.—One cent.

NEW YORK, SUNDAY, APRIL 12, 1896.—14 PAGES.—COPYRIGHT, 1896, BY W. R. HEARST.   PRICE THREE CENTS

H. H. HOLMES.

...emned Man----The Only
...is Crimes.)

...r to Which Any Man
...Signature.

...His Feelings While Doing
...re of Victims.

...ND CHILDREN TO DEATH.

...in the Secret Rooms of the Castle or Choked
...ulti-Murderer by Himself—He Says
...atan and Treats Himself
...ll.

...chapter in future histories as important
...ons to mount the gallows. It has a value
...more than a dozen murders, this fiend has
...merely a murderer for the incidental
...combating the ordinary difficulties of life.
...her interest in another man would de-
...life in favor of one of his victims, he killed
...sure of seeing his victim die, and the gro-
...ak, and while he had him helpless he bound
...of bringing about his death were open to
...ing heat on with as little compunction as
...vault to make murder easier; he smothered
...opted murder as a profession in life and
...culated on the possibility of being discov-
...on for blood lasted, or it would profit him
...e in it. He tells of murders that no one
...which he was suspected.
...own motives, and the picture he has drawn
...is a horror such as you read of in the
...Ages. There is no danger that he will
...is a freak of nature as much as a four-
...story is not born of any saving feeling of

...association of New York,
...this matter will be made
...tion.

...servants as these, could no longer, in the
... has   sense of making a mistake, be appropri-
...judge ately portrayed as being blind. I am moved
...cases to make this confession for a variety of rea-
...dis- sons, but among them are not those of
...ellous bravado or a desire to parade my wrong-
... was doings before the public gaze, and the who
...rear's reads the following lines will, I beg, make
... man a distinction between such motives and a
...could determination upon my part to enter plain-
... can   ly and minutely into the details of each
...ution case without favor toward myself; and
...the   having done so, I have chosen to make it
...   public by publishing it in the Journal, of
...ingly New York.
...as to   **Why He Is a Murderer.**
...senta   A word as to the motives or causes that
...stant have led to the commission of these many
...ctive crimes, and I will proceed to the most diffi-
...ng to cult and distasteful task of my life, the
... per- setting forth in all its horrid nakedness
...to be the recital of the premeditated killing of
...tting many beings, and the unsuccessful attempt
... hor- to take the lives of others, thus branding
...such   myself as the most detestable criminal of
...   modern times. A task so hard and distaste-
...   ful that beside it the certainty that in a

H. H. HOLMES, THE ARCH CRIMINAL OF MODERN HISTORY.
From the latest photograph of the murderer. A flashlight taken in jail for the Journal.

> To the New York Journal
> I positively + emphatically deny the assertions that any confession has been made by me Except one + which is the only one that will be made. The original confession is the one given to the New York Journal It alone is genuine all other are untrue
> April 11th 1896   Signed H H Holmes

few days I am to be hanged by the neck until I am dead seems but a pastime.

ACQUIRED HOMICIDAL MANIA—No cause save the occasional opportunity for pecuniary gain occasioned my crimes, and in advancing it as a reason, I do not do so

last few months these defects have increased with startling rapidity, as is made known to me by each succeeding examination, until I have become thankful that I am no longer allowed a glass with which to watch my rapidly deteriorating condition.

States Government, who had never previously seen me, said, within thirty seconds after entering my cell: "I know you are guilty."
Would it not then be the height of folly for me to die without speaking, if only for the

to the end, if he be charitable, will the words of the District-Attorney when the evidence of all these many ex has been collected and placed before by his trusty assistants, exclaimed: help such a man."

THE JOURNAL, SUNDAY, APRIL 12, 1896.

is death was brought
understood that from
acquaintance, even be-
l a family who would
itional victims for the
blood-thirstiness, I in-
d as my apparent trust
g in his name large
y, was simply to gain
lin and his family, so
s ripe they would the
to my hands.
...credible now as I look
have expected to have
nt satisfaction in wit-
y, to repay me for even
on that I had put forth
ring those seven long
sing of the amount of
nded for their welfare
what I could have ex-
olved from his compara-
assurance. Yet, so it is,
very striking illustration
which this human mind
circumstances indulge.
arison with which the
treasure at the rain-
lusions of the exponent
n, or the dreams of the
sanity itself.

Him Alive.

home for the last time
We journeyed together

quietly unlocked the door and stole noise-
lessly within, and in the second-story room
I found him insensibly drunk, as I expected.
Even in this condition the question may be
asked, "Had I no fear that he might be only
naturally asleep or partially insensible, and
therefore likely at any moment to come to
himself and defend himself?" I answer,
"NO." Only one difficulty presented itself.
It was necessary for me to kill him in such
a manner that no struggle or movement of
his body should occur, otherwise, his clothing being in any way displaced, it would
have been impossible to again put them in a

an opportunity to gratify my fiendish lust
for blood by going to the graveyard where
he had been taken, and under pretence of
securing certain portions of his body for
microscopical examinations removed same
with a knife, and the heartless manner in
which I did this and the evident gratifica-
tion it afforded me has been most forcibly
told by Mr. Smith upon the witness stand.
As an instance of the infallibility of jus-
tice, as a triumph of right over wrong,
and of the general safety of condemning

...tectives learned that I made this
the date that they knew the insu...
...tisement took place, they no longer
in stating that I, and I alone, c
murdered the boy.
Upon October 4, I returned t
...apolis, and later in the same day
Franklin, Ind., which is situated
of. Franklin to Irvington, represe
hypothenuse of a triangle, Frank
...dianapolis, and Indianapolis to I
the two shorter sides so that one
from Franklin to Irvington direc
making the longer journey via Indi
On October 5 the rent o f the h
paid, and at about 9 a. m. Oc
called upon Dr. Thompson, at I
for the keys, he having been a fe
...cupant. At 5 o'clock upon the sa
called upon Mr. Brown at Irvingt
...gage him to make some repairs
house, and upon his appearing I
I became very angry with him and
wonder now is that I did not ex
to the house and kill him also. 'J
circumstance aided in bringing t
home to me when it was made I
the detectives and considered by
connection of many other complain

Minnie Williams
Copyrighted 1896
by "Leslie's Weekly"

E. Alice Pitzel
Copyr'd 1896 by Leslie's Weekly

Nellie Pitzel
Copyr'd 1896 by Leslie's Weekly

Howard Pitzel
Copyrighted 1896 by Leslie's Weekly

Copyrighted 1896 by Leslie's Weekly
Benj. Pietzel

Nannie Williams
Copyrighted 1896 by Leslie's Weekly

Julia Connor

Emeline G. Cigrand

Pearl Conner

Edna Van Tassel

to death upon circumstantial evidence
alone, this case is destined to long remain
prominent as a warning to those viciously
inclined, and be a warning that their only
safe course is to avoid even the appear-
ance of evil.

Two questions that have been often asked
I will answer:

"Why did I make no defense at my trial
when by so doing I could lose nothing and
possibly could have gained?"

I answer that after Detective Geyer's
Western investigations, which we could
not at that time in any way refute, and in
the case of Dr. Leffman's learned statements, it would have been but a waste of
my counsel's energies and of my own to
have tried to convince the most impartial
of juries that it was a case of suicide and
not murder.

Is it to be wondered at that I hesitated
before placing the defense of suicide before a jury composed of men who had, with
three exceptions, stated under oath before
being passed upon by the Court as compe-
tent, that they had already formed opin-
ions prejudiced to my interests?

The second question is, did Pitzel during
his eight years' acquaintance and almost
constant association with me know that I
was a multi-murderer; and if he did know,
was he a party to such crimes?

violence and ungovernable temp...
come to their knowledge.
On October 7 I called at the
drug store early in the ev...
purchased the drugs I needed
boy, and the following evenin...
went to the same store and bo...
...ditional supply, as I found I n
...tained a sufficient quantity o
visit. My next step was to
furniture for the house.

Poisoned the Boy

This was done on October 8,
afternoon, at such an hour it
impossible for the store owner
them, and as I wished to stay a
that night, I hired a conveyan...

...d later to Philadelphia,
...ouse on Callow Hill street,
his death, September xx.,
Then came my writing to
...aging letters, purporting
...life, causing him to resort
e waiting from day to day
e sure to find him in a
at midday. This was an
was well acquainted with
so sure was I of finding
tated that when the day
was convenient for me to
fore I went to his house,

normal condition. I overcame this difficulty by first binding him hand and foot, and
having done this, I proceeded to burn him
alive, saturating his clothing and his face
with benzine, and igniting it with a match.
So horrible was this torture that in writing it I have been tempted to ...

On receipt of such intelligence I believed
the insurance company would at once pay
the full amount of the claim.
Chloroform did more than this, however;
it developed the condition of his body that
in my limited medical experience I have

THE EXECUTION OF HOLMES

CRIME SCENE: PROFILE

EPÍLOGO MALIGNO

EVIL EPILOGUE

Pouco menos de duas horas depois da execução de Holmes, o agente funerário John J. O'Rourke conduziu a carroça até os fundos de Moyamensing. Na caçamba, um caixão simples de pinheiro. Em poucos minutos, o corpo de Holmes saíra da penitenciária e fora colocado no esquife. O'Rourke de imediato voltou para casa e deu a volta até os fundos, onde dois assistentes aguardavam. No gramado ao lado deles havia um caixão muito maior e cinco barris de cimento Portland.

O caixão menor foi retirado da caçamba da carroça, e o maior carregado para cima dela. Então — de acordo com as instruções de Holmes — O'Rourke e seus assistentes despejaram uma camada de 25 cm de cimento recém-misturado no fundo do caixão maior. O cadáver de Holmes — ainda vestido com o terno do enforcamento — foi depositado no cimento e o rosto coberto por lenço de seda. Mais cimento se seguiu, compactado por O'Rourke por cima do corpo.

Quando o caixão encheu até o topo, a tampa foi pregada. Em seguida, levado ao Cemitério Holy Cross, condado de Delaware, e transferido para uma cripta, onde dois agentes dos Pinkerton o vigiaram durante a noite.

Na tarde seguinte, sexta-feira, 8 de maio, uma multidão de mais de cem homens, mulheres e crianças observava enquanto dezenas de trabalhadores robustos empurravam o caixão cheio de cimento pela rampa para cima da carroça de transporte de móveis. O ataúde foi levado à cova dupla, escavada com profundidade de 3 metros, que Samuel Rotan comprara mais cedo naquele dia por 24 dólares. À medida que o caixão deslizava com cuidado pela rampa até o fundo do buraco, o padre MacPake proferiu algumas palavras.

Quando o breve serviço religioso terminou, os coveiros cobriram o caixão com outra camada de areia e cimento, de 60 cm de espessura. Em seguida, pegaram as pás e jogaram terra sobre ele.

O último desejo de Holmes tinha sido realizado. Seu cadáver foi encerrado em diversas toneladas de cimento duro como pedra. Seria necessário um ladrão de túmulos de determinação incomum — alguém com furadeiras, dinamite e grua — para alcançar seus restos mortais.

Mas se o corpo de Holmes estava aprisionado para sempre, sua alma malevolente era outra história. Ainda que a coragem diante da morte lhe rendeu a admiração relutante da imprensa, continuou vivo na imaginação do público como criatura de maldade sobrenatural. Nos meses seguintes à execução, essa percepção pareceu se confirmar pela sequência de bizarros infortúnios que recaiu sobre pessoas envolvidas no caso. Era como se o espírito demoníaco de Holmes tivesse se erguido do túmulo para se vingar daqueles que conspiraram contra ele.

Em rápida sucessão, o dr. William K. Mattern — o médico-legista que foi testemunha importante da acusação — morreu de sepse (infeção generalizada); o legista Ashbridge e o juiz Arnold sofreram de doenças que colocaram suas vidas em risco; o superintendente Perkins, de Moyamensing, suicidou-se; Peter Cigrand — pai da amante assassinada de Holmes, Emeline — sofreu queimaduras terríveis em explosão de gás; e o detetive Frank Geyer sofreu grave enfermidade.

Pouco tempo depois, um incêndio destruiu o escritório de O. LaForrest Perry, o gestor de sinistros da Fidelity Mutual, de grande ajuda na captura de Holmes. Todos os móveis e materiais no escritório de Perry foram destruídos pelas chamas, exceto três recordações emolduradas: a cópia original do mandado de prisão e dois retratos fotográficos de Holmes. Ao ver esses três suvenires incólumes na parede acima das ruínas carbonizadas da mesa de Perry, a secretária implorou para que os destruísse. Àquela altura, as pessoas já comentavam sobre a "Maldição de Holmes".

Mesmo aqueles que prestaram socorro ao mestre criminoso não pareciam imunes à maldição. Várias semanas depois do enforcamento, o reverendo Henry J. MacPake — o jovem padre com rosto delicado que administrara a extrema-unção a Holmes e então oficializara o funeral — foi encontrado morto no pátio dos fundos da St. Paul's Academy, na Christian Street. O legista declarou uremia (acúmulo de ureia no sangue) como causa da morte. Isso, contudo, não explicava os marcados hematomas no rosto e na cabeça do jovem padre. Nem as manchas de sangue na cerca dos fundos, nem as misteriosas pegadas no chão, ao lado do cadáver.

Mesmo assim, foi a trágica morte de Linford Biles que fez os céticos se perguntarem se haveria alguma verdade em toda aquela conversa sobre a "influência maligna" de Holmes.

Na manhã de um sábado, algumas semanas depois da execução, Biles — o tesoureiro de 65 anos que tinha servido como primeiro jurado — despertou com a comoção sob a janela de seu quarto. Olhou para fora e viu a pequena multidão reunida na rua. As pessoas apontavam para cima e gritavam algo a respeito de incêndio.

Biles vestiu-se depressa e correu até a calçada. Em cima do telhado, uma chama azulada disparou para o céu. Biles de imediato adivinhou a fonte — os fios cruzados acima da sua casa se tocaram, soltaram faísca e incendiaram as telhas. Aqueles fios já lhe causaram problemas antes.

Em minutos, ele voltou para dentro de casa, disparou para o andar superior e escalou até o telhado, para, de algum modo, afastar os fios das telhas. Sua filha, ao ver o que o pai fazia, acordou o irmão, incitou-o também a subir no telhado e trazer Biles para dentro antes que se machucasse "mexendo com" os fios.

O jovem atendeu ao pedido. Segundos depois, os espectadores lá embaixo ouviram um estranho baque surdo no telhado — depois, silêncio agourento. Àquela altura, a polícia já estava no local. Quando subiu ao telhado, encontrou os corpos de pai e filho estendidos lado a lado. O Biles mais jovem ainda respirava, mas o pai — que por acidente fez contato direto com os fios elétricos — fora eletrocutado. Sua mão esquerda estava chamuscada, a testa escurecida, o pé esquerdo com graves queimaduras.

Conforme as notícias se espalhavam, os vizinhos se reuniam do lado de fora da casa. Um desses vizinhos era a sra. Crowell, idosa presente quando os mesmos fios quase começaram um grande incêndio, dois anos antes. Ela pressentira algo sinistro naquela ocasião e receara que o sr. Biles tivesse um fim horrível. Agora que seu pressentimento sombrio se concretizava, só foi capaz de balançar negativamente a cabeça, espantada.

"Eu li nos jornais quando Holmes disse que começava a se parecer com o diabo", contou a idosa ao repórter do *Philadelphia Times* que chegara para investigar as alegações de que a "maldição" reclamou outra vítima. "Agora acho que ele não só se parecia com o diabo, mas que era mesmo um, de verdade."

Nos anos seguintes, outros homens que no passado realizaram transações com Holmes teriam desfechos violentos. Um desses foi Marion Hedgepeth.

Por fornecer informações sobre Holmes, Hedgepeth esperava um indulto. Uma palavra oficial de agradecimento foi tudo o que recebeu. No mesmíssimo dia da execução de Holmes, Hedgepeth foi levado à Penitenciária do Estado do Missouri para começar a sentença de 25 anos. "É isso que uma vida de trapaças me rendeu", disse, com uma careta, enquanto os oficiais o conduziam para dentro.

Ainda assim, havia fiéis partidários do "Bandido Bonitão", que de imediato começaram campanha para libertá-lo, com petições para o governador, que engrandeciam Hedgepeth como "amigo da sociedade", que "ajudara a exterminar monstro terrível". Conforme os anos passavam, os jornais, de tempos em tempos, publicavam histórias sobre a reabilitação de Hedgepeth na prisão. De acordo com esses relatos inspiradores, o antigo ladrão de estradas lia a Bíblia e redigia cartas para a mãe em maior parte do seu tempo livre.

Ele também escreveu outras cartas, inclusive para William Pinkerton, na qual incitava a antiga nêmese a ajudá-lo a obter um indulto. "Aqui estou eu, velho alquebrado, com doença incurável, à espera da morte... Se algum dia for solto, vou correr de volta para os braços da minha pobre e velha mãe."

Afinal, no dia 4 de julho de 1906, as preces de Hedgepeth foram atendidas. Ele recebeu o indulto do governador Folk. A uma multidão reunida do lado de fora dos portões da penitenciária para lhe desejar bons votos, o antigo fora da lei galante — agora grisalho e desdentado — disse: "Irei ao Colorado se conseguir chegar tão longe. Se não conseguir, então, nos braços da minha pobre e velha mãe e de quatro irmãs devotas, vou abrir mão da minha vida miserável e desperdiçada".

De volta a sua casa, no Missouri, contudo, Hedgepeth parecia menos inclinado a apenas se aninhar no canto e morrer. Ele conseguiu arrumar emprego como informante para os Pinkerton, trabalhava sob a orientação de F. H. Tillotson, gerente-geral da filial da agência em Kansas City. Muitos dos detetives se mostraram muito desconfiados em relação a Hedgepeth, mas Tillotson se manteve firme na crença de que "ele é honesto na tentativa de se regenerar [...] e pode ser encarregado de fazer qualquer coisa que pedirmos".

Habilidade para decifrar o caráter das pessoas é requisito para qualquer bom detetive, e Tillotson era de primeira linha. O fato de seu julgamento nesse caso ser errôneo foi menos falha sua e mais marca da astúcia excepcional de Hedgepeth.

Em setembro de 1907, Hedgepeth foi preso por explodir um cofre em Omaha, Nebraska. Foi declarado culpado e condenado a dez anos de prisão. Libertado após apenas dois, em grande parte porque estava morrendo de tuberculose, de imediato montou nova gangue e assaltou um bar em Chicago à meia-noite da véspera do ano-novo de 1910. Enquanto guardava o butim em um saco de aniagem, um policial passou na porta do estabelecimento. Hedgepeth levou a mão à arma, mas o policial sacou primeiro.

Morreu com uma bala no peito.

Aos poucos, as histórias sobre a Maldição de Holmes desvaneceram. Mas no dia 7 de março de 1914, quase vinte anos depois do notório "homicida múltiplo" ser executado, um inquietante artigo apareceu no *Chicago Tribune*. "MORREM OS SEGREDOS DO 'CASTELO HOLMES'", dizia a manchete.

A história relatava o suicídio de Pat Quinlan, antigo zelador do Castelo e suspeito de ser cúmplice nos crimes de Holmes. À época de seu suicídio, Quinlan morava em uma fazenda perto de Portland, Michigan. Ele se matou ao tomar estricnina, e sua morte — como declarou o jornal — significava que "os mistérios do Castelo Holmes" permaneceriam para sempre sem explicação.

Quanto ao motivo do suicídio de Quinlan, ninguém foi capaz de explicá-lo por completo, embora os parentes apresentassem pista sugestiva. Alguma coisa parecia assombrá-lo, contaram à polícia. Durante inúmeros meses antes de ingerir o veneno, Pat Quinlan não conseguia mais dormir.

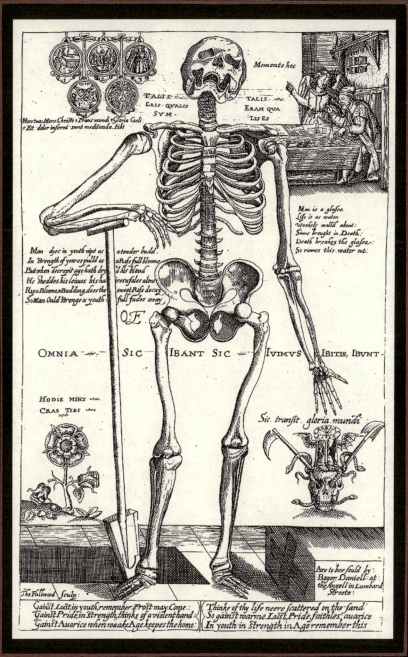

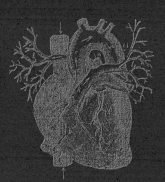
HUMAN HEART.

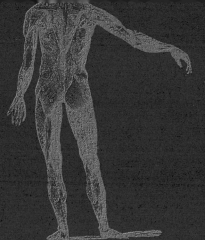
BACK MUSCLES.

FONTES
PESQUISA

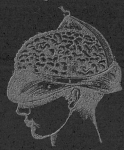
BRAIN.

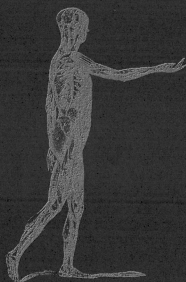
SIDE MUSCLES.

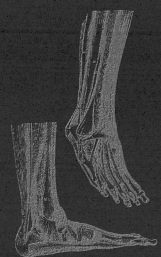
MUSCLES OF FOOT AND LEG.

HAND AND WRIST.

VEINS OF THE BODY.

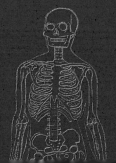

CRIME SCENE: PROFILE

FONTES, PESQUISAS
E AGRADECIMENTOS

Quando comecei as pesquisas para este livro, no outono de 1990, fiquei pasmo (e um pouco intimidado) pela enorme quantidade de material sobre Holmes publicado desde o dia de sua prisão até seu enterro bizarro sob várias toneladas de cimento. Dado o enorme fascínio que exerceu sobre o público estadunidense, pareceu inexplicável que esse criminoso extraordinário tenha sido esquecido por todos, exceto pelos entusiastas mais dedicados de histórias verdadeiras de crimes. Enquanto isso, seu contemporâneo, Jack, o Estripador, conquistou a imortalidade de um verdadeiro mito popular.

Parte do apelo do Estripador, sem dúvida, origina-se do mistério de sua identidade, que continua a provocar detetives amadores por toda parte. Mas a resposta para a atual obscuridade de Holmes também repousa, acredito, na natureza de seus crimes.

Embora o número preciso de suas vítimas nunca venha a ser conhecido — estimativas variam entre centenas — parece certo que, no mínimo, ele assassinou nove pessoas ao longo de dado período de anos (Ben Pitezel e seus três filhos, Julia e Pearl Conner, Emeline Cigrand e as duas irmãs Williams), desse modo se qualificando como o primeiro serial killer dos Estados Unidos. Ainda assim, com seu "Castelo dos Horrores", clorofórmio e tonéis de produtos químicos, ele com frequência se parece com a figura de uma era diferente, criatura saída de romance gótico ou de pesadelo vitoriano. (Seus contemporâneos o descreviam como o médico e o monstro da vida real.) Além disso, ainda que com certeza fosse psicopata (à época de sua execução, surgiram relatos de que a princípio fugira de New Hampshire após mutilar o próprio filho que teve com Clara Lovering), é difícil determinar até que ponto seus crimes foram motivados por sadismo sexual. Em contrapartida, o Estripador — o assassino motivado pela luxúria que brandia uma lâmina e perseguia mulheres pela noite — fala de maneira mais direta com as ansiedades e obsessões da nossa própria era.

Em todo caso, os jornais da época serviram como minha fonte primária de material. O caso Holmes ganhou as primeiras páginas dos jornais de costa a costa, ainda que tivesse recebido coberturas mais exaustiva nas duas cidades diretamente envolvidas em seus crimes, Chicago e Filadélfia. Ele também recebeu atenção abundante da imprensa de Nova York (de fato, o *New York World* pareceu desfrutar de relacionamento bastante privilegiado com Holmes, que forneceu ao jornal um fluxo contínuo de declarações exclusivas durante o julgamento).

Para a minha reconstrução do começo da vida, educação e carreira criminosa de Holmes; da construção, exploração e destruição do Castelo; do golpe do seguro e da investigação da morte de Pitezel; da captura, do julgamento, da execução e do enterro de Holmes — para essas e outras partes da história (das primeiras proezas de Marion Hedgepeth, por exemplo, e meu epílogo a respeito da Maldição de Holmes), contei

essencialmente com os seguintes jornais: *Philadelphia Inquirer, Philadelphia Public Ledger, Philadelphia Times, Chicago Tribune, Chicago Inter Ocean, Chicago Times-Herald, New York Times, New York World* e *New York Herald*.

Minha recriação da célebre caçada por Alice, Nellie e Howard Pitezel conduzida por Geyer também foi baseada nesses jornais, ainda que minha principal fonte tenha sido o livro do próprio Geyer, *The Holmes-Pitezel Case* [O caso Holmes-Pitezel] (Filadélfia: Publisher's Union, 1896). Até onde pode ser determinado, existe apenas uma única cópia do *Holmes's Own Story* [A história do próprio Holmes] (Filadélfia: Burk & McFethridge Co., 1895), que está preservada na Seção de Livros Raros da Biblioteca do Congresso e formou a base do meu capítulo sobre essa autobiografia fascinante, mesmo que bastante duvidosa. Minha descrição do julgamento em grande parte teve como base a transcrição oficial, publicada em livro, *The Trial of Herman W. Mudgett, Alias, H. H. Holmes, For the Murder of Benjamin F. Pitezel* [O julgamento de Herman W. Mudgett, pseudônimo H. H. Holmes, pelo assassinato de Benjamin F. Pitezel] (Filadélfia: George T. Bisel, 1897).

Outros livros da época que, no mínimo, forneceram discernimento a respeito tanto da obsessão do público por Holmes quanto dos padrões jornalísticos quase sempre escandalosos da época foram Robert L. Corbitt, *The Holmes Castle* [O Castelo Holmes] (Chicago: Corbitt & Morrison, 1895), *Holmes, the Arch-Fiend, or: A Carnival of Crime* [Holmes, o Inimigo, ou: um festival de crimes] (Cincinnati: Barclay & Co., c. 1895) e — sem dúvida, o mais odioso livro de "histórias verdadeiras de crimes" jamais publicado — *Sold to Satan, Holmes — A poor wife's sad* story, not a mere rehash, but something new and never before published. A living victim [Vendida ao Satanás, Holmes — A triste história da pobre esposa, não mera nova versão, mas algo novo e nunca antes publicado. Uma vítima viva] (Filadélfia: Old Franklin Publishing House, c. 1895).

A vida de Holmes foi contada (geralmente de maneira imprecisa) em muitas histórias sobre crimes, remetendo ao *Murder in All Ages* [Assassinato em todas as eras] de Matthew Pinkerton (Chicago: A. E. Pinkerton and Co., 1898). Além do livro de Pinkerton, consultei os seguintes volumes: Thomas S. Duke, *Celebrated Criminal Cases of America* [Célebres casos criminosos dos Estados Unidos] (São Francisco: The James H. Barry Co., 1910); H. B. Irving, *A Book of Remarkable Criminals* [Um livro de criminosos notáveis] (Nova York: George H. Doran Co., 1918); Allan Churchill, *A Pictorial History of American Crime, 1849-1929* [Uma história visual do crime norte-americano, 1849-1929] (Nova York: Holt, Rinehart & Winston, 1964); Robert Jay Nash, *Bloodletters and Badmen* [Cartas de sangue e homens maus] (Nova York: M. Evans, 1973); Carl Sifratis, *The Encyclopedia of American Crime* [A Enciclopédia do crime norte-americano] (Nova York: Facts on File, 1982); e James D. Horan e Howard Swiggett, *The Pinkerton Story* [A história dos Pinkerton] (Nova York: G. P. Putnam Sons, 1951). Este último também contém boa quantidade de informações úteis sobre a vida incorrigível de Marion Hedgepeth.

Os horripilantes acontecimentos no Castelo Holmes na rua Sessenta e Três formam capítulo pitoresco nos anais do crime de Chicago. Eu encontrei muito material útil, bastante vívido, em:

Herbert Ashbury, *The Gem of the Prairi An Informal History of the Chicago Underworld* [A joia da pradaria: uma história informal sobre o submundo de Chicago] (Nova York: Alfred A. Knopf, 1940); Stephen Longstreet, *Chicago 1860-1919* (Nova York: David McKay, 1973) e Finis Farr, *Chicago: A Personal History of America's Most American City* [Chicago: a história pessoal da cidade mais norte-americana dos Estados Unidos] (New Rochelle, N.Y.: Arlington House, 1973).

Para o meu capítulo sobre o Incêndio de Chicago, me baseei em Robert Cromie, *The Great Chicago Fire* [O grande incêndio de Chicago] (Nova York: McGraw Hill, 1958) e em David Lowe, editor, *The Great Chicago Fire: In Eyewitness Accounts and Contemporary Photographs and Illustrations* [O grande incêndio de Chicago: Em relatos de testemunhas oculares e fotografias e ilustrações contemporâneas] (Nova York: Dover Books, 1979). Baseei minha discussão sobre a "cura Keeley" em informações encontradas em Mark E. Lender e James Kirby Martin, *Drinking in America: A History* [Bebendo nos Estados Unidos: uma história] (Nova York: Free Press, 1982). Meu capítulo sobre Jack, o Estripador, tem origem parcial em Donald Rumbelow, *The Complete Jack the Ripper* [A história completa de Jack, o Estripador] (Boston: New York Graphic Society, 1975). Minhas descrições sobre a Feira Mundial de Chicago fazem uso do material de fontes jornalísticas contemporâneas, além de David Borg, *Chicago's White City of 1893* [A cidade branca de Chicago de 1893] (Lexington, Ky.: University Press of Kentucky, 1976) e Arthur Schlesinger, *The Rise of the City: 1878 – 1898* [A ascensão da cidade: 1878 - 1898] (Nova York: Macmillan, 1933).

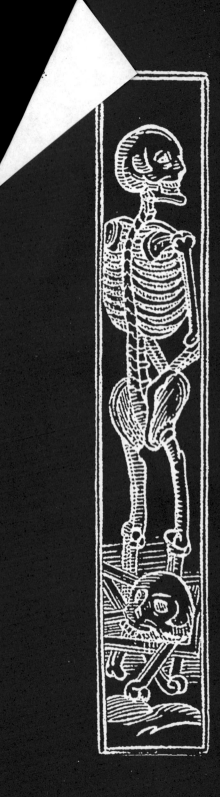

Desde a década de 1950, Holmes é assunto de diversos livros além deste. Um dos melhores é também o mais difícil de encontrar: Charles Boswell e Lewis Thompson, *The Girls in Nightmare House* [As garotas na casa dos pesadelos] (Nova York: Fawcet Publications, 1955), uma edição em brochura vivaz, bem-pesquisada (ainda que há muito tempo fora de catálogo), cujos título e ilustração de capa extravagantes contradizem a abordagem nem um pouco sensacionalista do autor. Também estou em dívida com o acadêmico *The Torture Doctor* [O doutor tortura] (Nova York: Hawthorn Books, 1972), de David Franke, assim como o estou com o próprio Franke, que me forneceu inúmeras dicas úteis. Holmes aparece sob a forma fictícia no suspense de Robert Bloch, *American Gothic* [Gótico americano] (Nova York: Simon & Schuster, 1974) e é o assunto do romance admirável e pesquisado à exaustão de Allan Eckert, *The Scarlet Mansion* [A mansão escarlate] (Boston: Little Brown and Company, 1985).

Graças a Allan Eckert conheci a pessoa a quem este livro é dedicado, Mildred Voris Kerr. Filha de Dessie Pitezel e neta de Carrie e Benjamin, essa extraordinária (e de fato inspiradora) mulher não demorou a se tornar não apenas fonte generosa de conhecimento, mas uma amiga. Sua morte aos 89 anos, em abril de 1993, pegou todo mundo de surpresa. Pessoa de vitalidade tão notável que — para aqueles que tiveram o privilégio de conhecê-la — era como se pudesse aproveitar a vida para sempre.

Por diversas formas de ajuda, bondade e apoio, eu também gostaria de agradecer a Ward Childs, Jennifer Ericson, Eileen Flanagan, Suzanne Katz, Allen Koenigsberg, Catharine Ostlind, Richard e Alice Pisciotta, Ralph Pugh, Sylvia Reid, Patterson Smith, Loretto Szucs, Peter M. Vanwingen e Mike Wilk.

Por fim, minha mais profunda gratidão, como sempre, a Linda Marrow.

JORNAIS DA ÉPOCA

SELECTED ARTICLES FROM
CHRONICLING AMERICA
"He Died for Ducats"
The Anaconda Standard
(Anaconda, MT), November
19, 1894, Image 1, col. 5.
"Stranger than Fiction"
The Herald (Los Angeles, CA), November 21, 1894, Image 1, col. 1-2.
"The Pitezel Mystery"
The Herald (Los Angeles, CA), November 22, 1894, Image 1, col. 1-2.
"Buried in a Cellar"
The San Fransisco Call (San Fransisco, CA), July 16, 1895, Image 1, col. 3-4.
"Telltale Skulls"
St. Paul Daily Globe (Saint Paul, MN), July 28, 1895, Image 1, col. 3-4.
"Fresh Start Taken"
The Witchita Daily (Witchita, KS), August 3, 1895, Image 1, col. 3-4.
"Holmes His Own Lawyer"
The Evening Times (Washington, DC), October 28, 1895, Image 1, col. 3.
"Hanged for Many Crimes"
The San Fransisco Call (San Fransisco, CA), May 8, 1896, Image 1, col. 4-6.
"Crime Castle Builder Dead"
The Yale Expositor (Yale, MI), March 12, 1914, Image 6, col. 5.
"Hounded to Death by Ghosts of Castle He Built"
The Ogden Standard (Ogden City, UT), July 4, 1914, Holiday Edition, Magazine Section, Image 19, col. 1-7.

CRÉDITOS DE IMAGEM
©Shutterstock, ©Gettyimage,
©Alamy, Library of Congress
Division Washington, ©C.D. Arnold,
©Charles Graham, ©C. C. Hyland,
©Chicago History Museum,
©Newman Arts, ©The Journal
New York, ©Daniel Coway
©Chicago Tribune Archive

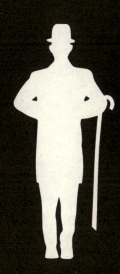

Hey Mr Killer Man what ya gunna do?
Me and Mr Death are going downtown too

— NICK CAVE & BAD SEEDS —

CRIME SCENE
DARKSIDE

DARKSIDEBOOKS.COM

HAROLD SCHECHTER é um escritor norte-americano de true crime especializado em assassinos seriais. Frequentou a Universidade Estadual de Nova York na cidade de Buffalo onde fez seu doutorado com orientação de Leslie Fiedler. Ele é professor de Literatura Americana e Cultura Popular no Queens College de Nova York. A DarkSide já publicou o best-seller *Serial Killers: Anatomia do Mal.*
site do autor - haroldschechter.com